最新 臨床検査学講座

# 臨床微生物学
## 第2版

編集
松本哲哉

医歯薬出版株式会社

# 「最新臨床検査学講座」の刊行にあたって

1958年に衛生検査技師法が制定され，その教育の場からの強い要望に応えて刊行されたのが「衛生検査技術講座」であります．その後，法改正およびカリキュラム改正などに伴い，「臨床検査講座」(1972)，さらに「新編臨床検査講座」(1987)，「新訂臨床検査講座」(1996)と，その内容とかたちを変えながら改訂・増刷を重ねてまいりました．

2000年4月より，新しいカリキュラムのもとで，新しい臨床検査技師教育が行われることとなり，その眼目である"大綱化"によって，各学校での弾力的な運用が要求され，またそれが可能となりました．「基礎分野」「専門基礎分野」「専門分野」という教育内容とその目標とするところは，従前とかなり異なったものになりました．そこで弊社では，この機に「臨床検査学講座」を刊行することといたしました．臨床検査技師という医療職の重要性がますます高まるなかで，"技術"の修得とそれを応用する力の醸成，および"学"としての構築を目指して，教育内容に沿ったかたちで有機的な講義が行えるよう留意いたしました．

その後，ガイドラインが改定されればその内容を取り込みながら版を重ねてまいりましたが，2013年に「国家試験出題基準平成27年版」が発表されたことにあわせて紙面を刷新した「最新臨床検査学講座」を刊行することといたしました．新シリーズ刊行にあたりましては，臨床検査学および臨床検査技師教育に造詣の深い山藤　賢先生，高木　康先生，奈良信雄先生，三村邦裕先生，和田隆志先生を編集顧問に迎え，シリーズ全体の構想と編集方針の策定にご協力いただきました．各巻の編者，執筆者にはこれまでの「臨床検査学講座」の構成・内容を踏襲しつつ，最近の医学医療，臨床検査の進歩を取り入れることをお願いしました．

本シリーズが国家試験出題の基本図書として，多くの学校で採用されてきました実績に鑑みまして，ガイドライン項目はかならず包含し，国家試験受験の知識を安心して習得できることを企図しました．国家試験に必要な知識は本文に，プラスアルファの内容は側注で紹介しています．また，読者の方々に理解されやすい，より使いやすい，より見やすい教科書となるような紙面構成を目指しました．本「最新臨床検査学講座」により臨床検査技師として習得しておくべき知識を，確実に，効率的に獲得することに寄与できましたら本シリーズの目的が達せられたと考えます．

各巻テキストにつきまして，多くの方がたからのご意見，ご叱正を賜れば幸甚に存じます．

2015年春

医歯薬出版株式会社

# 第2版の序

　本書は，2017年2月に発刊された最新臨床検査学講座「臨床微生物学」第1版の改訂版である．すでに本書は"赤本"として臨床検査技師養成校の教科書として広く使用され，国家試験の準備においても活用されるなど重要な位置付けの書籍になっている．

　そういう意味においても，本書の執筆を担当された先生方は，どこまで記載する範囲を広げるか，どの程度詳しい解説を行うか，などについて，学生を教育する状況を思い浮かべて悩みながら作られたことを改めて記載しておきたい．

　感染症はさまざまな変化が認められる．新型コロナウイルス感染症のように新たな感染症が出現することもあれば，梅毒のような古い感染症が急増することもある．新たな治療薬やワクチンが開発され，診療面の取り組み方にも変化がもたらされている．

　感染症の検査も，これまで対象外であった病原体の検査が新たに開発され，マルチの遺伝子関連検査や質量分析（MALDI-TOF MS）の保険適用も認められて，導入する医療機関も増えつつある．さらに，新型コロナウイルス感染症の影響で，一般の診療所でも遺伝子関連検査などを用いた迅速診断が活用されるようになっている．

　このように，さまざまな状況が変化しており，以前の記載のままでは現状に合わない内容も多くなってきた．本書が果たすべき役割を考えると，なるべく最新の情報を取り入れていくことが重要と考えられる．その一方で，過度に詳しくならないような配慮も必要であり，改訂の作業に関しては多くの苦労と長い期間を要した．

　今後も，本書の内容が現状と異なるような変化は続いていくであろう．そのため，教科書としての本書の記載を理解すべき知識の標準と考えていただくのは適切だと思われるが，もし何か疑問を持った場合は，自分で確認する姿勢も必要だと思われる．

　私はときに立派な社会人になった方から，「先生の教科書で勉強しました」と声をかけてもらうことがある．直接，その学生さんを教える機会が無かったとしても，ある期間，側に置いて一緒に勉強してもらった教科書を作り得たことを光栄に思う．

　本書が，多くの学生さんの勉学の一助となり，記憶に残るような書籍になれば望外の喜びである．

2024年1月

著者を代表して　松本哲哉

# 序

　本書は，臨床検査技師の育成に用いられる教科書としてこれまで高い評価を得てきた「臨床検査学講座　微生物学/臨床微生物学」の改訂版である．改訂が必要であった理由としては，感染症を取り巻く状況が大きく変化し，それに伴って臨床検査技師が学ぶべき内容も変わってきているためである．

　感染症はその時々で新しい感染症が問題となって，社会に大きな影響を及ぼしてきた．最近でもさまざまな新興・再興感染症が世界各地で流行し問題となっている．また，耐性菌の問題も深刻になってきている．これらの変化に対して，診断や治療，予防など，それぞれの点において対応が迫られている．

　感染症の検査のあり方も大きな変化を迎えている．抗原検出法の各種キットが発売され，新たな病原体に対する遺伝子学的検査も保険適用が認められるようになり，MALDI-TOF MSを用いた質量分析による菌種の同定が利用可能になってきている．新しい検査法の導入は，より早く，より的確な感染症の病原体診断を可能にするだけでなく，検査を行う場所や手順，評価基準，報告内容にまで影響を及ぼしている．

　このように，移り変わりの激しい感染症の領域においては，これまで教えられていた知識に加えて，新しい知識の修得も必要となり，学ぶべき内容は格段に増加している．しかし，臨床検査を学ぶ人達にとって大切なのは，むやみに覚えるべき内容を増やすことではなく，必要と考えられる情報を取捨選択し，意味付けを行いながら，やがて臨床検査技師として働くことになった際に生かせる知識を修得することであると思われる．

　このような視点に立って，今回は執筆者を一新して新しい書籍として提供することとなった．本書が，微生物学を学ぶ学生にとって，記憶に残る貴重な一冊になることを願っている．

2017年1月

著者を代表して　松本哲哉

● 編　集　　　松本　哲哉　　国際医療福祉大学主任教授（医学部感染症学講座）
　　　　　　　　　　　　　　国際医療福祉大学成田病院感染制御部部長

● 執筆者（50音順）

赤松　紀彦　　長崎大学病院検査部副技師長

飯沼　由嗣　　金沢医科大学教授（臨床感染症学）

石井　良和　　広島大学特任教授（(IDEC)国際連携機構）

岡崎　充宏　　東京工科大学教授（医療保健学部臨床検査学科）

佐々木雅一　　東邦大学医療センター大森病院臨床検査部副技師長

佐藤　智明　　国際医療福祉大学成田病院検査部技師長

髙橋　孝　　　北里大学大学院教授（感染制御科学府感染症学研究室）

豊川　真弘　　福島県立医科大学教授（保健科学部臨床検査学科）

中村　竜也　　京都橘大学教授（健康科学部臨床検査学科）

西山　宏幸　　日本大学医学部附属板橋病院臨床検査部技術長

松本　哲哉　　（前掲）

三澤　成毅　　順天堂大学医療科学部臨床検査学科

宮本　仁志　　愛媛大学医学部附属病院検査部

森田　耕司　　群馬パース大学客員教授（医療技術学部）

栁原　克紀　　長崎大学大学院教授（医歯薬学総合研究科展開医療科学講座病態解析・診断学分野）

山本　剛　　　大阪大学大学院医学系研究科寄附講座講師（変革的感染制御システム開発学寄附講座）

吉田　敦　　　東京都健康長寿医療センター（感染症内科），東京女子医科大学（感染症科）

最新臨床検査学講座
# 臨床微生物学　第2版
CONTENTS

## 第1章　微生物学 ... 1
### A 序論 ... 1
#### I 微生物学，臨床微生物学の歴史的背景 ... 1
1 感染症および微生物学の歴史 ... 1
2 感染症治療の歴史 ... 2
3 感染予防の歴史 ... 3
4 感染制御の歴史 ... 5
#### II 病原微生物の分類 ... 5
1 生物分類における微生物の位置づけ ... 5
2 微生物の分類と命名 ... 6
　1）微生物の分類基準　6
　2）微生物の命名法　7
3 微生物の分類 ... 7
　1）一般細菌　7
　2）抗酸菌　8
　3）マイコプラズマ　8
　4）クラミジア　8
　5）リケッチア　9
　6）真菌　9
　7）ウイルス　9
　8）プリオン　9
### B 総論 ... 10
#### I 細菌の形態と構造 ... 10
1 細菌の大きさ ... 10
2 細菌の形態と配列 ... 10
　1）細菌の形態と配列　10
　2）細菌の微細構造と外部構造　11
　3）芽胞の形成（環境適応のための構造変化）　13
#### II 細菌の代謝と発育 ... 15
1 細菌の代謝の概要 ... 15
2 呼吸と発酵 ... 16
　1）好気的呼吸と嫌気的呼吸　16
　2）発酵　16
　3）解糖系　18
3 高分子成分の代謝 ... 19
　1）炭水化物の代謝　19
　2）窒素化合物の代謝　19
　3）脂肪の代謝　20
4 細菌の増殖 ... 20
　1）細菌の成長と分裂　20
　2）細菌の増殖曲線　20
5 細菌数の測定法 ... 21
　1）生菌数測定法　21
　2）全菌数測定法　21
#### III 細菌の観察法と染色法 ... 22
1 細菌の観察法 ... 22
　1）顕微鏡の種類と細菌の観察　22
　2）顕微鏡による細菌の観察法　23
2 微生物の染色法 ... 23
　1）染色法の種類　23
　2）代表的な染色法と原理　24
#### IV 細菌の発育と培養 ... 31
1 細菌の発育 ... 31
　1）細菌における細胞の組成　32
　2）細菌の栄養素　33
　3）細菌の栄養要求性（エネルギー産生）　34
2 細菌の培養 ... 34
　1）培養の目的　34
　2）培地の成分　35
　3）培養に必要な物理的条件　36
　4）培地の分類　38
#### V 細菌培養法 ... 40
1 分離培養 ... 40
　1）検体の前処理法　40
　2）画線培養法　40
　3）混釈平板培養法　41
2 純培養と継代培養 ... 41
3 集落の観察 ... 41

4 嫌気培養……………………………42
　　　1）嫌気環境の作り方　42
　　5 炭酸ガス培養………………………42
　　6 微好気培養…………………………43
　　7 特殊培養……………………………43
　　8 菌株の保存…………………………43
Ⅵ 細菌の同定……………………………43
　1 同定の基本的概念……………………43
　2 代表的な同定法………………………44
　　1）直接塗抹標本の顕微鏡検査　44
　　2）培養・同定検査　44
　　3）分子生物学的検査　45
　　4）血清学的検査　45
　　5）簡易同定キットによる迅速同定　46
Ⅶ 遺伝・変異と遺伝子診断……………46
　1 遺伝と変異の概念……………………46
　2 遺伝子の構成…………………………46
　3 ゲノムの概念…………………………46
　4 プラスミドおよびバクテリオファージの概念…………………………………46
　5 トランスポゾン………………………47
　6 遺伝形質の伝達………………………48
　　1）形質転換　48
　　2）接合伝達　48
　　3）形質導入　49
　7 遺伝子の変化と再構築………………50
　　1）遺伝子組換え　50
　　2）遺伝子修復　50
　8 感染症の遺伝子診断…………………50
　　1）病原微生物の遺伝子関連検査　50
　　2）ハイブリダイゼーション　50
　　3）遺伝子増幅法（標的遺伝子増幅法）51
　　4）DNA 塩基配列の決定　52
　　5）感染症の遺伝子関連検査において大切なこと　52
Ⅷ 滅菌および消毒………………………52
　1 滅菌と消毒の概念……………………52
　　1）滅菌　53

　　2）消毒　53
　2 殺菌法…………………………………53
　　1）滅菌法　53
　　2）消毒法　56
　3 ウイルスおよびプリオンの不活化…56
　　1）ウイルスの不活化　56
　　2）プリオンの不活化　58
　4 消毒薬の殺菌効力検定法……………58
　　1）試験管を用いた方法　59
　　2）手指消毒の評価法　59
Ⅸ 化学療法………………………………60
　1 化学療法の概念………………………60
　2 薬剤感受性検査………………………60
　　1）最小発育阻止濃度（MIC）　61
　　2）最小殺菌濃度（MBC）　61
　　3）耐性機序の検査法　61
　3 抗菌薬の種類と特徴…………………61
　　1）抗菌薬　62
　　2）抗結核薬　65
　　3）抗真菌薬　66
　　4）抗ウイルス薬　66
　4 化学療法の基本………………………66
　　1）適正な抗菌薬の選択　66
　　2）抗菌薬の Pharmacokinetics/Pharmacodynamics　67
　　3）PK/PD に関する用語　67
　5 治療薬物モニタリング（TDM）……68
　　1）TDM が必要な抗菌薬および抗真菌薬　68
　6 薬剤耐性………………………………68
　　1）不活化　68
　　2）作用点の質的変化による親和性低下　70
　　3）作用点周囲の濃度制限　71
Ⅹ ワクチン………………………………72
　1 ワクチンの基本的概念………………72
　2 ワクチンの種類………………………72
　3 予防接種の種類………………………73

## XI 常在細菌叢とその変動 …………… 74
### 1 常在細菌叢の概念 ………………… 74
1) 定住菌と通過菌　75
2) 常在細菌叢を左右する因子　75
### 2 常在細菌叢の分布 ………………… 76
1) 口腔内細菌叢　76
2) 鼻腔・咽頭など上気道の細菌叢　77
3) 皮膚の細菌叢　78
4) 腸管内細菌叢（腸内フローラ）　78
5) 腟の細菌叢　79
6) 外陰部・尿道の細菌叢　79
### 3 常在細菌叢の生理的機能―腸内フローラ ……………………………… 79
### 4 常在細菌叢と感染 ………………… 80
1) 常在菌による感染（内因性感染）　80
2) 常在細菌叢と化学療法　80

## XII 病原性と抵抗力 ………………… 80
### 1 感染の概念と病態 ………………… 80
1) 感染と感染症　80
2) 感染症の経過　80
### 2 宿主の抵抗力（生体防御機構）…… 81
1) 抵抗力（生体防御機構）の概念　81
2) 生体防御機構にかかわる因子　82
### 3 微生物の病原性に関与する因子 … 83
1) 病原性の概念　83
2) 微生物の病原因子　83
### 4 感染と発症 ………………………… 84
1) 感染の発現様式と転帰　84
2) 感染源と感染経路　85
### 5 各種感染症の概念 ………………… 86
1) 新興・再興感染症　86
2) 輸入感染症　87
3) 人獣共通感染症　87
4) 性感染症　88
5) バイオテロ　89
### 6 食中毒 ……………………………… 90
1) 細菌性食中毒　90
2) ウイルス性食中毒　91
3) 原虫や寄生虫によるもの　91

## XIII バイオセーフティ ……………… 91
### 1 バイオハザード対策 ……………… 91
### 2 エアロゾル感染 …………………… 92
### 3 病原体の危険度分類 ……………… 93
### 4 生物学的安全キャビネット ……… 93
### 5 感染性廃棄物の取り扱い方 ……… 93
### 6 バイオハザードに留意すべき疾患 … 94
1) 細菌感染症　95
2) 抗酸菌感染症　95
3) 真菌感染症　95
4) ウイルス感染症　95
5) その他の感染症（クラミジア，リケッチア，原虫など）　95

## XIV 医療関連感染 …………………… 96
### 1 病院感染（院内感染）…………… 96
1) 病院感染の位置づけと感染防止対策の必要性　96
2) 病院感染防止対策　96
3) 感染制御とICT活動，AST活動　100

## XV 細菌検査の精度管理 …………… 101
### 1 内部精度管理 …………………… 101
### 2 外部精度管理 …………………… 102

## XVI 感染症関連法規 ………………… 103
### 1 感染症法 ………………………… 103
1) 感染症法とは　103
2) 感染症法の分類　103
3) 特定病原体等　103
### 2 食品衛生法 ……………………… 105
### 3 その他の法律 …………………… 106
1) 検疫法　106
2) 学校保健安全法　107
3) 予防接種法　107

# 第2章 臨床微生物学 ……………… 109

## A 細菌学各論 …………………… 109

### a. 好気性または通性嫌気性グラム陽性球菌 …………………………… 109

#### a-1 スタフィロコッカス属，ミクロコッカス属およびカタラーゼ陽性グラム陽性球菌 …………………… 109

##### I スタフィロコッカス属 ……… 109
1 黄色ブドウ球菌 …………… 111
2 コアグラーゼ陰性ブドウ球菌群（CNS）………………………… 112
　1）スタフィロコッカス・エピデルミディス　112
　2）スタフィロコッカス・ルグドゥネンシス　113
　3）腐生ブドウ球菌　113
3 その他のブドウ球菌 ……… 113
　1）スタフィロコッカス・シュードインターメディウス　113

##### II ミクロコッカス属およびその他の菌種 …………………………… 113

#### a-2 ストレプトコッカス属とエンテロコッカス属 …………………… 114

##### I ストレプトコッカス属 ……… 114
1 化膿レンサ球菌（溶連菌）…… 115
2 ストレプトコッカス・アガラクティエ ………………………… 117
3 ストレプトコッカス・ディスガラクティエ ………………………… 117
4 ストレプトコッカス・アンギノーサス　グループ …………… 118
5 ビリダンスグループ　ストレプトコッシ ………………………… 118
6 ストレプトコッカス・ニューモニエ ………………………………… 118

##### II エンテロコッカス属 ………… 120
1 エンテロコッカス・フェカーリス …………………………………… 120
2 エンテロコッカス・フェシウム … 120
3 その他のエンテロコッカス属 … 121

##### III その他のカタラーゼ陰性グラム陽性球菌 ……………………………… 121
1 ロイコノストック属とペディオコッカス属 …………………………… 121
2 エロコッカス属 …………… 121

### b. グラム陰性球菌および球桿菌 ……… 122

#### b-1 ナイセリア科とモラクセラ科 … 122

##### I ナイセリア属 ……………… 122
1 淋菌 ……………………… 122
2 髄膜炎菌 ………………… 124
3 その他のナイセリア属 …… 126

##### II キンゲラ属 ………………… 126
##### III エイケネラ属 ……………… 126
##### IV クロモバクテリウム属 …… 126
##### V モラクセラ属 ……………… 127
1 モラクセラ・カタラーリス … 127
2 モラクセラ・ラクナータ …… 128

### c. グラム陰性，通性嫌気性の桿菌 …… 129

#### c-1 腸内細菌目 ………………… 129
1 分類 ……………………… 129
2 病原性 …………………… 129
3 生化学的性状による分類と同定 … 129
4 薬剤耐性の傾向 ………… 131
　1）β-ラクタム系抗菌薬　131
　2）ニューキノロン系抗菌薬　132
　3）アミノグリコシド系抗菌薬　132

##### I 腸内細菌科 ………………… 132
1 エシェリキア属 …………… 132
　1）大腸菌　132
2 シゲラ属 ………………… 135
3 サルモネラ属 …………… 136
4 クレブシエラ属 …………… 140
　1）クレブシエラ・ニューモニエ　141
　2）クレブシエラ・オキシトカ　141
　3）クレブシエラ・オザナエ　142
　4）クレブシエラ・リノスクレロマティス　142

- 5) クレブシエラ・アエロゲネス　142
- 5 エンテロバクター属　142
- 6 シトロバクター属　143
  - 1) シトロバクター・フロインディ　143
  - 2) シトロバクター・コセリ　143
- 7 プレジオモナス属　143

### II エルシニア科　144
- 1 エルシニア属　144
  - 1) ペスト菌　144
  - 2) 腸炎エルシニア　145
  - 3) 仮性結核菌　146
- 2 セラチア属　146
  - 1) セラチア・マルセッセンス　147

### III ハフニア科　147
- 1 ハフニア属　147
- 2 エドワージエラ属　148

### IV モルガネラ科　148
- 1 プロテウス属　149
  - 1) プロテウス・ブルガリス　149
  - 2) プロテウス・ミラビリス　149
- 2 モルガネラ属　150
- 3 プロビデンシア属　150

## c-2 ビブリオ科　151
### I ビブリオ属　151
- 1 コレラ菌（血清型 O1 および O139 型）　152
- 2 非 O1，非 O139 コレラ菌　153
- 3 ビブリオ・ミミカス　153
- 4 腸炎ビブリオ　154
- 5 ビブリオ・アルギノリチカス　155
- 6 ビブリオ・フルビアリス，ビブリオ・ファーニシ　155
- 7 ビブリオ・バルニフィカス　155

## c-3 エロモナス属　156
- 1 エロモナス・ハイドロフィラ，エロモナス・ダケンシス，エロモナス・キャビエ，エロモナス・ヴェロニ生物型ソブリア　156

## c-4 パスツレラ科　158
### I パスツレラ属　158
- 1 パスツレラ・ムルトシダ　158
### II ヘモフィルス属　159
- 1 ヘモフィルス・インフルエンザ　159
- 2 軟性下疳菌　161
- 3 ヘモフィルス・パラインフルエンザ　161
- 4 ヘモフィルス・エジプチウス　161
- 5 ヘモフィルス・ヘモリチカス　162
### III アグリゲイティバクター属　162
- 1 アグリゲイティバクター・アクチノミセテムコミタンス　162
- 2 アグリゲイティバクター・アフロフィルス，アグリゲイティバクター・パラフロフィルスおよびアグリゲイティバクター・セグニス　162
### IV アクチノバシラス属　162

## c-5 バルトネラ科　164
### I バルトネラ属　164
- 1 バルトネラ・クインタナ，バルトネラ・ヘンセラエ，バルトネラ・バシリフォルミス　164

## c-6 その他の通性嫌気性グラム陰性桿菌　166
### I カルジオバクテリウム属　166
- 1 カルジオバクテリウム・ホミニス，カルジオバクテリウム・ヴァルヴァルム　166
### II カプノサイトファーガ属　166
### III ストレプトバシラス属　167
- 1 ストレプトバシラス・モニリフォルミス　167
### IV 分類学的に科が確定していない通性嫌気性グラム陰性桿菌　168
- 1 ガードネレラ属　168
  - 1) ガードネレラ・バジナリス　168

- d. グラム陰性，好気性の桿菌 ………… 170
  - d-1 シュードモナス科，他 …………… 170
    - Ⅰ シュードモナス属 ……………… 170
      - 1 緑膿菌 ……………………… 170
      - 2 シュードモナス・フルオレッセンス，シュードモナス・プチダ ……… 172
    - Ⅱ バークホルデリア属 …………… 172
      - 1 バークホルデリア・セパシア …… 172
      - 2 バークホルデリア・シュードマレイ ……………………………… 173
      - 3 バークホルデリア・マレイ ……… 174
    - Ⅲ ステノトロホモナス属 …………… 174
      - 1 ステノトロホモナス・マルトフィリア ……………………………… 174
    - Ⅳ アシネトバクター属 …………… 175
    - Ⅴ アルカリゲネス属，アクロモバクター属 ………………………… 176
    - Ⅵ クリセオバクテリウム属，エリザベスキンギア属 …………………… 176
    - Ⅶ ボルデテラ属 …………………… 176
      - 1 百日咳菌 …………………… 177
  - d-2 ブルセラ科 ……………………… 179
    - Ⅰ ブルセラ属 ……………………… 179
  - d-3 フランシセラ科 ………………… 181
    - Ⅰ フランシセラ属 ………………… 181
      - 1 野兎病菌 …………………… 181
  - d-4 レジオネラ科 …………………… 182
    - Ⅰ レジオネラ属 …………………… 182
      - 1 レジオネラ・ニューモフィラ …… 182
  - d-5 コクシエラ科 …………………… 184
    - Ⅰ コクシエラ属 …………………… 184
      - 1 Q熱コクシエラ ……………… 184
- e. グラム陰性，微好気性のらせん菌 … 185
  - Ⅰ スピリルム属 ……………………… 185
    - 1 鼠咬症スピリルム ……………… 185
  - Ⅱ カンピロバクター属 ……………… 185
    - 1 カンピロバクター・ジェジュニ … 186
    - 2 カンピロバクター・コリ ………… 187
    - 3 カンピロバクター・フィタス …… 187
    - 4 嫌気性カンピロバクター属 …… 187
      - 1) カンピロバクター・ウレオリティカス 187
      - 2) カンピロバクター・グラシリス 188
    - 5 その他のカンピロバクター属 …… 188
  - Ⅲ ヘリコバクター属 ………………… 188
    - 1 ヘリコバクター・ピロリ ………… 188
    - 2 ヘリコバクター・シネジー ……… 189
  - Ⅳ アーコバクター属 ………………… 190
- f. グラム陽性，好気性の桿菌 ………… 191
  - f-1 有芽胞菌 ………………………… 191
    - Ⅰ バシラス属 ……………………… 191
      - 1 炭疽菌 ……………………… 191
      - 2 バシラス・セレウス ………… 192
      - 3 枯草菌 ……………………… 193
      - 4 ゲオバシラス・ステアロサーモフィラス ……………………………… 193
  - f-2 無芽胞菌 ………………………… 194
    - Ⅰ リステリア属 …………………… 194
      - 1 リステリア・モノサイトゲネス … 194
    - Ⅱ エリジペロスリックス属 ……… 195
      - 1 豚丹毒菌 …………………… 195
    - Ⅲ コリネバクテリウム属 ………… 196
      - 1 ジフテリア菌 ………………… 196
      - 2 その他のジフテロイド ………… 197
        - 1) コリネバクテリウム・ウルセランス 197
        - 2) コリネバクテリウム・シュードツベルクローシス 198
        - 3) コリネバクテリウム・シュードジフテリティカム 198
        - 4) コリネバクテリウム・ジェイケイウム 198
        - 5) コリネバクテリウム・ウレアリティカム 198
        - 6) コリネバクテリウム・ストリアータム 198

- 7) コリネバクテリウム・クロッペンステッティー 198
- **g. グラム陽性，抗酸性の桿菌**‥‥‥‥199
- **g-1 マイコバクテリア科**‥‥‥‥199
  - Ⅰ マイコバクテリウム属‥‥‥‥199
    - 1 結核菌群‥‥‥‥199
      - 1) 結核菌（ヒト型結核菌） 199
      - 2) ウシ型結核菌 204
      - 3) ネズミ型結核菌 204
      - 4) アフリカ型結核菌 204
    - 2 光発色菌群（Ⅰ群）‥‥‥‥204
      - 1) マイコバクテリウム・カンサシー 204
      - 2) マイコバクテリウム・マリナム 204
      - 3) マイコバクテリウム・シミエ 205
    - 3 暗発色菌群（Ⅱ群）‥‥‥‥205
      - 1) マイコバクテリウム・スクロフラセウム 205
      - 2) マイコバクテリウム・ゼノピ 205
      - 3) マイコバクテリウム・ゴルドネ 205
      - 4) マイコバクテリウム・ウルセランス 205
    - 4 非光発色菌群（Ⅲ群）‥‥‥‥206
      - 1) マイコバクテリウム・アビウム-イントラセルラーレコンプレックス（MAC） 206
      - 2) マイコバクテリウム・ヘモフィラム 206
      - 3) マイコバクテリウム・ノンクロモゲニカムコンプレックス 206
    - 5 迅速発育菌群（Ⅳ群）‥‥‥‥206
    - 6 らい菌群‥‥‥‥207
      - 1) らい菌 207
- **g-2 ノカルジア科**‥‥‥‥208
  - Ⅰ ノカルジア属‥‥‥‥208
- **g-3 ツカムレラ科**‥‥‥‥210
  - Ⅰ ツカムレラ属‥‥‥‥210
- **h. 偏性嫌気性菌**‥‥‥‥211
- **h-1 総論**‥‥‥‥211
  - Ⅰ 偏性嫌気性菌の定義‥‥‥‥211
  - Ⅱ 嫌気性菌と酸素‥‥‥‥211
  - Ⅲ 嫌気性菌と酸化還元電位‥‥‥‥211
  - Ⅳ 嫌気性菌の生息部位‥‥‥‥211
  - Ⅴ 嫌気性菌の分類‥‥‥‥212
  - Ⅵ 嫌気性菌の関連する疾患‥‥‥‥212
    - 1 外因性嫌気性菌による疾患‥‥‥‥212
    - 2 内因性嫌気性菌による疾患‥‥‥‥212
    - 3 嫌気性菌が関与する感染症の一般的な特徴‥‥‥‥212
    - 4 嫌気性菌感染症を成立させる宿主側の因子‥‥‥‥214
    - 5 嫌気性菌の病原因子‥‥‥‥214
    - 6 嫌気性菌の関与する疾患の種類‥‥‥‥214
  - Ⅶ 嫌気性菌感染症の検査・診断‥‥‥215
    - 1 検査に適した材料と適さない材料‥‥‥‥215
    - 2 正しい輸送法と輸送容器‥‥‥‥215
    - 3 嫌気培養システム‥‥‥‥215
    - 4 検査室での検査材料の処理法‥‥‥215
      - 1) 直接塗抹標本の観察所見 215
      - 2) 前処理と分離培養 215
    - 5 嫌気性菌の同定‥‥‥‥216
      - 1) 分離培養 216
      - 2) 増菌培養 216
      - 3) 耐気性試験 216
      - 4) 各種同定検査 216
  - Ⅷ 嫌気性菌感染症の治療‥‥‥‥216
    - 1 治療の原則‥‥‥‥216
    - 2 嫌気性菌の化学療法‥‥‥‥217
- **h-2 嫌気性グラム陽性球菌**‥‥‥‥219
  - 1 ペプトストレプトコッカス・アネロビウス‥‥‥‥219
  - 2 ファインゴルディア・マグナ‥‥219

3 パルビモナス・ミクラ………………219
　　　4 ペプトニフィラス・アサッカロリティカス………………………………219
　　　5 その他のグラム陽性球菌…………219
　h-3 嫌気性グラム陰性球菌………………220
　　Ⅰ ベイヨネラ属………………………220
　　Ⅱ アシダミノコッカス属……………220
　　Ⅲ メガスフェラ属……………………220
　　Ⅳ ネガティビコッカス属……………220
　h-4 嫌気性グラム陽性無芽胞桿菌……221
　　Ⅰ アクチノミセス属…………………221
　　　1 アクチノミセス・イスラエリ……221
　　　2 アクチノミセス・オドントリチカス………………………………………222
　　　3 アクチノミセス・ミエリ…………222
　　Ⅱ プロピオニバクテリウム属………222
　　　1 プロピオニバクテリウム・プロピオニクム………………………………222
　　Ⅲ キューティバクテリウム属………222
　　　1 キューティバクテリウム・アクネス………………………………………222
　　Ⅳ エガーセラ属………………………223
　　　1 エガーセラ・レンタ………………223
　　Ⅴ モビルンカス属……………………223
　　Ⅵ ラクトバシラス属…………………223
　　Ⅶ ビフィドバクテリウム属…………223
　　Ⅷ その他のグラム陽性無芽胞桿菌………………………………………224
　h-5 嫌気性グラム陰性桿菌………………225
　　Ⅰ バクテロイデス属…………………225
　　　1 バクテロイデス・フラジリス……225
　　　2 バクテロイデス・シータイオタオーミクロン……………………………225
　　　3 バクテロイデス・ブルガータス………………………………………226
　　　4 その他のバクテロイデス属………226
　　Ⅱ パラバクテロイデス属……………227
　　Ⅲ プレボテラ属………………………227
　　　1 色素を産生するプレボテラ属……227
　　　2 色素を産生しないプレボテラ属………………………………………227
　　Ⅳ ポルフィロモナス属………………228
　　　1 ポルフィロモナス・アサッカロリティカ……………………………229
　　　2 ポルフィロモナス・ジンジバリス………………………………………229
　　　3 その他のポルフィロモナス属……229
　　Ⅴ フソバクテリウム属………………229
　　　1 フソバクテリウム・ヌクレアタム………………………………………229
　　　2 フソバクテリウム・ネクロフォルム………………………………………229
　　　3 フソバクテリウム・モルティフェラム，フソバクテリウム・バリウム……229
　　Ⅵ その他の菌種………………………230
　　　1 バイロフィラ・ワズワーシア……230
　　　2 レプトトリキア・ブッカーリス……230
　　　3 デスルフォビブリオ属……………230
　　　4 ディアリスター属…………………230
　h-6 嫌気性グラム陽性有芽胞桿菌……231
　　Ⅰ クロストリジウム属………………231
　　　1 ボツリヌス菌………………………232
　　　2 破傷風菌……………………………232
　　　3 ウェルシュ菌………………………233
　　　4 その他のクロストリジウム属……233
　　Ⅱ クロストリジオイデス属…………233
　　　1 クロストリジオイデス（クロストリジウム）・ディフィシル………233
i. スピロヘータ……………………………235
　Ⅰ スピロヘータ属，トレポネーマ属………………………………………235
　　　1 梅毒トレポネーマ…………………235
　Ⅱ ボレリア属…………………………237
　　　1 回帰熱ボレリア……………………237
　　　2 ライム病ボレリア…………………237
j. レプトスピラ……………………………239
　Ⅰ レプトスピラ属……………………239
　　　1 レプトスピラ症……………………240

- k. マイコプラズマ …………………… 241
  - I マイコプラズマ属 ……………… 241
    - 1 マイコプラズマ・ニューモニエ‥ 242
    - 2 マイコプラズマ・ゲニタリウム‥ 243
    - 3 その他のマイコプラズマ属……… 243
  - II ウレアプラズマ属 ……………… 243
- l. リケッチア ………………………… 245
  - I リケッチア属 …………………… 246
    - 1 発疹チフス群リケッチア………… 246
      - 1) 発疹チフスリケッチア 246
      - 2) 発疹熱リケッチア 246
    - 2 紅斑熱群リケッチア …………… 246
      - 1) ロッキー山紅斑熱リケッチア 246
      - 2) 日本紅斑熱リケッチア 246
  - II オリエンティア属 ……………… 247
    - 1 ツツガ虫病リケッチア ………… 247
  - III ネオリケッチア属 ……………… 248
  - IV エールリキア属 ………………… 248
- m. クラミジア ………………………… 249
  - I クラミジア属 …………………… 250
    - 1 クラミジア・トラコマチス …… 250
    - 2 オウム病クラミジア …………… 251
    - 3 肺炎クラミジア ………………… 251
- B 真菌学 ………………………………… 253
  - a. 総論 ……………………………… 253
    - I 真菌の分類 ……………………… 253
      - 1 接合菌門 ………………………… 254
      - 2 子嚢菌門 ………………………… 254
      - 3 担子菌門 ………………………… 254
      - 4 不完全菌類 ……………………… 254
    - II 酵母 ……………………………… 254
    - III 糸状菌 …………………………… 255
    - IV 真菌の理解に必要となる関連用語 ………………………………………… 255
  - b. 各論 ……………………………… 258
    - I 酵母および酵母様真菌 ………… 258
      - 1 カンジダ属 ……………………… 258
      - 2 クリプトコックス属 …………… 261
      - 3 癜風菌 …………………………… 263
    - II 糸状菌 …………………………… 263
      - 1 アスペルギルス属 ……………… 263
      - 2 ムーコル類 ……………………… 263
      - 3 黒色真菌 ………………………… 266
      - 4 二形性真菌 ……………………… 266
        - 1) 輸入真菌 267
        - 2) スポロトリックス・シェンキー 268
      - 5 皮膚糸状菌 ……………………… 268
    - III ニューモシスチス・イロベチ…… 270
  - c. 検査法 …………………………… 272
    - I 真菌感染症検査法の特徴と留意点 ………………………………………… 272
    - II 臨床材料別の病原真菌 ………… 273
    - III 真菌の検査法 …………………… 274
      - 1 塗抹鏡検検査 …………………… 274
      - 2 分離培養検査 …………………… 275
      - 3 同定検査 ………………………… 276
        - 1) 酵母 276
        - 2) 糸状菌 278
      - 4 血清学的検査 …………………… 278
  - d. 治療 ……………………………… 281
    - I 表在性真菌症の治療 …………… 281
      - 1 皮膚糸状菌症（白癬）………… 281
      - 2 カンジダ症 ……………………… 281
      - 3 マラセチア感染症 ……………… 282
      - 4 スポロトリコーシス …………… 282
      - 5 黒色真菌感染症（クロモミコーシス） ………………………………………… 282
    - II 深在性真菌症の治療 …………… 282
      - 1 カンジダ症 ……………………… 282
      - 2 アスペルギルス症 ……………… 282
      - 3 ムーコル症（接合菌症）……… 284
      - 4 クリプトコックス症 …………… 284
      - 5 ニューモシスチス肺炎（PCP）… 284
- C ウイルス学 …………………………… 285
  - a. 総論 ……………………………… 285
    - I ウイルスの構造と形態 ………… 285

- II ウイルスの分類 …… 286
  - 1 ウイルスの構造・性状に基づく分類 …… 286
  - 2 ウイルスの侵入門戸に基づく分類 …… 287
  - 3 ウイルスの臓器・組織・細胞親和性に基づく分類 …… 287
  - 4 ウイルスの基本再生産数に基づく分類 …… 287
- III ウイルス感染の病態 …… 287
  - 1 細胞レベルでのウイルス感染 …… 288
  - 2 個体レベルでのウイルス感染 …… 289
  - 3 ウイルス感染に伴う免疫反応 …… 289
- IV ウイルス感染症の治療 …… 289
- b. 各論 …… 292
- b-1 DNA ウイルス …… 292
  - I ポックスウイルス科 …… 292
    - 1 痘瘡ウイルス …… 292
    - 2 伝染性軟属腫ウイルス …… 293
  - II ヘルペスウイルス科 …… 293
    - 1 単純ヘルペスウイルス（HSV） …… 293
    - 2 水痘-帯状疱疹ウイルス（VZV） …… 294
    - 3 ヒトサイトメガロウイルス（HCMV） …… 294
    - 4 EB ウイルス（EBV） …… 295
    - 5 ヒトヘルペスウイルス 6（HHV-6） …… 296
    - 6 ヒトヘルペスウイルス 7（HHV-7） …… 296
    - 7 ヒトヘルペスウイルス 8（HHV-8） …… 296
  - III アデノウイルス科 …… 297
  - IV パピローマウイルス科，ポリオーマウイルス科 …… 298
  - V パルボウイルス科 …… 298
  - VI ヘパドナウイルス科 …… 299
- b-2 RNA ウイルス …… 300
  - I オルトミクソウイルス科 …… 300
    - 1 インフルエンザウイルス …… 300
  - II パラミクソウイルス科 …… 301
    - 1 ヒトパラインフルエンザウイルス …… 301
    - 2 ムンプスウイルス …… 301
    - 3 麻疹ウイルス …… 302
    - 4 ヒト RS ウイルス …… 302
  - III トガウイルス科，マトナウイルス科，フラビウイルス科 …… 303
    - 1 トガウイルス科，マトナウイルス科 …… 303
    - 2 フラビウイルス科 …… 303
  - IV アレナウイルス科 …… 304
    - 1 ラッサウイルス …… 304
  - V ブニヤウイルス科 …… 305
  - VI コロナウイルス科 …… 305
  - VII ピコルナウイルス科 …… 306
    - 1 エンテロウイルス属 …… 306
    - 2 ライノウイルス属 …… 307
  - VIII レオウイルス科 …… 308
    - 1 ロタウイルス …… 308
  - IX ラブドウイルス科 …… 308
    - 1 狂犬病ウイルス …… 309
  - X フィロウイルス科 …… 309
  - XI レトロウイルス科 …… 310
    - 1 ヒト T 細胞白血病ウイルス（HTLV） …… 310
    - 2 ヒト免疫不全ウイルス（HIV） …… 311
  - XII 肝炎ウイルス …… 311
    - 1 A 型肝炎ウイルス（HAV） …… 311
    - 2 B 型肝炎ウイルス（HBV） …… 312
    - 3 C 型肝炎ウイルス（HCV） …… 313
    - 4 D 型肝炎ウイルス（HDV） …… 313
    - 5 E 型肝炎ウイルス（HEV） …… 314
  - XIII 下痢症をきたすウイルス …… 314
    - 1 カリシウイルス科 …… 315
      - 1) ノロウイルス属　315
      - 2) サポウイルス属　315
    - 2 アストロウイルス科 …… 315

3 腸アデノウイルス……………316
　XIV プリオン………………………316
c. 検査法……………………………318
　I ウイルス検査法の概要………318
　II ウイルス感染症の検査法………318
　　1 培養・同定……………………318
　　2 血清学的診断…………………318
　　3 抗原検出………………………319
　　4 遺伝子学的検査………………319
　　5 病理学的検査…………………319

# 第3章　微生物検査法……………321

## A 基本操作……………………………321
　I 実験室（基準および封じ込め）と無菌操作……………………………321
　　1 基準実験室および封じ込め実験室…321
　　2 開放型実験台…………………321
　　3 生物学的安全キャビネット（BSC）とクリーンベンチの違い……………321
　II 微生物検査の基本的手技………322
　　1 基本的手技……………………323
　　　1）ガスバーナーの使用法　323
　　　2）白金線（耳）の使用法　324
　　　3）シャーレの持ち方　325
　　　4）分離培養のための画線塗抹方法　325
　　　5）分離培養上の集落の釣菌と純培養の方法　327
　　　6）試験管の持ち方　328

## B 顕微鏡による観察…………………329
　I 各種検査材料からのGram染色所見（特殊染色を含む）…………………329
　　1 グラム陽性菌の染色所見……329
　　2 グラム陰性菌の染色所見……330
　　3 上皮および血球成分…………331
　　4 各種Gram染色像からの菌種推定……………………………331
　　5 特殊染色の染色像……………334

## C 培養と培地…………………………337
　I 微生物検査に用いる培地の種類と選択……………………………337
　　1 分離培地………………………337
　　　1）非選択分離培地　337
　　　2）選択分離培地　337
　　　3）鑑別培地　337
　　2 増菌培地………………………337
　　3 確認培地………………………337
　　4 保存・輸送培地………………338
　II 培地の種類と特徴………………338
　III 菌株保存の種類と方法…………344
　　1 継代培養法……………………344
　　2 凍結保存法……………………344
　　3 凍結乾燥保存法………………345
　　4 ゼラチンディスク法…………345

## D 検査材料別検査法…………………346
　I 微生物検査法の概要……………346
　　1 検体採取と輸送………………346
　II 血液の検査法……………………346
　　1 血液から検出される原因菌…346
　　2 検査手順………………………347
　　　1）血液培養のための採血　347
　　　2）自動血液培養検査装置と血液培養ボトル　348
　　　3）鏡検と分離培養（サブカルチャー）348
　III 髄液の検査法……………………349
　　1 髄液から検出される原因菌…349
　　2 検査手順………………………349
　　　1）採取　350
　　　2）肉眼的観察　350
　　　3）塗抹検査　350
　　　4）迅速抗原検査　350
　　　5）培養検査　350
　IV 尿の検査法………………………351
　　1 尿から検出される原因菌……351
　　2 検査手順………………………351
　　　1）採尿　351

2）肉眼的観察　352
　　3）塗抹検査　352
　　4）尿中抗原検査　352
　　5）尿中菌数定量培養　352
　　6）培養検査　353
## V 下気道検体（喀痰など）の検査法‥353
　1 下気道感染症の種類と原因微生物の疫学
　　‥‥‥‥‥‥‥‥‥‥‥‥‥‥‥‥353
　2 下気道感染症の検査に用いる検体，検体
　　採取および保存‥‥‥‥‥‥‥‥‥‥353
　3 検査法‥‥‥‥‥‥‥‥‥‥‥‥‥‥353
　　1）喀痰の肉眼的外観の観察による品質
　　　　評価法　353
　　2）塗抹検査　356
　　3）喀痰の前処理（均質化）　358
　　4）分離培養　358
　　5）迅速抗原検査　358
　　6）特殊な微生物の検査　358
　4 検査結果の解釈と報告‥‥‥‥‥‥‥359
## VI 咽頭・鼻咽腔粘液の検査法‥‥‥‥360
　1 上気道感染症の種類と原因微生物の疫学
　　‥‥‥‥‥‥‥‥‥‥‥‥‥‥‥‥360
　2 上気道感染症の検査に用いる検体，検体
　　採取および保存‥‥‥‥‥‥‥‥‥‥360
　3 検査法‥‥‥‥‥‥‥‥‥‥‥‥‥‥360
　　1）迅速抗原検査　360
　　2）塗抹検査　360
　　3）分離培養　361
　4 検査結果の解釈と報告‥‥‥‥‥‥‥361
## VII 糞便の検査法‥‥‥‥‥‥‥‥‥‥361
　1 腸管感染症の種類と原因微生物の疫学
　　‥‥‥‥‥‥‥‥‥‥‥‥‥‥‥‥361
　2 腸管感染症の検査に用いる検体，検体採
　　取および保存‥‥‥‥‥‥‥‥‥‥‥362
　3 検査法‥‥‥‥‥‥‥‥‥‥‥‥‥‥363
　　1）肉眼的外観の観察　363
　　2）塗抹検査　363
　　3）迅速抗原検査　363
　　4）分離培養　363

## VIII 膿・分泌物，体腔液，穿刺液の検査法
　　‥‥‥‥‥‥‥‥‥‥‥‥‥‥‥‥363
　1 検査対象となる検体と検査法‥‥‥‥363
　2 検体採取および保存‥‥‥‥‥‥‥‥364
　3 検査法‥‥‥‥‥‥‥‥‥‥‥‥‥‥364
　　1）肉眼的外観の観察　364
　　2）塗抹検査　364
　　3）分離培地と増菌培地　365
　　4）培養日数と分離培地の観察と同定検
　　　　査　365
　　5）嫌気性菌の検査（耐気性試験）　365
# E 細菌の鑑別と同定に日常用いられる検査法
　‥‥‥‥‥‥‥‥‥‥‥‥‥‥‥‥‥‥367
## I 溶血性テスト‥‥‥‥‥‥‥‥‥‥‥367
## II 炭水化物分解テスト‥‥‥‥‥‥‥‥367
　1 糖分解テスト‥‥‥‥‥‥‥‥‥‥‥367
　2 ONPG テスト（$\beta$-D-ガラクトシダーゼ
　　テスト）‥‥‥‥‥‥‥‥‥‥‥‥‥368
　3 VP（フォーゲス・プロスカウエル）反
　　応‥‥‥‥‥‥‥‥‥‥‥‥‥‥‥‥368
## III アミノ酸分解テスト‥‥‥‥‥‥‥‥368
　1 インドールテスト‥‥‥‥‥‥‥‥‥368
　2 IPA 反応（インドールピルビン酸産生テ
　　スト）‥‥‥‥‥‥‥‥‥‥‥‥‥‥369
　3 アミノ酸脱炭酸・加水分解テスト‥369
　4 硫化水素産生テスト‥‥‥‥‥‥‥‥369
　5 尿素分解テスト‥‥‥‥‥‥‥‥‥‥369
## IV 硝酸塩還元テスト‥‥‥‥‥‥‥‥‥370
## V 有機酸塩の利用能テスト‥‥‥‥‥‥370
　1 クエン酸塩利用能テスト‥‥‥‥‥‥370
　2 マロン酸塩利用能テスト‥‥‥‥‥‥371
## VI 呼吸酵素に関するテスト‥‥‥‥‥‥371
　1 カタラーゼテスト‥‥‥‥‥‥‥‥‥371
　2 オキシダーゼテスト‥‥‥‥‥‥‥‥371
## VII 菌体外酵素に関するテスト‥‥‥‥‥372
　1 コアグラーゼテスト‥‥‥‥‥‥‥‥372
　2 DNase 活性‥‥‥‥‥‥‥‥‥‥‥‥372
　3 キャンプテスト（CAMP test）‥‥‥372
　4 馬尿酸塩加水分解試験‥‥‥‥‥‥‥373

5 ピロリドニル・アリルアミダーゼ(PYR)
　　　試験……………………………………373
Ⅷ 発育性テスト………………………………373
　　1 ガス環境………………………………373
　　2 好塩性テスト…………………………374
Ⅸ その他の性状テスト………………………374
　　1 運動性テスト…………………………374
　　2 XV因子要求テスト……………………374
　　3 オプトヒン感受性試験………………375
　　4 バシトラシン感受性試験……………375
　　5 胆汁溶解試験…………………………375
F 化学療法薬感受性検査法……………………376
　Ⅰ 細菌の薬剤感受性検査……………………376
　　1 希釈法…………………………………376
　　　1) 寒天平板希釈法　376
　　　2) 微量液体希釈法　377
　　2 寒天平板拡散法………………………379
　　　1) ディスク拡散法　379
　　　2) Etest　379
　　3 MRSA, ペニシリン耐性肺炎球菌, バン
　　　コマイシン耐性腸球菌, MDRP, MDRA
　　　の検査法………………………………379
　　　1) メチシリン耐性黄色ブドウ球菌
　　　　 (MRSA), メチシリン耐性コアグ
　　　　 ラーゼ陰性ブドウ球菌 (MRCNS)
　　　　 379
　　4 β-ラクタマーゼの検査法……………380
　　　1) ニトロセフィン法　380
　　　2) ペニシリン disk zone edge test
　　　　 380
　　5 薬剤耐性グラム陰性桿菌の検査(ESBL,
　　　CPE)……………………………………380
　　　1) 基質特異性拡張型 β-ラクタマーゼ
　　　　 (ESBL) 産生菌　381
　　　2) カルバペネマーゼ　382
　Ⅱ 抗酸菌の薬剤感受性検査…………………383
　　1 小川培地による比率法の概要………383
　Ⅲ 真菌の薬剤感受性検査……………………384
　　1 培養と培地……………………………384

　　2 結果の判定……………………………384
　　3 MIC ブレイクポイントの判定………384
G 簡易同定キットによる生化学的性状検査
　および菌種同定法……………………………385
　　1 同定キットの特徴と注意点…………385
　　2 免疫学的方法による検出, 同定法や検査
　　　材料からの病原微生物直接検出法‥385
H 微生物検査に関与する機器…………………388
　　1 自動細菌同定・薬剤感受性検査装置
　　　……………………………………………388
　　2 自動血液培養検査装置………………388
　　3 自動染色装置…………………………389
　　4 遺伝子関連検査装置…………………389
　　5 自動検体塗抹装置および統合型自動検査
　　　装置………………………………………389
I 質量分析を用いた同定法……………………390
　　1 質量分析を用いた微生物の同定……390
　　2 日常検査における MALDI-TOF MS に
　　　よる同定検査……………………………390
　　3 MALDI-TOF MS による検査情報の蓄積
　　　による疫学への応用……………………390
J 免疫学的検査法（抗酸菌の免疫学的検査）
　………………………………………………391
　　1 IGRA（インターフェロンγ遊離試験）
　　　……………………………………………391
　　　1) インターフェロンγ遊離試験　391
　　　2) 検査結果の判定　391
　　　3) 診断特性　391
　　　4) 適用　391

## 第4章　微生物検査結果の評価……393

　　1 感染症との関連………………………393
　　2 緊急連絡を要する検査結果(パニック値)
　　　とその取り扱い…………………………393
　　　1) パニック値とは　393
　　　2) 微生物検査におけるパニック値　393
　　3 精度管理………………………………394
　　　1) 臨床的精度管理の実際　394

### 第5章 サーベイランス……397
1 サーベイランスの目的……397
2 各種サーベイランスの特徴……397
 1）包括的サーベイランス　397
 2）ターゲットサーベイランス　397
 3）病原体からみたサーベイランス（耐性菌サーベイランス）　397
3 サーベイランス結果の活用法……398

索引……401

---

**側注マークの見方**　国家試験に必要な知識は本文に，プラスアルファの内容は側注で紹介しています．

📕 用語解説　　⊕ 関連事項　　ℹ️ トピックス

---

### ●執筆分担

| | | | |
|---|---|---|---|
| 第1章 A-Ⅰ | 松本哲哉 | g | 山本　剛 |
| A-Ⅱ | 森田耕司 | h-1 Ⅰ〜Ⅶ | 森田耕司 |
| B-Ⅰ, Ⅱ | 森田耕司 | h-1 Ⅷ | 松本哲哉 |
| B-Ⅲ, Ⅳ | 三澤成毅 | h-2〜6 | 宮本仁志 |
| B-Ⅴ | 佐藤智明 | i, j | 吉田　敦 |
| B-Ⅵ | 森田耕司 | k | 森田耕司 |
| B-Ⅶ | 石井良和 | l, m | 吉田　敦 |
| B-Ⅷ | 岡崎充宏 | （第2章）B | |
| B-Ⅸ 1, 2 | 中村竜也 | a〜c | 豊川真弘 |
| B-Ⅸ 3〜5 | 赤松紀彦・栁原克紀 | d | 飯沼由嗣 |
| B-Ⅸ 6 | 石井良和 | （第2章）C | |
| B-Ⅹ | 松本哲哉 | a, b | 髙橋　孝 |
| B-Ⅺ | 森田耕司 | c | 松本哲哉 |
| B-Ⅻ 1〜4 | 松本哲哉 | 第3章 A-Ⅰ | 岡崎充宏 |
| B-Ⅻ 5, 6 | 吉田　敦 | A-Ⅱ | 三澤成毅 |
| B-ⅩⅢ | 岡崎充宏 | B | 山本　剛 |
| B-ⅩⅣ | 飯沼由嗣 | C-Ⅰ, Ⅱ | 三澤成毅 |
| B-ⅩⅤ | 佐藤智明 | C-Ⅲ | 岡崎充宏 |
| B-ⅩⅥ | 飯沼由嗣 | D-Ⅰ〜Ⅳ | 西山宏幸 |
| 第2章 A | | D-Ⅴ〜Ⅷ | 三澤成毅 |
| a-1 | 中村竜也 | E | 豊川真弘 |
| a-2, b | 山本　剛 | F | 佐々木雅一・石井良和 |
| c-1 1〜4 | 吉田　敦 | G | 西山宏幸 |
| c-1 Ⅰ〜ⅩⅢ | 佐藤智明 | H, I | 三澤成毅 |
| c-2 | 中村竜也 | J | 飯沼由嗣 |
| c-3〜6 | 岡崎充宏 | 第4章 1, 2 | 赤松紀彦・栁原克紀 |
| d-1 | 岡崎充宏 | 3 | 佐藤智明 |
| d-2〜5 | 宮本仁志 | 第5章 | 中村竜也 |
| e, f | 中村竜也 | | |

# 第1章 微生物学

## A｜序論

### I 微生物学，臨床微生物学の歴史的背景

#### 1　感染症および微生物学の歴史

　これまでの人類の歴史のなかで，多くの感染症が脅威となってきた．各種の感染症が流行を起こし，多くの死者を含む多大な被害をもたらしてきた．なかでも天然痘（痘瘡），ペスト，コレラ，結核，インフルエンザなど各種の感染症が，はるか昔から広く流行を繰り返してきた（表1-A-1）．たとえば，ペスト（黒死病）は14世紀以降に主にヨーロッパで流行し，人口の約3割を失う甚大な被害が出ている．その他の感染症も世界規模の流行を起こしたり，地域での流行を繰り返すなどして多くの感染者や死亡者が発生している．

　歴史を振り返ると，さまざまな感染症が問題になってきたにもかかわらず，感染症の正体は長い間不明のままであった．紀元前の頃は，汚れた空気によって病気になるというミアズマ説が信じられていた．さらに，伝染病は神罰や悪魔の呪いなどによるものという考えも広まっていた．17世紀に，アントニ・ファン・レーウェンフックが初めて顕微鏡を用いて細菌の観察に成功した．しかし，感染症の原因として病原体（微生物）の存在が明らかになってきたのは19世紀以降である（表1-A-2）．ルイ・パスツールは，白鳥の首フラスコを用いて腐敗の原因は外界からの菌の混入であることを証明し，生命の自然発生説を否定した．

　ロベルト・コッホは寒天培地を用いることで細菌を個別に培養することに成功し，炭疽菌，結核菌，コレラ菌の発見につながった．彼はさらに，コッホの4原則を提唱した．コッホに師事した北里柴三郎は，破傷風菌の純粋培養に成功するとともに破傷風抗毒素を発見した．志賀潔は赤痢菌，ゲオルク・ガフキーはチフス菌，フリードリヒ・レフラーはジフテリア菌，アルベルト・ナイサーは淋菌と各種の病原体を発見した．その後，胃潰瘍の原因として話題となったヘリコバクター・ピロリは，1983年にオーストラリアのロビン・ウォレンとバリー・マーシャルにより発見され，現在では胃がんやその他の疾患の原因としても認められている．

> **コッホの4原則**
> その微生物が特定の感染症の原因になっていることを証明するための条件として，①病変部位から特定の微生物が検出されること，②検出された微生物はその感染症に限定されること，③その微生物を動物に接種すると感染症の状態が再現されること，④再現した動物から再び同一微生物が証明されること，の4つの項目を満たすことが必要であるとコッホが提唱し，コッホの4原則とよばれるようになった．

表 1-A-1　歴史的に大規模な流行を起こした感染症

| 感染症 | 病原体 | 流行の歴史 |
|---|---|---|
| ペスト（黒死病） | *Yersinia pestis* | ヨーロッパで大流行し人口の 3 割が死亡（14 世紀）．それ以外にも大規模な流行が発生（6〜8 世紀，16〜17 世紀など）． |
| 天然痘（痘瘡） | Variola virus | 日本で大流行（8 世紀）．アメリカ大陸で大流行（16 世紀）． |
| コレラ | *Vibrio cholerae* | 世界的に大流行（19 世紀）．インドを中心に大流行（20 世紀）． |
| 発疹チフス | *Rickettsia prowazekii* | ヨーロッパで流行（15〜16 世紀）．ロシアで大流行（19 世紀）． |
| 結核 | *Mycobacterium tuberculosis* | イギリスで大流行（19 世紀）．日本で流行（20 世紀）．現在でも世界的に多数の感染者が発生． |
| インフルエンザ | influenza virus | パンデミックで 4,000 万人が死亡（スペイン風邪，1918〜1919 年）．他にアジア風邪（1957 年）と香港風邪（1968 年），新型インフルエンザ（2009 年）のパンデミックが発生． |
| ポリオ（急性灰白髄炎） | polio virus | ヨーロッパで大流行（19〜20 世紀）．日本でも流行（20 世紀）． |
| エイズ | HIV | 1981 年の最初の症例報告後，世界的に急激に増加．現在でも感染者は多数． |
| エボラ出血熱 | Ebola virus | 1976 年の最初の症例報告後，アフリカを中心にアウトブレイクを繰り返す．2014 年からのアウトブレイクでは 1 万人以上が死亡． |
| マラリア | *Plasmodium* 属 | 熱帯，亜熱帯地域を中心に多数の感染者が発生．現在でも毎年約 2 億人の感染者が発生． |
| SARS（重症急性呼吸器症候群） | SARS coronavirus | 中国に端を発して世界的な流行が発生（2002〜2003 年）． |
| ハンセン病 | *Mycobacterium leprae* | ヨーロッパなどで流行（13 世紀）． |
| 梅毒 | *Treponema pallidum* | ヨーロッパやメキシコなどで流行（16 世紀）． |
| 新型コロナウイルス感染症（COVID-19） | SARS-CoV-2 | 2019 年に中国に端を発し，2020 年からパンデミックを起こし，WHO は「国際的に懸念される公衆衛生上の緊急事態」を宣言した．その後，3 年間で世界の累計感染者数約 7 億人，死者数 700 万人を数える大規模な感染拡大となった．2023 年 5 月に WHO は緊急事態宣言を終了し，日本では感染症法上の 2 類から 5 類への変更を行った． |

　ウイルスの最初の発見は，1892 年のドミトリー・イワノフスキーによるタバコモザイクウイルスの発見である．ウォルター・リードは 1900 年に黄熱ウイルスを発見し，それ以降，各種のウイルスが続々と発見され，リュック・モンタニエらが 1983 年に HIV を発見している．さらに多くの研究者の功績によりさまざまな病原体が発見され，系統的に分類され現在に至っている．

## 2　感染症治療の歴史

　感染症に対する治療薬は，パウル・エールリヒと秦 佐八郎によって 1909 年に発見されたサルバルサンが，梅毒の特効薬として用いられたのが最初である．アレキサンダー・フレミングは 1928 年にアオカビが抗菌性の物質を産生することを発見し，ペニシリンと名づけ，1940 年代に治療薬としてフローリーとチェインにより実用化されたのが抗生物質の始まりである．その後，ペニシリン以外にもセフェム，カルバペネム，アミノグリコシド，マクロライド，キノロン，グリコペプチドなど各系統の抗生物質（抗菌薬）が数多く開発され，

**パンデミック**

パンデミック（pandemic）は感染症の世界的流行を意味する用語である．一般的にその感染症に対して免疫を有しない人が大半である場合に起こりやすく，急速に広がりやすいという特徴を有している．これまで人類は歴史的に何度もパンデミックを経験しているが，2020 年から起こった新型コロナウイルス感染症のパンデミックは特に規模が大きい流行となった．

表 1-A-2 主な微生物発見の歴史

| 年 | 人物 | 功績 |
|---|---|---|
| 1674 | レーウェンフック | 顕微鏡で初めて微生物を確認 |
| 1861 | パスツール | 生物の自然発生説を否定 |
| 1876 | コッホ | 炭疽菌を発見 |
| 1879 | ナイサー | 淋菌を発見 |
| 1882 | コッホ | 結核菌を発見 |
| 1883 | コッホ | コレラ菌を発見 |
| 1884 | レフラー | ジフテリア菌を発見 |
| 1884 | ガフキー | 腸チフス菌を発見 |
| 1889 | 北里柴三郎 | 破傷風菌の純粋培養に成功 |
| 1892 | イワノフスキー | ウイルス（タバコモザイクウイルス）を発見 |
| 1894 | 北里柴三郎 | ペスト菌を発見 |
| 1897 | 志賀 潔 | 赤痢菌を発見 |
| 1900 | リード | 黄熱ウイルスを発見 |
| 1917 | デレル | バクテリオファージを発見 |
| 1949 | エンダース，ウェラー，ロビンス | ウイルスの細胞培養法を発見 |
| 1983 | ウォレン，マーシャル | ヘリコバクター・ピロリを発見 |
| 1983 | モンタニエ | HIV を発見 |

治療に利用できるようになった．抗結核薬も，リファンピシンやイソニアジドをはじめとして各種の薬剤が開発された．ウイルスについては，インフルエンザやヘルペスウイルス，HIV，サイトメガロウイルス，B 型および C 型肝炎などに対する治療薬が開発された．また，原虫，線虫，吸虫，条虫など，各種の寄生虫に対するさまざまな治療薬が開発されている．

このように，各種の治療薬が利用できるようになったことで多くの感染症患者は激減し，感染症は脅威ではなくなり，問題は解決したと思われた時期があった．しかし，いまだに治療薬がない感染症は多く存在するとともに，耐性菌の出現によって抗菌薬の有効性が低下するなど，感染症の問題は今後，深刻になる可能性が高い．代表的な耐性菌について**表 1-A-3** に示す．

## 3　感染予防の歴史

病原体に感染しても発症を予防する手段として，主にワクチンが用いられてきた．ワクチン開発の発端は，エドワード・ジェンナーが 18 世紀末に牛痘接種による天然痘予防法を発見したことによる．さらにルイ・パスツールは病原体を弱毒化することでワクチンに応用できることを提唱し，その後，数多くのワクチンが開発され，現在に至っている．国内では副反応などの問題がきっかけとなってワクチンの開発が遅れ，海外に比べて認可されないワクチンも多く

**アウトブレイク**

アウトブレイク（outbreak）は，医療機関や地域などでの感染症の流行を示す．通常発生している頻度を明らかに上回るレベルで感染者が発生した場合に用いることが多い．ただし，通常ほとんど発生することのない感染症の場合は，1 例感染者が現れた場合もアウトブレイクととらえることがある．

表 1-A-3 代表的な耐性菌

| 菌種 | 耐性菌名 | 英語名称 | 略称 | 耐性抗菌薬 | 備考 |
|---|---|---|---|---|---|
| 黄色ブドウ球菌 | メチシリン耐性黄色ブドウ球菌 | methicillin-resistant *Staphylococcus aureus* | MRSA | β-ラクタム系薬,キノロン系薬,マクロライド系薬など | さらに院内感染型,市中感染型,家畜関連型に分類される |
| | バンコマイシン低感受性黄色ブドウ球菌 | vancomycin-intermediate *Staphylococcus aureus* | VISA | MRSAの耐性＋グリコペプチド系薬に低感受性 | 細胞壁の厚さが増すなどの耐性機序が加わっている |
| | バンコマイシン耐性黄色ブドウ球菌 | vancomycin-resistant *Staphylococcus aureus* | VRSA | MRSAの耐性＋グリコペプチド系薬に耐性 | 日本国内での分離例はない |
| 腸球菌 | バンコマイシン耐性腸球菌 | vancomycin-resistant enterococci | VRE | バンコマイシン,(テイコプラニン) | 日本国内での分離はまれであったが,増加傾向が認められる |
| 肺炎球菌 | ペニシリン耐性肺炎球菌 | penicillin-resistant *Streptococcus pneumoniae* | PRSP | ペニシリン | 髄膜炎と非髄膜炎で耐性の判定基準が異なる |
| インフルエンザ菌 | βラクタマーゼ産生インフルエンザ桿菌 | β-lactamase producing ampicillin resistant *Haemophilus influenzae* | BLPAR | アンピシリン | β-ラクタマーゼを産生しアンピシリン耐性だがクラブラン酸/アモキシシリンには感性 |
| | β-ラクタマーゼ非産生アンピシリン耐性インフルエンザ菌 | β-lactamase-negative ampicillin-resistant *Haemophilus influenzae* | BLNAR | アンピシリン,第二世代セファロスポリン系薬 | PBPの変異によりβ-ラクタム系薬の親和性が低下 |
| | β-ラクタマーゼ産生クラブラン酸/アモキシシリン耐性インフルエンザ菌 | β-lactamase producing amoxicillin/clavulanic acid resistant *Haemophilus influenzae* | BLPACR | アンピシリン,クラブラン酸/アモキシシリン | β-ラクタマーゼを産生し,かつクラブラン酸/アモキシシリンにも耐性 |
| 淋菌 | ペニシリナーゼ産生淋菌 | Penicillinase-producing *Neisseria gonorrhoeae* | PPNG | ペニシリン | β-ラクタム系薬,キノロン系薬などに耐性の薬剤耐性淋菌も問題になってきている |
| 緑膿菌 | 多剤耐性緑膿菌 | multidrug-resistant *Pseudomonas aeruginosa* | MDRP | β-ラクタム系薬,キノロン系薬,アミノグリコシド系薬 | コリスチンなど特定の薬剤のみ有効 |
| | メタロβ-ラクタマーゼ産生菌 | metallo-β-lactamase-producing *Pseudomonas aeruginosa* | MBL産生菌 | カルバペネム系薬 | IMP型,VIM型のβ-ラクタマーゼ産生菌が多い |
| アシネトバクター属 | 多剤耐性アシネトバクター | multidrug-resistant *Acinetobacter* spp. | MDRA | β-ラクタム系薬,キノロン系薬,アミノグリコシド系薬 | 国内で分離される頻度は低いが,海外では広く分離されている |
| 腸内細菌目細菌 | 基質特異性拡張型β-ラクタマーゼ産生菌 | extended-spectrum β-lactamase producing organism | ESBL産生菌 | ペニシリン系薬,第一〜第四世代セファロスポリン系薬 | 主に大腸菌,肺炎桿菌の割合が多く,国内でも分離頻度が高い |
| | AmpC型β-ラクタマーゼ産生菌 | AmpC β-lactamase producing organism | AmpC産生菌 | ペニシリン系薬,第一〜第三世代セファロスポリン系薬 | 第四世代セファロスポリン系薬には感性 |
| | カルバペネマーゼ産生腸内細菌目細菌 | carbapenemase-producing *Enterobacterales* | CPE | β-ラクタム系薬,キノロン系薬,アミノグリコシド系薬 | メタロ-β-ラクタマーゼ(IMP型,NDM型,およびVIM型)産生菌,KPC型β-ラクタマーゼ産生菌,OXA型β-ラクタマーゼ産生菌などがある |
| | カルバペネム耐性腸内細菌目細菌 | carbapenem-resistant *Enterobacterales* | CRE | β-ラクタム系薬全般 | カルバペネマーゼを産生しCPEと重複する場合もあるが,非産生で別の機序でカルバペネム耐性の菌も含まれる |

あったが，最近では少しずつ積極的にワクチンが認可されるようになってきた．

なお，感染症の予防のもう一つの手段として，抗血清を用いる場合がある．破傷風菌やB型肝炎ウイルスなどの病原体に曝露されたリスクがあると判断された場合に，それらの病原体に対する免疫グロブリンを投与することが発症の予防に用いられている．

### 4　感染制御の歴史

感染制御という点においては，19世紀にイグナッツ・フィリップ・ゼンメルワイスが医療従事者の手の消毒による産褥熱の予防効果を証明し，ジョゼフ・リスターは石炭酸（フェノール）による無菌手術法を確立している．さらに，フローレンス・ナイチンゲールは患者の衛生環境の改善を重視して感染症の予防に努めた．また，ジョン・スノーは疫学的手法を用いてコレラの制圧に成功しており，公衆衛生的な考え方が生まれる土台を築いた．その後，感染制御は市中において流行しやすい病原体への対策とともに，院内感染に対する制御も重視されるようになった．標準予防策（スタンダードプリコーション）をはじめ，接触感染，飛沫感染，空気感染に対するそれぞれの予防策が医療機関で導入され，徹底されるようになってきている．

> **抗生物質と抗菌薬**
> アオカビが産生するペニシリンに代表されるように，微生物が産生する抗菌性物質を通常，「抗生物質」とよんでいる．一方，人工的に化学合成によって抗微生物作用を有する物質も感染症の治療薬として用いられるようになり，「抗菌薬」とよばれている．ただし一般的には，抗菌薬という用語のなかに抗生物質を含め，広い意味で用いる場合もある．なお，抗ウイルス薬や抗真菌薬などを含めて病原体全般に用いる治療薬を，「抗微生物薬」という用語で表す場合がある．

## II 病原微生物の分類

生物界の体系的な分類は，リンネ（1735年）が提唱した**2界説**「動物界，植物界」からヘッケル（1866年）の**3界説**「動物界，植物界，原生生物界」，コープランド（1938，1959年）の**4界説**「動物界，植物界，原生生物界，モネラ界（細菌界）」，ホイタッカー（1969年）の**5界説**「動物界，植物界，原生生物界，菌類界，モネラ界（細菌界）」，シャットン（1938年），ステニアー（1961年）の二分法「Eucaryote/Procaryote dichotomy（真核生物，原核生物）」，ワーズ（1977年）の**6界説**「動物界，植物界，原生生物界，菌類界，真正細菌界，古細菌界」，キャバリエ・スミス（1987年）の**8界説**「動物界，植物界，クロミスタ界，アーケゾア界，原生生物界，菌類界，真正細菌界，古細菌界」，さらにワーズ（1990年）の**3ドメイン説**「*Eucarya*（真核生物），*Bacteria*（細菌），*Archaea*（古細菌）」と変遷してきた．ただし**ウイルス（Virus）**は，これらの生物分類に該当しない微生物である．

> **古細菌**
> 古細菌にはメタン細菌や超好熱菌などがあり，病原性細菌は含まれない．古細菌は真性細菌のようなペプチドグリカン（ムレイン）からなる細胞壁をもたない．

### 1　生物分類における微生物の位置づけ

ヒトや動物に感染症を起こす病原微生物には，**原核生物**に分類される**細菌**，**真核生物**に分類される**真菌**と**原虫**，どちらにも分類されない**ウイルス**がある．さらに，細菌は**一般細菌**と**特殊な細菌**（マイコプラズマ，リケッチア，クラミジア）に区別される．

原核生物と真核生物の相違点を**表1-A-4**に示す．

表 1-A-4　原核生物と真核生物の相違点

| 形質 | 原核生物 | 真核生物 |
|---|---|---|
| 核膜 | − | ＋ |
| 染色体数 | 1[*1] | >1 |
| 染色体の形状 | 環状 | 線状 |
| ミトコンドリア | − | ＋ |
| ゴルジ体 | − | ＋ |
| 小胞体 | − | ＋ |
| リボソームの大きさ | 70S（50S+30S） | 80S（60S+40S） |
| 細胞壁 | ＋[*2] | ＋または− |
| 細胞壁の基本成分 | ペプチドグリカン[*3] | キチン，セルロース |
| 分裂様式 | 二分裂 | 有糸分裂[*3] |

[*1]：*Vibrio* 属の細菌は 2 つの染色体をもつ．
[*2]：一部保有しないものがある．
[*3]：一部例外がある．

## 2　微生物の分類と命名

　微生物の**分類学**（taxonomy）の基本は，似たものを集めて個別の「群」として扱うこと，つまり**タクソン**（taxon）である．タクソンには**分類階級**（taxonomic rank）があり，上位から順に門（Phylum），綱（Class），目（Order），科（Family），属（Genus），種（Species），亜種（Subspecies）の階級が設けられている．また，亜種以下の分類用語には，biovar または biotype（生物型：生物化学的特徴による細分類），serovar または serotype（血清型：抗原構造，抗原性の違いによる細分類）などがある．

### 1）微生物の分類基準

　微生物がもつ多種多様な性状を調べ，類似しているタクソンに分けることを**分類**（classification）という．生物分類の基本は種であり，臨床材料から分離された微生物の性状を調べて種を決定することを**同定**（identification）という．また，同定された遺伝的に同一のクローンを**株**（strain）といい，国際的に登録された代表株を**標準菌株**または**基準菌株**（type strain）という．

　分類法には形態学的特徴，生物化学的性状，生理学的性状，免疫血清学的性状などに基づく**従来法（伝統的分類）**と，染色体 DNA の **GC 含量**（GC%）や塩基配列の相同性（homology），16S リボソーム RNA（16S rRNA）塩基配列の相同性に基づく**分子生物学的方法（分子遺伝学的分類）**がある．

　細菌の場合，DNA の GC% は 25〜75% と幅が広いため，分類基準として利用しやすい．一般に，GC% の同一種内での幅は 3% 以内，同一属内での幅は 10% 以内である．細菌の DNA 塩基配列の比較では，同一種と考える相同性（種の限界）は 70% 以上とされている．16S rRNA はすべての細菌が保有し，配列

---

**リボソームの沈降係数**

真核生物のリボソームは 80S で，60S と 40S のサブユニットからなる．原核生物のリボソームは 70S で，50S と 30S のサブユニットからなる．これらの単位 S は，分子が遠心分離によって沈降する速度を係数とした単位で，スベドベリ（Svedberg）単位とよばれる．サブユニットの値の合計がリボソーム全体の値と一致しないのは，沈降速度が分子量と分子の形状に関係するためである．

**タクソン（taxon）**

タクソンは本来，「束」「似たものを集めたもの」という意味をもち，それを「同様の物体の集まり」「同種類の生物の群」という解釈にあてはめたものである．分類学を意味する taxonomy（タクソノミー）という用語は，taxon に由来する．

**DNA の GC%**

DNA 分子を構成する塩基には，プリン塩基のアデニン（A）とグアニン（G），ピリミジン塩基のチミン（T）とシトシン（C）があり，GC 含量（GC%）は DNA 分子中の G と C の割合を示したものである．

**リボソーム RNA（rRNA）**

原核生物がもつリボソームの 50S サブユニットには 23S rRNA と 5S rRNA，30S のサブユニットには 16S rRNA が含まれる．真核生物がもつリボソームの 60S サブユニットには 28S rRNA，5.8S rRNA，5S rRNA，40S サブユニットには 18S rRNA が含まれる．rRNA は蛋白質合成にかかわる重要な分子であるため，進化の速度が比較的遅く，種のレベルでは高い相同性を示す．

表1-A-5　細菌の学名の記載例

| 学名（属名 種名） | 学名の読み | 学名の略記 | 和名 |
|---|---|---|---|
| *Bacillus anthracis* | バシラス・アンスラシス | *B. anthracis* | 炭疽菌 |
| *Clostridium tetani* | クロストリジウム・テタニ | *C. tetani* | 破傷風菌 |
| *Escherichia coli* | エシェリキア・コリ | *E. coli* | 大腸菌 |
| *Mycobacterium tuberculosis* | マイコバクテリウム・ツベルクローシス | *M. tuberculosis* | 結核菌 |
| *Staphylococcus aureus* | スタフィロコッカス・アウレウス | *S. aureus* | 黄色ブドウ球菌 |
| *Vibrio cholerae* | ビブリオ・コレレ | *V. cholerae* | コレラ菌 |

の保存性が高い．これをコードする 16S rDNA の塩基配列（1,600 塩基対程度）は分析しやすく，種のレベルでは高い相同性を示す．属とそれ以上の階級の分類にはきわめて有効とされている．

分類用標準株との性状の類似性，遺伝学的相同性が高い場合は同一の種と考える．

### 2）微生物の命名法

微生物の学名は「**国際命名規約**」に準拠して命名される．ラテン語またはギリシャ語を基本とした 2 語組み合わせ（二名法）で記載し，大文字で始まる**属名**〔generic name（Genus）〕と**種名**〔specific name（Species）〕をイタリック体で表す．また，属名を略記する場合は大文字一字にピリオドを付けて表す．菌種によっては，「大腸菌」「コレラ菌」のような**通俗名（和名）**を使用することがある．細菌の学名，略記，和名の例を**表 1-A-5** に示す．

## 3　微生物の分類

臨床微生物学の対象となる細菌，真菌，ウイルスの相違点をまとめて**表 1-A-6** に示す．

### 1）一般細菌

臨床微生物学の領域で便宜的に分類される一般細菌は，次のような性質をもつ一般的な細菌である．

①DNA と RNA をもつ単細胞の原核生物である．②**ペプチドグリカン**を基本成分とする細胞壁をもつ．③Gram 染色法によって，**グラム陽性**と**グラム陰性**に区別される．④人工的な培地に発育し，**二分裂**で増殖する．⑤葉緑体をもたず，光合成を行わない．

菌種により，培養時に**発育素**（特定のアミノ酸，ヘミン，NAD，NADP，プリン，ピリミジンなど）を必要とするものがある．

表 1-A-6　細菌, 真菌, ウイルスの相違点

| 性質 | 一般細菌 | マイコプラズマ | リケッチア | クラミジア | 真菌 | ウイルス |
|---|---|---|---|---|---|---|
| 人工培地で増殖できる | +[*1] | + | − | − | +[*1] | − |
| 細胞壁をもつ | +[*2] | − | +[*3] | +[*4] | +[*5] | − |
| DNAとRNAの両方をもつ | + | + | + | + | + | − |
| リボソームをもつ | + | + | + | + | + | − |
| エネルギー代謝機構をもつ | + | + | + | + | + | − |
| 二分裂で増殖する | + | + | + | +[*6] | − | −[*7] |
| 抗生物質に感受性を示す | + | + | + | + | − | − |

[*1]: 一部, 例外がある.
[*2]: ペプチドグリカンを含む.
[*3]: 一部の菌種ではペプチドグリカンが欠如している.
[*4]: ペプチドグリカンが欠如している.
[*5]: キチン, マンナン, β-D-グルカンを含む.
[*6]: 基本小体, 網様体, 中間体をサイクルとした増殖環を示し, 網様体の形で二分裂増殖する.
[*7]: 有糸分裂.

## 2) 抗酸菌

結核菌などの *Mycobacterium*（マイコバクテリウム）属の細菌は, 細胞壁に**ミコール酸**（炭素数60〜90の長鎖脂肪酸）をもつ. そのため, Gram 染色などの通常の染色法では染色されにくいが, いったん染色されると, 酸やアルコールなどの強い脱色作用に対する抵抗性が強い（脱色されにくい）. この性質を**抗酸性**（acid-fastness）, この性質をもつ菌を**抗酸菌**（acid-fast bacteria）という. *Nocardia*（ノカルジア）属の細菌は Gram 染色によって染まるが, **弱抗酸性**を示す.

## 3) マイコプラズマ

マイコプラズマ科には, *Mycoplasma*（マイコプラズマ）属と *Ureaplasma*（ウレアプラズマ）属がある. 16S rDNA の塩基配列データで細菌に分類されるが, **細胞壁をもたない**ことが特徴である. 細胞の大きさは約 0.3 μm, ゲノムサイズは 800 kb 前後と小さい. 人工培地に発育可能な自己増殖能をもつ最小クラスの細菌である.

## 4) クラミジア

クラミジア科には, *Chlamydia*（クラミジア）属と *Chlamydophila*（クラミドフィラ）属がある. 16S rDNA, 23S rDNA の塩基配列データで細菌に分類されるが, **偏性細胞内寄生性**でエネルギー（ATP）合成を宿主細胞に依存すること, 細胞壁に**ペプチドグリカンをもたない**ことが特徴である. 特殊な増殖環があり, 感染・増殖の過程で基本小体, 中間体, 網様体へと変化する. 基本小体は直径約 0.3 μm で球形, 網様体は 0.5〜2 μm で多形性の菌体である.

 **脂肪酸**

脂肪酸（fatty acid）は, 長鎖炭化水素の一価のカルボン酸〔分子中にカルボキシ基（COOH）を1つもつカルボン酸（$C_nH_mCOOH$）〕である. 一般に, 炭素数2〜4個のものを短鎖脂肪酸（低級脂肪酸）, 5〜12個のものを中鎖脂肪酸, 12個以上のものを長鎖脂肪酸（高級脂肪酸）とよぶ.

 **クラミジア科の分類**

*Chlamydia* 属は感染細胞で形成する封入体内にグリコーゲンを蓄積する点で, *Chlamydophila* 属と異なる. 一方, 16S rRNA 遺伝子塩基配列の相同性は 95％以上で, 遺伝学的に同一レベルと考えられる. このようなことから, *Chlamydia* 属と *Chlamydophila* 属を同一の属として統合することの可否が議論されてきたが, 現在は *Chlamydia* 属として1つとする意見が支持されている.

### 5）リケッチア

リケッチア科には，*Rickettsia*（リケッチア）属と *Orientia*（オリエンティア）属などがある．16S rDNA の塩基配列データで細菌に分類されるが，**偏性細胞内寄生性**（NAD などの供給を宿主細胞に依存）で，**感染・伝播に節足動物（ノミ，シラミなど）の媒介を必要とする**ことが特徴である．菌体の大きさは 0.3〜0.5×0.8〜2 μm で多形性を示す．*Orientia* 属細菌は細胞壁にペプチドグリカンをもたない．

> **偏性細胞内寄生性**
> 人工培地に発育できず，生きた細胞内でしか増殖できない微生物を偏性細胞内寄生体とよび，この性質を偏性細胞内寄生性という．

### 6）真菌

真菌（fungus）は真核生物で，**糸状菌〔いわゆるカビ（mold）〕，酵母（yeast），キノコ（mushroom）** に大別される．細菌に比べて細胞が大きく，分化の程度が高い．明確な細胞壁をもち，単細胞または多細胞の形態を示す．古くは光合成を行わない植物（下等植物）と考えられていたが，分子遺伝学的な系統分類では，植物より動物と近縁関係にあり，独立した系統と考えられている．

酵母は直径 3〜5 μm 程度の球形，楕円形，卵円形などの形状で，出芽（budding）によって増殖する．糸状菌は**菌糸（hypha）と胞子（spore）**により増殖する．また，特定の環境条件下で糸状菌型と酵母型の形態変換を行う真菌があり，これを**二形性真菌（dimorphic fungus）**という．

> **現在の真菌の分類**
> 現在の真菌の分類は8界説に基づいて，接合胞子を形成する接合菌門，子嚢胞子を形成する子嚢菌門，担子胞子を形成する担子菌門，鞭毛をもつ遊走子が特徴となるツボカビ門，細胞内寄生虫の微胞子虫門，植物に共生するグロムス菌門，有性型が見出されていない不完全菌類に分類される．

### 7）ウイルス

ウイルスは細菌に比べて小さく，細菌濾過器を通過する〔古くは**濾過性病原体**（filterable virus または filtrable virus）とよばれた〕．保有する核酸は DNA または RNA のどちらか一方のみであり，それぞれ **DNA ウイルス，RNA ウイルス**に分類される．細胞構造，リボソーム，代謝機構をもたず，人工培地に発育できない**偏性細胞内寄生性**の微生物である．感染細胞内で特有な封入体を形成するものがある．

### 8）プリオン

プリオン（prion）は，核酸をもたない蛋白質のみを成分とする構造物である．微生物ではないが，**クロイツフェルト・ヤコブ病（Creutzfeldt-Jakob disease；CJD），ウシ海綿状脳症（bovine spongiform encephalopathy；BSE）**などの**プリオン病**は，異常型プリオン蛋白質（PrP$^{SC}$）が病原体である．PrP$^{SC}$ は，宿主遺伝子にコードされる**正常型プリオン蛋白（PrP$^c$）の構造異性体**で，121℃，20 分間の高圧蒸気滅菌，抗微生物作用が最も強いアルデヒド系消毒薬で処理しても感染性を失わない．

>  **名前の由来―プリオン**
> 「プリオン（prion）」の語は，proteinaceous（蛋白質性の）の頭二文字 pr，infectious（感染性の）の頭文字 i，に virion（ビリオン，ウイルス粒子の意味）の on を組み合わせた合成語である．

# B 総論

## 1 細菌の形態と構造

細菌の形態観察には，通常，光学顕微鏡が用いられ，1,000倍に拡大すれば一般的な細菌の形態，大きさ，染色性の観察が可能である．

### 1 細菌の大きさ

光学顕微鏡で細菌の大きさを測定する場合，測微計（micrometer）が用いられる．細菌の大きさの単位には**マイクロメートル（μm）**が用いられるが，小型の細菌では**ナノメートル（nm）**を用いることもある．一般に，球形状の細菌の大きさは**直径**，細長い細菌の大きさは**幅×長さ**で表す．代表的な細菌の大きさは，*Staphylococcus aureus*（黄色ブドウ球菌）や *Streptococcus pyogenes*（化膿レンサ球菌）が直径 0.5〜1.0 μm，*Escherichia coli*（大腸菌）が幅 0.4〜0.7 μm で長さ 2.0〜4.0 μm 程度である．

### 2 細菌の形態と配列
#### 1) 細菌の形態と配列

細菌の形態と配列を図 1-B-1 に示す．

細菌は，球形状（spherical）の**球菌**（coccus），桿状（rod-shaped）の**桿菌**（bacillus），らせん状（spiral-shaped）の**らせん菌**（spirillum）に分類される．

> **微生物の大きさの単位**
> 細菌の大きさは micrometer（μm），ウイルスの大きさは nanometer（nm）で示すのが一般的であるが，ウイルスのなかには Picornavirus（ピコルナウイルス：pico＝とても小さな，rna＝RNA ウイルス）のように，picometer（pm）で示してもよいくらいに小さいものもある．ブドウ球菌の大きさ（直径）は約 1 μm なので，顕微鏡で 1,000 倍に拡大すると，1 mm（1 μm×1,000＝1,000 μm）ほどの大きさにみえる．
>
> 1 mm＝1,000 μm
> 1 μm＝1,000 nm
> 1 nm＝1,000 pm

図 1-B-1 細菌の形態と配列

### (1) 球菌（coccus）

球菌には，**黄色ブドウ球菌**や**化膿レンサ球菌**のように完全な球形状に近いもの，*Neisseria gonorrhoeae*（淋菌）のように腎臓形のもの，*Streptococcus pneumoniae*（肺炎球菌）のようにランセット形（三角形）のものなど，さまざまな形がある．

球菌の並び方（配列）には特徴的なものがあり，その配列の例として，黄色ブドウ球菌の**ブドウの房状**，肺炎球菌や淋菌の**双球菌状**，化膿レンサ球菌の**連鎖（レンサ）状**，*Micrococcus*（ミクロコッカス）属細菌の**四連球菌**，**八連球菌**などがある．

### (2) 桿菌（bacillus, rod）

桿菌の形態は，大桿菌，長桿菌，短桿菌，球桿菌，柵状，棍棒状，紡錘状，車輪形，太鼓バチ状，フィラメント状など多様である．*Acinetobacter*（アシネトバクター）属細菌，*Haemophilus influenzae*（インフルエンザ菌），*Bordetella pertussis*（百日咳菌）などは球菌に近い短桿菌で，**球桿菌（coccobacillus）**ともよばれる．**炭疽菌**，*Bacillus cereus*（バシラス・セレウス），*Streptobacillus*（ストレプトバシラス）属細菌などは連鎖を形成し，連鎖（レンサ）桿菌（streptobacillus）とよばれることがある．

### (3) らせん菌（spirillum）

らせん菌は，菌体がコイル状にねじれた細菌である．*Vibrio cholerae*（コレラ菌）などの*Vibrio*（ビブリオ）属細菌には，ねじれ（コイルの回転）が1回前後の弯曲した形をとるものがあり，コンマ状菌とよばれる．*Campylobacter*（カンピロバクター）属と*Helicobacter*（ヘリコバクター）属の細菌は，ねじれが2～3回前後で，S状に弯曲した形にみえることがある．*Borrelia*（ボレリア）属，*Treponema*（トレポネーマ）属，*Leptospira*（レプトスピラ）属などのスピロヘータ科やレプトスピラ科の細菌は細長く，多数のねじれがみられる．

## 2）細菌の微細構造と外部構造

細菌の構造は，細胞膜を境界とした表層構造と**細胞質（cytoplasm）**からなる．基本的な構造を図1-B-2に示す．

### (1) 細胞壁（cell wall）

細胞壁は細胞の内部構造を外部の環境から守り，一定の形態を保持するための強固な構造物である．細菌は，構造と成分の違いから，グラム陽性菌と陰性菌に区別されるが，共通成分として**ペプチドグリカン（peptidoglycan，PG）**をもつ．グラム陽性・陰性菌の細胞壁の構造を図1-B-3に示す．グラム陽性菌のPG層は厚く，内側に**タイコ酸**をもつ．グラム陰性菌のPG層は薄く，外側にリン脂質と**リポ多糖（lipopolysaccharide；LPS）**からなる**外膜（outer membrane；OM）**をもつ．LPSの多糖体部分には抗原性（**O抗原**）があり，**リピドA（lipid A）**部分は**内毒素（endotoxin）**活性をもつ．OMには数種類の蛋白質が存在し，低分子（分子量900以下）の取り込み機能をもつ筒状構造

---

**ペプチドグリカン**

ペプチドグリカン（peptidoglycan）は糖鎖にペプチドが結合した構造である．糖鎖はN-アセチルグルコサミン（GlcNAc）とN-アセチルムラミン酸（MurNAc）がβ-1,4グリコシド結合したもので，ペプチドグリカン層は，GlcNAcとMurNAcが相互に網目状に連鎖した膜状構造を形成している．細菌細胞の形態，強度を保持させる役割を担い，増殖時の細胞分裂にもかかわる．

**内毒素**

内毒素（エンドトキシン）はグラム陰性細菌の細胞壁外膜に存在し，菌体の破壊によって遊離する．遊離した内毒素は，マクロファージなどの細胞表面のTLR4（Toll様受容体4, Toll-like receptor 4）に結合し，細胞内にシグナルが伝達され，サイトカインが産生される．内毒素によって宿主がショック状態に陥る場合を，エンドトキシンショックとよぶ．

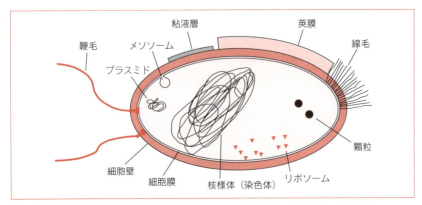

図 1-B-2　細菌の構造

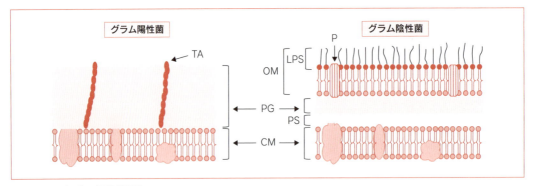

図 1-B-3　細菌の細胞壁構造
TA：タイコ酸（teichoic acid），PG：ペプチドグリカン（peptidoglycan），CM：細胞膜（cytoplasmic membrane），LPS：リポ多糖（lipopolysaccharide），P：ポーリン（porin），OM：外膜（outer membrane），PS：ペリプラズム空間（periplasmic space）．

のものを**ポーリン**（porin）とよぶ．PG 層と細胞膜との間にはペリプラズム空間（periplasmic space）があり，**核酸分解酵素**や抗菌薬耐性に関連する $\beta$-ラクタマーゼなどは，合成後にいったんこの空間に移送される．

マイコプラズマは細胞壁をもたず，クラミジア，*Orientia*（オリエンティア）属の細菌は細胞壁に PG をもたない．

(2)　**細胞膜〔細胞質膜（cytoplasmic membrane）〕**

細胞膜は細胞質を包む膜構造で，リン脂質の二重層からなる．物質の透過をコントロールする機能をもち，細菌では電子伝達系がこの膜に存在する．通常の細菌の細胞膜はコレステロールを含まないが，細胞壁を欠く L 型菌（L-form）やマイコプラズマにはコレステロールが存在する．

(3)　**核様体・染色体**（nucleoid, chromosome）

環状二本鎖 DNA からなる細菌の**ゲノム**（genome）である．真核生物の核とは異なり，核膜をもたないことから核様体とよばれる．折りたたまれた状態で存在し細胞膜に結合している．結合部分は染色体複製の開始点となる．

*Vibrio* 属細菌は 2 つの環状染色体をもち，*Borrelia* 属細菌には複数の線状染

### 抗酸菌の細胞壁構造

*Mycobacterium*（マイコバクテリウム）属の細菌はグラム陽性菌に分類されるが，抗酸性を示す点で一般的なグラム陽性菌と異なる．その細胞壁も特徴的で，ペプチドグリカン層の外側にアラビノガラクタン（アラビノースとガラクトースからなる多糖）が存在し，その表面部分にミコール酸（p.8 抗酸菌の項を参照）が結合している．

色体をもつものがある．

(4) リボソーム（ribosome）

RNAを含む蛋白質粒子である．蛋白質合成に関与し，**トランスファー RNA**（transfer RNA）が運んできたアミノ酸を結合させる場となる．細菌では，細胞質内に多数の 70S リボソームがほぼ均等に分布している．

(5) 顆粒（cytoplasmic granules）

代謝産物が集積して形成されたエネルギーの貯蔵物質である．*Corynebacterium diphtheriae*（ジフテリア菌）が形成する異染小体（ナイセル小体）は，ナイセル染色（Neisser stain）によって観察される．

(6) プラスミド（plasmid）

ゲノムに支配されず，独立して細胞質内で自己複製する環状 DNA 分子をプラスミドとよぶ．細菌間を接合によって伝達するものがある．

(7) 莢膜（capsule）

菌体の周囲に形成され境界がはっきりとした膜構造で，構成成分は，細胞質で合成・分泌された多糖体またはポリペプチドである．Gram 染色では染色されないが，菌体周囲に透明な**ハロー**（halo）として観察される．莢膜形成菌は**食細胞**の食作用に抵抗性を示す．莢膜には特異的な抗原性があり，肺炎球菌やインフルエンザ菌では**血清型別**（serotyping）や**ワクチン**（肺炎球菌ワクチン，Hib ワクチン）の抗原として利用されている．

莢膜様の構造で，細胞壁との境界が不明瞭なものを粘液層（slime layer）とよぶ．多糖体性の粘液層（菌体外多糖体）は**バイオフィルム**（biofilm）の形成に関与する．

(8) 鞭毛（flagellum）

鞭毛は長さが 3〜12 μm，直径が 10〜30 nm のフィラメント状の運動器官である（図 1-B-4）．基部（付け根）は細胞膜に結合し，細胞壁を貫通して表層に突き出ている．単純蛋白質のフラジェリン（flagellin）からなり，抗原性をもつことから H 抗原とよばれる．

(9) 線毛（pilus）

線毛はピリン（pilin）とよばれる蛋白質を主成分とし，長さが 0.2〜2 μm，直径が 3〜10 nm の中空の繊維状構造物である．基部は細胞膜に結合しているが，鞭毛のような明確な構造はみられない．感染時の宿主細胞への付着に関与するものを**付着線毛**，細菌同士の接合とプラスミドの伝達に関与するものを接合線毛（性線毛）という．

## 3）芽胞の形成（環境適応のための構造変化）

*Bacillus*（バシラス）属，*Clostridium*（クロストリジウム）属，*Clostridioides*（クロストリジオイデス）属などの特定のグラム陽性桿菌では，栄養源の欠乏や乾燥などで生育環境が劣悪になると，通常の形態（栄養型）から**芽胞**（spore）とよばれる休眠型に変化する．その概要を図 1-B-5 に示す．

---

**70S リボソーム**

細菌（原核生物）のリボソームの沈降係数は 70S で，50S と 30S のサブユニットからなる．真核生物のリボソームの沈降係数は 80S で，60S と 40S のサブユニットからなる．

**プラスミド**

プラスミド（plasmid）は，宿主細胞の細胞質で自律複製する環状 DNA 分子で，サイズは 200kb 以上〜2kb 以下とさまざまである．プラスミドにはいまだに機能が明らかになっていないもの（cryptic plasmid）も少なくないが，薬剤耐性遺伝子と接合伝達関連遺伝子群をもつものを R プラスミド（antimicrobial resistance plasmid）と総称する．

**バイオフィルム形成**

バイオフィルム形成は，クオラムセンシング（細胞間コミュニケーションの媒体として化学物質を利用し，自分と同種菌の産生するシグナル物質「オートインデューサー」の菌体外濃度を感知し，それに応じて物質の産生をコントロールする）機構の働きにより，細菌の感染部位における生存や増殖が有利になる役割を果たしている．

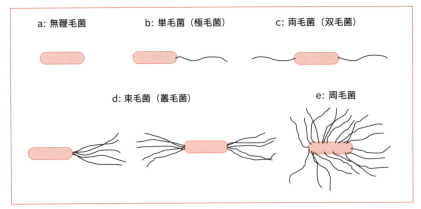

図 1-B-4 鞭毛のつき方（着毛）による分類

**鞭毛のつき方（着毛）**

無鞭毛菌には *Shigella*（シゲラ）属や炭疽菌など，単毛菌には緑膿菌や *Vibrio* 属など，両毛菌には *Campylobacter* 属など，束毛菌には *Burkholderia cepacia* など，周毛菌には大腸菌などがある．

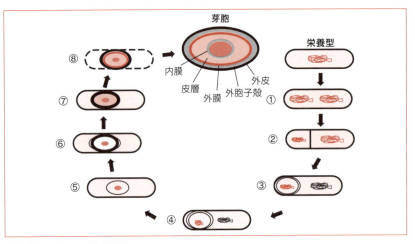

図 1-B-5　芽胞の形成過程
① 環境の悪化により，細胞内の染色体が 2 つになる．
② 隔壁の形成で染色体が隔離され，細胞が大きい部分（母細胞）と小さい部分〔種子（芽胞）細胞〕に分かれる．
③ 種子細胞の周囲が細胞膜で包まれ，2 層の膜をもつ前芽胞が形成される．
④ 前芽胞が栄養型細胞内に取り込まれた状態になり，母細胞の染色体が消失してゆく．
⑤ 皮層の形成が始まり，前芽胞の 2 層の細胞膜の間にペプチドグリカンが蓄積する．
⑥ 皮層の外側に外胞子殻の形成が始まり，菌種によっては最外層に外皮が形成される．
⑦ ジピコリン酸と $Ca^{2+}$ が取り込まれ，熱に対する抵抗性（耐熱性）を獲得する．
⑧ 母細胞の部分が溶解し，消失する．

　芽胞は細菌の休眠型・耐久型であり，土壌などの自然界に広く分布している．乾燥，熱，消毒薬に対する抵抗性が強く，100℃の煮沸にも長時間耐える．生育環境が良好になると，芽胞が発芽して栄養型の菌体ができる．
　芽胞は Gram 染色などの普通の染色法では染まりにくく，菌体内では透明な抜けた状態で観察される．芽胞を染め分ける場合は，Möller（メラー）法，Wirtz（ウィルツ）法などの特殊染色法が用いられる．
　芽胞の形と菌体内に形成される位置は菌種によって異なり，菌種の鑑別・同

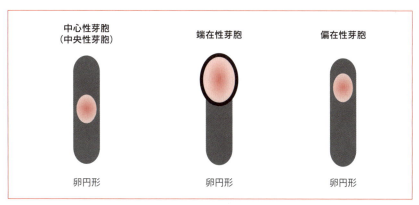

図 1-B-6　芽胞の形成位置

定に役立つ．形には円形，卵円形，円柱形などがあり，形成される位置により中心性（中央性），端在性，偏在性に区別される（**図 1-B-6**）．

## II 細菌の代謝と発育

細菌は，栄養素として発育に必要な有機物質，無機物質を外界から細胞膜を通して摂取する．摂取された栄養素は，**エネルギー産生や菌体構成成分の合成（生合成）**に必要な材料になる．このようなエネルギー産生や生合成など，生体内で生じる化学的変化の過程を**代謝（metabolism）**という．

### 1　細菌の代謝（bacterial metabolism）の概要

細菌は，利用するエネルギー源，エネルギー生成過程で使用される電子供与体，合成炭素源の観点から**表 1-B-1** のように分類される．臨床微生物学の対象となる細菌の多くは**従属栄養細菌**（化学合成細菌，有機酸化細菌）で，利用する**炭素源**は**糖，アミノ酸，脂肪酸**などである．このような細菌は，エネルギー（ATP）を有機物の**分解代謝反応〔異化（catabolism）〕**で産生し，**菌体構成成**

 従属栄養細菌

従属栄養細菌は，自ら炭水化物を合成することができず，生育に必要な炭素源を他に依存する．臨床微生物学の対象となる細菌は従属栄養細菌であり，培養に用いる培地に炭素源となる物質を加える必要がある．

表 1-B-1　エネルギー源，電子供与体，合成炭素源からみた細菌の分類

| 分類の観点 | 物質 | 分類 |
| --- | --- | --- |
| エネルギー源 | 光を利用 | 光合成細菌 |
| | 化学物質を利用 | 化学合成細菌 |
| エネルギーの生成で使用される電子供与体 | 無機物質 | 無機酸化細菌 |
| | 有機物質 | 有機酸化細菌 |
| 合成炭素源* | 無機炭素化合物 | 独立栄養細菌 |
| | 有機炭素化合物のみ | 従属栄養細菌 |

*：菌体成分の炭素原子の大部分が由来する物質．

分を合成代謝反応〔同化（anabolism）〕によってつくりあげる．

## 2　呼吸と発酵

　細菌の分解代謝反応の過程には**好気的呼吸，嫌気的呼吸，発酵**がある．これらの過程に共通する点は，**有機物を酸化**し，その際に遊離するエネルギーで**ATPを合成**する点である．相違する点は，酸化反応で生じる水素または電子を，**好気的呼吸では酸素，嫌気的呼吸では無機物，発酵では有機物**を受容体として渡すという点である．この後で述べる**呼吸鎖**（respiratory chain）を利用したATP合成を**酸化的リン酸化**（oxidative phosphorylation）という．

　細菌の糖代謝（呼吸と発酵）過程の概要を図1-B-7に示す．

### 1）好気的呼吸と嫌気的呼吸

　多くの細菌では，NADH（dihydro-nicotinamide adenine dinucleotide，還元型NAD）やFADH$_2$（1, 5-dihydro flavin-adenine dinucleotide，還元型FAD）を電子供与体，分子状酸素（O$_2$）を終末電子受容体とする**好気的呼吸**（aerobic respiration）によってATPを産生する．一方，終末電子受容体としてO$_2$以外の物質を用いる呼吸を**嫌気的呼吸**（anaerobic respiration）といい，**硝酸呼吸**，フマル酸呼吸などがある．

　細菌の**呼吸鎖**（電子伝達系）は細胞膜に存在し，1つの菌が複数の異なった終末電子受容体を利用できることが多い．呼吸鎖の成分構成にチトクロームCが存在する*Pseudomonas*（シュードモナス）属や*Vibrio*（ビブリオ）属などの細菌では，**チトクロームオキシダーゼテスト（オキシダーゼ試験）**が陽性になる．また，硝酸呼吸で亜硝酸塩を硝酸塩に還元する腸内細菌目細菌などでは，**硝酸塩還元テスト**が陽性になる．臨床微生物学では，これらのテストが同定検査の指標とされる．

### 2）発酵

　**発酵**（fermentation）は，O$_2$を利用せずに有機物を分解してATPを得る異化代謝系である．細菌はO$_2$がない環境（嫌気的条件下），あるいは呼吸鎖をもたない場合，発酵によってATPの産生を行う．

　臨床微生物学の対象となる細菌には次のような発酵系がある．

#### (1) ホモ乳酸発酵（homolactic fermentation）

　乳酸を終末代謝産物とする経路である．多くの細菌にみられるが，好気的呼吸によるATP合成ができない*Streptococcus*（レンサ球菌）属の細菌では，このホモ乳酸発酵と解糖経路にATP合成を依存している．

#### (2) ブタンジオール発酵（butanediol fermentation）

　ピルビン酸から**アセチルメチルカルビノール（アセトイン）**，ブタンジオールを生成する経路である．腸内細菌目に属する*Klebsiella*（クレブシエラ）属，*Enterobacter*（エンテロバクター）属，*Serratia*（セラチア）属などの細菌は

---

**NADとFAD**

NAD（nicotinamide adenine dinucleotide）とFAD（flavin adenine dinucleotide）は，すべての真核生物と多くの細菌の代謝で用いられる電子伝達体である．いずれも補酵素として機能する．

**電子伝達酵素**

呼吸鎖の末端で電子を終末電子受容体に渡す酵素には，好気的呼吸でO$_2$を終末電子受容体とするチトクロームオキシダーゼ（cytochrome oxidase），嫌気的呼吸で硝酸イオン（NO$_3^-$）を終末電子受容体とする硝酸塩還元酵素（nitrate reductase）などがある．

**細菌の発酵系**

細菌の発酵系は多様であるが，基本的には「グルコースなどが異化作用を受けて中間代謝産物であるピルビン酸になるまでの反応系（解糖系）」と「ピルビン酸がさらに代謝されて乳酸やエタノールなどの終末代謝産物が生成されるまでの反応系（ピルビン酸処理系）」に二分される．

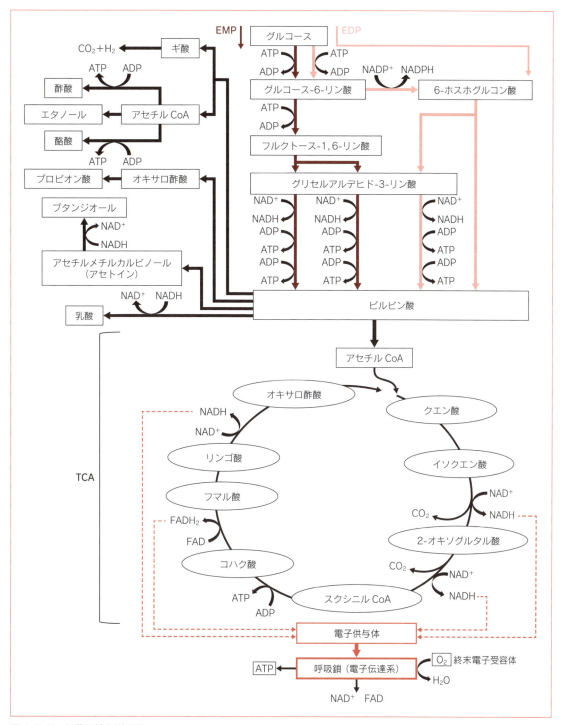

図 1-B-7　細菌の糖代謝過程
EMP：エムデン・マイヤーホフ経路，EDP：エントナー・ドゥドロフ経路，TCA：トリカルボン酸回路．

この経路をもち，**アセトインの検出テスト（VP反応）**が同定検査の指標とされる．

(3) プロピオン酸発酵（propionic acid fermentation）

プロピオン酸を終末代謝産物とする経路で，*Propionibacterium*（プロピオニバクテリウム）属，*Veillonella*（ベイヨネラ）属，*Bacteroides*（バクテロイデス）属などの偏性嫌気性菌でみられる．

(4) 酪酸発酵（butyric acid fermentation）

酪酸を終末代謝産物とする代謝経路で，*Clostridium*（クロストリジウム）属，*Fusobacterium*（フソバクテリウム）属などの偏性嫌気性菌でみられる．

(5) 混合酸発酵（mixed acid fermentation）

腸内細菌目細菌でみられる代謝経路で，ピルビン酸からギ酸，酢酸，乳酸，コハク酸などの複数種類の酸やエタノールを産生する．**ブドウ糖からのガス産生**は同定検査の指標となるが，*Escherichia coli*（大腸菌）や*Klebsiella*属，*Enterobacter*属，*Serratia*属などの細菌が産生するガスは，ギ酸（HCOOH）の分解で生じた二酸化炭素（$CO_2$）と水素（$H_2$）である．*Shigella*（シゲラ）属，*Yersinia*（エルシニア）属などの細菌ではこの反応が起こらず，**ガス産生テスト**が陰性となる．

### 3）解糖系

解糖系はグルコースが異化作用を受けてピルビン酸になるまでの反応系で，**エムデン・マイヤーホフ経路，エントナー・ドゥドロフ経路，ホスホケトラーゼ経路，ペントースリン酸経路**がある．

(1) EMP（エムデン・マイヤーホフ経路，Embden-Meyerhof pathway；EMP）

細菌を含めた生物界に広く分布する．G6Pが異性化され，ATP 1分子を用いたリン酸化によってフルクトース-1,6-リン酸になる．その後，実質的に2分子のグリセルアルデヒド-3-リン酸（G3P）が生成・代謝され，2分子のピルビン酸になる．この間にATP 4分子が生成され，差し引き2分子のATPが得られる．

(2) EDP（エントナー・ドゥドロフ経路，Entner-Doudoroff pathway；EDP）

EMPの分流経路で，*Pseudomonas aeruginosa*（緑膿菌）などの*Pseudomonas*属細菌にみられる．G6Pから6-ホスホグルコン酸（6PG）を生じ，その後，1分子のG3Pが生成・代謝され1分子のピルビン酸になる．この間にATP 2分子が生成され，差し引き1分子のATPが得られる．したがって，ATP生成効率はEMPの2分の1である．

(3) PKP（ホスホケトラーゼ経路，phosphoketolase pathway；PKP）

EMPの分流経路で*Lactobacillus*（ラクトバシラス）属などの細菌にみられる．G6Pから6PG，リブロース-5-リン酸，キシルロース-5-リン酸を経て1分子のG3Pが生成・代謝され1分子のピルビン酸になる．この間にATP 2分子が生成され，差し引き1分子のATPが得られる．

**(4) PPP（ペントースリン酸経路, pentose phosphate pathway；PPP)**

ATP生成に関与する反応系ではないが，現存するすべての生物にみられる代謝経路である．G6Pから6PG，リブロース-5-リン酸，リボース-5-リン酸などを経て，G3Pに変化した段階でEMPと合流する．中間生成物のリボース-5-リン酸は，DNA，RNAの合成に必要な**リボース**などの五単糖の供給源となる．

## 3　高分子成分の代謝

細菌は単細胞であり，そのままでは細胞膜を通過できない多糖体や蛋白質などの高分子成分は，菌体外酵素を分泌して菌体内に移入できる分子に分解してから取り込む．

### 1) 炭水化物の代謝

多糖体を分解する酵素には，デンプンをグルコース，マルトースに分解する**アミラーゼ（amylase)**，セルロースをグルコース，セロビオースに分解する**セルラーゼ（cellulase)** などがある．分解によって生じた単糖は好気的呼吸，嫌気的呼吸，発酵などによる分解代謝でATP産生に利用される．二糖類も単糖に切り離さないとATP産生に利用できない．

### 2) 窒素化合物の代謝

**(1) 蛋白質の分解**

蛋白質は**プロテアーゼ（protease)** によって**ペプチドやアミノ酸に分解（ペプトン化)** され，菌体内に取り込まれた後に窒素源として利用される．アミノ酸は菌体構成成分の合成（同化）に利用されるが，次に示す脱アミノ反応による2-オキソ酸（α-ケト酸）への変換によって，炭素源としても利用できる．

**(2) アミノ酸の分解**

① 脱アミノ反応（deamination)：**酸化的脱アミノ反応**，還元的脱アミノ反応，加水分解的脱アミノ反応などがある．細菌の同定検査では，酸化的脱アミノ反応によるアンモニアの生成と，それによる**培地のアルカリ化**に注目する必要がある．また，トリプトファンとフェニルアラニンの酸化的脱アミノ反応では，それぞれ**インドールピルビン酸（indole pyruvic acid；IPA)** と**フェニルピルビン酸（phenyl pyruvic acid；PPA)** が産生され，これらの検出は同定検査の指標となる．

② 脱炭酸反応（decarboxylation)：基質特異的な**アミノ酸脱炭酸酵素（amino acid decarboxylase)** を産生する細菌では，アミノ酸をアミンに変換し，カルボキシ基を$CO_2$として離脱（脱炭酸）する．たとえば，**リジンはカダベリン，オルニチンはプトレシン**に変換され，これらの検出は同定検査の指標になる．

③ 加水分解反応（hydrolysis)：代表的なものとして，トリプトファンが**トリプトファナーゼ**によって加水分解され，**インドール**が生成される反応系がある．インドールの検出は同定検査の指標になる．

---

**二糖類の分解**

ラクトース〔乳糖（lactose)〕はβ-ガラクトシダーゼ（β-galactosidase)によりグルコースとガラクトースに，スクロース〔白糖，ショ糖(sucrose, saccharose)〕はインベルターゼ（invertase）によりグルコースとフルクトースに，マルトース〔麦芽糖（maltose)〕はマルターゼ（maltase）によりグルコース2分子に変換してから分解代謝に利用される．

**ペプトン化**

蛋白質を酵素（ペプシン）や酸などで加水分解したものをペプトンとよび，蛋白質のペプチド結合の加水分解によってアミノ酸や低分子量のペプチドが生成されることをペプトン化という．ペプトンは細菌の栄養源として適しているので，多くの培地に添加されている．

**脱アミノ酵素**

脱アミノ酵素（deaminase）によりアミノ基がアンモニアとして離脱し，アミノ酸が有機酸に変換される．たとえば，アスパラギン酸はオキサロ酢酸，グルタミン酸は2-オキソグルタル酸（α-ケトグルタル酸)，アラニンはピルビン酸に変換され，TCA回路や解糖などでATP生成に利用される．

### 3) 脂肪の代謝

脂肪は，**グリセロール（グリセリン）**と脂肪酸がエステル結合したアシルグリセロールである．脂肪の代謝によってATPを産生する場合は，**リパーゼ (lipase)** を産生し，グリセロールと脂肪酸に加水分解しなければならない．生成された脂肪酸は，β酸化によってアセチルCoAに分解され，TCAでATP生成に利用される．アシルグリセロールはレシチン（ホスファチジルコリン）のようなリン脂質から得ることも可能である．

## 4 細菌の増殖

### 1) 細菌の成長と分裂

細菌は，分解代謝で得られたATP，合成代謝で得られた成分などを利用して**発育（growth）**し，細胞が一定の大きさになると発育が停止する．一般に，細菌の大きさを表す場合は，完全に成長したこのときの大きさが目安となる．このように発育・成長した細菌細胞〔**母細胞（mother cell）**〕は，同じ大きさに分かれて2つの個体〔**娘細胞（daughter cell）**〕になる．この現象を**二分裂（binary fission）**といい，この様式で新しい細菌細胞が増加〔**増殖（proliferation）**〕する過程を**二分裂増殖**という．また，母細胞が2個の娘細胞になる時間（1回の分裂に要する時間）を**世代時間（generation time）**あるいは**倍加時間（doubling time）**という．同一菌種が一定の条件で増殖するときの世代時間はほぼ一定で，*Vibrio parahaemolyticus*（腸炎ビブリオ）では約10分，*Escherichia coli*（大腸菌）と*Bacillus subtilis*（枯草菌）では約30分，*Staphylococcus aureus*（黄色ブドウ球菌）では約40分，*Mycobacterium tuberculosis*（結核菌）では約15時間である．

### 2) 細菌の増殖曲線

細菌を液体培地で増殖させ，培地1 mLあたりの生菌数の消長（経時的変化）を図1-B-8のようなグラフにしたものを，**細菌の増殖曲線（growth curve）**という．グラフの縦軸は**生菌数（CFU/mL）**の対数，横軸は培養時間を表し，増殖は次に示す4つのステージの順に進行する．

① **誘導期〔遅滞期，遅延期（lag phase）〕**：培地に接種された（植え付けられた）細菌が，培地の栄養分を摂取して分裂の準備をしている期間で，増殖はしていない．

② **対数増殖期〔指数増殖期（logarithmic growth phase）〕**：二分裂増殖を開始し，生菌数が指数関数的に増加する時期である．世代時間が一定で，酵素活性が最も高く，細菌の同定検査や薬剤感受性検査に適している．

③ **定常期（stationary phase）**：生菌数が最大になり，終末代謝廃物（老廃物）の蓄積，pHの変化，栄養源の枯渇などによって，増殖の環境が悪化する時期である．

④ **死滅期〔衰退期，減衰期（decline phase）〕**：この時期になると，菌体の伸

CFU : colony forming unit，コロニー形成単位

 定常期

一部の菌では死滅がはじまり，増加する生菌数と死滅菌数がほぼ同数の定常状態になる．*Bacillus*（バシラス）属や*Clostridium*属の芽胞形成はこの時期から始まる．

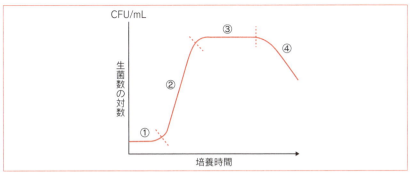

図 1-B-8　細菌の増殖曲線
①誘導期，②対数増殖期，③定常期，④死滅期．

長，膨化などによって死滅菌が増加し，生菌数が減少していく．死滅する速度は菌種，培地の成分，培養環境によって異なる．

## 5　細菌数の測定法

細菌数の測定が必要になるのは，前に示した細菌の増殖曲線の作成（実験的な細菌数測定），食品衛生検査における食品中・飲料中の細菌数測定，尿路感染症の診断で重要な尿中細菌数測定などの場合である．

### 1）生菌数測定法

液体材料の場合は直接，固形材料中の菌数測定の場合はホモジネートに滅菌水などを加えて調整した希釈液を検体とし，次の方法で測定する．

#### (1) 平板培地塗布法

定量白金耳またはピペットを使用し，10 μL または 100 μL の検体を寒天平板培地に塗布する．一定時間培養後，形成された集落数をもとに，検体 1 mL（1,000 μL）中の生菌数を算出する．

#### (2) 混釈平板培養法（混和培養法）

滅菌生理食塩水で検体の 10 倍希釈系列をつくり，希釈液 100 μL をシャーレに入れ，滅菌後に温度が 50℃以下に下がった寒天培地を流し込んで混釈する．固まった寒天培地を一定時間培養後，培地面・培地中に形成された集落数をもとに，検体 1 mL（1,000 μL）中の生菌数を算出する．

混釈の操作を行わず，寒天平板の表面に希釈液 100 μL を流し込んで，コンラージ棒（bacteria spreader）で塗り広げ，培養後の集落数から生菌数を測定することも可能である．

### 2）全菌数測定法

#### (1) 濁度法

光電光度計を利用して菌液の濁度〔光学密度（optical density；OD）〕を測

> **平板培地塗布法での生菌数の算出**
> たとえば，白金耳で検体 10 μL 量を塗布して 200 個の集落が形成された場合は，検体量 1 mL（1,000 μL）あたりに換算（100倍）して 200×100＝2×$10^4$ となり，生菌数は 2×$10^4$/mL である．

> **混釈平板培養法での生菌数の算出**
> たとえば，検体の 100 倍希釈液 100 μL（1 mL の 10分の 1 量）を混釈培養して，200 個の集落が形成された場合は，200×100×10＝2×$10^5$ となり，生菌数は 2×$10^5$/mL である．

定する方法である．この方法により，生菌と死菌を合わせた総菌数を求めることができる．通常は，600〜660 nm の波長が用いられる．

細菌検査における菌液の調整では，生菌数をマクファーランド標準濁度（McFarland standard turbidity）から推定する方法が用いられる．マクファーランド標準濁度は，McF No.0.5 の菌数が $1.5\times10^8$/mL であり，数値が1つ増えるごとに菌数がそれぞれ，McF No.0.5 の2倍，4倍，6倍，8倍，10倍…となる（McF0.5：$1.5\times10^8$，McF1：$3\times10^8$，McF2：$6\times10^8$，McF3：$9\times10^8$，McF4：$1.2\times10^9$，McF5：$1.5\times10^9$，McF6：$1.8\times10^9$）．

菌液とマクファーランド濁度標準液の系列〔No. 0.5（$1.5\times10^8$ CFU/mL に相当）〜No. 10（$3.0\times10^9$ CFU/mL に相当）の11段階〕を見比べて，濁度が最も近い濁度標準液が被検菌液の生菌数に相当するという，簡便な方法である．

### (2) その他の方法

血球計算盤に似た計算盤〔Petroff-Hausser（ペトロフハウザー）細菌計算盤〕を用いる方法，コールターカウンター法，フローサイトメトリー法などがある．

> **マクファーランド濁度標準液**
> $BaCl_2$（塩化バリウム）水溶液と $H_2SO_4$（硫酸）を混合して作製した $BaSO_4$（硫酸バリウム）の懸濁液である．この懸濁液と細菌の浮遊液（菌液）の濁りが同様であることを利用している．標準濁度の系列（No. 0.5〜10）と菌液を見比べて，濁度が最も近い標準液の番号が，その菌液のマクファーランド標準濁度である．

## III 細菌の観察法と染色法

### 1 細菌の観察法

細菌の大きさは μm（1 mm の 1,000 分の 1）のレベルであり，肉眼で観察することができない．細菌の観察は，光学顕微鏡などによって数 100〜1,000 倍に拡大することで可能となる．

#### 1) 顕微鏡の種類と細菌の観察

表 1-B-2 に，顕微鏡の種類と細菌の観察における目的を示す．

光学顕微鏡は，微生物検査において最も高頻度に使用され，患者検体中の細菌や生体細胞の有無と種類，培養した細菌の観察に使用される．暗視野顕微鏡は，細菌の運動性をみるのに用いられ，*Leptospira* 属などの観察に有用である．

**表 1-B-2　顕微鏡の種類と細菌の観察目的**

| 顕微鏡 | 観察目的 |
| --- | --- |
| 光学顕微鏡〔bright field (light) microscope〕 | 運動性の観察，染色により形態を観察（Gram 染色による菌種の推定等） |
| 暗視野顕微鏡（dark field microscope） | 運動性を観察（*Leptospira* 属等） |
| 位相差顕微鏡（phase contrast microscope） | 無染色で形態や内部構造を観察 |
| 微分干渉顕微鏡（differential interference contrast microscope） | 無染色で形態や内部構造を立体的に観察 |
| 蛍光顕微鏡（fluorescence microscope） | 蛍光染色または自家蛍光による観察 |
| 共焦点レーザー顕微鏡（confocal laser scanning microscope） | 光源にレーザーを用い，細菌の表面や断層像を観察 |
| 電子顕微鏡（走査型，透過型）（electron microscope） | 走査型電子顕微鏡（SEM）は細菌の表面構造を観察<br>透過型電子顕微鏡（TEM）は切断面から内部構造を観察 |

蛍光顕微鏡は，蛍光色素による染色または微生物自身が発する蛍光（自家蛍光）を観察する．細菌の表面や内部構造の詳細な観察には，位相差顕微鏡，微分干渉顕微鏡，共焦点レーザー顕微鏡が用いられる．電子顕微鏡は数万～数十万倍に拡大でき，細菌の表層構造や切断面を分子レベルの構造まで観察できる．

### 2）顕微鏡による細菌の観察法

顕微鏡による細菌の観察法には，無染色標本による方法と染色標本による方法がある．

#### (1) 無染色標本による観察法

無染色標本による観察法には，浸潤（生鮮）標本と懸滴標本による方法がある．細菌を生きたまま観察することで，運動性，大きさ，形態をみる．

① 浸潤または生鮮標本（wet mount）：浸潤標本は，スライドガラスの上にブイヨン培地で培養した培養液，または滅菌生理食塩液を1滴（50 μL）とり，コロニーから釣菌した菌を懸濁，浮遊させ，カバーガラスをかぶせて顕微鏡で観察する．

生鮮標本とは，原虫や寄生虫卵を糞便や肝膿瘍などの患者検体から直接観察するために作製された標本をよぶことが多い．

顕微鏡による観察では，細菌にコントラストをつけてみやすくするため，顕微鏡のコンデンサを下げるか，開口絞りを小さくする．

標本を長時間観察または保存する場合は，カバーガラスの周囲をマニキュアで封じる．

② 懸滴標本（hanging drop）：懸滴標本は，細菌の運動性をみるために使用され，浸潤標本より明瞭に観察できる長所がある．

懸滴標本の作製は，スライドガラスを用いる方法と凹みガラスを用いる方法がある．図1-B-9に，スライドガラスを用いた標本作製法を示す．

運動性の観察は，辺縁部より中央の方がみやすい．顕微鏡は，浸潤標本の観察と同様に，菌にコントラストをつけるためコンデンサや開口絞りを調節する．

運動性の判定では，菌の固有の運動と分子運動（ブラウン運動）の区別に注意する．分子運動は運動範囲が小さくほぼ一定しているのに対し，菌固有の運動は大きく，直進，蛇行などがみられる．

#### (2) 染色標本による観察法

細菌は無色であることから，患者検体から検出された細菌や培養した細菌の分類や同定では，染色標本による観察が必ず行われる．

## 2 微生物の染色法

### 1）染色法の種類

表1-B-3に微生物の染色法を示す．細菌の一般的な染色法には，単染色とGram染色がある．単染色は，染め上がりの濃淡と形態から細菌や生体細胞を

---

**凹みガラス**

凹みガラスはホールスライドガラスとよばれ，スライドガラスの中央部が円形に凹んでいる（ホール状）．凹みに試料を入れることで，カバーガラスをかぶせても試料がつぶれずに観察できる．懸滴標本に使用する場合は，菌液をのせたカバーガラスを裏返して凹み部分にかぶせて観察する．

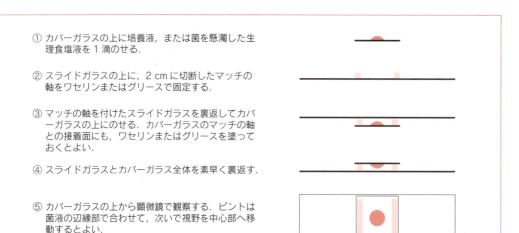

**図 1-B-9** 懸滴標本の作製法と観察

識別，観察する方法である．単染色は簡便であるが，微生物検査の日常検査ではあまり使用されていない．**Gram 染色は，微生物学や微生物検査において基本的かつ最も重要な染色法**である．

その他の染色法は特殊染色として分類され，目的とする細菌や構造物を染め出すために考案されたものである．

### 2）代表的な染色法と原理

微生物の染色原理は，レフレル（Löffler）のアルカリ性メチレンブルー液やパイフェル（Pfeiffer）液による単染色では，染色液に用いるメチレンブルーや塩基性フクシンのような塩基性色素は陽性に荷電しており，陰性に荷電している細菌や生体細胞と結合する．色素と細菌または細胞との結合の量的違いが，染色の濃淡に反映される．

染色法の染色原理はそれぞれ異なる．代表的な染色法の手順を**表 1-B-4〜13** に，染色原理については以下に示す．

#### (1) Gram 染色（表 1-B-4）

|染色原理| Gram 染色の原理は，**グラム陽性菌と陰性菌の細胞壁の構造の違いに基づいている**．グラム陽性菌の細胞壁は，多重層の厚いペプチドグリカンとタイコ酸を有している．一方，グラム陰性菌はペプチドグリカン層が単層で薄く，リポ多糖を多く含む外膜からなっている．

染色の最初にクリスタル紫を作用させると，細胞内にクリスタル紫が入り込み，次いでヨウ素を作用させることで，クリスタル紫とヨウ素の大きな複合体が形成される．脱色液であるエタノールを作用させると，細胞から脂質などが溶出するが，グラム陽性菌ではペプチドグリカン層が厚く密なことから複合体が溶出しにくい．しかし，グラム陰性菌では脱色液によって薄い細胞

表 1-B-3 微生物の染色法と目的

| 染色法 | 主な変法・改良法 | 特徴および目的 |
|---|---|---|
| 単染色（simple stain） | メチレンブルー染色<br>パイフェル染色 | 細胞内に貪食または寄生性の細菌の観察に使用. |
| グラム染色（Gram stain） | Hucker 変法<br>Bartholomew & Mittwer 変法<br>フェイバー法 | 微生物検査における基本的かつ最も重要な染色法. |
| 抗酸菌染色または抗酸性染色（acid-fast stain） | Ziehl-Neelsen 法<br>Kinyoun 変法 | 結核菌群を含む *Mycobacterium* 属などの検出や鑑別に使用.<br>Kinyoun 変法は，*Nocardia* 属やクリプトスポリジウムの染色に使用. |
| オーラミン・ローダミン染色（auramine-rhodamine stain） | オーラミン O 染色 | *Mycobacterium* 属の検出に使用. |
| 異染小体染色（metachromatic body または granules stain） | Neisser 法（Cowdry 変法）<br>Albert 法 | *Corynebacterium* 属の異染小体を染色する. |
| 芽胞染色（spore stain） | Möller 法，Wirtz 法 | Gram 染色では染まらない芽胞を染色でき，有芽胞菌の同定に使用. |
| 莢膜染色（capsule stain） | Hiss 法 | Gram 染色では染まらない莢膜を染色. |
| 鞭毛染色（flagella stain） | Leifson 法<br>西沢・菅原変法<br>劉の方法 | 鞭毛を染色し，性状（極毛性，周毛性など）を観察. |
| ヒメネス染色（Giménez stain） | | 主に *Legionella* 属の検出に使用. |
| アクリジン・オレンジ染色（acridine orange stain） | | 核酸と結合する蛍光色素による染色法. |
| ディーンズ染色（Dienes' stain） | | *Mycoplasma* の集落を染色. |
| ウェイソン染色（Wayson stain） | | *Yersinia pestis* などでみられる極染色性を明瞭に染色. |
| 墨汁法（パーカーインク法）〔India ink method（Parker ink method）〕 | | 患者検体中の *Cryptococcus neoformans* などの莢膜の観察に適する. |
| トルイジンブルー O 染色（toluidine blue O stain） | | *Pneumocystis jirovecii* の栄養型やシストを染色. |
| PAS 反応（染色）（periodic acid-schiff reaction） | | 組織中の真菌や赤痢アメーバの検出に使用. |
| グロコット染色（Gomori's methenamine silver nitrate stain；Grocott's variation） | | 組織中の真菌や *P. jirovecii* のシストの検出に使用. |
| KOH 法（KOH method） | | 皮膚の落屑などからの真菌の観察に使用. |
| ラクトフェノールコットンブルー染色（lactophenol cotton blue stain） | | 真菌（特に糸状菌）の形態観察に使用. |
| ファンギフローラ Y，calcofluor white 染色 | | 真菌を染色する蛍光染色. |
| ギムザ染色（Giemsa stain） | リン酸緩衝液のpHは7.2〜7.4を使用 | マラリア原虫などの検出，同定に使用. |
| ヨード染色（iodine stain） | | 赤痢アメーバや *Chlamydia trachomatis* の染色に使用. |
| コーン染色（Kohn's stain） | | 腸管寄生原虫の染色に使用. |

## 表 1-B-4 Gram 染色の手順

### Hucker 変法

| 染色工程 | 染色液，染色時間（注意事項） |
| --- | --- |
| 塗抹標本作製，固定 | スライドガラス上で菌液作製，または培養液や患者検体を塗抹し，自然乾燥．ガスバーナーによる火炎固定またはメタノール固定． |
| クリスタル紫液による前染色 | クリスタル紫液を標本にのせ，30 秒～1 分間染色． |
| 水洗 | ①流水または洗浄ビンで洗い流す（流水を，直接標本面に当てない）． |
| ルゴール液*による媒染 | ルゴール液を標本にのせていったん捨てる．再度ルゴール液をのせて 30 秒～1 分間媒染． |
| 水洗 | ①に同じ． |
| 脱色・分別 | 純エタノールを標本にのせ，スライドガラスを揺り動かしながら脱色・分別．（標本面からクリスタル紫液が流れ出なくなった時点が分別の終末点） |
| 水洗 | ①に同じ． |
| サフラニン液による後染色 | サフラニン液を標本にのせ，30 秒～1 分間染色． |
| 水洗 | ①に同じ． |
| 乾燥 | 標本架に立てて自然乾燥，または冷風ドライヤーで乾燥． |
| 鏡検 | 生体細胞は低倍率で観察，細菌は 1,000 倍で観察． |
| 染色結果 | グラム陽性菌：黒紫色．グラム陰性菌，生体細胞：淡赤色 |

＊：ヨウ素をヨウ化カリウムで溶解した水溶液．

### Bartholomew & Mittwer 変法

| 染色工程 | 染色液，染色時間（注意事項） |
| --- | --- |
| 塗抹標本作製，固定 | Hucker 変法と同じ． |
| クリスタル紫液による前染色 | クリスタル紫液を標本にのせ，炭酸水素ナトリウム液を数滴滴下し，30 秒～1 分間染色．（炭酸水素ナトリウム液が不要な製品もある） |
| 水洗 | ①流水または洗浄ビンで洗い流す（流水を，直接標本面に当てない）． |
| ヨウ素液による媒染 | ヨウ素液を標本にのせていったん捨てる．再度ヨウ素液をのせて 30 秒～1 分間媒染． |
| 水洗 | ①に同じ． |
| 脱色・分別 | アセトン・エタノールを標本にのせ，スライドガラスを揺り動かしながら脱色・分別．（標本面からクリスタル紫液が流れ出なくなった時点が分別の終末点）（アセトン・エタノール混合液はエタノールより脱色が速い） |
| 水洗 | ①に同じ． |
| パイフェル液*による後染色 | パイフェル液（または 0.1％フクシン水溶液）を標本にのせ，30 秒～1 分間染色． |
| 水洗 | ①に同じ． |
| 乾燥 | 標本架に立てて自然乾燥，または冷風ドライヤーで乾燥． |
| 鏡検 | 生体細胞は低倍率で観察，細菌は 1,000 倍で観察． |
| 染色結果 | グラム陽性菌：濃い紫色．グラム陰性菌，生体細胞：ピンク色 |

＊：Ziehl の石灰酸フクシン液を希釈したもの．

### フェイバー法（西岡法）

| 染色工程 | 染色液，染色時間（注意事項） |
| --- | --- |
| 塗抹標本作製，固定 | Hucker 変法と同じ． |
| ビクトリアブルー液による前染色 | ビクトリアブルー液を標本にのせ，30 秒～1 分間染色． |
| 水洗 | ①流水または洗浄ビンで洗い流す（流水を，直接標本面に当てない）． |

**フェイバー法（西岡法）（つづき）**

| | |
|---|---|
| ピクリン酸・エタノールによる媒染，脱色・分別 | ピクリン酸・エタノールを標本にのせ，スライドガラスを揺り動かしながら脱色・分別．（標本面からビクトリアブルー液が流れ出なくなった時点が分別の終末点） |
| 水洗 | ①に同じ． |
| サフラニンまたはパイフェル液による後染色 | サフラニンまたはパイフェル液を標本にのせ，30秒～1分間染色． |
| 水洗 | ①に同じ． |
| 乾燥 | 標本架に立てて自然乾燥，または冷風ドライヤーで乾燥． |
| 鏡検 | 生体細胞は低倍率で観察，細菌は1,000倍で観察． |
| 染色結果 | グラム陽性菌：青色．グラム陰性菌，生体細胞：淡赤色またはピンク色 |

壁が破壊され，複合体が溶出しやすくなり，後染色によるサフラニンで染色される．

フェイバー法では，ビクトリアブルーと脱色液のピクリン酸が結合して複合体を形成する．

染色上の注意点　Gram染色は，Hucker変法，Bartholomew & Mittwer変法，フェイバー法〔Favor法（西岡法）〕が行われている．Hucker変法が最も古く，基本となる方法である．

### (2) 抗酸菌（抗酸性）染色（表1-B-5）

染色原理　*Mycobacterium*属などの抗酸性を有する細菌の細胞壁は，脂肪酸であるミコール酸が多いことから，水溶性の染色液では染色されにくい．親水性と親油性の性質を有するフェノールを用いることで，菌体内へ色素を浸透させる．いったん細胞内へ浸透した色素は脱色されにくくなる．一方，他の細菌や生体細胞は塩酸アルコールによって脱色され，後染色液によって染色される．

オーラミンOによる染色は，オーラミンがミコール酸と結合し，細胞膜へ浸透することによる．後染色は，非特異的な蛍光を抑え，鏡検を容易にするために行う．

### (3) 異染小体染色（表1-B-6）

染色原理　異染小体はボルチン顆粒ともよばれるポリリン酸塩であり，リン酸とエネルギーの貯蔵庫である．異染小体は*Corynebacterium*属の菌体内にみられ，*C. diphtheriae*は特に異染小体の数が多いのが特徴である．異染性とは，色素が結合した複合体により，色素本来の色とは異なる色調を示す性質を指し，メチレンブルーやトルイジンブルー（DNase反応）を使用した染色で認められる．

### (4) 芽胞染色（表1-B-7）

染色原理　芽胞は数層の厚い殻でおおわれ，物質の透過がほとんどない．芽胞を前処理（クロム酸）や加温によって強力に染め，いったん染色されると脱色されにくい性質を利用して，他の菌体成分と染め分けるものと考えられ

---

**抗酸菌染色**

現在は「抗酸菌染色」の表記が一般的であるが，元は抗酸性を有する細菌などの染色法を指す用語であり，英語表記であるacid-fast stainの方が目的に対して忠実な表記である．*Nocardia*属菌や原虫（クリプトスポリジウム）などの染色に使用されるKinyoun染色は，Ziehl-Neelsen法の変法である．

**抗酸菌染色（Kinyoun変法）**

脱色・分別に使用する塩酸アルコールを脱色力の弱い硫酸水に替えることにより，*Nocardia*属などの弱抗酸性菌の染色を助ける．

表 1-B-5 抗酸菌（抗酸性）染色の手順

**Ziehl-Neelsen 法**

| 染色工程 | 染色液，染色時間（注意事項） |
|---|---|
| 塗抹標本作製，固定 | スライドガラス上で菌液作製，または培養液や患者検体を塗抹し，自然乾燥．ガスバーナーによる火炎固定． |
| 石炭酸フクシン液[*1]による前染色 | Ziehl の石炭酸フクシン液を標本に満載し，アルコールランプで加温し，5 分間染色．（加温は標本面から湯気が出る程度，沸騰させない）加温してから 1〜2 分後に再度加温し，これを 2 回繰り返してもよい． |
| 水洗 | ①流水または洗浄ビンで洗い流す（流水を，直接標本面に当てない）． |
| 脱色・分別 | 塩酸アルコール[*2]を標本にのせ，標本面から染色液が流れ出なくなるまで脱色． |
| 水洗 | ①に同じ． |
| アルカリ性メチレンブルー液による後染色 | Löffler のアルカリ性メチレンブルー液を標本にのせ，30 秒間染色． |
| 水洗 | ①に同じ． |
| 乾燥 | 標本架に立てて自然乾燥，または冷風ドライヤーで乾燥． |
| 鏡検 | 1,000 倍で観察． |
| 染色結果 | 抗酸菌：赤色．生体細胞：淡青色 |

[*1]：塩基性フクシンのエタノール溶液を石炭酸水溶液で希釈した液．
[*2]：エタノールに，塩酸を 3％になるように加えたもの．

**オーラミン法**

| 染色工程 | 染色液，染色時間（注意事項） |
|---|---|
| 塗抹標本作製，固定 | Ziehl-Neelsen 法と同じ． |
| オーラミン液[*]による前染色 | オーラミン液を標本にのせ，10 分間染色． |
| 水洗 | ①流水または洗浄ビンで洗い流す（流水を，直接標本面に当てない）． |
| 脱色・分別 | 塩酸アルコールを標本にのせ，標本面から染色液が流れ出なくなるまで脱色． |
| 水洗 | ①に同じ． |
| アルカリ性メチレンブルー液による後染色 | Löffler のアルカリ性メチレンブルー液を標本にのせ，30 秒間染色． |
| 水洗 | ①に同じ． |
| 乾燥 | 標本架に立てて自然乾燥，または冷風ドライヤーで乾燥． |
| 鏡検 | 蛍光顕微鏡にて BV 励起，200 倍で観察． |
| 染色結果 | 抗酸菌：黄色蛍光 |

[*]：オーラミン O と石炭酸の水溶液．

表 1-B-6 異染小体染色の手順〔Neisser 法（Cowdry 変法）〕

| 染色工程 | 染色液，染色時間（注意事項） |
|---|---|
| 塗抹標本作製，固定 | Gram 染色と同じ． |
| Neisser 液[*]による染色 | Neisser 液を作製し，標本にのせ，20〜30 秒間染色． |
| 水洗 | 流水または洗浄ビンで染色液を洗い流す（流水を，直接標本面に当てない）． |
| クリソイジン液による後染色 | クリソイジン液を標本にのせ，10 秒間染色．（後染色の後は水洗しない） |
| 乾燥 | 標本架に立てて自然乾燥，または冷風ドライヤーで乾燥． |
| 鏡検 | 1,000 倍で観察． |
| 染色結果 | 異染小体：黒褐色．菌体：黄色 |

[*]：メチレンブルーとクリスタル紫の混合液．

表 1-B-7　芽胞染色の手順〔Wirtz 法（Schaeffer-Fulton 変法）〕

| 染色工程 | 染色液，染色時間（注意事項） |
|---|---|
| 塗抹標本作製，固定 | Gram 染色と同じ． |
| マラカイトグリーン液による前染色 | マラカイトグリーン液を標本に満載し，アルコールランプで加温し，2～5 分間染色．（加温は標本面から湯気が出る程度．沸騰させない） |
| 水洗 | ①流水または洗浄ビンで洗い流す（流水を，直接標本面に当てない）． |
| サフラニン液による後染色 | サフラニン液を標本にのせ，30 秒～1 分間染色． |
| 水洗 | ①に同じ． |
| 乾燥 | 標本架に立てて自然乾燥，または冷風ドライヤーで乾燥． |
| 鏡検 | 1,000 倍で観察． |
| 染色結果 | 芽胞：緑色．菌体：淡赤色 |

表 1-B-8　莢膜染色の手順（Hiss 法）

| 染色工程 | 染色液，染色時間（注意事項） |
|---|---|
| 塗抹標本作製，固定 | Gram 染色と同じ． |
| ゲンチアナ紫液による染色 | ゲンチアナ紫液を標本に満載し，アルコールランプで加温，湯気が出たら止め数秒後に再び加温し，この操作を 3～4 回繰り返す．<br>加温終了後は 5 分間静置し，標本を冷ます． |
| 硫酸銅水溶液による分別 | 硫酸銅水溶液を標本にのせ，染色液を浮き上がらせて流す．10～20 秒間で行う．（分別後は水洗しない） |
| 乾燥 | 標本架に立てて自然乾燥，または冷風ドライヤーで乾燥． |
| 鏡検 | 1,000 倍で観察． |
| 染色結果 | 莢膜：淡い紫色．菌体：濃い紫色 |

ている．

(5) 莢膜染色（表 1-B-8）

　染色原理　莢膜は多糖体からなり，Gram 染色で難染性を示す．ゲンチアナ紫やクリスタル紫液で加温染色することにより，莢膜を染め出す．莢膜染色は菌体も染まるので，硫酸銅水溶液で分別し色調の濃淡よって莢膜と菌体とを染め分ける．莢膜は生体内で形成されやすく，培養菌では縮小または形成されにくい．*Cryptococcus neoformans* の莢膜は，Hiss 法を含む莢膜染色は適さず，墨汁法が行われる．

(6) 鞭毛染色（表 1-B-9）

　染色原理　細菌の鞭毛は太さが約 20 nm ときわめて細く，壊れやすい．そこで，鞭毛に媒染剤としてタンニン酸を付着させてから染色する．

(7) Giménez（ヒメネス）染色（表 1-B-10）

　染色原理　Giménez 染色は，リケッチアの染色法である Macchiavello（マキアベロ）染色を改良したものであり，細胞内の細菌を明瞭に染め出す．*Legionella* 属は Gram 染色では染まりにくいことから，石炭酸フクシン液で

表1-B-9 鞭毛染色の手順（Leifson法）

| 染色工程 | 染色液，染色時間（注意事項） |
|---|---|
| 塗抹標本作製 | ・液体培養菌の準備：①20〜25℃，18〜20時間培養した菌液3 mLに中性ホルマリン0.5 mLを加え，静かに混和して固定．②3,000 rpm，10〜20分間遠心し上清を捨てる．精製水を少量加えて沈渣を再懸濁し精製水4〜5 mLを加えて混和．③②の操作を2〜3回繰り返す．④沈渣に少量の精製水を加え，わずかに白濁する程度に調整．<br>・スライドガラスへの塗抹：①スライドガラスの縁に沿って皮膚鉛筆で枠を書く．②調整した菌液をスライドガラスの一端に置く．③スライドガラスを傾け菌液を流下させ，自然乾燥． |
| Leifson染色液*による染色 | 染色液を室温に戻し，スライドガラス標本に染色液を静かに満載，室温で約10分間染色．（染色液がスライドガラスに沈着し，染色液全体に混濁が広がってきた時が染色の終末点） |
| 水洗 | 洗浄ビンで染色液を浮き上がらせて洗い流す． |
| 乾燥 | 標本架に立てて自然乾燥． |
| 鏡検 | 1,000倍で観察．<br>塗抹の辺縁部を中心に観察し，多数の菌体と鞭毛が染まっている部位で鞭毛の性状を判定． |
| 染色結果 | 鞭毛，菌体：赤色 |

＊：パラロザニリン塩酸塩，パラロザニリン酢酸塩，タンニン酸を含む液．

表1-B-10 Giménez（ヒメネス）染色の手順

| 染色工程 | 染色液，染色時間（注意事項） |
|---|---|
| 塗抹標本作製，固定 | Gram染色と同じ |
| 石炭酸フクシン液による前染色 | 石炭酸フクシン液を作製，標本にのせ，1〜2分間染色．<br>（染色液は，石炭酸フクシン原液とpH 7.45 0.1 Mリン酸緩衝液を2：5の割合で混合） |
| 水洗 | ①流水または洗浄ビンで洗い流す（流水を，直接標本面に当てない）． |
| マラカイトグリーン液による後染色 | 0.8%マラカイトグリーン液を標本にのせ，6〜9秒間染色． |
| 水洗 | ①に同じ． |
| 乾燥 | 標本架に立てて自然乾燥，または冷風ドライヤーで乾燥． |
| 鏡検 | 1,000倍で観察． |
| 染色結果 | 菌体：赤色．生体細胞：青緑色 |

強力に染める．したがって，本染色は*Legionella*属に特異的な染色法ではない．

(8) 墨汁法（表1-B-11）

**染色原理** 墨汁法は陰性染色（negative stain）に分類され，染色法ではない．墨汁によって莢膜を菌体周囲に白く抜けた像として観察する．*Cryptococcus neoformans*の莢膜はHiss法による莢膜染色には適さず，墨汁法によって検出する．

墨汁は細菌汚染によって雑菌が繁殖しやすいので，小分けして冷蔵保存するか防腐剤（チモール）を添加する．

**陰性染色**
観察する対象を直接染色せず，墨汁などにより背景を染めて細菌や莢膜の輪郭を可視化する方法である．

(9) KOH法（表1-B-12）

**染色原理** KOH法は，皮膚，毛髪，爪の中から真菌（特に皮膚糸状菌）を検出する方法である．KOHは組織を融解するが，真菌は融解されにくい性質を

KOH：水酸化カリウム

表 1-B-11　墨汁法の手順

| 染色工程 | 染色液，染色時間（注意事項） |
|---|---|
| 墨汁の準備 | スライドガラス上に墨汁を滴下（50 μL 程度）．<br>（最初に墨汁を滴下することで，検体による汚染を防ぐ） |
| 検体と墨汁を混合 | スライドガラス上に滴下した墨汁と患者検体を混合し，カバーガラスをかぶせる． |
| 鏡検 | 低倍率で観察． |
| 染色結果 | 莢膜：菌体周囲が抜けてみえる |

表 1-B-12　KOH 法の手順

| 染色工程 | 染色液，染色時間（注意事項） |
|---|---|
| 標本作製 | スライドガラス上に検体をのせ，カバーガラスをかぶせる．<br>（検体は細切する） |
| KOH 液による検体の軟化，透徹 | 20〜40%KOH 液（ジメチルスルホキシドを KOH 液に添加）をスポイトでカバーガラスの縁から注入，室温で 10 分間以上静置．<br>（検体が軟化，融解しにくい場合は，加温してもよい） |
| 鏡検 | 低倍率で観察． |

表 1-B-13　ラクトフェノールコットンブルー染色の手順

| 染色工程 | 染色液，染色時間（注意事項） |
|---|---|
| ラクトフェノールコットンブルー液の準備 | スライドガラス上にラクトフェノールコットンブルー液を滴下（50 μL 程度）． |
| 標本作製，固定 | ①分離培地上の真菌をカギ型白金線でとり，スライドガラス上に滴下した染色液中で広げ，カバーガラスをかぶせる．<br>（菌糸を広げるには，2 本の白金線を用いる）<br>②分離培地上の真菌をセロハンテープでとり，スライドガラス上に滴下した染色液にかぶせるように貼り付ける． |
| 鏡検 | 低倍率で観察． |
| 染色結果 | 菌糸・胞子：青色調の濃淡で染色 |

利用して検出する．

(10) ラクトフェノールコットンブルー染色（表 1-B-13）

　染色原理　ラクトフェノールコットンブルー染色は，真菌の構造を観察する染色である．真菌はコットンブルーによって青色の濃淡で染色される．

# Ⅳ 細菌の発育と培養

## 1　細菌の発育

　細菌を含む微生物は，それぞれに至適な環境において栄養素を取り込んで発育または増殖する．発育に必要な条件は細菌の種類によって異なる．

## 1）細菌における細胞の組成

細胞を構成する成分を**表 1-B-14**に示す．細菌における細胞の組成は，ヒトや植物とほぼ同様である．植物は細菌や動物に比べて蛋白質の割合が少なく，炭水化物が多い．

細菌の化学的組成を**表 1-B-15**に示す．これらの組成は，菌種，発育環境および培養条件（培養環境，培地成分）によって異なる．

### (1) 水分

水分は，細菌の構成成分の 75〜85％を占め，最も多い成分である．

### (2) 有機物

① 蛋白質・核酸：細菌の場合，蛋白質は大部分が核蛋白（nucleoprotein）として存在する．核蛋白の比率は増殖によって変動し，増殖が活発なときは増加し，静止期には減少する．

細菌の核酸は RNA の方が多く，細胞質内のリボソーム（ribosome）に存在する．DNA は核やプラスミドに存在し，遺伝情報を担っている．

② 炭水化物：炭水化物は細胞質や莢膜の構成成分である多糖体（polysaccharide）が主である．

③ 脂質：脂質は菌種によって含量が異なる．*Mycobacterium tuberculosis* complex は多量で約 20％であるが，他の細菌の含量は少ない．*M. tubercu-*

表 1-B-14 細胞を構成する物質

| 成分 | 細菌（*E. coli*） | 動物（ヒト） | 植物（トウモロコシ全体） |
|---|---|---|---|
| 水 | 70 | 66 | 69.5 |
| 蛋白質 | 15 | 16 | 3.8 |
| 核酸 | 7 | <0.2 | 0.01 |
| 炭水化物 | 4 | 0.4 | 23.8 |
| 脂質 | 3 | 13 | 2.1 |
| 無機物 | 1 | 4.4 | 0.7 |
| 合計 | 100 | 99.8 | 99.91 |

表中の数字は重量％．

表 1-B-15 細菌の化学的組成

| 水分（75〜85％） | | |
|---|---|---|
| 固形成分（15〜25％） | 有機物 | 蛋白質（50〜80％） |
| | | 核酸（RNA, DNA）* |
| | | 炭水化物（10〜30％） |
| | | 脂質（1〜10％） |
| | 無機物 | 無機塩類（3〜30％） |

＊：存在比は RNA のほうが大きい．

*losis* complex を含む *Mycobacterium* 属において脂質含量が多いことは，抗酸性の性質と関係している．

### (3) 無機物

無機物のうち，無機塩類はリン（P）や硫黄（S）が最も多い．リンは細胞内のエネルギー代謝において重要な役割を果たしており，通常 $PO_4^{3-}$ として存在し，ATP，核酸，リン脂質，NAD などの成分となる．硫黄は含硫アミノ酸であるメチオニンやシスチンの構成成分である．

## 2) 細菌の栄養素 (nutrient)

細菌が増殖するためには，細胞の組成で示した物質を外界から取り込み，分解またはそれらの代謝産物を利用して菌体成分の合成やエネルギー産生に必要な物質をつくり出さなければならない．生物の発育や増殖に必要な物質を栄養素とよび，細菌には高等生物と同様に，有機物である炭素源，窒素源，および無機塩類，発育因子が必要である．

### (1) 炭素源 (carbon source)

細菌の栄養素としての炭素源は，主に糖である．最も利用される糖は単糖類と二糖類であり，ブドウ糖（グルコース）が最も重要である．糖はエネルギー源として，一部は菌体合成に利用される．ブドウ糖以外には，果糖（フルクトース），マンノース，麦芽糖（マルトース），白糖（スクロース），乳糖（ラクトース）などがある．糖以外には，有機酸（クエン酸，マロン酸，リンゴ酸など）や脂肪酸を炭素源とするものもある．糖や有機酸の分解能は，菌種の同定の重要な性状として利用される．

### (2) 窒素源 (nitrogen source)

細菌の菌体成分の多くは蛋白質からなるので，増殖には窒素源が必要である．窒素源としては，アンモニウム塩，亜硝酸塩，硝酸塩を利用できる．培地では，窒素化合物，アミノ酸，ペプトンまたは蛋白質が窒素源として利用される．

### (3) 無機塩類 (mineral)

無機塩類は多くの種類が必要であるが，$PO_4^{3-}$ と $SO_4^{2-}$ は必要量が多い．$PO_4^{3-}$ はリン酸として，$SO_4^{2-}$ は含硫アミノ酸であるメチオニンやシスチンとして必須である．その他，$Mg^{2+}$，$K^+$，$Ca^{2+}$，$Fe^{2+}$，$Mn^{2+}$，$Co^{2+}$，$Zn^{2+}$，$Cu^{2+}$，$Mo^{2+}$，$Na^+$，$Cl^-$ などが必要である．

### (4) 発育因子 (growth factor)

発育因子は，増殖に必須であるが細菌自身で合成できない物質を指す．医学的に重要な細菌のなかで代表的な発育因子は，ビタミンB群〔$B_1$，$B_2$，$B_6$，$B_{12}$，ニコチン酸（$B_3$），パントテン酸（$B_5$）〕，ビタミン$K_1$，葉酸，パラアミノ安息香酸，アミノ酸（システインなど），プリン，ピリミジン，ヘミン（X因子），NAD（V因子）などである．

## 3) 細菌の栄養要求性（エネルギー産生）

細菌は，増殖に必要な物質やエネルギー源を自然界から取り込んでいる．光エネルギーを利用できるもの，無機化合物のみで増殖できるもの，有機化合物を必要とするもの，特定の発育因子を必要とするもの，偏性細胞内寄生性であり細胞内でも増殖可能なものなどがある．

微生物は，栄養要求性から以下の3つに分類される．

### (1) 独立（自家）栄養細菌（autotroph）

独立栄養細菌は，無機物質を利用して生存に必要な有機物質を合成でき，無機栄養細菌ともよばれる．発育因子は必要とせず，$CO_2$ や $CO_3^-$ を炭素源として，$NH_4^+$ や $NO_2^-$ などを窒素源として，アミノ酸や炭水化物を経て細胞成分を合成できる．

エネルギーの獲得形式は，光合成によって二酸化炭素を固定する光合成独立栄養細菌（photoautotroph）や，無機物質（硫化水素，アンモニア，亜硝酸，鉄イオンなど）を酸化してエネルギーを取り込む化学的合成独立栄養細菌（chemoautotroph）がある．

### (2) 従属（他家）栄養細菌（heterotroph）

従属栄養細菌は，無機物質のほかに自然界に存在する有機物質を取り込んで利用する細菌であり，医学的に重要な細菌の大部分が属する．

従属栄養細菌はブドウ糖や乳糖などを主要なエネルギー源とする．窒素源の利用は，無機窒素化合物をアミノ酸から蛋白質に合成できる細菌（*Escherichia coli*, *Pseudomonas aeruginosa*, *Salmonella* Typhi など）と，アミノ酸などの添加が必要な細菌（*Staphylococcus* 属，*Streptococcus* 属など）に分けられる．

### (3) 寄生栄養細菌

寄生栄養細菌は，寄生した生物細胞（宿主細胞）からエネルギーを得て増殖できる細菌である．医学領域では *Legionella*, *Rickettsia*, *Chlamydia* などの細菌，細菌以外ではウイルスなどの偏性細胞内寄生微生物（strictly parasitic microorganism）が属する．

## 2　細菌の培養

### 1) 培養の目的

培養（culture, cultivation）とは，微生物を試験管内で人工的に増殖させることである．微生物の発育にはさまざまな栄養素が必要であり，それらの栄養分を発育環境中に与える必要がある．栄養分が液状または固形状になっているものを培養基（culture medium），一般に培地（単数：medium，複数：media）とよぶ．

培養には，検体中の微生物の検出を目的とした分離培養や増菌培養，発育した微生物を固形培地上で増やすための純培養，微生物を死滅させないために行う継代培養などがある．

培地の種類は，固形培地（solid medium），液体培地〔liquid medium, ブロス（broth）〕，両者の中間である半流動培地（semisolid medium）があり，目的に応じて使い分けられている．

培地を用いた（人工）培養が不可能な微生物があり，細菌では*Mycobacterium leprae*，真菌では*Pneumocystis jirovecii*がある．

ウイルス，リケッチア，クラミジアなどの偏性細胞内寄生微生物は，人工培養が不可能または困難であるため，動物に接種（動物培養法），発育鶏卵に接種（発育鶏卵培養法），または特殊な細胞を用いて培養（細胞培養）しなくてはならない．

## 2）培地の成分

### (1) 水

水は蒸留水または精製水が用いられる．

### (2) 肉水または肉エキス（meat infusion, meat extract）

肉水はウシやウマ肉を浸出したものであり，肉水を濃縮したものが肉エキスであるが，両者の品質はかなり異なる．両者とも窒素含有成分（アミノ酸，ペプチドなど），炭水化物（ブドウ糖，グリコーゲンなど），少量の無機成分（リン，硫黄など），各種のビタミンなどが含まれる．

心筋（ウシ）の浸出液であるハートインフュージョン（heart infusion）や，これに脳組織（子ウシ）の浸出液を加えたブレインハートインフュージョン（brain heart infusion）があり，広範囲の細菌の増殖に適する．

### (3) ペプトン（peptone）

ペプトンは蛋白質を酵素や酸で加水分解したものであり，ポリペプチド，ジペプチド，アミノ酸が含まれる．原料は動物性蛋白質（ミルクカゼイン，獣肉など）や植物性蛋白質（大豆など）が用いられる．

カゼインペプトンはトリプトファンの含有量が多く，含硫アミノ酸に乏しいことから，インドール反応に適し，硫化水素産生には適さない．

獣肉ペプトンはトリプトファンの含有量が少なく，含硫アミノ酸を豊富に含み，カゼインペプトンより広範囲の細菌の増殖に適する．

大豆ペプトンはビタミン（$B_1$）を豊富に含み，広範囲の細菌の増殖に適する．

カゼインの酸水解物は，カゼインペプトンと異なりアミノ酸にまで分解されている．また，カゼインの酸水解物は薬剤感受性検査に用いるミューラーヒントン（Mueller-Hinton）培地に用いられているが，これはペプトンに含まれるサルファ剤拮抗物質であるパラアミノ安息香酸を含まないことによる．

### (4) 寒天（agar）

寒天は培地を固化するために用いる．濃度を調節することによって固形培地または半流動培地として使用される．寒天を加えた培地を寒天培地（agar medium）または寒天平板培地（agar plate medium）とよび，寒天濃度は1.5％である．半流動培地の寒天濃度は0.5％以下である．

### (5) 増強成分（enrichment factor）

栄養分を補強するため、蛋白源としてウマ、ヒツジ、ウサギなどの脱線維素血液（defibrinated blood）が用いられる。他の生物由来の増強成分には、血清、腹水、臓器や酵母の浸出液が用いられる。

### (6) 栄養素

主に酵素の働きを助ける作用をもつ成分を指し、ビタミン（B群、K）や補酵素（NAD）などが培地へ添加される。

### (7) 化学薬品および指示薬（indicator）

化学薬品は、培地の浸透圧やpHの調整、必須の無機塩類の補給などの目的で添加される。指示薬は、糖分解などによる培地pHの変化を知る目的で添加される。

> NAD：ニコチンアミドアデニンジヌクレオチド

## 3）培養に必要な物理的条件

細菌の発育は、酸素の有無、pH、温度、二酸化炭素濃度、浸透圧、酸化還元電位などが密接に関係する。培養においては、目的とする細菌に応じ、これらの条件を調整する必要がある。

### (1) 酸素の必要性

細菌は、発育に酸素が必要な好気性菌から、酸素があると発育できない嫌気性菌まで、種々の性質を有する菌種が存在する。酸素の要求度による細菌の分類を**表 1-B-16**に示す。培養においては、目的とする細菌の発育に至適な酸素量に調節した培養方法を選択する。

嫌気性菌が酸素の存在下で発育できない理由として、カタラーゼや活性酸素を処理するスーパーオキシドジスムターゼ（superoxide dismutase；SOD）をもたない、低い酸化還元電位を要求する、などがあげられる。

### (2) 温度（temperature）

細菌が発育できる温度帯は、菌種によって異なる。至適発育温度による細菌の分類を**表 1-B-17**に示す。発育を維持できる温度域（発育可能温度）のなかで、発育に適した温度を至適温度（optimal temperature）という。医学的に重要な細菌の多くは中温細菌に属し、35〜37℃で最もよく発育するが、さらに高温または低温で発育する細菌も存在する。

中温細菌においても、発育可能温度は菌種によって異なる。

### (3) 水素イオン濃度（pH）

pHは微生物発育にきわめて重要な条件であり、温度と同様に至適pH（optimal pH）と発育可能pHがある。医学的に重要な細菌の至適pHは弱アルカリ（pH 7.2〜7.6）にあるが、*Lactobacillus*属や*M. tuberculosis* complexなどは酸性側（pH 6.0）で、好塩菌（*Vibrio cholerae*, *Vibrio parahaemolyticus*）はアルカリ側（pH 7.6〜8.2）でよく発育する。

### (4) 浸透圧（osmotic pressure）

細菌の増殖には一定の浸透圧（およびイオン強度）が必要である。多くの細

表 1-B-16　酸素の要求度による細菌の分類

| 分類 | 特徴 | 医学的に重要な細菌 |
|---|---|---|
| 偏性好気性菌 (obligate aerobe) | ・増殖に酸素が必要な細菌.<br>・呼吸（酸化）によってエネルギーを獲得する.<br>・オキシダーゼ，カタラーゼ陽性菌が多い. | *Pseudomonas aeruginosa*, *Mycobacterium tuberculosis* complex, *Bacillus subtilis* |
| 通性嫌気性菌 (facultative anaerobe) | ・酸素の有無にかかわらず，増殖可能な細菌.<br>・遊離酸素が多ければ呼吸，酸素がなければ発酵によってエネルギーを獲得（増殖率は呼吸の方が発酵より10倍以上高い）. | *Staphylococcus* 属，腸内細菌目細菌 |
| 微好気性菌 (microaerophile) | ・酸素が少ない（3〜15%）方がよく増殖する細菌であり，同時に高濃度の二酸化炭素や水素が必要. | *Campylobacter* 属，*Helicobacter* 属 |
| 偏性嫌気性菌 (obligate anaerobe) | ・酸素がない状態でのみ増殖可能な細菌であり，発酵によってエネルギーを獲得.<br>・酸素が有害に作用し，増殖が阻害または死滅する（活性酸素を処理する能力が十分にない）.<br>・通常，嫌気性菌とよばれるのは偏性嫌気性菌を指す.<br>・オキシダーゼ，カタラーゼ陰性である. | 大部分の嫌気性菌（*Peptostreptococcus* 属，*Clostridium* 属，*Bacteroides* 属，*Fusobacterium* 属など） |
| 無影響菌（independent）酸素耐性（耐気性）嫌気性菌 (aerotolerant anaerobe) | ・酸素の有無に関係なく増殖可能な細菌であり，酸素があっても死滅しない.<br>・発酵によってエネルギーを獲得.<br>・オキシダーゼ，カタラーゼ陰性である. | *Lactobacillus* 属，*Streptococcus* 属 |

表 1-B-17　至適発育温度による細菌の分類

| 分類 | 特徴 |
|---|---|
| 高温細菌 (thermophile) | 至適温度が50〜60℃（発育可能温度は25〜90℃）の細菌であり，温泉や土壌中に生息する細菌が含まれる. |
| 中温細菌 (mesophile) | 至適温度が30〜37℃（発育可能温度は10〜45℃）の細菌であり，ほとんどの病原細菌が属する.<br>発育温度は菌種によって異なる.<br>温度域が狭い（*Neisseria gonorrhoeae*, *Neisseria meningitidis*：35〜37℃）<br>温度域が広い（*Staphylococcus* 属，*Bacillus* 属：10〜45℃）<br>温度域が低い（*Yersinia* 属：30〜35℃，真菌：25〜27℃）<br>温度域が高い（*Campylobacter* 属：40〜42℃） |
| 低温細菌 (psychrophile) | 至適温度が10〜20℃（発育可能温度は0〜25℃）の細菌であり，水中（海中）や自然環境に生息する細菌が含まれる. |

菌は，10〜600 mOsm の浸透圧中で増殖できるが，外界の浸透圧の高低によって菌体が破壊され，死滅することがある．環境の浸透圧が高い場合は脱水作用による原形質分離が，低い場合には水分浸透による細胞の崩壊が起こる．

浸透圧の維持には，生理食塩液（NaCl 濃度 0.85〜0.9%）と同程度の塩化ナトリウム（食塩）が必要である．食塩濃度の違いによって，細菌は次のように特徴づけられる．

① ほとんどの細菌の生存と増殖には 0.5〜0.8% の塩分を必要とし，1.5% 以上になると生存できない．

② *Staphylococcus* 属のように，0.5〜10% の幅広い塩分濃度で発育可能な細

菌は，耐塩性細菌（halotolerant bacterium）または食塩耐容性細菌という．
③ 海水中に生息する細菌などは高塩濃度（高浸透圧）下でなければ発育できないが，それらを好塩菌（halophilic bacterium, halophile）という．代表的な細菌は *V. parahaemolyticus* であり，増殖に至適な食塩濃度は2〜3％である．

(5) 酸化還元電位（oxidation-reduction potential；ORP，$E_h$）

通常の培地の酸化還元電位（$E_h$）は，pH 7.0前後で0〜+0.4 Vで，好気性菌や通性嫌気性菌は増殖できるが，嫌気性菌は増殖できない．嫌気性菌は−0.2 V以下でよく増殖する．したがって，嫌気性菌を発育させるには，酸素を除去するか，還元剤を添加して培地の$E_h$を低くする必要がある．

好気性菌と嫌気性菌の混合感染では，好気性菌が増殖することで病巣中の$E_h$が低下し，続いて嫌気性菌が増殖しやすくなることから，二相性感染（biphasic infection）とよばれる．

(6) 二酸化炭素（carbon dioxide；$CO_2$）

二酸化炭素はすべての細菌の発育に必須であり，発育促進的に作用する．しかし，増殖により高濃度の二酸化炭素を必要とする菌種がある．*Brucella*属，*Neisseria gonorrhoeae*，*Campylobacter*属などは，3〜10％の二酸化炭素を必要とする．

## 4）培地の分類

培地は形状や目的などによって種々のものがある（詳細については第3章「C 培養と培地」を参照）．

(1) 形状（物理的性状）による培地の種類

培地の形状により，液体培地〔liquid medium, broth, ブイヨン（bouillonはフランス語）〕と固形培地（solid medium）に分類される．**表 1-B-18**に培地の形状による分類と用途を示した．

液体培地は主に菌数を増やす（増菌）ことを目的として用い，固形培地は主に分離培養，純培養，性状検査のために用いる．

固形培地は寒天を通常1.5％に添加し，半流動培地は寒天濃度を0.5％以下にした培地である．

培地を固化するには，ほとんどの培地で寒天が用いられるが，ゼラチン，全卵，血清（ウマ）を用いる培地がある．全卵や血清は加熱（凝固滅菌器による滅菌法）によって蛋白質を凝固させて固める．全卵を使用した培地には小川培地，血清を使用する培地にはレフレル（Löffler）培地が知られている．

固形培地には，寒天平板培地，高層培地（stab medium），半流動培地（semi-solid medium），斜面培地（slant medium），半斜面培地（half slant medium）がある．

(2) 使用目的による培地の種類

培地は，増菌，菌を分離する，特定の菌種を確認するなどの目的で使用される．**表 1-B-19**に，培地の目的による分類と主な培地を示す．

 液体培地の利用
血液や髄液など本来無菌の検体から確実に菌を検出する場合には，液体培地に検体を接種して培養する．薬剤感受性検査においては，菌を液体培地に懸濁して所定の濁度に調整して使用する．

 半流動培地の種類
運動性の検査に用いる培地として，腸内細菌目細菌用にはSIM培地やLIM培地などがある．菌株の保存用としてはGAM半流動培地，HK半流動培地などがある．

 高層培地
試験管を垂直に立てた状態で固めた培地．

 斜面培地の種類
腸内細菌目細菌の確認培地であるシモンズのクエン酸塩培地やDNA寒天培地がある．抗酸菌の培養に用いる小川培地は，寒天の代わりに全卵を用いた斜面培地である．卵を使用するため，培地は間欠滅菌である凝固滅菌によって固化，滅菌して作製する．

 半斜面培地の種類
腸内細菌目細菌の確認培地であるTSI寒天培地がある．

表 1-B-18 培地の形状による分類

| 分類 | 特徴 | 主な用途 |
|---|---|---|
| 液体培地 (liquid medium) | ・液状の培地で, 試験管, フラスコ (コルベン), ボトル (血液培養) に分注して用いる. | 増菌培養, 菌液調製, 性状検査 |
| 固形培地 (solid medium): 寒天 (0.3～1.5%) または血清や卵を加えて, シャーレや試験管内で固めた培地. 主に分離培養, 純培養, 性状検査に用いる | ・寒天平板培地 (agar plate medium):寒天 (通常 1.5%) 培地をシャーレに分注して平らに固めたもの. 1 枚のシャーレに 2 種類 (biphasic medium) またはそれ以上の種類の培地を分注したものもある. | 分離培養, 純培養による集落の観察, ディスク拡散法による薬剤感受性検査 |
| | ・高層培地 (stab medium):寒天培地を試験管に分注して垂直で固めたもの. | 性状検査, 菌株保存 |
| | ・半流動培地 (semisolid medium):寒天濃度を 0.5% 以下にして分注した高層培地. | 運動性検査, 嫌気性菌を含む増菌培養, 検体の輸送・保存 |
| | ・斜面培地 (slant medium):寒天培地を試験管に分注し, 培地面が斜めになるように傾けて固めたもの. | 分離培養, 性状検査, 菌株保存 |
| | ・半斜面培地 (half slant medium):寒天培地を試験管に分注し, 培地上部 1/3 を斜面, 2/3 を高層培地になるように固めたもの. | 性状検査, 菌株保存 |

表 1-B-19 培地の使用目的による分類

| 分類 | 特徴および用途 | 主な培地 |
|---|---|---|
| 増菌培地 (enrichment medium) | **非選択増菌培地**:菌数が少ない検体から確実に菌を検出, 分離するための培地. | ハートインフュージョンブロス, トリプチケースソイブロス, 臨床用チオグリコレート培地, コロンビアブロス |
| | **選択増菌培地**:特定の細菌のみを増殖させる培地. | パイク (Pike) 培地, セレナイト培地, アルカリペプトン水 |
| 分離培地 (isolation medium):検体から細菌を分離し, 純粋な菌を得るために培地上に孤立した集落として形成させるために用いる. | **非選択分離培地**:菌の増殖を抑制または特定の菌の発育を目的としない培地. | 血液寒天培地, チョコレート寒天培地, BTB 乳糖寒天培地, ブルセラ血液寒天培地 |
| | **選択分離培地**:目的菌以外の細菌の発育を抑制または阻止し, 特定の細菌のみを検出するための培地. | フェニルエチルアルコール血液寒天培地, サイアー・マーチン (Thayer-Martin) 寒天培地, NAC 寒天培地, SS 寒天培地, TCBS 寒天培地, BBE 寒天培地, CCFA 培地 |
| 鑑別または確認培地 (differential medium) | 菌の酵素反応に伴う代謝産物によって集落や培地の色調が変化することにより, 菌群または菌種を同定する培地. | 胆汁エスクリン寒天培地, CTA 培地, OF 培地, TSI 寒天培地, SIM 培地, VP 半流動培地, リジン脱炭酸試験用培地 |
| 輸送培地 (transport medium) | 綿棒 (スワブ) で採取した患者検体を培地中に挿入し, 輸送または保存する培地. | キャリー・ブレア (Cary-Blair) 培地, アミーズ (Amies) 培地 |

## (3) 培地の化学組成による分類

　構成成分が肉エキス, ペプトン, 血液などの自然物質からなる培地を自然培地または天然培地とよび, 血液寒天培地, チョコレート寒天培地, トリプチケースソイブロスなど, 微生物検査において用いられるほとんどの培地が属する. 一方, 構成成分がすべて明らかな物質からなる培地を合成培地とよぶ.

# Ⅴ 細菌培養法

細菌検査は，感染症の原因となる細菌（原因菌）を検出するために行われる検査である．細菌検査は，①検体の採取，②輸送，③外観の観察，④塗抹・染色，⑤培養，⑥同定・薬剤感受性検査，⑦報告の順で行われ，このなかで⑤培養は原因菌を増殖させる最も重要な操作である．

細菌の主な培養法には，分離培養（isolation culture），純培養（pure culture），継代培養（subculture, passage culture）があるが，培養を行う場合には，①使用培地の選択，②検体を培地面に塗抹（streak）する方法，③培養条件（ガス環境，温度など）などを決定しなくてはならない．

培養条件としては，ガス環境が最も重要である．多くの細菌は好気性菌または通性嫌気性菌なので，通常の孵卵器で好気培養するが，嫌気性菌（*Clostridioides* 属菌など）は酸素のない環境での培養（嫌気培養：anaerobic culture）が必要である．また，炭酸ガス要求性（*Haemophilus* 属菌など）の細菌や微好気性菌（*Campylobacter* 属菌など）を目的とする場合には，それぞれ炭酸ガス培養や微好気培養が行われる．

## 1 分離培養

感染症患者から採取した検体（検査材料・臨床材料ともいう）から，独立した集落（独立集落，孤立集落）をつくらせるために行う．方法には，画線培養法と混釈平板培養法がある．また，検体によっては前処理が必要な場合もある．

### 1）検体の前処理法

目的細菌によっては，検体の前処理を行ったのち分離培養を行うことがある．

① 化学的処理：化学薬品を用いて，検体中に含まれる雑菌の処理（除去）や検体を均質化（homogenize）する．たとえば，喀痰の抗酸菌培養を行うときには，NALC（N-acetyl-L-cysteine）-NaOH 液などで雑菌処理をする．また，喀痰の定量培養を行うときには，酵素剤（プロテアーゼなど）で均質化する．

② 加熱処理：有芽胞菌（*Clostridium* 属菌など）や *Legionella* 属菌を選択的に分離する場合には，検体を加熱処理（有芽胞菌：80〜100℃，5〜30 分，*Legionella* 属菌：50℃，30 分）した後に分離培養する．

③ 増菌培養：検体中に目的の菌がきわめて少ない場合，または増菌培地に選択性をもたせ，細菌が混在する検体から特定の菌を分離しやすくする場合に行われる．

### 2）画線培養法（streak culture method）

細菌の分離培養に用いられる最も一般的な方法で，使用する寒天平板培地に滅菌した白金耳で塗抹する．平板上で検体中の細菌を徐々に薄めながら独立集

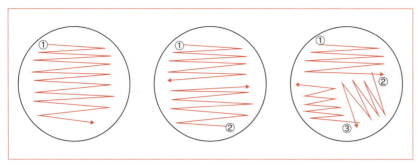

図 1-B-10　一般的な画線方法

落をつくらせるもので，1枚平板法（single plate method）が基本である．図1-B-10に一般的な画線法を示す．

### 3）混釈平板培養法（pour plate method）

尿などの液体材料に含まれる生菌数の近似値を求めるための培養方法である．一定量の検体と滅菌済の培地（約50℃）を混釈して平板に固め，発育した集落数から菌数を算出する．培地を保温して検体と混釈するため，検体中の細菌が熱の影響を受ける可能性があり，培地温度は非常に重要となる．

## 2　純培養と継代培養

分離培養で発育した集落を観察し，病原菌と考えられる集落を選んでGram染色を行い，単一の菌種であることを確認したら，純培養し，純培養した集落から同定検査，薬剤感受性検査を行う．純培養は一集落の菌を増やすことを目的に行う．分離培地上の集落が明らかに単一である場合には，純培養を行わず，直接接種の同定検査（生物学的，生化学的性状，質量分析など）や薬剤感受性検査（ディスク拡散法，微量液体希釈法など）を行うこともある．

純培養は，分離培地上の孤立集落の一部を滅菌した白金線でとり〔これを釣菌（fishing）という〕，寒天平板培地，斜面培地などに培養する．

継代培養は，主に菌株を保存するために行われる操作で，純培養した集落から同様のやり方で菌株を植え替える（移植ともいう）．

## 3　集落の観察

孤立集落は1個の細菌が増殖してつくられるという原則に基づき，分離培養で得られた孤立集落は純培養菌（単一菌）であるとみなす．集落の観察は，肉眼的または顕微鏡を用いて，①大きさ（size），②形（shape），③構造（internal structure），④辺縁（edge）と厚さ（elevation），⑤透明度（opacity），⑥色調（color），⑦光沢（gloss），⑧遊走（スウォーミング：swarming），⑨硬さや粘稠度（viscosity），⑩溶血性（hemolytic activity）などについて行う．集落の所見は菌種によって特徴的であることが多いので，菌種同定の重要な手が

## 4　嫌気培養

偏性嫌気性菌は，遊離酸素の存在によって菌の発育が抑制または阻害される．そのため，嫌気性菌を分離するには，酸素のない環境をつくると同時に，発育環境の酸化還元電位を下げたり，培地の還元力を高めたりすることが必要となる．嫌気的な環境下で培養することを嫌気培養とよび，従来，種々の方法が考案されてきた．

### 1）嫌気環境の作り方

物理的あるいは化学的な方法を用いて，遊離酸素の遮断や除去を行い，嫌気性菌の発育に適した環境をつくる．

**(1) 物理的方法**

① 空気遮断法
　a. 高層培地法：嫌気性菌用半流動高層培地（ブルセラ HK 半流動高層培地など）に検体を穿刺し，孵卵器で培養すると，酸素に接触しない培地の深部で嫌気性菌が発育する．
　b. パラフィン重層法：高層寒天培地または液体培地に検体を接種後，滅菌した流動パラフィンを重層する．
② 空気置換法（ロールチューブ法，roll tube method）：培地を入れ減圧した容器にガスを送り，容器内のガスを置換したうえで培養する．

**(2) 化学的方法**

密栓した容器や空間を嫌気環境にする方法で，歴史的には種々の方法が考案されてきた．近年では，嫌気チャンバー法や触媒法が普及している．
① 嫌気チャンバー（anaerobic chamber，嫌気グローブボックス）法：箱型の嫌気培養装置で，内部は窒素（$N_2$：80%），二酸化炭素（$CO_2$：10%），水素（$H_2$：10%）の混合ガスで満たされ，嫌気性菌の発育に適した環境に保たれている．
② 触媒法：触媒の作用によって容器（ジャー）内の酸素と水素を反応させ，遊離酸素を除去する方法．専用のガス発生袋を備えたジャーなどが市販されている．

**その他の嫌気環境の作り方**
物理的方法として減圧法（真空ポンプで容器内を減圧する），化学的方法としてピロガロール法，スチールウール法，黄リン法などがあるが，現在はほとんど使用されていない．

## 5　炭酸ガス培養

好気性菌のなかには，培養環境中に 3〜10% 程度の $CO_2$（炭酸ガス）が存在すると発育が良好となる菌種があり，これらの菌種の培養には炭酸ガスを供給することが望ましい．炭酸ガス培養器（炭酸ガスボンベから炭酸ガスを送り込む孵卵器）や，炭酸ガス発生袋が使用されている．検査で多く用いられているガス発生袋による方法では，5% 前後の濃度となる．

炭酸ガス培養の対象となる菌種には *Neisseria gonorrhoeae*（淋菌），*Neis-

**ローソク培養法**
炭酸ガス培養を簡易的に行う方法としてローソク培養法があるが，現在はほとんど使用されていない．

seria meningitidis（髄膜炎菌），*Haemophilus influenzae*（インフルエンザ菌），*Streptococcus pneumoniae*（肺炎球菌）などがある．

## 6　微好気培養

*Campylobacter* 属菌や *Helicobacter* 属菌などの微好気性菌は，好気培養では発育せず，窒素（$N_2$：85％），二酸化炭素（$CO_2$：10％），酸素（$O_2$：5％）の微好気環境で発育する．

微好気培養法には，混合ガスで孵卵器内を置換する微好気培養器や，専用のガス発生袋を使用する．

## 7　特殊培養

液体培地を用いて好気性菌を培養するときには，酸素との接触をよくし，発育を良好にするための培養方法として，酸素を注入する通気培養や機械的に振盪しながら培養する振盪培養（shaking culture）がある．振盪培養は，日常検査でも，自動血液培養検査装置でのカルチャーボトルの培養に用いられている．

## 8　菌株の保存

検体から分離された菌株は，追加検査や確認検査のため，あるいは研究目的で使用するため，保存することがある．また，国際的に生物学的性状が確認されている菌株については，標準菌株または基準菌株（type strain）として公的な機関で保存されている．保存方法としては，短期保存目的の場合は，寒天平板培地または斜面培地を用いる継代培養法により保存する．また，長期保存を目的とする場合は，ゼラチンディスク法，凍結法，凍結乾燥法などにより保存する（第3章「C 培養と培地/Ⅲ 菌株保存の種類と方法」参照）．

> **標準菌株を扱う機関**
> 標準菌株はその由来により名称がつけられ，性状や薬剤感受性成績が付記されている．代表的な機関として，NCTC（National Collection of Type Cultures：英国）やATCC（American Type Culture Collection：米国）などがある．わが国ではすべての菌種の標準菌株を扱う機関はないが，製品評価技術基盤機構，バイオテクノロジー本部生物遺伝資源部門（NBRC），理化学研究所バイオリソース研究センター（JCM）などがその任にあたっている．

# Ⅵ　細菌の同定

## 1　同定の基本的概念

臨床微生物検査における細菌の同定とは，臨床材料から分離された未知の細菌が，これまでに分類・命名された群（科・属・種・亜種）の「どれに属し」「どれに一致するか」「どれに最も類似するか」を，形態学的，生化学的，遺伝学的手法などによって決定する過程である．細菌感染症の診断手順を図1-B-11に示す．一般に，細菌感染症の診断では「感染の有無の確認」「感染部位の特定」「原因菌の特定」「有効な抗菌薬の確定」が行われるが，原因菌を明らかにするための「細菌の同定検査」はきわめて重要な過程である．

細菌の同定では，検査材料の肉眼的観察所見と直接塗抹標本の顕微鏡検査所見（鏡検所見）が，培養検査の方針（分離培地・確認培地の選択）の目安となる．また，感染症の種類（たとえば髄膜炎や肺炎）や症状によっては，鏡検所見から原因菌を推定し，エンピリックな治療（empiric therapy）をすみやかに

> **empiric therapy**
> エンピリックな治療は「経験的治療」であり，医師が経験に基づいて行う治療のことを意味する．とくに，感染症に対して原因菌が判明する前に実施される．

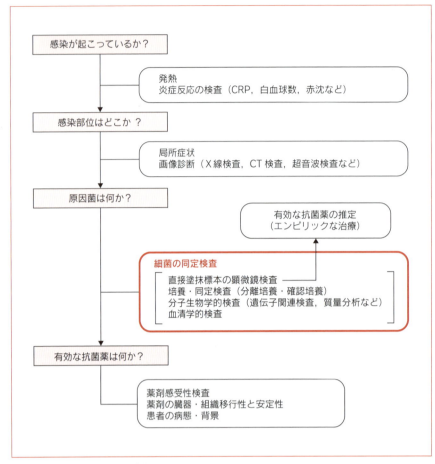

図 1-B-11　感染症診断の流れ

開始しなければならない．

## 2　代表的な同定法

### 1) 直接塗抹標本の顕微鏡検査
　顕微鏡で検査材料の塗抹染色標本（直接塗抹標本）を観察することにより，細菌の染色性，形態を知ることができる．検査材料の種類や患者の症状に応じて，Gram 染色，抗酸菌染色，墨汁法などを行う．通常，無菌的な髄液や血液などの場合は，迅速診断としての意義をもつ．

### 2) 培養・同定検査
　検査材料，直接塗抹標本の鏡検結果に応じて適切な分離培地を選び，分離培養を行う．分離された集落の形状と培地の変化，集落形成菌の Gram 染色性と形態などから適切な確認培地を選び，確認培養と性状確認を行う．確認培地では，終末代謝産物による培地 pH の変化（pH 指示薬の変色）などを観察・確認し，それぞれの性状をデータベースと比較して，菌種を同定する．

### 3）分子生物学的検査
#### (1) 遺伝子関連検査
　一般的には毒素遺伝子，薬剤耐性関連遺伝子，菌種特異的 DNA などの検出を目的とする．標的の塩基配列に結合するプローブ（probe）やプライマー（primer）を用い，DNA プローブ法，PCR（polymerase chain reaction）法，LAMP（loop-mediated isothermal amplification）法などによって検出する．

　その他，遺伝子型（genotype）の検査法として，PFGE（pulsed-field gel electrophoresis，パルスフィールドゲル電気泳動）などによるゲノム DNA 多型分析などがある．

#### (2) 質量分析
　微生物の成分を質量分析によって同定する方法として，MALDI-TOF MS（マルディ　トフ　マス）（matrix assisted laser desorption/ionization time of flight mass spectrometry，マトリックス支援レーザー脱離イオン化飛行時間型質量分析）がある．MALDI-TOF MS は，試料に含まれる蛋白質成分を質量の差によって分析する方法で，イオン化した蛋白質を真空中で検出器に向かって飛行させて，その距離の遠近によって分離し，得られた蛋白質の分子情報（マススペクトルデータ）をデータベースの登録データ（既知のデータ）と比較・照合して菌種を同定する．MALDI-TOF MS 分析で得られるマススペクトルのグラフ（波形パターン）は，横軸が「質量（質量電荷比）」，縦軸が「シグナル強度」で，菌種によって波形パターンが異なる．

　微生物同定検査に MALDI-TOF MS タイプの分析装置が利用される理由（メリット）は，次のとおりである．

① $10^5$ 個程度の少ない菌量で分析でき，試料の調製方法が簡便である．
② 試料は精製された蛋白質でなくても分析効率はそれほど低下せず，スペクトルの解析も容易である．
③ マススペクトルデータとデータベースを迅速に照合でき，10 分足らずで同定が可能である．
④ 一般細菌のみならず，嫌気性菌，抗酸菌，酵母様真菌，糸状菌の同定にも利用できる．

### 4）血清学的検査
　同一の菌種に属する分離株を抗原構造の違いによって群別する検査で，菌体を構成するリポ多糖，莢膜多糖，鞭毛蛋白質などが対象になる．

　腸内細菌目や *Vibrio*（ビブリオ）属などの細菌では，O 抗原（菌体抗原），H 抗原（鞭毛抗原），K 抗原（莢膜抗原）などの型別が重要で，特異抗体との反応を用いて血清型（serovar または serotype）を決定する．一般的な方法では各種診断用免疫血清を用い，免疫血清と被検菌（抗原）を混和したときに生じる凝集反応を利用している．

---

**PCR**
polymerase chain reaction（PCR）法は，耐熱性の DNA ポリメラーゼとプライマー（増幅 DNA のセンス鎖，アンチセンス鎖に相補する 20 塩基前後の一本鎖 DNA）を利用して，目的とする DNA の一部分を選択的に増幅させる方法である．

**MALDI-TOF MS による分析のステップ**
質量分析のステップは次のとおりである．
・ステップ 1（試料中の蛋白質のイオン化）：マトリックス試薬（レーザー光を吸収する特性をもつ化合物）と被検菌（発育コロニー）を混合し，レーザー照射によってイオン化する．
・ステップ 2（イオンの分離）：真空管内でイオンを飛行させ検出器までの飛行時間を測定する．軽い分子は速く，重い分子は遅く飛行するので，イオンの検出器までの到達時間に差が生じる．
・ステップ 3（パターンマッチングによる同定）：ステップ 2 で測定した波形のパターン（マススペクトル）をライブラリ（データベース）に登録されているスペクトルと照合させ，ライブラリのスペクトルと被検微生物のスペクトルが一致することで，菌種を同定する．

### 5）簡易同定キットによる迅速同定

菌種同定の簡易・迅速化を目的としたもので，ブドウ球菌同定用，レンサ球菌・腸球菌同定用，*Haemophilus*（ヘモフィルス）属・*Neisseria*（ナイセリア）属同定用，腸内細菌目細菌同定用，ブドウ糖非発酵グラム陰性桿菌同定用，嫌気性菌同定用などの多種類のキットが市販されている．基本的な原理は，各種生化学反応基質に対する菌体酵素の代謝反応を呈色反応で確認するというもので，全反応（項目）をコンパクトな1枚のプレート（パネル）で行えるようにした微量テスト法である．

## Ⅶ 遺伝・変異と遺伝子診断

### 1 遺伝と変異の概念

突然変異とは，同じ形質を有する細胞集団からDNAあるいはRNA上の塩基配列に変化が生じた結果，他とは異なる表現型を示すようになることをいう．遺伝子変異はヌクレオチドの置換・欠失・挿入により生じる．遺伝子変異には，①コドンの塩基置換に伴い本来とは異なるアミノ酸に置換された結果，異常な蛋白質がつくられるミスセンス変異，②本来アミノ酸をコードしていたコドンが終止コドンに置換されるナンセンス変異，③塩基の挿入・欠失によってオープンリーディングフレーム（読み取り枠）にズレが生じるフレームシフト変異がある．

### 2 遺伝子の構成

核酸は，塩基・糖・リン酸からなるヌクレオチドがリン酸ジエステル結合により連結された高分子である．核酸を構成する糖がデオキシリボースからなるものをデオキシリボ核酸（DNA），リボースからなるものをリボ核酸（RNA）とよんでいる．RNAは，DNAよりも不安定であり，細胞の性質を決定する遺伝子としては不利であると考えられている．

### 3 ゲノムの概念

ゲノムは機能面から，生命体に必須な最小の遺伝子セットと定義されていた．しかし，現在では，構造面から，生命体が有する遺伝子の全体と定義されている（図1-B-12）．ゲノム（genome）という言葉は，遺伝子「gene」と総体「-ome」を組み合わせた造語である．生物はそれぞれ独自のゲノムを有しており，ゲノムにおける多様性が，生物に多様性を与えると考えられている．

### 4 プラスミドおよびバクテリオファージの概念

プラスミドは，細菌および酵母に特有の染色体以外の遺伝因子で，細菌細胞内で染色体から独立して自律複製して，娘細胞に分配される．一般に環状2本鎖構造であるが，一部線状構造のものも存在する．細菌が他の細菌と結合して

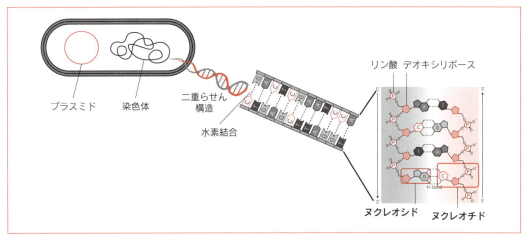

**図 1-B-12 遺伝子の構成**
細菌が保有する染色体，プラスミドなどをゲノムとよんでいる．ゲノム中の蛋白質などをコードする一塊を遺伝子，さらにデオキシリボース（リン酸結合している）と塩基から構成されるヌクレオチドは，各塩基が水素結合の数によってアデニン（A）とチミン（T），シトシン（C）とグアニン（G）が相補的に結合している．

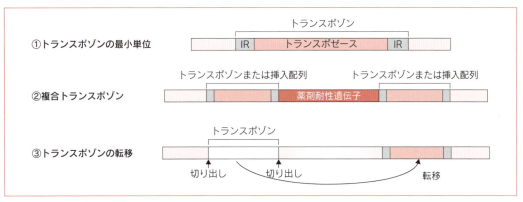

**図 1-B-13 トランスポゾン**
①トランスポゾンの最小単位は，逆向き繰り返し配列（IR）とトランスポゼースから構成される．②複合トランスポゾンは，トランスポゾンまたは逆向き繰り返し配列などを有する挿入配列が，薬剤耐性遺伝子や病原遺伝子などを挟むような形をしている．③トランスポゾンはゲノム上を切り出されて転移することができる．

　プラスミドを伝播させる機能を有する伝達性プラスミドをはじめとして，抗菌薬耐性因子や病原性因子などを細菌に伝播するプラスミドが知られている．
　バクテリオファージは細菌に感染するウイルスの総称である．そのゲノムは，1本鎖または2本鎖のRNAあるいはDNAからなる．バクテリオファージは，細菌の表層に存在するファージ受容体を介して細菌に感染する．

## 5　トランスポゾン

　トランスポゾンは，ゲノム上を転移できる塩基配列であり，可動性遺伝子，転移性因子とよばれることがある（**図 1-B-13**）．構造遺伝子中にトランスポゾンが転移した場合，当該遺伝子は破壊される．一方で，同一の蛋白質をコード

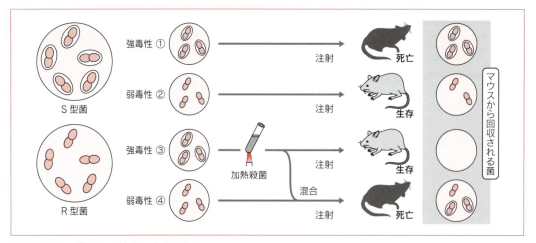

**図 1-B-14　グリフィスにより命名された形質転換**
①S 型菌（強毒株）を注射されたマウスは死亡する．②R 型菌（弱毒株）を注射されたマウスは死亡しない．③加熱殺菌した S 型菌を注射されたマウスは死亡しない．④加熱処理した S 型菌と R 型菌の混合液を注射したマウスは死亡する．この死滅した S 型菌の成分と R 型の生菌が混合されて S 型菌が出現する現象を，形質転換とよぶ．

する遺伝子を有する複数のトランスポゾンが挿入された場合，当該遺伝子産物が大量に合成されることもある．

## 6　遺伝形質の伝達
### 1）形質転換

　グリフィスは，スムースなコロニーの S 型の肺炎球菌を接種されたマウスは死滅するが，ラフなコロニーの R 型菌を接種されたマウスは死滅せず，さらに S 型菌の加熱死菌と R 型菌の生菌を混合して接種した場合，マウスが死滅することを見出した．この結果をもとにグリフィスは，死滅した S 型菌は R 型菌を S 型菌の形質へと変化させる因子を有していたと考え，この現象を形質転換と名づけた（**図 1-B-14**）．

　アベリーらは，S 型菌の DNA，RNA あるいは蛋白質の分解物を R 型菌と混合し，S 型菌が出現しなくなるものが形質転換因子であると考え，その本体は DNA であることを明らかにした（**図 1-B-15**）．

### 2）接合伝達

　さまざまな細菌間で接触することによって遺伝子を伝達する現象が知られている．この現象は接合伝達とよばれ，一部のプラスミドが関与することが知られている．プラスミドを保有している菌を供与菌，プラスミドを受け取る菌を受容菌とよぶ（**図 1-B-16**）．接合伝達は，細菌における遺伝子の水平伝播の主要因である．

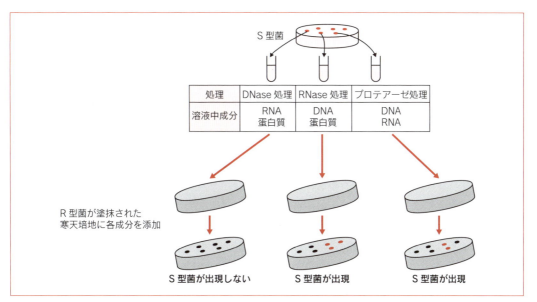

**図 1-B-15　アベリーの実験**
DNase，RNase およびプロテアーゼで処理した S 型菌からの抽出成分を，R 型菌を塗布した寒天培地上に添加して一晩培養する．DNase 処理をした抽出液を添加した R 型菌から S 型菌は出現しなかったが，RNase およびプロテアーゼで処理した抽出液を添加したものからは S 型菌が出現した．DNase で処理した抽出液にはなく，RNase およびプロテアーゼ処理後の抽出液に入っている成分は，DNA である．したがって，形質転換という現象において主要な働きをした成分は，DNA であることが証明された．

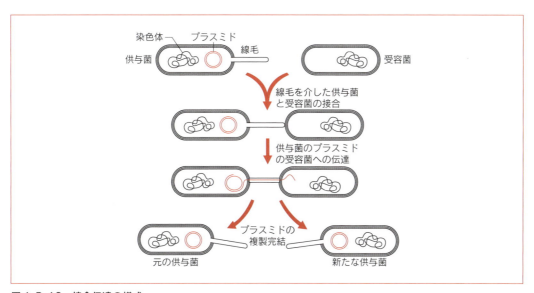

**図 1-B-16　接合伝達の様式**
プラスミド保有菌（供与菌）とプラスミド非保有菌（受容菌）は線毛によって接合する．供与菌が保有するプラスミドの片方の鎖が，線毛を介して受容菌に移動する．両方の菌株でプラスミドが複製される．

## 3）形質導入

　形質導入とは，供与菌を溶菌しながら増殖するバクテリオファージが，感染した細菌の遺伝子をバクテリオファージ粒子内に取り込み，次に感染する細菌

内に導入する現象をいう．

## 7　遺伝子の変化と再構築
### 1）遺伝子組換え
　遺伝子中のDNAが，切断と再結合により他の遺伝子の一部と入れ替わることをいう．
#### (1) 相同組換え
　通常，遺伝子組換えは類似のDNA塩基配列を有する，いわゆる相同性のあるDNA間に起こり，これが相同組換えである．相同組換えは，リコンビナーゼとよばれる酵素の働きによって起こる．
#### (2) 非相同組換え
　お互い相同性を有しないDNA配列の間で起こる組換えは，非相同組換えとよばれる．プロファージ（溶原化ファージ）DNAが染色体から切り出され，供与菌の染色体の一部を含む，新たなバクテリオファージが形成される時に起こる組換えである．

### 2）遺伝子修復
　DNA損傷は，細胞にとって細胞死などの重大な結果をもたらすことがある．このため，細胞はさまざまな損傷に対する修復機構を備えている．損傷による置換や欠失を修復するには，正常なDNAの相補鎖をもとに修復しなければならない．
#### (1) 一本鎖の損傷
　DNAの一方の鎖に生じた損傷においては，遺伝子修復の機構として，光回復酵素による損傷の直接消去，損傷を受けていない側のDNAを鋳型に修復する塩基修復，DNA複製の際に生じた1～5塩基対程度の対合しない部位を修復するミスマッチ修復などがある．
#### (2) 二本鎖の損傷
　細胞分裂時の重大な障害として，DNA二重らせんの両方の鎖が切断されてしまうものがある．この障害を修復する機構として相同組換えがあり，切断部の鋳型DNAと同一か，類似の配列を有するゲノム配列を利用する．

## 8　感染症の遺伝子診断
### 1）病原微生物の遺伝子関連検査
　病原微生物の遺伝子関連検査法として知られている主要な方法は，①ハイブリダイゼーション（遺伝子増幅を伴わない）法，②ポリメラーゼ連鎖反応（PCR）法などの遺伝子増幅法，③DNAマイクロアレイ，④塩基配列決定法である．

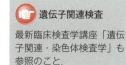

遺伝子関連検査
最新臨床検査学講座「遺伝子関連・染色体検査学」も参照のこと．

### 2）ハイブリダイゼーション
　ハイブリダイゼーション（hybridization）とは，DNAまたはRNA分子が相

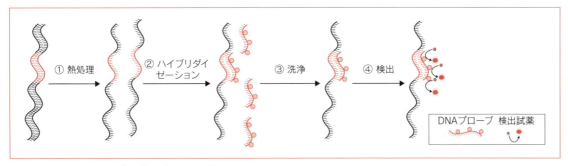

**図 1-B-17　DNA ハイブリダイゼーション法の原理**
①二本鎖 DNA を熱処理して 1 本鎖にする．②DNA プローブを標的 DNA にハイブリダイゼーションする．この時，非特異的に標的以外の配列にもハイブリダイゼーションする．③非特異的に結合した DNA プローブを洗浄・除去する．④標的のみにハイブリダイゼーションしているプローブを，適切な試薬を用いて検出する．

補的に複合体を形成することを指す．特に，遺伝子の検出・同定・定量，あるいは定量的な相同性の確認のために行う実験手法を示すことが多い．

　核酸中のアデニンはチミン（RNA の場合はウラシル），シトシンはグアニンと相補的に結合する性質がある．ハイブリダイゼーションも，核酸のこの性質に基づいて互いに同数の水素結合を形成することができる塩基同士が互いに相補する（**図 1-B-17**）．

　ハイブリダイゼーションの種類には，DNA を対象とするサザンハイブリダイゼーション，RNA が対象のノザンハイブリダイゼーション，多種類の標的配列を同時に検出・定量する方法として，DNA マイクロアレイ（DNA チップ）がある．さらに，細胞や組織などから標的核酸を直接検出する方法として，*in situ* ハイブリダイゼーションがある．ハイブリダイゼーションでは，酵素や蛍光物質等で標識した合成 DNA プローブが標的遺伝子の検出に用いられる．

### 3）遺伝子増幅法（標的遺伝子増幅法）

　ポリメラーゼ連鎖反応（PCR）法は，主要な DNA を増幅するための手法である．PCR 法は，巨大なゲノム中の特定の DNA 断片を特異的に増幅することが可能である．しかも，きわめて微量の DNA 分子を 2 時間程度で増幅できる．PCR 法およびそれを応用した逆転写ポリメラーゼ連鎖反応（RT-PCR）やリアルタイム PCR，DNA シークエンシングなどの技術は，幅広い分野で応用され，遺伝子診断や法医学の分野などでも応用されている．

　PCR 法は，鋳型 DNA，DNA ポリメラーゼおよび 2 組のプライマー（20 塩基対程度の合成 DNA），デオキシヌクレオシド三リン酸（dNTP）を混合して，至適環境条件で変性・アニーリング・伸長反応を繰り返す．すなわち，PCR 法は特定の断片のみを特異的に増幅する技術である（**図 1-B-18**）．結果の判定は，アガロースゲルなどを用いた電気泳動による増幅産物のサイズ確認（**写真 1-B-1**）などによって行われる．

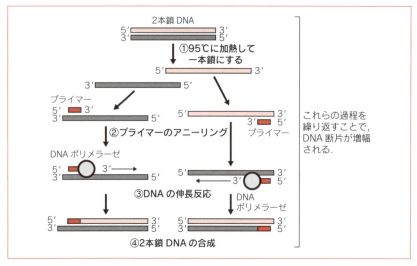

図 1-B-18　PCR 法の原理

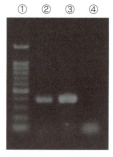

写真 1-B-1　肺炎の患者喀痰からの *Legionella* 属菌由来 DNA の検出例
①分子量マーカー，②検体，③陽性対照，④陰性対照．
陽性対照と同一分子量のシグナルが検体からも検出された．臨床症状，他の検査結果および本結果から，レジオネラ肺炎と診断された．

### 4）DNA 塩基配列の決定

現在使われている DNA 塩基配列決定法（DNA シークエンシング法）の一例として，細菌の菌種同定がある．細菌の菌種同定では，PCR によって 16S rRNA をコードする 16S rDNA の全長あるいは特定の領域を増幅し，その増幅産物の塩基配列を決定する．16S rDNA は菌種特有の配列が保存されており，この配列をもとに菌種名を決定することが可能である．

### 5）感染症の遺伝子関連検査において大切なこと

いずれの遺伝子関連検査法によっても結果は得られるが，その結果を正しく解釈することが重要である．一方で，正しい結果を得るためには，質のよい検体を用いて検査を行うこと，すなわち検査前のプロセスが最も重要である．検査前プロセスの重要性は，遺伝子関連検査のみならず，検査全体にいえることである．特に感度の高い遺伝子関連検査では，感染症の原因微生物以外の遺伝子が混入することによって感染症診断に混乱を招くことがある．また，遺伝子関連検査の陽性結果は，検出された微生物が検査材料中で生きていたことを示すものではない．

> **遺伝子関連検査での陽性**
> 菌が死滅しても，遺伝子は検体中に残存することがある．したがって，遺伝子関連検査で陽性となっても，必ずしも生菌の存在を意味するわけではない．

## VIII 滅菌および消毒

### 1　滅菌と消毒の概念

患者への使用前後における医療器具などの処理は，その目的によって滅菌および消毒の処理レベルを決定する．その一つの目安として，スポルディング（Spaulding）の分類があり，医療関連施設における環境および患者に使用される機器の処理は，表 1-B-20 に示した分類をもとに使い分けている．

表 1-B-20　スポルディング（Spaulding）の分類による機器および環境の処理法

| 分類 | | レベルの内容 | 対象 | 対象物 |
|---|---|---|---|---|
| クリティカル | 滅菌 | 芽胞を含むすべての微生物を殺滅 | 無菌の体組織や血管系に挿入するもの | 手術用器具，注射針など |
| セミクリティカル | 高水準消毒 | 大量の芽胞の場合を除いて，すべての微生物を殺滅 | 粘膜または健康でない皮膚に接触するもの | 人工呼吸器回路，内視鏡など |
| | 中水準消毒 | 芽胞以外のすべての微生物を殺滅するが，そのなかには殺芽胞性を示すものもある | | 体温計など |
| ノンクリティカル | 低水準消毒 | 結核菌などの抵抗性を有する菌および消毒薬に耐性を有する一部の菌以外の微生物を殺滅 | 健康な皮膚に接触するもの | 手指消毒など |
| | | | 医療機器表面 | モニター類など |
| | | | 皮膚に接触する介護用具 | 聴診器など |
| | | | ほとんど手が触れない | 床，壁，カーテンなど |
| | | | 頻回に手が触れる | ドアノブ，ベッド柵など |

### 1）滅菌（sterilization）

　滅菌とは，滅菌対象物におけるすべての微生物を完全に殺滅または除菌する行為であり，患者への微生物の付着や感染をなくすことである．主な滅菌対象物とは，患者において無菌の体組織や体液に接触する医療機材（手術器具，カテーテルや注射器など）などである．また，「すべての微生物」には**芽胞も含まれている**．

### 2）消毒（disinfection）

　消毒とは，消毒対象物において生存する微生物を死滅あるいは減少させ，**ヒトに対する感染能力を消滅させる行為**である．

> **滅菌**
> 滅菌とは確率的な概念である．無菌性保証レベル（sterility assurance level；SAL）を採用し，滅菌処理後の滅菌対象物に微生物の生存する確率が100万分の1であり，完全な微生物の殺菌・除菌とほぼ同等を意味する．

## 2　殺菌法

　通常，殺菌（killing）とは，物理的および化学的な方法により微生物に不可逆的な変化を起こさせ，さまざまな代謝機構を阻止し，単純に微生物を殺すという意味である．その目的に応じて滅菌法と消毒法がある．

### 1）滅菌法

　各種滅菌法とそれを利用できる滅菌対象物を**表 1-B-21** に示す．

(1) 物理的方法

　物理的方法には，加熱滅菌法と非加熱滅菌法がある．

① **加熱滅菌**：多くの微生物の菌体構成成分の蛋白質は，加熱により不可逆的に変性し，酵素などの不活化とともに生命力を失う．加熱には，湿熱（水蒸気）および乾熱がある．

　　a. **高圧蒸気滅菌**（high pressure steam sterilization）：高圧蒸気滅菌器

表 1-B-21 滅菌法の種類と適応品

| 滅菌方法 | | 主な対象物 | 備考 |
|---|---|---|---|
| 物理的方法 | 加熱滅菌 | | |
| | 高圧蒸気滅菌 | 金属製品，ガラス製品，ゴム製品，プラスチック製品（耐熱性），繊維製品，培地，試薬，磁器製品など | 滅菌対象物の全体に飽和蒸気が行き届くことが必要である |
| | 乾熱滅菌 | ガラス器具（シャーレ，試験管，ピペットなど），金属製品など | 水溶物は不適，非耐熱性ガラス製品に注意 |
| | 火炎滅菌 | 白金耳，白金線，試験管口など | |
| | 非加熱滅菌 | | |
| | 濾過滅菌 | 空気，水，培地など | |
| | 放射線滅菌 | ガラス製品，金属製品，ゴム製品，プラスチック製品，繊維製品，ディスポーザブル医療用具など | 品質の変化に注意 |
| | 高周波滅菌 | 液体，培地など | 金属製品は不適 |
| 化学的方法 | EOG 滅菌 | プラスチック製品，布製品など | 残留毒性注意 |
| | プラズマ滅菌 | プラスチック製品，金属製品など | |

EOG：酸化エチレンガス．

（**オートクレーブ**，autoclave，**写真 1-B-2**）のチャンバー内で，適当な温度および圧力の飽和水蒸気を発生させ，湿熱を原理とする代表的な滅菌法である．通常，常圧（1 気圧）下での水の沸点は 100℃程度であり，多くの微生物を殺滅することができるが，芽胞はこれに抵抗するため，高圧下で水の沸点を 100℃以上に上昇させることが必要である．高圧蒸気滅菌は，**2 気圧**の飽和水蒸気によって **121℃，15 分間**で行われる．

b. **乾熱滅菌**（hot air sterilization）：乾熱を原理とする滅菌法であり，通常，180℃，15 分間以上（または，160℃，45 分間）で行う（**写真 1-B-3**）．エンドトキシンは，250℃，60 分間で破壊することができるとされている．

c. **火炎滅菌**（flame sterilization）：火炎〔還元炎（内炎）；約 500℃，酸化炎（外炎）；約 1,800℃〕により微生物を焼却する（**図 1-B-19**）．通常，細菌を釣菌した白金耳や白金線などの滅菌に用いられるが，結核菌や一部の真菌に対する火炎滅菌は，施設内感染の危険性が高いため行わない．近年，電気式の白金耳滅菌器も使用されている（**写真 1-B-4**）．

② **非加熱滅菌**

a. **濾過滅菌**：本方法は殺菌ではなく，加熱滅菌の実施が不適正な**気体や液体**から微生物を濾過して除菌する．濾過用フィルターの材質は，ニトロセルロースやアセトセルロースなどのセルロース誘導体などの薄膜が用いられ，これらは微生物が通過できない孔径構造（0.22 μm や 0.45 μm など）となっているが，これらの孔径よりも小さいウイルスや多形性を示す一部の *Mycoplasma* 属は通過する．また，ウイルスまで除去できる逆浸透法や限外濾過法がある．**ヘパフィルター**（HEPA filter）は，病院施設内の手術

**間欠滅菌**

間欠とは，一定の時間をおいて起きたり止んだりすることで，本方法は，80～100℃の熱水または流通蒸気中で1日1回30～60分間ずつ，3～6回加熱を繰り返し処理を行う．加熱後，常温まで温度を下げ，芽胞を発芽させたところで再度，加熱殺滅する方法であるが，手技の煩雑さや高圧蒸気滅菌器の普及とともに，近年ではほとんど実施されていない．

写真1-B-2 高圧蒸気滅菌器（オートクレーブ）

写真1-B-3 乾熱滅菌器

写真1-B-4 電気式の白金耳滅菌器

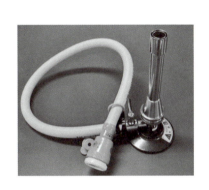
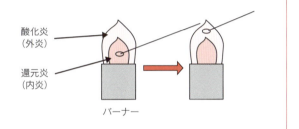

①ニクロム線の中間部分をガスバーナーの還元炎に入れ，先端部分を炭化させる．
②次に先端部分を還元炎から酸化炎へ移動し，赤くなるまで十分に焼く．
③柄に近いアルミ部分も火で軽く熱する．

図1-B-19 ブンゼンバーナー（左）と白金耳（または白金線）の火炎滅菌方法（右）
白金は高価なため，現在は安価なニクロム線が使用されている．

室や無菌室などにおける陰・陽圧システムや安全キャビネットの空調システムに利用され，**N95微粒子用マスク**（0.33 μm以上の粒子を95％以上濾過可能）は，医療スタッフなどに対して結核などの空気感染対策に用いる．

b. **放射線滅菌**：電離放射線の照射により微生物のDNAを傷害する．主にコバルト60（$^{60}$Co）からの**ガンマ（γ）線**を用いる．対象物はガラス製品，ゴム製品，プラスチック製品，磁器製品および繊維製品などであるが，製品の材質により品質の変化に注意を必要とする．

c. **高周波滅菌**：高周波（通常，2,450±50 MHz）を直接照射し，発生する熱により滅菌を行う．主に液体に用いる．

(2) 化学的方法

化学的方法には，主にガス滅菌法が用いられている．

① **酸化エチレンガス（EOG）滅菌**：アルキル化剤で核酸の$NH_2$基，OH基や

蛋白質のCOOH基，SH基と結合して変性および不活化させる．殺菌力は強く浸透力が高いため，加熱滅菌の困難なプラスチック製品などに有効であるが，人体毒性が強く，滅菌後の残存ガスの除去などに注意を要する．
② 過酸化水素低温ガスプラズマ滅菌：過酸化水素ガスに高真空下で高周波やマイクロ波のエネルギーを作用させると，電離（イオン化）する過酸化水素ガスプラズマが生成される．このプラズマ化により反応性の高いラジカルが殺菌作用を示し，最終生成物は水と酸素であるため残留毒性もない．しかし，EOGに比し浸透性が低いことなどから，滅菌対象物は限られている．

### 2）消毒法
#### (1) 物理的方法
消毒薬を使用しないで微生物を殺滅する．
① 熱水消毒：65〜100℃の温度の熱水を用いて処理する．通常，80℃，10分間で処理を行う．抗微生物スペクトルとしては，多くの栄養型細菌，結核菌，真菌およびウイルスを感染可能な水準以下に死滅または不活化することができるが，芽胞は殺滅できない．本方法の適応可能な消毒対象物は，医療器具やリネン類などである．
② 紫外線殺菌：通常，254 nmの紫外線が用いられ，30〜60分間で殺菌する．260〜280 nmの紫外線は，生物のDNA中のピリミジン環に二量体を形成し，DNAの複製・転写を阻害することにより微生物を死滅させる．抗微生物スペクトルとしては，多くの栄養型細菌には短時間で効果があるが，真菌および芽胞には長時間の照射が必要である．また，紫外線は直進作用があり，物質への透過性が低いため，主に物体表面および室内空気の殺菌に使用される．長時間の照射では，ゴム，プラスチックなどに変質を起こし，生体の直接照射では眼や皮膚に障害を起こすため注意が必要である．
③ その他：煮沸消毒や流通蒸気消毒がある．

#### (2) 化学的方法
熱（熱水や蒸気）による消毒法が第一候補であるが，これらが利用できない場合に消毒薬を用いる．主に生体，施設の環境および非耐熱性の医療器具などが対象となる（表1-B-22）．また，消毒薬と微生物との間には，抗微生物スペクトルと消毒薬抵抗性の関係があるため，それぞれの消毒対象物に適した消毒薬を選択する必要がある（図1-B-20）．

## 3 ウイルスおよびプリオンの不活化
### 1）ウイルスの不活化
ウイルスの不活化法には各種の滅菌法に加え，加熱（熱水および蒸気）法や消毒法がある．通常，多くのウイルスは，①煮沸（98℃以上），15〜20分間，②60℃（または56℃），30分間および③80℃，10分間の加熱などによりウイルス粒子の基本構造であるカプシド蛋白質が変性して不活化される．一方，

---

**滅菌の有効性の確認方法**
・オートクレーブ：滅菌テープを用いた化学的インジケーターと*Geobacillus stearothermophilus*（芽胞）を用いた生物学的インジケータを用いる．
・乾熱滅菌，EOG滅菌，過酸化水素ガスプラズマ滅菌：*Bacillus atrophaeus*（芽胞）を用いる．

**医療現場でのリネン類**
患者に使用するシーツ，枕カバー，ベッドカバー，タオル，オムツなどのリネン類の管理は感染予防に重要である．

**煮沸消毒**
消毒対象物を，沸騰水（98℃以上）中に15分間程度沈めて煮沸する．多くの栄養型細菌，結核菌，真菌およびウイルスは殺滅するが，芽胞は抵抗性がある．

**流通蒸気消毒**
通常，100℃の流通蒸気中で30〜60分間行う．加熱水蒸気を直接流通させることによって微生物を殺滅するが，芽胞は殺滅できない．主な消毒対象物は，ガラス製品，磁器製品，金属製品，ゴム製品のほか，水，培地や試薬などの液状のもので，乾熱および高圧蒸気による滅菌法によって変質するおそれのあるものに適する．

**不活化**
不活化（失活ともいう）とは，感染性を失わせることである．

表 1-B-22　おもな消毒薬の特徴

| レベル | 消毒薬 | 系統 | 作用機序 | 消毒対象物 | 使用上の留意点 |
|---|---|---|---|---|---|
| 高水準消毒 | グルタラール（グルタルアルデヒド） | アルデヒド系 | 菌体蛋白のアルキル化 | 金属器具，非金属器具，排泄物汚染（△）[*1] | ・ヒトへの毒性が高い<br>・クリプトスポリジウムのオーシストが抵抗性を示す |
| | フタラール | アルデヒド系 | 菌体蛋白のアルキル化 | | ・ヒトへの毒性が高い<br>・Bacillus 属の芽胞およびクリプトスポリジウムのオーシストが抵抗性を示す |
| | 過酢酸 | 酸化剤系 | 酸化作用 | | ・ヒトへの毒性が高い<br>・金属腐食性がある（長時間浸漬） |
| 中水準消毒 | 次亜塩素酸ナトリウム | ハロゲン系（塩素系） | 蛋白変性，酵素阻害，核酸の不活化 | 環境，非金属器具，排泄物汚染 | ・金属腐食性がある<br>・塩素ガスによる粘膜刺激<br>・有機物による効力低下 |
| | 消毒用エタノール 70％イソプロピルアルコール | アルコール系 | 蛋白変性，代謝障害，溶菌作用 | 環境，金属器具，非金属器具，手指・皮膚 | ・引火性がある<br>・粘膜および損傷皮膚には使用不可 |
| | ポビドンヨード | ハロゲン系（ヨウ素系） | 蛋白および核酸の破壊 | 手指・皮膚，**粘膜** | ・新生児，粘膜および損傷皮膚への大量使用を避ける |
| | クレゾール石鹸 フェノール | フェノール系 | 必須酵素の不活化，細胞壁の破壊 | 環境（△）[*2]，排泄物汚染 | ・ヒトへの毒性が高い<br>・エンベロープをもたないウイルスが抵抗性を示す |
| | グルコン酸クロルヘキシジン アルコール 塩化ベンザルコニウムアルコール | 配合剤系 | 蛋白変性，代謝障害，溶菌作用 | 手指 | ・引火性がある<br>・肉眼で観察される汚れには効果が弱い<br>・手荒れや創のある手指の消毒には使用しない |
| 低水準消毒 | クロルヘキシジングルコン酸塩 | ビグアニド系 | 酵素の不活化，細胞内成分の漏出 | 環境，金属器具，非金属器具，手指・皮膚，排泄物汚染（△） | ・生体への適用は消毒薬の濃度の間違いに注意する<br>・細菌汚染を受けやすいため滅菌済み単包製品を使用する<br>・両性界面活性剤は低水準であるが，結核菌を含む抗酸菌に効果がある |
| | 逆性石鹸 塩化ベンザルコニウム 塩化ベンゼトニウム 陽イオン界面活性剤 | 第四級アンモニウム塩系 | 陽電荷が細胞内に侵入し，菌体蛋白に影響を与える | 環境，金属器具，非金属器具，手指・皮膚，**粘膜** | |
| | アルキルジアミノエチルグリシン塩酸塩 アルキルポリアミノエチルグリシン塩酸塩 | 両性界面活性剤系 | 陰イオンの洗浄作用と陽イオンの殺菌作用 | 環境，金属器具，非金属器具，手指・皮膚，**粘膜** | |

△：効果が得られないことがある．
[*1]：蒸気等によるヒトへの毒性に注意する，[*2]：主に糞便消毒に用い，広範囲の環境消毒には用いない．

消毒法においては，脂質二重膜（エンベロープ）の有無により効果が異なるとされる．通常，エンベロープの有無にかかわらず，多くのウイルスには高水準消毒薬や中水準消毒薬が有効であるが，エンベロープを有しないウイルス（ノロウイルスやA型肝炎ウイルスなど）にエタノール（中水準消毒薬）を用いる場合は，消毒薬との長時間の接触が必要とされている（図 1-B-20）．

**ノロウイルス**

ノロウイルスはエタノールによる効果が弱いとされているが，特にヒトノロウイルスの培養が困難であるため，消毒効果の評価方法が確立されていない．

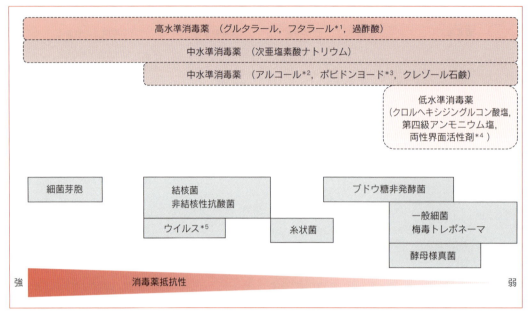

**図 1-B-20　主な消毒薬の抗微生物スペクトルと微生物の消毒薬抵抗性**
*[1]: *Bacillus* 属の芽胞は抵抗性がある.
*[2]: エンベロープのないウイルス（ノロウイルスなど）の失活には，長時間の接触が必要とされる.
*[3]: *Clostridium* 属の芽胞に有効である.
*[4]: 抗酸菌（結核菌を含む）に有効である.
*[5]: 一部のウイルスは低水準消毒薬に感性であるが，一般的には効果が弱い.

## 2）プリオンの不活化

クロイツフェルト・ヤコブ病（Creutzfeldt-Jakob disease；CJD）の病原因子は，不溶性のプロテアーゼ抵抗性蛋白の異常プリオン蛋白（$PrP^{Sc}$）であることが知られている．この蛋白を不活化するには，適切な洗浄後，以下の方法がある．

① アルカリ洗浄剤（ウォッシャーディスインフェクター）洗浄（90〜93℃）後，真空脱気プリバキューム式高圧蒸気滅菌　134℃，8〜10 分間．
② 真空脱気プリバキューム式高圧蒸気滅菌　134℃，18 分間．
③ 過酸化水素低温ガスプラズマ滅菌．
④ 3％SDS（ドデシル硫酸ナトリウム）煮沸処理　3〜5 分間．

## 4　消毒薬の殺菌効力検定法

通常，消毒薬の有効性に関する評価項目は，抗菌スペクトル，即効性および持続性の 3 種類に大別され，抗菌スペクトルでは最小発育阻止濃度（MIC）および最小殺菌濃度（MBC）など，即効性および持続性では，供試菌の生菌数の減少の測定により評価を行う．

 MIC

通常，MIC は希釈系列が 5 濃度以上ある場合とされている．原因菌に対する各抗菌薬の MIC 値から，各種判定基準を用いて，感性（S），中間（I），用量依存性感性（SDD），耐性（R）を算出する．この判定基準となる抗菌薬濃度はブレイクポイントと称されるが，日常検査では S/I/R の算出を目的とし，ブレイクポイント付近の 2〜3 濃度を測定している場合が多い．その測定結果は，MIC ブレイクポイントと称される．

 MIC と MBC

MIC と MBC は同時に検査することが可能であり，原因菌に対する抗菌薬の効果が殺菌的か静菌的かを判断することが可能である．

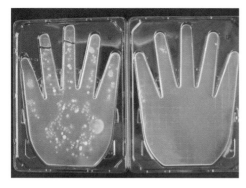

**写真 1-B-5 フィンガープリント法を用いた手指消毒の評価**
左：手指消毒前，右：手指消毒後．
手指消毒前後の評価では，多数の菌の集落が顕著に減少したことを確認できる．しかし，手指消毒後も少数の菌が残存した部位を確認することで，手指消毒の実際の手技において特に注意を払う部位を認識することができる．

## 1）試験管を用いた方法

**（1）最小発育阻止濃度（minimum inhibitory concentration；MIC）および最小殺菌濃度（minimum bactericidal concentration；MBC）**

薬剤感受性検査と同様の手技で，試験管またはマイクロプレート（96穴）を用いて評価を行う方法である．

**（2）石炭酸係数（phenol coefficient）**

被検消毒薬と石炭酸の希釈系列を作製し，これに供試菌浮遊液を加え，5分間で生存，10分間で死滅する被検消毒薬の希釈倍数/石炭酸の希釈倍数を石炭酸係数として示し，係数が大きいほど殺菌力が強いと評価する．

**（3）定量的浮遊菌試験（quantitative suspension test）**

消毒薬に供試菌液を接種し，一定時間の作用後，消毒薬の中和剤（レシチン，亜硫酸水素ナトリウム，チオ硫酸ナトリウム，Tween 80 など）を加え，生菌数を測定する．

## 2）手指消毒の評価法

**（1）フィンガーストリーク法（finger streak plate method）**

手指消毒前後に3本の指先を寒天培地に軽く押しつけ，一昼夜培養後，指先の皮膚表面に残存する菌の発育した集落数を測定する．

**（2）フィンガープリント法（finger print plate method）**

パームスタンプ法ともよぶ．手指消毒前後にすべての手指と手掌全体を寒天培地に軽く押しつけ，一昼夜培養後，手指と手掌の皮膚表面に残存する菌の発育した集落数を測定する（写真1-B-5）．

**（3）グローブ・ジュース法（glove juice method）**

手指消毒前後に手術用滅菌ゴム手袋を装着させ，中和剤およびサンプリング液を手袋内に加え，手袋の上からマッサージをして内容液を採取する．その内容液について混釈培養法で生菌数を測定する．

図 1-B-21　抗菌薬と抗生物質

# IX 化学療法

## 1 化学療法の概念

　化学療法とは，感染症，悪性腫瘍，自己免疫疾患などに作用のある薬剤を用いて治療にあたることをいう．感染症領域においては，微生物の増殖抑制や死滅させる作用のある薬剤，いわゆる**抗菌薬（抗真菌薬や抗ウイルス薬を含む）を用いて治療を行う**ことである．これらの抗菌薬は微生物と宿主の違いを利用して，微生物にのみ選択的に作用して毒性を示す，いわゆる**選択毒性**という考え方が開発の基本になっている．現在，150 種類以上の抗菌薬が存在する（**図 1-B-21**）．

## 2 薬剤感受性検査

　薬剤感受性検査は，感染症治療において原因となる微生物に対し適切な抗菌薬を選択するために必要不可欠な検査である．その結果から原因菌に抗菌力を有する薬剤が判明し，薬剤の体内動態，宿主の病態や免疫能，副作用などを考慮し，投与する抗菌薬が決定される（後述「4 化学療法の基本」参照）．

　日常検査における薬剤感受性検査には，**微量液体希釈法**，**ディスク拡散法**，**Etest 法**があり（第 3 章「F 化学療法薬感受性検査法」を参照），寒天平板希釈法については研究目的で使用されることがある．日本においては多くの施設で微量液体希釈法を採用し，CLSI 法に準拠した方法で実施している．実臨床では自動機器が使用されている．判定結果は CLSI のドキュメントに記載されている基準を用いて，**感性（S），中間（I），用量依存的感性（SDD），耐性（R）**で表記される．感性であれば通常投与量において有効，耐性であれば無効という解釈になる．

　**ディスク拡散法**

ディスク拡散法は希釈法を基準として設定された定性的な方法である．判定基準には，CLSI 法や EUCAST 法，日本化学療法学会法などが存在するが，CLSI 法を採用している施設がほとんどである．

　**SDD（susceptible dose dependent：用量依存的感性）**

従来の判定において，S（感性）とR（耐性）の間に，中間（I）が設定されているが，I は抗菌薬が生理的に濃縮される，または大量に投与できる場合に有効な可能性があるとされてきた．SDD は，S（感性）を担保する投与量よりも多く（安全に）使用できる薬剤で，エビデンスが十分に存在するもので，その MIC 値の場合，有効性が期待されるとして設定された．腸内細菌目細菌のセフェピム，ピペラシリン，ピペラシリン/タゾバクタムなどで設定されている．

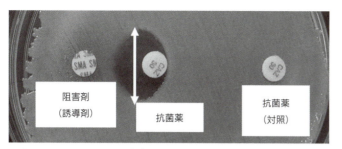

**写真 1-B-6 確認試験（ダブルディスク法）**
薬剤ディスクと阻害剤との間の現象（矢印：この場合は発育阻止帯の形成）を確認する．

> **その他の MIC 測定法**
> 現在，日常で実施している方法は，菌と抗菌薬を接触させて培地上での菌の増殖を確認する方法であるが，近年はデジタル顕微鏡や光散乱法による方法が開発されている．菌数や菌の形態変化をモニタリングし MIC 値に換算する方法で，2～5 時間で測定することが可能となっている．

### 1）最小発育阻止濃度（minimum inhibitory concentration；MIC）

最小発育阻止濃度とは，**試験管内で菌の発育が阻止される最小の薬剤濃度**（単位は μg/mL もしくは mg/L）であり，測定には主に微量液体希釈法が用いられる．

### 2）最小殺菌濃度（minimum bactericidal concentration；MBC）

MBC とは，**菌が殺菌される最小の薬剤濃度**のことであり，通常 MIC と同等もしくは高値を示す．MIC 測定後に MIC 値以上の濃度で細菌が真に殺菌されているか否かを，液体培地を用いて検査する．

### 3）耐性機序の検査法

薬剤感受性検査の目的の一つに耐性菌の検出がある．近年，さまざまな耐性菌が出現しており，薬剤感受性検査の果たす役割も幅広くなってきている．耐性機序については，**①抗菌薬の MIC 値により決定される耐性と，②β-ラクタマーゼ阻害剤などを用いて反応を確認することで決定される耐性**がある．MRSA（メチシリン耐性黄色ブドウ球菌）や PRSP（ペニシリン耐性肺炎球菌）などは指定された抗菌薬が耐性になることで決定される．MIC 値のみでは判定することができない耐性菌の確認試験は，ディスク拡散法を使用することが多い（**写真 1-B-6**）．また，近年は ESBL（基質特異性拡張型 β-ラクタマーゼ）やカルバペネマーゼ産生遺伝子，*mecA* 遺伝子などの耐性遺伝子を PCR 検査などの方法で検出して耐性機序を確認できるようになっている．たとえばマルチプレックス PCR 法では，カルバペネマーゼ産生菌の遺伝子型別（IMP, NDM, KPC, OXA など）を含めた複数の耐性遺伝子を同時に検出することが可能である．また，遺伝子検査以外にもイムノクロマト法を用いて，カルバペネマーゼの遺伝子型別を判別できるキットも利用可能である．

## 3 抗菌薬の種類と特徴

一般に抗菌薬は，有効な微生物の範囲が限定されており，その有効範囲のことを**抗菌スペクトル**（antibacterial spectrum）と称する．この抗菌スペクト

> **耐性機序の検査法**
> たとえば，MRSA についてはセフォキシチンまたはオキサシリンが耐性になれば，*S. aureus* の場合 MRSA となる．これらは，耐性機序が抗菌薬の MIC 値と相関しているため耐性機序を決定することが可能である．一方で，グラム陰性桿菌における β-ラクタマーゼやグラム陽性菌におけるクリンダマイシン誘導耐性などは，MIC 値のみでは判定することが困難であるため，確認試験が必要となる．

> **ESBL の確認方法**
> ESBL はクラス A β-ラクタマーゼであり，第 3 世代セファロスポリン系薬に耐性を示し，クラブラン酸により阻害されるのが特徴である．この特徴を活かして確認する．第 3 世代セファロスポリン系薬にクラブラン酸を添加し，微量液体希釈法であれば MIC が 3 管以上低下（例：16 μg/mL→2 μg/mL），もしくはディスク拡散法であれば 5mm 以上の阻止円の拡大が認められれば ESBL 産生菌と判定される．

> **カルバペネマーゼ**
> 広域抗菌薬であるカルバペネム系薬を分解する β-ラクタマーゼ．多くの遺伝子型が報告されており，クラス A β-ラクタマーゼには KPC 型や GES 型，クラス B β-ラクタマーゼには IMP 型，NDM 型，VIM 型，クラス D β-ラクタマーゼには OXA 型がある．

表 1-B-23　主な抗菌薬（系統別）

| 分類 | 作用機序 | 代表的抗菌薬 |
|---|---|---|
| ペニシリン系 | 細胞壁合成阻害 | ペニシリン G（PCG），アンピシリン（ABPC），ピペラシリン（PIPC）など |
| セフェム系　　セファロスポリン系　　セファマイシン系　　オキサセフェム系 | 細胞壁合成阻害 | セファゾリン（CEZ），セフトリアキソン（CTRX），セフタジジム（CAZ），セフェピム（CFPM）など<br>セフメタゾール（CMZ），セフォキシチン（CFX）など<br>ラタモキセフ（LMOX），フロモキセフ（FMOX） |
| カルバペネム系 | 細胞壁合成阻害 | イミペネム（IPM），メロペネム（MEPM），ドリペネム（DRPM）など |
| β-ラクタマーゼ阻害薬配合ペニシリン | 細胞壁合成阻害 | スルバクタム/アンピシリン（SBT/ABPC），タゾバクタム/ピペラシリン（TAZ/PIPC）など |
| ホスホマイシン系 | 細胞壁合成阻害 | ホスホマイシン（FOM） |
| アミノグリコシド系 | 蛋白合成阻害 | ゲンタマイシン（GM），アミカシン（AMK），アルベカシン（ABK）など |
| マクロライド系 | 蛋白合成阻害 | エリスロマイシン（EM），クラリスロマイシン（CAM），アジスロマイシン（AZM）など |
| リンコマイシン系 | 蛋白合成阻害 | リンコマイシン（LCM），クリンダマイシン（CLDM）など |
| テトラサイクリン系 | 蛋白合成阻害 | テトラサイクリン（TC），ミノサイクリン（MINO）など |
| クロラムフェニコール系 | 蛋白合成阻害 | クロラムフェニコール（CP）など |
| キノロン系 | 核酸合成阻害 | シプロフロキサシン（CPFX），レボフロキサシン（LVFX），ガレノキサシン（GRNX）など |
| サルファ剤 | 葉酸合成阻害 | ST 合剤 |
| ポリペプチド系 | 細胞膜機能障害（細胞膜障害） | コリスチン（CL），ポリミキシン B（PL-B）など |
| リポペプチド系 | 細胞膜機能障害（細胞膜障害） | ダプトマイシン（DAP） |
| グリコペプチド系 | 細胞壁合成阻害 | バンコマイシン（VCM），テイコプラニン（TEIC）など |
| オキサゾリジノン系 | 蛋白合成阻害 | リネゾリド（LZD） |
| ストレプトグラミン系 | 蛋白合成阻害 | キヌプリスチン/ダルホプリスチン（QPR/DPR） |
| グリシルサイクリン系 | 蛋白合成阻害 | チゲサイクリン（TGC） |

ルには，**狭域**（narrow spectrum）と**広域**（broad spectrum）の抗菌薬がある．原則的には，薬剤感受性の結果から原因菌に強い抗菌作用を示し，副作用が少ない狭域抗菌薬を用いることが理想であるが，敗血症や髄膜炎など重症で原因菌が未知の段階で**経験的治療（エンピリック治療，empiric therapy）**を行わなければならない場合は，広域の抗菌薬を使用する．わが国で市販されている主な抗菌薬を**表 1-B-23** に，各種抗菌薬の構造式を**図 1-B-22** に示す．

### 1）抗菌薬

#### (1) β-ラクタム系抗菌薬

細菌の細胞壁の構成成分の一部であるペプチドグリカンの合成を阻害し，殺菌的に作用する抗菌薬で，ペニシリン系，セフェム系，モノバクタム系，カルバペネム系がある．これらは化学構造にβ-ラクタム環をもつことから，一括し

> **抗菌薬の特徴**
> 殺菌的に作用するものと，静菌的に作用するものがある．前者の抗菌薬には，細胞壁合成阻害剤（β-ラクタム系抗菌薬など），細胞膜障害剤（コリスチン，ポリミキシン B など），核酸合成阻害剤（リファンピシン，キノロン系抗菌薬など）などがあり，後者には，蛋白合成阻害剤のテトラサイクリン系抗菌薬，クロラムフェニコール系抗菌薬などがある．

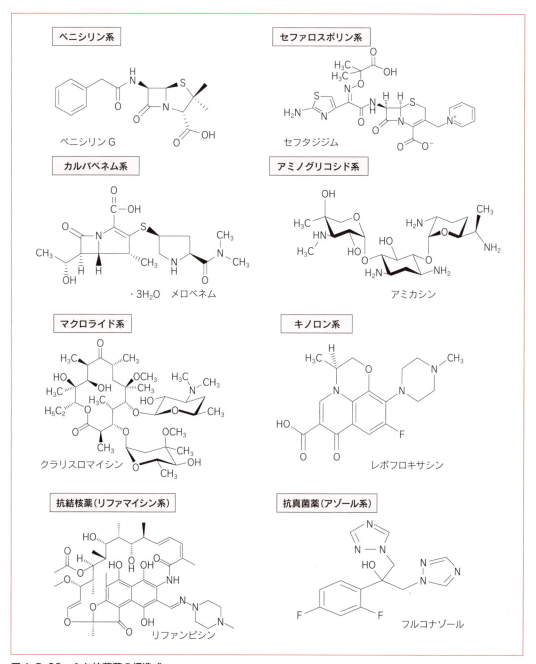

図 1-B-22　主な抗菌薬の構造式

てβ-ラクタム系抗菌薬とよばれている．
① ペニシリン系抗菌薬（penicillin）：1928 年フレミングによって発見され，実用化された天然ペニシリン G（benzyl-penicillin）は，酸に弱いため内服不能であることや抗菌スペクトルの狭さ（ブドウ球菌，レンサ球菌，*Neisseria* 属）に加え，耐性ブドウ球菌が増加したことによりいったんその価値が

下落した．しかし，その後の開発による抗菌スペクトルの拡張により日常に使用されるようになった．

② セフェム系抗菌薬（cephem）：セフェム系抗菌薬はセファロスポリン系，オキサセフェム系およびセファマイシン系の抗菌薬に大別され，ペニシリン系と同様に，細胞壁のペプチドグリカンの合成を阻害する．ペニシリン系の場合は，細胞壁を直接破壊し溶菌させ殺菌するが，セフェム系は菌の細胞分裂時に作用し，菌の増殖を抑え殺菌する．セフェム系は抗菌薬のなかでも最も種類が多い．また，セファロスポリン系抗菌薬は抗菌力の特徴，抗菌スペクトル，β-ラクタマーゼの安定性により，便宜上，第一世代，第二世代，第三世代，第四世代に分けて表現されている．

③ モノバクタム系抗菌薬（monobactam）：モノバクタム系抗菌薬は，β-ラクタム環と側鎖のみで形成されたβ-ラクタム系抗菌薬で，アズトレオナムが一般的である．モノバクタム系は，グラム陽性菌，嫌気性菌には耐性であるが，好気性グラム陰性菌に対して強い抗菌力を示す．

④ カルバペネム系抗菌薬（carbapenem）：カルバペネム系は，β-ラクタム環に二重結合を有する5員環をつけたもので，イミペネム，パニペネム，メロペネム，ドリペネム，ビアペネムなどがある．カルバペネム系抗菌薬は，従来のβ-ラクタム系抗菌薬の弱点であった緑膿菌，嫌気性菌にも抗菌スペクトルが広がり，広く使用されている．

(2) アミノグリコシド（アミノ配糖体）系抗菌薬（aminoglycoside）

アミノグリコシド系抗菌薬は，リボソームの30Sサブユニットに結合して蛋白合成阻害作用と細胞質膜障害により殺菌的に作用する．抗菌スペクトルは，ブドウ球菌とグラム陰性菌から結核菌を含むが，レンサ球菌，腸球菌，嫌気性菌には無効である．内耳神経や腎臓に毒性を示すことがある．なお，投与に際しては血中薬物濃度測定（TDM，p.68を参照）が必要である．

(3) マクロライド系抗菌薬とその類似体（macrolide）

マクロライド系抗菌薬は，リボソームの50Sサブユニットに結合し，蛋白合成を阻害することにより静菌的に作用する．エリスロマイシン，クラリスロマイシン，アジスロマイシンなどがある．グラム陽性菌に優れた抗菌力をもち，ペニシリン耐性菌にも有効である．また，一部のグラム陰性菌，マイコプラズマ，リケッチアやクラミジアにも有効である．これは，マクロライド系抗菌薬の動物細胞内への移行がよいことも原因と考えられている．また，マクロライド系はレジオネラ菌やカンピロバクターにも抗菌作用があり，これらの感染症の第一選択薬として用いられている．

(4) テトラサイクリン系抗菌薬（tetracycline）

クロルテトラサイクリン，ドキシサイクリン，ミノサイクリンなどがあり，30Sサブユニットに結合し，ペプチドの伸長を阻害することにより，静菌的に作用する．通常のグラム陽性菌と陰性菌にはあまり用いられず，マイコプラズマ，リケッチア，クラミジアなどにも強い抗菌力を示すので，これらによる感

---

 **ペニシリン系抗菌薬**

天然ペニシリンGの欠点を補うために，以下のような各種のペニシリンが合成された．①酸に対して安定化することにより内服可能となった．②ペニシリナーゼに抵抗性のペニシリン（メチシリン，クロキサシリンなど）が合成された．③ペニシリナーゼ阻害薬とペニシリン系抗菌薬との合剤（クラブラン酸/アモキシシリン，スルバクタム/ピペラシリン）が開発された．④グラム陰性桿菌にも抵抗力のあるアンピシリンや，緑膿菌に効果のあるピペラシリンなどが開発された．

**セフェム系抗菌薬**

第一世代セファロスポリンは，レンサ球菌，ペニシリナーゼ産生のブドウ球菌，大腸菌，肺炎球菌に有効で，セファゾリンが代表的である．第二世代は，β-ラクタマーゼに対して比較的安定になりグラム陰性菌の抗菌スペクトルが増強されたが，グラム陽性菌への作用は減弱した．代表薬は，セファクロル，セフォチアムである．第三世代は，腸内細菌目細菌に対して作用する広域な抗菌スペクトルをもつ．代表薬はセフトリアキソン，セフタジジムである．第四世代は，第三世代と比較して緑膿菌に対し有効である．代表薬はセフェピムである．
セファマイシン系薬やオキサセフェム系薬は嫌気性菌やESBL産生菌にも活性を有し，代表薬はそれぞれセフメタゾールとフロモキセフである．

**アミノグリコシド系抗菌薬**

ワクスマンによる放線菌からのストレプトマイシン発見に始まり，カナマイシン，ゲンタマイシン，アミカシン，アルベカシンなどがある．

染症の第一選択薬として用いられる．

#### （5）クロラムフェニコール系抗菌薬（chloramphenicol）

放線菌から抽出された抗生物質で，リボソームの 50S サブユニットに結合し，ペプチドの伸長を阻害することにより，静菌的に作用する．副作用としては再生不良性貧血や顆粒球減少症，血小板減少症が起こる．現在では，腸チフスを含むサルモネラおよびリケッチア，クラミジアに限定された抗菌薬である．

#### （6）キノロン系抗菌薬（quinolone）

細菌の DNA の二重らせん構造の巻き方を調整する酵素である細菌の DNA ジャイレースの阻害剤である．代表薬は，シプロフロキサシン，レボフロキサシン，ガレノキサシンなどがあり，グラム陽性・陰性の好気性菌や一部の嫌気性菌にも抗菌活性を示す．

#### （7）ポリペプチド系抗菌薬（polypeptide）

バチルス菌が産生する環状ペプチドをもつ抗菌薬で，緑膿菌を含むグラム陰性菌にも有効である．グラム陰性菌の外膜に存在するリポ多糖（LPS）に結合して外膜を破壊することにより殺菌する．コリスチン，ポリミキシン B などがある．副作用として強い腎障害が認められる．

#### （8）グリコペプチド系抗菌薬（glycopeptide）

糖とアミノ酸を含む高分子の抗菌薬である．バンコマイシンとテイコプラニンがあり，細胞壁ペプチドグリカンの成長末端部に作用し合成阻害によって殺菌作用を示す．投与に際しては TDM が必要となる．

### 2）抗結核薬

抗結核薬は，抗菌力が強く初回治療時に用いる一次抗結核薬と，抗菌力は劣るが一次薬が使用できない場合に用いる二次抗結核薬に分けられる．結核の治療は，3 剤もしくは 4 剤の併用療法が一般的に行われる．近年，多剤耐性結核菌（multidrug-resistant tuberculosis；MDR-TB）や超多剤耐性結核菌（extensively drug-resistant tuberculosis；XDR-TB）が問題となり，その治療薬としてデラマニドが 2014 年，ベダキリンが 2018 年から使用可能となっている．

#### （1）一次抗結核薬

一次抗結核薬は，イソニアジド，リファンピシン，リファブチン，ピラジナミド，エタンブトール，ストレプトマイシンである．結核の治療には，イソニアジド，リファンピシン，エタンブトール，ピラジナミドの 4 剤を併用した治療が基本であり，一部の薬剤が使用できない場合はストレプトマイシンやリファブチンを代わりに用いる．

#### （2）二次抗結核薬

二次抗結核薬には，カナマイシン，エンビオマイシン，エチオナミド，サイクロセリン，パラアミノサリチル酸，レボフロキサシンなどがある．

---

**テトラサイクリン系抗菌薬の副作用**
副作用として，骨への沈着，歯牙の黄染，胎児の骨の奇形を生じることが指摘されている．

**キノロン系抗菌薬**
最初に合成されたのはナリジクス酸であるが，大腸菌や腸内細菌目細菌のみに抗菌力を示すにすぎなかった．ノルフロキサシン以降に開発されたキノロン系の抗菌薬はニューキノロン系抗菌薬といわれ，殺菌力の増強，抗菌スペクトルの拡張，臓器移行性が改善された．

**バンコマイシン**
バンコマイシンは MRSA による感染症の標準的治療薬として使用頻度が高い．しかし，近年，バンコマイシン耐性の腸球菌（VRE）や黄色ブドウ球菌（VISA（バンコマイシン低感受性黄色ブドウ球菌），VRSA（バンコマイシン耐性黄色ブドウ球菌））の出現が問題となっている．

**一次抗結核薬**
抗菌活性の作用機序は，イソニアジドでは細胞壁のミコール酸の合成阻害．リファンピシン，リファブチンは RNA ポリメラーゼの合成阻害．ピラジナミドは作用機序について不明な点が多いが，マクロファージに取り込まれた結核菌に殺菌的に作用する．ストレプトマイシンは細胞のリボソームに結合して蛋白合成を阻害する．

### 3）抗真菌薬

抗真菌薬はポリエン系，アゾール系，キャンディン系に分けられる．真菌は核を有する真核生物であり，動物細胞と類似していることから強い副作用が認められる薬剤が存在する．

#### (1) ポリエン系抗菌薬

真菌の細胞膜を構成するエルゴステロールに結合して，細胞膜を破壊することにより殺菌する．アムホテリシンB，ナイスタチンなどがある．

#### (2) アゾール系抗菌薬

細胞膜のエルゴステロールの合成を阻害することにより殺菌する．ポリエン系よりも副作用が小さく，肝障害や胃腸障害が知られている．フルコナゾール，イトラコナゾール，ボリコナゾールなどがあり，ボリコナゾールはTDMが推奨されている．

#### (3) キャンディン系抗菌薬

真菌の細胞壁の主要成分で，ヒトの細胞には存在しない$\beta$-D-グルカンの合成を阻害することにより殺菌する．アゾール系よりも副作用が少ない．*Candida*属と*Aspergillus*属には有効であるが，真菌の細胞壁に$\beta$-D-グルカンが存在しない，もしくは少ない接合菌や*Cryptococcus*属，*Trichosporon*属には無効である．代表薬はミカファンギンである．

### 4）抗ウイルス薬

ウイルスは，自己の複製を宿主細胞に依存しているため，ウイルス感染症を化学療法により制御することは困難とされており，ワクチンやグロブリン製剤などが主流であった．その後，核酸系逆転写酵素阻害剤，非核酸系逆転写酵素阻害剤，プロテアーゼ阻害剤，インテグラーゼ阻害剤などの宿主細胞にほとんど影響を与えることのない「ウイルス特異的阻害薬」が開発され，これらの阻害剤を組み合わせることにより，ウイルス感染症の制御が可能となった．抗ヘルペスウイルス薬として，イドクスウリジン，アシクロビル，ビダラビン，ガンシクロビルなど，抗HIV薬として**ジドブジン，インジナビル（IDV），リトナビル，ラルテグラビル，マラビロク**などがある．また，抗インフルエンザウイルス薬としてザナミビル，オセルタミビル，ラニナミビルなどがあり，いずれもノイラミニダーゼ阻害薬である．

抗サイトメガロウイルス薬は，その構造により，3種類に分類される．ヌクレオシド類似体であるガンシクロビル，バルガンシクロビル，ヌクレオタイド類似体であるシドフォビルとピロリン酸類似体であるホスカルネットである．DNAポリメラーゼの活性阻害が作用機序となる．

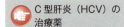

**C型肝炎（HCV）の治療薬**
インターフェロン療法に加え，リバビリンなどのRNA合成阻害薬との併用が有効である．

## 4　化学療法の基本

### 1）適正な抗菌薬の選択

適正な抗菌薬を選択するためには，まず感染症の原因菌を検出し，薬剤感受

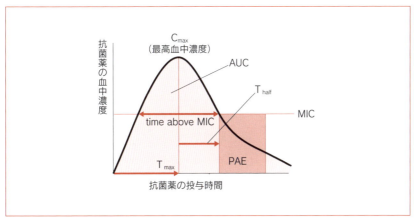

図 1-B-23 PK/PD

性検査の結果を考慮し抗菌薬を選択する．人に薬物を投与した場合，血液中の薬物濃度の推移は個人によって異なる．患者の薬物血中濃度を測定し，薬効および副作用を的確に把握して，有効な濃度に調整する医療技術を TDM（治療薬物モニタリング：therapeutic drug monitoring）という．

## 2）抗菌薬の Pharmacokinetics/Pharmacodynamics（PK/PD）

　薬物動態（Pharmacokinetics；PK）と薬力学（Pharmacodynamics；PD）を組み合わせることにより，抗菌薬の作用を予測し，抗菌薬の最大効果を得るための用法・用量を設定することができる．抗菌薬は，濃度依存性に効果を示すものと時間依存性のものが存在する．

## 3）PK/PD に関する用語（図 1-B-23）

① $C_{max}$：最高血中濃度のことで，薬剤により，あるいは投与法により異なるが，感染病巣に達成する薬剤濃度を規定する指標となる．
② $T_{max}$：最高血中濃度到達時間．
③ $T_{half}$（$T_{1/2}$）：血中濃度の薬物濃度が 50％に減少するのに要する時間．
④ MIC：最小発育阻止濃度．
⑤ AUC（area under the curve）：1 回の投与量に相当するもので，濃度依存性の薬剤の有効性と関連する．
⑥ time above MIC：MIC を超える時間で，薬剤の有効性と関連する．
⑦ PAE（post antibiotic effect）：抗菌薬が MIC 以上の濃度で細菌に接触したあとに血中濃度が MIC 以下に消失しても，細菌の増殖抑制が持続する効果を示す．アミノグリコシド系抗菌薬，キノロン系抗菌薬，緑膿菌に対するカルバペネム系抗菌薬などで認められる．

> **抗菌薬の濃度依存性と時間依存性**
> 濃度依存性のタイプは，抗菌薬の血中濃度が高いほど殺菌作用が強くなるもので，アミノグリコシド系やニューキノロン系抗菌薬が該当する．一方，時間依存性のタイプは，血中濃度が最小発育阻止濃度（MIC）を上回っている時間が長いほど殺菌作用が強くなり，β-ラクタム系やカルバペネム系，グリコペプチド系抗菌薬が該当する．

## 5　治療薬物モニタリング (therapeutic drug monitoring；TDM)

　治療薬物モニタリングとは，薬剤の治療効果や副作用を監視しながら，患者に薬物を投与することである．その際，血中薬物濃度測定値と臨床所見に基づいた薬物の投与計画が立てられる．一般に，血中薬物濃度は低すぎると効果がなく，逆に高すぎると副作用が生じる．また，薬物動態は個人差があるため，個別の患者に対して，血中薬物濃度の測定が必要である．血中薬物濃度に個人差が生じる理由として，①吸収率の違い，②体格の違い，③代謝機能の違い，④排泄機能の違いがあげられる．たとえば，肝機能が低下している場合には，薬物が代謝されにくく，血中濃度は高くなる．また，腎機能が低下している場合には，薬物が体外に排泄されにくく，薬剤が体内に蓄積するため，血中濃度は高くなる．

　TDMが必要な薬剤には，強心薬，抗菌薬，抗真菌薬，抗悪性腫瘍薬，喘息治療薬および免疫抑制薬がある．以下に，抗菌薬および抗真菌薬における主な薬剤を示す．

### 1）TDMが必要な抗菌薬および抗真菌薬
① アミノグリコシド系薬：アミカシン，ゲンタマイシン，アルベカシン，トブラマイシン．
② グリコペプチド系薬：バンコマイシン，テイコプラニン．
③ 抗真菌薬：ボリコナゾール．

## 6　薬剤耐性

　薬剤耐性菌とは，当該菌株による感染症に対して，抗菌薬による治療効果が期待できない菌株のことをいう．抗菌薬の治療効果の予測には，MICブレイクポイントが使われる．MICブレイクポイントは，薬剤感受性検査成績をもとに感性 (S)，中間 (I)，耐性 (R) の3つに分類される．

　抗菌薬に対する耐性因子は，①抗菌薬の不活化，②作用点の変化による抗菌薬親和性の低下，③菌体内への抗菌薬の透過性の低下，④菌体内の抗菌薬の菌外への排出の4種類に大別できる（図1-B-24）．これらの耐性因子は，同一菌種であれば共通に保有する自然耐性および後天的獲得耐性に分けることができる．

### 1）不活化
　抗菌薬を不活化する耐性因子は，細菌に高度耐性を付与する因子の一つである．不活化機構には抗菌薬の分解および修飾の2種類が存在し，それぞれその役割を担う酵素が存在する．

#### (1) 分解
　分解に共通する抗菌薬の不活化は，抗菌薬がその作用点との反応に重要な構造を分解することによる．そして，抗菌薬の分解は，その多くが加水分解酵素

**後天的獲得抗菌薬耐性**

後天的獲得抗菌薬耐性は，染色体上に存在する遺伝子の突然変異や，プラスミドやバクテリオファージ上に存在する耐性因子をコードする遺伝子の獲得などによってもたらされる．プラスミドは，細菌に特有で染色体外の自律複製可能な遺伝因子で，そのなかには伝達性のプラスミドが存在する．伝達性プラスミド上に耐性因子が存在する場合，当該耐性因子は急速に拡散する可能性がある．

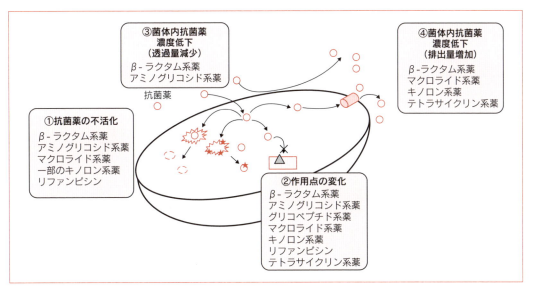

**図 1-B-24 細菌の主要抗菌薬耐性機構**
主要な抗菌薬耐性機構として，①抗菌薬の不活化，②作用点の変化および作用点周辺の抗菌薬濃度の低下（③透過量減少と④排出量増加）の4種類がある．

**図 1-B-25 セリンを活性中心に有する β-ラクタマーゼの加水分解反応**
E：β-ラクタマーゼ，S：β-ラクタム系薬，E・S*：ミカエリス・メンテン複合体，E・S：アシル中間体，P：反応産物．
β-ラクタマーゼは基質とミカエリス・メンテン複合体を経て，β-ラクタマーゼのセリン残基を介してアシル中間体を形成する．その後，β-ラクタマーゼ分子中に存在する水分子がアシル結合部位を攻撃し，脱アシル反応が生じる．その結果，β-ラクタマーゼは，β-ラクタム系薬の加水分解生成物を産生する．

により行われる．代表的な加水分解酵素としてβ-ラクタマーゼがあげられる（図1-B-25）．β-ラクタマーゼの分類については，β-ラクタマーゼのアミノ酸一次配列に保存されているモチーフをもとに，クラスA〜クラスDまでの4種類に分類する単純な方法が提唱されている．この方法は，基質特異性を考慮したものではないが，クラスAはペニシリナーゼ，クラスBはカルバペネマーゼ，クラスCはセファロスポリナーゼ，クラスDはオキサシリナーゼとほぼ同

表 1-B-24　β-ラクタマーゼの分類

| 分類法 | | 分解しやすい抗菌薬の系統 | 代表的酵素 |
|---|---|---|---|
| アミノ酸配列による分類 | アミノ酸配列に酵素の性質を加味した分類 | | |
| C | 1 | セファロスポリン系薬 | ACT-1, CMY-2, FOX-1, MIR-1 |
| A | 2b | ペニシリン系薬，第一世代セファロスポリン系薬 | TEM-1, TEM-2, SHV-1 |
| A | 2be | 第二・第三・第四世代セファロスポリン系薬，モノバクタム系薬 | TEM-3, SHV-2, CTX-M-15 |
| D | 2d | クロキサシリン | OXA-1, OXA-10 |
| D | 2de | 第二・第三・第四世代セファロスポリン系薬，モノバクタム系薬 | OXA-11, OXA-15 |
| D | 2df | カルバペネム系薬 | OXA-23, OXA-48 |
| A | 2f | カルバペネム系薬 | KPC-2, IMI-1, Sme-1 |
| B | 3a | カルバペネム系薬 | IMP-1, VIM-1, NDM-1 |

> **β-ラクタマーゼの分類**
> β-ラクタマーゼは，ペニシリン，セファロスポリン，オキサシリンあるいはカルバペネムを分解することが得意であるという酵素学的性質に基づいて，ペニシリナーゼ，セファロスポリナーゼ，オキサシリナーゼあるいはカルバペネマーゼに分類されていた．一般に，ペニシリナーゼはクラブラン酸やスルバクタム，タゾバクタムなどのβ-ラクタマーゼ阻害剤，セファロスポリナーゼはクロキサシリン，カルバペネマーゼの一部はキレート剤により，その活性が阻害される．

義である．さらに，臨床検査に適合するβ-ラクタマーゼの分類法として，アミノ酸配列に基づいた分類法に基質特異性および各種阻害薬との反応性を加味したものも提唱されている（**表 1-B-24**）．

### (2) 修飾

抗菌薬を修飾することによって不活化する働きを有するのが，修飾酵素である．アセチル化，リン酸化，アデニリル化などの不活化酵素によって，抗菌薬は不活化あるいは抗菌力の低下が起こる．クロラムフェニコールはアセチル化，アミノグリコシド系薬はアセチル化，リン酸化あるいはアデニリル化によって不活化あるいは抗菌力低下がもたらされる（**図 1-B-26**）．

## 2）作用点の質的変化による親和性低下

菌体内に存在する抗菌薬の作用点は細菌の生存に必須なものである．したがって，抗菌薬の作用点を変化させることは，細菌にとって大きなリスクを伴う．抗菌薬の作用点となる蛋白質などと類似する新規蛋白質の出現，標的蛋白質のアミノ酸置換，標的の修飾などによる抗菌薬の作用点に対する親和性の低下をもたらす耐性機構が存在する．

### (1) 標的アナログの出現

抗菌薬の作用点と同様の機能を有するが，抗菌薬ときわめて低い親和性しか有さない，いわゆる標的アナログをコードする遺伝子を獲得することに起因する耐性機構が存在する．このなかで，標的アナログをコードする全遺伝子を他菌種から獲得したのがMRSA，その一部を獲得したのがPRSPであり，両耐性

> **MRSA（メチシリン耐性黄色ブドウ球菌）**
> MRSAは新規PBPのPBP2'をコードする遺伝子であるmecAを保有している．この菌株はほぼすべてのβ-ラクタム系薬に耐性を示すことから，その治療にはバンコマイシンなどのMRSA治療薬が用いられる．

> **PRSP（ペニシリン耐性肺炎球菌）**
> PRSPはレンサ球菌属のうち，ペニシリンに対して低感受性の口腔内レンサ球菌のPBPをコードする遺伝子の一部を，形質転換というメカニズムで獲得した菌株である．

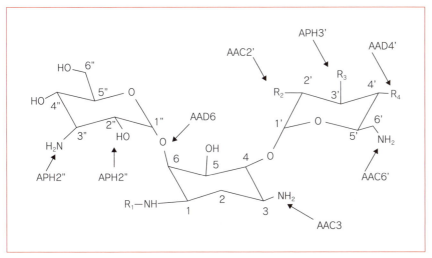

**図 1-B-26 主要アミノグリコシド系薬の修飾部位**
APH：アミノグリコシド系薬リン酸化酵素，AAC：アミノグリコシド系薬アセチル化酵素，AAD：アミノグリコシド系薬アデニリル化酵素．

菌ともにβ-ラクタム系薬の作用点である新たなペニシリン結合蛋白質（PBP）を獲得した菌株である．

#### (2) 標的の突然変異

作用点の突然変異によって耐性がもたらされる抗菌薬として，β-ラクタム系薬，キノロン系薬，マクロライド系薬，アミノグリコシド系薬などがあげられる．このうちキノロン系薬の耐性は，DNAの複製に関与するDNAジャイレース（GyrA，GyrB）あるいはDNAトポイソメラーゼ（ParC，ParE）をコードする遺伝子の特異的な部位に，アミノ酸置換を伴う変異が生じて獲得される．この特異的な部位をキノロン耐性決定領域（QRDR）とよんでいる．QRDRは非常に狭い領域であり，それ以外の部位に生じるアミノ酸置換を伴う突然変異は，細菌にとって致命的なものであると考えられる．

#### (3) 標的の修飾

標的部位の抗菌薬との結合部分をメチル化，あるいは標的と抗菌薬の結合を阻害する蛋白質を産生することによって出現する耐性菌がある．結合部位をメチル化することによって獲得されるものとして，リボソーム蛋白質のメチル化酵素が知られている．

### 3) 作用点周囲の濃度制限

一般的に，抗菌薬の作用点は菌体内に存在する．そして，菌体内に存在する作用点周辺に抗菌薬が一定濃度以上存在しなければ，抗菌力を発揮できない．耐性機構のなかには，抗菌薬の作用点周辺の濃度を上げない，あるいは下げることによって抗菌薬に抵抗するものが存在する．

---

**β-ラクタマーゼ非産生アンピシリン耐性インフルエンザ桿菌（BLNAR）**
標的の突然変異によってβ-ラクタム系薬耐性を獲得した耐性菌には，β-ラクタマーゼ非産生アンピシリン耐性インフルエンザ桿菌（BLNAR）があげられる．BLNARのPBP3は，その遺伝子にアミノ酸置換を伴う変異が生じ，β-ラクタム系薬との親和性が低下している．

**リボソーム蛋白質のメチル化酵素**
アミノグリコシド系薬に対する修飾酵素には基質特異性があり，修飾酵素産生菌がすべてのアミノグリコシド系薬に耐性を示すわけではない．しかし，リボソーム蛋白質メチル化酵素産生株は，すべてのアミノグリコシド系薬に高度耐性を示す．

## (1) 透過孔の減少・欠損

抗菌薬濃度を上げないメカニズムとして，抗菌薬の細菌への流入口である透過孔（ポーリン）の発現量低下あるいは欠損がある．カルバペネム系薬耐性緑膿菌の多くは，緑膿菌の塩基性アミノ酸の取り込み口となる OprD に，発現量の低下あるいは欠損が認められるものが少なくない．

## (2) 多剤排出システムの亢進

多剤排出システム（薬剤排出ポンプ，efflux pump）は，細胞内で発生する老廃物や細胞内に流入した環境中に存在する有害物質を細胞外に排出するために存在する．すなわち，細胞が環境に適応して生存するために必須のシステムで，細菌からヒトの細胞まで共通にみられる．細菌は複数の排出システムを構成する蛋白質をコードする遺伝子を染色体上に保有するが，最近，プラスミド性の排出蛋白質も報告されている．多剤排出システム（薬剤排出ポンプ）は，構造に関係なく細胞内の老廃物や異物を細胞外に排出する．

# X ワクチン

## 1 ワクチンの基本的概念

ワクチンは，あらかじめ病原体あるいはその抗原に曝露させることで宿主側の免疫を成立させ，実際に病原体が侵入してきた際に感染症の発症を抑制したり，症状を軽減させる目的で用いられる方法である．

ワクチンは，宿主自ら免疫活性を高める能動免疫に分類される．ワクチンの防御効果は，抗体の産生による液性免疫およびTリンパ球が対応する細胞性免疫によって得られる．ワクチンは単回の接種では十分な有効性を得られないものがあり，ブースター効果を期待して複数回接種するものがある．

ワクチンには副反応という問題があり，その多くは接種部位の腫脹や疼痛などの局所の反応としてみられる．

## 2 ワクチンの種類

ワクチンは，生ワクチンと不活化ワクチンに大きく分類される（**表 1-B-25**）．生ワクチンは病原性を低下させた生きた病原体であり，感染性を有している．麻疹，風疹，水痘，ムンプス，BCG などのワクチンが生ワクチンであり，生体内で増殖して免疫を誘導し，液性免疫と細胞性免疫が獲得できる．一方，肺炎球菌，b型インフルエンザ菌などのワクチンは不活化ワクチンに分類され，病原体の構成成分の一部を抗原として免疫を誘導する．また，破傷風やジフテリアのワクチンのように菌が産生する毒素を無毒化させたワクチンは，トキソイドワクチンともよばれる．これらの不活化ワクチンは，液性免疫の獲得が主体である．生ワクチンは不活化ワクチンに比べ免疫の誘導能が高く，長期間効果を持続させることができる．しかし，生ワクチンは妊婦や免疫不全の人などでは感染症を発症するリスクが高いため，接種は禁忌となっている．

---

**ブースター効果**

ワクチンの効果がどこまで継続するかについてはワクチンの種類などによって異なるが，一般的に1回のワクチン接種で，生涯効果的な免疫を維持することはむずかしい．そのため，同じワクチンを複数回接種することでさらに高い免疫反応を誘導する方法を追加免疫とよび，それによってもたらされる効果をブースター効果とよんでいる．ブースター効果にはメモリーT細胞の関与が大きく，記憶している抗原と再び遭遇することでさらに強い反応が認められる．

**予防接種健康被害救済制度**

重篤な副反応は，頻度としてはまれであるが慎重に対応すべきであり，国は健康被害救済制度を設けている．この制度は，予防接種法に基づいて予防接種を受けた人に健康被害が生じた場合，その健康被害が接種を受けたことによると厚生労働大臣が認定したときは，市町村により給付が行われるものである．

表 1-B-25 ワクチンの分類と主な特徴

| 比較項目 | 生ワクチン | 不活化およびトキソイドワクチン | メッセンジャー RNA ワクチン |
|---|---|---|---|
| ワクチン本体 | 生きた病原体（弱毒病原体） | 感染性を有しない病原体，病原体の一部，無毒化した毒素 | 抗原となる蛋白をコードするメッセンジャー RNA |
| 代表的疾患（病原体） | 麻疹，風疹，水痘，ムンプス | 肺炎球菌，b 型インフルエンザ菌，破傷風，ジフテリア | 新型コロナウイルス |
| 誘導される免疫 | 液性免疫と細胞性免疫 | 主に液性免疫 | 液性免疫と細胞性免疫 |
| 接種回数 | 1 または 2 回が多い | 複数回の投与が多い | 複数回の投与が多い |
| 効果の持続 | 長い | 短い | 短い |
| 妊婦や免疫不全患者への接種 | 禁忌 | 接種可 | 接種可 |

表 1-B-26 生ワクチンの主な特徴

| ワクチン | 対象疾患 | 備考 |
|---|---|---|
| 麻疹ワクチン | 麻疹 | 麻疹・風疹の混合ワクチンも使用可能 |
| 風疹ワクチン | 風疹 | 麻疹・風疹の混合ワクチンも使用可能 |
| ムンプスワクチン | 流行性耳下腺炎 | 副反応として無菌性髄膜炎 |
| 水痘ワクチン | 水痘，帯状疱疹 | 帯状疱疹の予防は 50 歳以上を対象（帯状疱疹の予防効果は不活化ワクチンより弱い） |
| ロタウイルスワクチン | ロタウイルス胃腸炎 | 経口接種で投与．副反応として腸重積 |
| BCG | 結核 | 小児期の結核性髄膜炎予防に有効．膀胱がんの治療にも用いられている |
| 経口生ポリオワクチン | ポリオ | 定期接種は 2012 年 9 月から不活化ワクチンに変更 |
| 痘瘡（天然痘）ワクチン | 天然痘 | 1976 年に中止（現在は備蓄のみ） |
| 黄熱ワクチン | 黄熱 | 黄熱予防接種要求国や感染リスクが高い国への渡航の際に接種 |
| インフルエンザウイルスワクチン | インフルエンザ | 2〜18 歳を対象に経鼻で接種 |

生ワクチンは**表 1-B-26** に，不活化またはトキソイドワクチンは**表 1-B-27** に主なものを示すが，これらのワクチンを国民が全員接種する必要があるわけではなく，目的に応じて特定の人を対象としたワクチンもある．また，ワクチンは時代の流れとともに変更されるものも多く，複数のワクチンをまとめて 1 つにしたり，生産されなくなったワクチンもある．

## 3 予防接種の種類

個人レベルでみれば，ワクチンを接種した人が免疫を獲得できればその病原体に対する予防効果が期待できる．一方，社会全体としてみた場合には，多くの人に接種することで集団免疫としての効果を得ることができるため，特に流行性の感染症などではワクチンを接種していない人にも感染のリスクを下げることが期待できる．そのため，国や自治体が主体となって法律や条例を定め，保健活動の一環として予防接種を推し進めている．

ワクチンは予防接種法に基づき，定期接種と任意接種に分けられている．定期接種はさらに，予防接種を受ける努力義務が課せられ原則無料で接種できる

**コンジュゲートワクチン**
結合型ワクチンともよばれ，免疫原性が低い抗原にキャリア蛋白を結合させることによって，抗原に対する免疫の誘導を高める目的で使用される．たとえば，細菌の莢膜抗原は多糖類であり単独での免疫誘導能は低いが，これにトキソイドなどのキャリア蛋白を結合させることで T 細胞も刺激され，B 細胞の抗体産生をより活性化して高い免疫反応を得ることができる．

**メッセンジャー RNA（mRNA）ワクチン**
新型コロナウイルスワクチンに初めて実用化されたワクチン．抗原の蛋白をコードする遺伝子を体内に注入し，宿主の細胞に蛋白をつくらせて免疫を獲得させる仕組みであり，他の感染症への応用が進められている．

表 1-B-27 不活化またはトキソイドワクチンの主な特徴

| ワクチン | 対象疾患 | 備考 |
|---|---|---|
| b 型インフルエンザ菌（Hib）ワクチン | 髄膜炎 | 国内では 2007 年に承認 |
| 肺炎球菌ワクチン | 髄膜炎，肺炎 | 23 価（莢膜抗原のみ）と 13 価，15 価，20 価（いずれもコンジュゲートワクチン）がある |
| インフルエンザウイルスワクチン | インフルエンザ | 2015 年/2016 年シーズンから 4 価ワクチンに変更 |
| 四種混合ワクチン | ジフテリア・百日咳・破傷風・ポリオ | 2012 年 11 月に導入 |
| 三種混合（DPT）ワクチン | ジフテリア・百日咳・破傷風 | 2012 年 11 月以降は四種混合ワクチンに変更 |
| 二種混合（DT）ワクチン | ジフテリア・破傷風 | 四種または DPT 終了後の 2 期として使用 |
| 破傷風トキソイド | 破傷風 | 外傷後の破傷風予防として臨時で使用 |
| B 型肝炎ウイルスワクチン | 肝炎，肝硬変，肝がん | 針刺しなどの曝露後予防にも利用可能 |
| ヒトパピローマウイルス（HPV）ワクチン | 子宮頸がん | 2013 年 6 月から積極的な勧奨を一時差し控えていたが，2022 年 4 月より小学校 6 年～高校 1 年相当の女子を対象に定期接種の対象となった．国内では 2 価，4 価，9 価の 3 種類のワクチンが使用可能 |
| 日本脳炎ワクチン | 日本脳炎 | 急性散在性脳脊髄炎（ADEM）の関連で以前，一時見合わせとなった時期がある |
| コレラワクチン | コレラ | 流行地域への渡航者が適応 |
| A 型肝炎ウイルスワクチン | A 型肝炎 | 流行地域への渡航者が適応 |
| 狂犬病ワクチン | 狂犬病 | 高リスク地域への渡航前接種だけでなく，曝露後予防としても利用可能 |
| 髄膜炎菌ワクチン | 侵襲性髄膜炎菌感染症 | 流行地域への渡航者が適応 |
| ジフテリアトキソイド | ジフテリア | 単独のワクチンは成人用として市販 |
| 百日咳ワクチン | 百日咳 | 単独ワクチンは生産されていない |
| 不活化ポリオワクチン | ポリオ | 定期接種は 2012 年 9 月に生ワクチンから変更 |
| 帯状疱疹ワクチン | 帯状疱疹 | 50 歳以上を対象（帯状疱疹の予防効果は生ワクチンより強い） |
| RS ウイルスワクチン | RS ウイルス感染症 | 妊婦に接種して新生児，乳児の感染を予防，および 60 歳以上の呼吸器感染の予防 |

A 類疾病と，努力義務が課せられておらず一部負担の補助が受けられる B 類疾病に分けられる（**表 1-B-28**）．なお，任意接種は定期接種以外のワクチンであり，通常全額自己負担となる．

## XI 常在細菌叢とその変動

### 1 常在細菌叢の概念

ヒトをはじめとする哺乳動物は，胎内では通常，微生物がいない無菌の状態で存在する（例外的に，**胎盤通過性**の微生物が感染する場合はある）．しかし，生まれた瞬間から，産道，母体，外部環境との接触，飲食物の摂取などによって，皮膚面，口腔・消化管の粘膜面などに微生物が感染する．感染した微生物の一部はその部位に定着・定住するようになり，**常在微生物叢**〔indigenous

**microflora と microbiota**
常在微生物叢は microflora（マイクロフローラ）の呼び名が広く知られているが，flora（フローラ）はローマ神話のフロラ（花の女神）に由来し，植物を指す言葉である．近年は microflora の代わりに microbiota（マイクロバイオータ）あるいは microbiome（マイクロバイオーム）が用いられることが多い．

表 1-B-28 予防接種法に基づく定期接種対象ワクチンの概要

| 分類 | 対象疾病 | 対象者・接種時期 |
|---|---|---|
| A 類疾病 | ジフテリア | 第1期：生後3月～生後90月，第2期：11歳～13歳未満 |
| | 破傷風 | 同上 |
| | 百日咳 | 生後3月～生後90月 |
| | 急性灰白髄炎（ポリオ） | 生後3月～生後90月 |
| | 麻疹 | 第1期：生後12月～生後24月，第2期：5歳～7歳未満 |
| | 風疹 | 同上 |
| | 日本脳炎 | 第1期：生後6月～生後90月，第2期：9歳～13歳未満 |
| | 結核（BCG） | 生後1歳まで |
| | b 型インフルエンザ菌（Hib）感染症 | 生後2月～生後60月 |
| | 肺炎球菌感染症（小児） | 同上 |
| | ヒトパピローマウイルス感染症 | 12歳～16歳となる日の属する年度の女子 |
| | 水痘 | 生後12月～生後36月 |
| | B 型肝炎 | 第1期：生後2月，第2期：生後3月，第3期：生後7月～8月 |
| | ロタウイルス | ワクチンの種類により，生後6週～24週までに2回経口接種，または，生後6週～32週までに3回経口接種 |
| B 類疾病 | インフルエンザ | ①65歳以上の者，②60歳以上65歳未満の心臓，腎臓，呼吸器の機能障害またはHIV感染者 |
| | 肺炎球菌感染症（高齢者） | ①年度内に65, 70, 75, 80, 85, 90, 95, 100歳になる者 ②60歳以上65歳未満の心臓，腎臓，呼吸器の機能障害またはHIV感染者 |

microbial flora (microflora)〕を形成する．常在微生物を細菌のみに限って表現する場合は，**常在細菌叢**（indigenous bacterial flora）あるいは**正常細菌叢**（normal bacterial flora）とよぶ．

　常在細菌叢の構成菌（**常在菌**）は単一の菌種ではなく，多種類の細菌の集団によって構成され，常在菌同士はそれぞれの部位にバランスを保って定着している．つまり，常在菌はただその部位に存在するだけではなく，細菌同士あるいは宿主との**クロストーク（相互作用）**によって，安定した複雑な生態系を構成している．

### 1）定住菌と通過菌

　常在細菌叢には，常にその部位に存在する**定住菌**と，一時的（一過性）に定着する**通過菌**がある．常在菌の定義は，「常在細菌叢に存在する細菌のうち，大多数のヒトに共通してみられ，健康人に病原性を示さないもの」であることから，定住菌を指すと考えるのが一般的である．

### 2）常在細菌叢を左右する因子

　常在菌の菌種や数は定着部位によって異なり，個人・年齢などによる差や，

**クロストーク**

クロストークとは，生物学の領域では「複数のシグナル伝達の経路が相互に影響しあって細胞機能の調節を行うこと」である．常在細菌叢では，たとえば，腸管内の環境，消化・吸収などの機構は「腸管粘膜免疫と常在する微生物のクロストークによって決まる」と考えてよい．

**通過菌**

通過菌のなかには，鼻腔や咽頭に一時的に定着する髄膜炎菌，化膿レンサ球菌などのように比較的病原性が高いものもある．このような菌が一過性に定着しても必ずしも発症するとは限らないが，その宿主が保菌者として他者への感染源になる可能性がある．

生活習慣・生活リズムなどによる変動が認められる．近年，さまざまな疾患の患者や肥満者などで細菌叢が健康人（常在細菌叢）と異なることが明らかにされ，疾患の発症・進行と細菌叢の変化が関連する可能性が示されている．

常在細菌叢のように，異種の細菌が同一の環境内で一緒に生活している場合を**共生（symbiosis）**という．さらに，共存する細菌がお互いに利益を得る場合を**相利共生**，一方が利益を得て他方は利益も不利益も受けない場合を**片利共生**といい，常在細菌叢ではこのような菌同士の関係によって生活が営まれている．共存する細菌の一方が利益を得ることにより他方に不利益（害）が及ぶ場合は**寄生（parasitism）**といい，共生とは区別する．

常在細菌叢は外部からの微生物の感染を防ぐ**障壁（バリア）**の役割をもつが，外来性の病原性細菌の多くは，常在細菌叢に侵入・寄生することで宿主に感染症を起こす．

## 2　常在細菌叢の分布（表1-B-29）

### 1）口腔内細菌叢

口腔内は粘膜面，歯面，歯肉溝，舌のように異なった構造・部位からなっている．全体では，300〜700種類の微生物が常在しているが，その種類と数は年齢によって異なり，口腔内の環境変化などによって増減することが多い．口腔内細菌のなかには，**歯周疾患**，**う蝕**，**誤嚥性肺炎**などの発症に関連するものがあり，日常的な口腔ケアの重要性が指摘されている．

① 唾液：唾液中にはおよそ $10^8$/mL 個の細菌が存在し，最も多いのは *S. salivarius*, *S. sanguinis*, *S. mitis* などの *Streptococcus*（ストレプトコッカス）属の細菌である．これらの菌種は舌表面（**舌背細菌叢**）や歯面（**プラーク細菌叢**）に多く常在することから，唾液細菌叢の主要構成菌は，舌表面・歯面から排出・剥離した菌であると考えてよい．その他，舌表面からは *Neisseria*（ナイセリア）属や *Veillonella*（ベイヨネラ）属の細菌，歯面からは *Actinomyces*（アクチノミセス）属や *Corynebacterium*（コリネバクテリウム）属の細菌が検出され，これらの細菌も唾液細菌叢の構成菌となる．

② プラーク細菌叢：歯表面に定着した細菌が分泌する**菌体外多糖**などがもとになって**プラーク**が形成される．プラーク構成細菌の種類・数はその形成・成熟の過程によって異なるが，*Actinomyces* 属細菌，*Corynebacterium* 属細菌，*S. sanguinis*, *S. mitis*, *S. mutans*, *S. sobrinus* などの *Streptococcus* 属の細菌が検出される．**う蝕**（齲蝕，俗に虫歯）の原因となる *S. mutans* と *S. sobrinus* は，**う蝕原性細菌**ともよばれる．

③ 歯肉溝：歯肉溝（歯と歯肉の間隙）は嫌気的な環境を形成しているので，他の部位にくらべて嫌気性菌が多く常在している．これらのなかには**内因性感染**によって**歯周疾患**を起こすものがあり，*Fusobacterium nucleatum*, *Porphyromonas gingivalis*, *Prevotella intermedia* などは**慢性歯周炎**の発症に関連する．

**歯周疾患（歯周病）**

歯周病のうち，歯肉に限局した炎症が起こる場合を歯肉炎，炎症が他の歯周組織に及び組織破壊が生じている場合を歯周炎という．これらの原因は，歯肉縁下（歯と歯茎の境目より下の外からみえない部分）に生息する細菌（歯周病原細菌）である．そのなかで特に重要な菌種は，*Porphyromonas gingivalis* である．

**う蝕（齲蝕）**

う蝕の原因菌（う蝕原性細菌）として重要な菌種は，*Streptococcus mutans* と *Streptococcus sobrinus* である．これらは，グルコシルトランスフェラーゼを産生し，スクロース（ショ糖，白糖）から歯面付着性・不溶性のグルカンを生成してプラーク（歯垢）が形成される．プラーク内のう蝕原性細菌は，飲食物などに含まれる糖を発酵して乳酸を産生し，これによって歯のエナメル質が溶解（脱灰）し，う蝕が発生する．

表 1-B-29　常在細菌叢と主な常在菌・常在真菌

| 常在細菌叢（部位） | 菌属（菌種） |
|---|---|
| 皮膚 | スタフィロコッカス属（表皮ブドウ球菌），キューティバクテリウム属，プロピオニバクテリウム属，コリネバクテリウム属，ミクロコッカス属，マラセチア属[*1]，カンジダ属[*1]， |
| 口腔 | ストレプトコッカス属，ナイセリア属（非病原性[*2]），ベイヨネラ属，アクチノミセス属，コリネバクテリウム属，アグレガチバクター属，ラクトバシラス属，ペプトストレプトコッカス属，マイコプラズマ属，カンジダ属 |
| 歯肉溝 | フソバクテリウム属，ポルフィロモナス属，プレボテラ属，バクテロイデス属，トレポネーマ属 |
| 鼻腔 | スタフィロコッカス属（黄色ブドウ球菌，表皮ブドウ球菌などのCNS[*3]），ストレプトコッカス属，ペプトストレプトコッカス属，コリネバクテリウム属，ヘモフィルス属，ナイセリア属（非病原性[*2]） |
| 咽頭 | ストレプトコッカス属（肺炎球菌，化膿レンサ球菌を含む），ナイセリア属（非病原性[*2]），スタフィロコッカス属，モラクセラ属，ヘモフィルス属（インフルエンザ菌） |
| 胃 | ヘリコバクター属（ヘリコバクター・ピロリ） |
| 腸管 | バクテロイデス属，ビフィドバクテリウム属，ユーバクテリウム属，クロストリジウム属（ウェルシュ菌など），クロストリジオイデス属（クロストリジオイデス・ディフィシル），ペプトストレプトコッカス属，ラクトバシラス属，フソバクテリウム属，ベイヨネラ属，キューティバクテリウム属，プロピオニバクテリウム属，エシェリキア属（大腸菌），クレブシエラ属（肺炎桿菌など），エンテロバクター属，プロテウス属，ストレプトコッカス属，エンテロコッカス属，シュードモナス属（緑膿菌），バシラス属（枯草菌など），コリネバクテリウム属，カンジダ属[*1] |
| 腟 | ラクトバシラス属，ペプトストレプトコッカス属，スタフィロコッカス属（表皮ブドウ球菌などのCNS[*3]），コリネバクテリウム属，ガードネレラ属，ウレアプラズマ属，カンジダ属[*1] |
| 外陰部・尿道 | ペプトストレプトコッカス属，スタフィロコッカス属（表皮ブドウ球菌などのCNS[*3]），エンテロコッカス属，キューティバクテリウム属，プロピオニバクテリウム属，コリネバクテリウム属，マイコバクテリウム属，マイコプラズマ属，ウレアプラズマ属 |

[*1]：酵母様真菌，[*2]：口腔内，鼻腔，咽頭から通過菌として髄膜炎菌が検出される場合がある，[*3]：コアグラーゼ陰性ブドウ球菌（coagulase-negative staphylococci）．

## 2）鼻腔・咽頭など上気道の細菌叢

鼻腔は位置的に皮膚に近く，*Staphylococcus aureus*（黄色ブドウ球菌），*S. epidermidis*（表皮ブドウ球菌）などの *Staphylococcus*（スタフィロコッカス）属の細菌や *Corynebacterium* 属の細菌などが存在する．*S. aureus* では，とくに**メチシリン耐性黄色ブドウ球菌（MRSA）の持続性鼻腔保菌**が**医療関連感染**の感染源になりうる．また，鼻腔では呼吸による外部からの微生物の流入が起こりやすく，*Streptococcus pneumoniae*（肺炎球菌），*Haemophilus influenzae*（インフルエンザ菌），*Neisseria meningitidis*（髄膜炎菌）などが一時的に定着することがある．

**咽頭**には，口腔内に常在する *Streptococcus* 属細菌（**口腔レンサ球菌**），*Neisseria* 属細菌（非病原性ナイセリア），*Moraxella*（モラクセラ）属細菌などが存在する．一時的に *S. pneumoniae*, *H. influenzae*, *N. meningitidis*, *Streptococcus pyogenes*（化膿レンサ球菌）などが定着する場合があり，*S. pyogenes* は**咽頭炎**や**扁桃炎**，*S. pneumoniae* や *H. influenzae* は**誤嚥性肺炎**の原因になることがある．

**誤嚥性肺炎**
誤って飲食物などの異物が気管に入った（誤嚥した）ときに起こる肺炎を誤嚥性肺炎といい，口腔・咽頭付近の常在菌が原因菌となる．誤嚥性肺炎は，体力が低下した高齢者や脳血管障害患者に多く，ドパミン合成の減少に関連した嚥下・咳反射の低下が一因である．

## 3）皮膚の細菌叢

皮膚は，外界に接しているため多くの細菌が存在する．主要な常在菌は，表面部（表層）に多い *S. epidermidis*, *Corynebacterium* 属, *Micrococcus*（ミクロコッカス）属細菌, **毛包内の皮脂腺**に生息する *Cutibacterium acnes*（俗に**アクネ菌**）などである．その他, *Malassezia*（マラセチア）属や *Candida*（カンジダ）属の**酵母様真菌**も存在する．一般に，皮膚の感染症は通過菌によるものが多いが，宿主側の条件によっては常在菌も感染症を起こすことがある．

## 4）腸管内細菌叢（腸内フローラ）

消化管の細菌叢は一様ではなく，胃から大腸に至るそれぞれの部位で特有の細菌叢が形成されている．消化管の入口としての口腔内には，**唾液 1 mL あたり $10^8$ 個**の細菌が存在する．しかし，食道を経て胃に入ってゆくと，胃内の細菌数は**胃酸**による酸性環境のために減少し，胃内容物の細菌数は，食事の直後で $10^5 \sim 10^7$/g, 空腹時には $10^3$/g 以下にまで低下する．十二指腸から小腸上部でも，胃酸の残存，高濃度の胆汁などの影響により細菌数は少なく, *Lactobacillus*（ラクトバシラス）属, *Streptococcus* 属, *Veillonella* 属の細菌や *Candida* 属の酵母様真菌などがわずかに検出される程度である．しかし，さらに下部に向かうと菌数が増加し，大腸に達すると菌数が急激に増加して **$10^{11}$/g 以上**にのぼる．

健康人の腸管内細菌叢（大腸内細菌叢）には，**100 種類以上の菌種**が**総菌数にして $10^{14}$ 個（100 兆個）**生息している．最も優勢なのは *Bacteroides*（バクテロイデス）属細菌で菌数は $10^{11}$/g, 次に多い菌群が *Bifidobacterium*（ビフィドバクテリウム）属, *Eubacterium*（ユーバクテリウム）属, *Clostridium*（クロストリジウム）属, *Peptostreptococcus*（ペプトストレプトコッカス）属細菌で菌数は $10^9$/g～$10^{10}$/g である．*Escherichia*（エシェリキア）属（大腸菌）などの腸内細菌目細菌や *Enterococcus*（エンテロコッカス）属細菌は $10^7$/g～$10^8$/g 程度（総菌数の 1/1,000 以下）である．

腸管内細菌叢は加齢，食習慣の変化などに伴って変動する．

新生児の場合，出生後数時間で腸管内に細菌が定着を始める．はじめに環境由来の偏性好気性菌が一過性に出現し，その後，大腸菌などの腸内細菌目細菌, *Enterococcus* 属細菌などの通性嫌気性菌が定着する．生後 3～4 日になると，偏性嫌気性の *Bifidobacterium* 属, *Bacteroides* 属, *Clostridium* 属細菌などが定着を始め，なかでも *Bifidobacterium* 属細菌は急激に増加し，生後 1 週間ほどで菌数が $10^{10}$/g～$10^{11}$/g となって，離乳期まで最優勢の状態が続く．出生後優勢に定着した通性嫌気性菌群は, *Bifidobacterium* 属細菌と入れ替わるように減少し，1/100 以下の低い菌数の状態で安定する．

離乳期になると, *Bifidobacterium* 属細菌がやや減少, *Bacteroides* 属, *Eubacterium* 属, *Clostridium* 属細菌が増加し，成人の細菌叢に近くなる．そして，通性嫌気性菌群は偏性嫌気性菌群より低い菌数で安定した**成人型の腸管**

---

**アクネ菌**

尋常性痤瘡（俗にニキビ）は英語で acne vulgaris である．*Cutibacterium acnes* はニキビの原因であり，菌種名の acnes は acne vulgaris に由来する．

**皮膚表面の環境（弱酸性）**

*C. acnes* や *S. epidermidis* はリパーゼによって皮脂中のトリグリセライド（中性脂肪）を加水分解し, *C. acnes* は主にプロピオン酸, *S. epidermidis* はイソ吉草酸などの脂肪酸を生成する．これらの短鎖脂肪酸は皮膚面をおおう皮脂膜の構成成分となり，皮脂膜によって皮膚表面は弱酸性（pH4～6）の環境が保持される．このような弱酸性環境の形成は，弱アルカリ性の環境を好む細菌の侵入・増殖を抑制し，**皮膚の自浄作用**とよばれる．

**胃内定着菌**

胃内環境に定着できる細菌は, *Helicobacter pylori*（ヘリコバクター・ピロリ）などの一部の細菌に限られる．すべてのヒトの胃内に *H. pylori* が定着しているわけではないが，保菌率は加齢とともに上昇する．

内細菌叢が形成される．

　老年期になると，*Bifidobacterium* 属細菌は減少し，検出されなくなる場合もある．また，加齢にともなって *Clostridium perfringens*（ウェルシュ菌）や大腸菌などの**腸管内腐敗菌**が増加し，**老人型の腸管内細菌叢**となる．

### 5）腟の細菌叢

　腟内の常在菌で最も重要なものは，**デーデルラインの腟桿菌**（Döderlein's vaginal bacillus）とよばれてきた *Lactobacillus*（ラクトバシラス）属の細菌群（*Lactobacillus acidophilus, L. casei, L. rhamnosus* など）で，これらの菌が産生する乳酸によって腟内はpH4前後の**弱酸性の環境**となり，有害細菌の増殖が抑制される．

　腟内の細菌叢は加齢，抵抗力の低下，生理周期・妊娠などによる**ホルモンバランス**の変化によって変動する．

　**成人**の腟内細菌叢には，*Lactobacillus* 属の細菌群のほかに，*Streptococcus* 属，*Staphylococcus* 属，*Corynebacterium* 属，*Gardnerella*（ガードネレラ）属，*Ureaplasma*（ウレアプラズマ）属の細菌，*Candida* 属の酵母様真菌などが存在する．

　自浄作用が低下すると，*Gardnerella vaginalis*，*Candida albicans* などが異常に増加して腟炎を起こすことがある．

　**妊婦**が *Streptococcus agalactiae* を保菌している場合，**新生児の髄膜炎や敗血症**の原因になる場合がある．

### 6）外陰部・尿道の細菌叢

　**外陰部**には皮膚由来の細菌，腟内由来の細菌など，多くの細菌が検出される．腸管内の細菌による汚染が起こる場合もある．女性の尿道口付近や男性器の包皮内に形成される恥垢（smegma）には，*Mycobacterium smegmatis* が存在する．

　**尿管**，**膀胱**，**尿道**の内部は通常は無菌的であるが，尿道下部には *Streptococcus* 属，*Enterococcus* 属，*Staphylococcus* 属の細菌，大腸菌などの腸内細菌目細菌，*Mycoplasma*（マイコプラズマ）属，*Ureaplasma* 属の細菌などが少数存在する．健康人の腎臓でつくられる尿は無菌的であるが，尿道下部を通過する際に細菌が汚染を起こす．そのため，正常な尿であっても**1 mL あたり $10^4$/mL 個以下**の細菌が認められるようになる．

## 3　常在細菌叢の生理的機能—腸内フローラ

　通常，常在細菌叢と宿主は均衡を保つ状態にあるが，次に示すように，常在菌は生体に対して有利に作用する場合と不利に作用する場合がある．

### (1) 有利（有益）な作用

① **拮抗作用**：外部からの病原体の侵入を防ぐバリアとなる．

---

**デーデルラインの腟桿菌**

ドイツの産科医 Döderlein は，健康成人女性の腟内に *Lactobacillus* 属細菌が多数生息していることを見出した．これらの細菌は，発見者の Döderlein にちなんで Döderlein's vaginal bacillus（デーデルラインの腟桿菌）とよばれてきた．

**思春期・閉経後のエストロゲン分泌**

思春期になると，エストロゲンの分泌量が増加することによってグリコーゲンが多量に蓄積し，*Lactobacillus* 属の細菌群が最優勢菌となって自浄作用が強力になる．
閉経後はエストロゲンの分泌が少なくなり，*Lactobacillus* 属の細菌群がほとんど検出されなくなる．

②　栄養作用：腸管における消化・吸収作用を助け，代謝によって宿主が利用可能なビタミン類を合成する．
③　免疫機能促進作用：免疫グロブリン産生を促進し，宿主の免疫応答能力や抵抗性を高める．

(2) 不利（有害）な作用
①　老化・発がん関連物質の産生：腸管内代謝によって，アミン，ニトロソ化合物，ステロイド化合物，フェノール，硫化水素，インドール，アンモニアなどを産生する．
②　感染源としての作用：**宿主の抵抗力**が低下した場合に増殖し，感染症を発症させる．組織の損傷，外科手術などの際に，損傷部位・手術部位から侵入して感染症を発症させる．

### 4　常在細菌叢と感染

#### 1）常在菌による感染（内因性感染）

免疫能の低下などにより，**宿主と常在菌の力関係が平衡状態**を保てなくなると，常在細菌叢を構成する細菌の異常な増殖，粘膜面から組織や血流への侵入により感染症が引き起こされることがある．常在菌の多くは平素無害菌（弱毒菌）であり，これらの細菌による内因性感染の多くは**日和見感染**である．

#### 2）常在細菌叢と化学療法

**広域スペクトルの抗菌薬**を投与した際，感受性菌の減少と耐性菌の増加によって常在細菌叢が乱れ，**菌交代現象（菌交代症）**が起こることがある．菌交代症は口腔内や腸管内で起こることが多い．

　**菌交代症**

菌交代症の例としては，*Clostridioides difficile* や *Candida albicans* による下痢症・腸炎（抗菌薬関連下痢症・腸炎），*C. albicans* による腟炎（腟カンジダ症）や口内炎（口腔カンジダ症）などがある．

## XII　病原性と抵抗力

### 1　感染の概念と病態

#### 1）感染と感染症

「感染」と「感染症」という2つの用語は区別しないで用いられることもあるが，厳密にいうと異なる．すなわち，感染とは微生物が生体内に入ることを広く示唆する用語である．一方，感染症とは感染に伴って何らかの症状を発症した場合に用いられる．具体的には，微生物が体内に入ったにもかかわらず何も症状を示さない場合は，感染したとはいえるが感染症を発症したとはいえない．

#### 2）感染症の経過

感染症は，病原性を有する微生物，すなわち病原体が宿主の体内に侵入し，定着後，増殖して発症に至る．しかし，生体側の反応が軽微な段階で微生物が排除されると，無症状のまま病原体は排除される．このように，症状を認めな

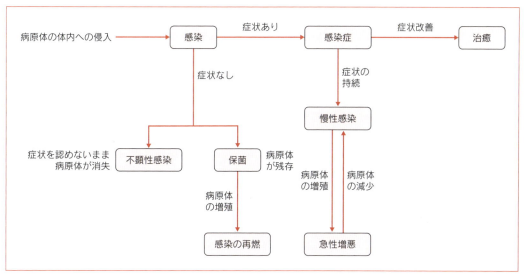

図 1-B-27　感染および感染症の経過

い状態で感染が終息することを不顕性感染とよぶ（**図 1-B-27**）．なお，特に症状も出ないまま病原体が体内に残り生息し続ける状態を保菌とよび，その病原体を有する宿主を保菌者またはキャリアとよんでいる．また，体内に潜伏していた病原体がなんらかのきっかけによって増殖すると，感染症を発症する場合があり，これを再燃とよぶ．

　宿主側の防御機構を用いても排除されずに病原体が増殖した場合，病原体の排除に向けて炎症が引き起こされ，結果的に感染部位はダメージを受ける．感染症に関連した症状はこの時点で認められる場合が多く，発熱や倦怠感などの非特異的な症状に加え，咳，痰，腹痛，下痢など感染臓器に関連した症状が現れる．この状態を顕性感染とよび，一般的に感染症を発症したと判断される．その後，症状が改善すればやがて治癒に向かう．

　感染症を発症しても病原体が消失せず，炎症が持続する場合がある．この状態を慢性感染とよび，感染部位に関連した症状が継続する．その後，病原体が一定量以上に増殖し，さらに強い炎症を惹起させる場合があり，これを急性増悪（きゅうせいぞうあく）という．

## 2　宿主の抵抗力（生体防御機構）

### 1）抵抗力（生体防御機構）の概念

　宿主は病原体を排除しようと各種の防御機構を駆使して対抗する．この防御機構を総括して宿主の抵抗力と一般的によんでいる．我々を取り巻く環境には多くの微生物が存在し，体内にも多くの微生物が常在している．このなかにはヒトに感染症を発症させることが可能な微生物も多く含まれている．これらの微生物によって通常，ヒトが感染症を発症しないのは，宿主が有する抵抗力，すなわち生体防御機構を普段から発揮しているからである．

---

**不顕性感染と保菌**

「不顕性感染」と「保菌」はどちらも病原体が体内に入った後も無症状の状態である点は共通である．ただし，「保菌」はそのまま病原体を持ち続け，他者に感染させる可能性もあり，宿主の免疫低下など条件が整えば体内で再び病原体が増殖して感染の再燃につながる．一方，「不顕性感染」は一過性に病原体を保有することはあっても，やがて病原体は排除され体内から消失することが多い．なお，「不顕性感染」でも他者に感染させる可能性はあるが，その期間は短い．

**二次感染**

感染症の原因となる病原体は必ずしも1種類とは限らず，同時に複数の種類の病原体が感染する混合感染が起こる場合もある．また，最初はインフルエンザを発症し，その後に肺炎球菌による肺炎を発症することがある．これは，インフルエンザによって気道の粘膜が損傷し，肺炎球菌が増殖しやすい状況になったために起こった現象であるが，このように異なる病原体によって続けて感染症を発症する場合を二次感染という．

特に基礎疾患をもたず健康面に問題がない人は健康人とよばれ，宿主が有する抵抗力が常に有効に働いている．健康人が感染症を発症するのはインフルエンザウイルスのように伝染性が強い病原体や，赤痢菌や腸管出血性大腸菌のように強い病原性を有する病原体などに感染した場合がほとんどである．ただし，インフルエンザなど流行性の感染を起こす病原体に曝露された場合でも，典型的な症状が出る人，軽微な症状で回復する人，無症状のまま経過する人など疾患の程度はさまざまである．この違いは，宿主の有する抵抗力のレベルの差に起因する場合が多い．また，ある型のインフルエンザに対して強い抵抗性を有する人が，他の型にも同じように強い抵抗性を有するとは限らない．個々の病原体に対する抵抗力の違いは，その宿主が有する病原体特有のメモリの種類に大きく影響される．そのため，過去に曝露されたことがない型の病原体に対しては有効な感染防御を示すことができない場合もある．

正常な免疫能を有し，感染抵抗性が保たれている宿主においては，強い病原体でなければ発症に至ることはまれである．しかし，なんらかの原因によって宿主の抵抗力が減弱した場合は，病原性が弱い病原体によっても感染症を発症する可能性がある（日和見感染）．宿主の抵抗力が減弱する原因としては，患者が有する各種の基礎疾患や治療に伴う医原性要因に大別される．基礎疾患は，先天性の免疫異常や糖尿病，悪性腫瘍などをはじめとして多々あり，その疾患の程度によっても抵抗力が減弱するレベルが異なってくる．また，医原性の要因としては，手術や抗がん剤治療，臓器移植，カテーテル留置，副腎皮質ステロイド投与などさまざまな医療行為があり，治療そのものが宿主の抵抗性を減弱させる原因となっている．

### 2）生体防御機構にかかわる因子

宿主の感染防御機構は大きく分けて，自然免疫と獲得免疫に分類される．自然免疫は**表1-B-30**に示すようにさまざまな要素で成り立っており，体の各部位において微生物の体内への侵入や増殖を防いでいる．自然免疫の各要素は病原体の種類を選ばず迅速に対応できる利点を有しており，病原体の量が少なく体の表層部に存在している場合の排除に有用である．病原体が体の深部に入って増殖した場合はマクロファージや好中球による貪食殺菌が行われ，病原体の排除に有用である．

獲得免疫に関与する要素は，大きく分けてB細胞による液性免疫，T細胞による細胞性免疫がある（**表1-B-31**）．獲得免疫は病原体と遭遇してもすぐにその機能が発揮されるわけではなく，有効に作用するためにはある程度の時間を要する．ただし，病原体が有する特定の抗原に特異的に作用するため，防御の効率は高い．

**日和見感染**

宿主の病原体に対する抵抗力が減弱し，通常であれば感染症を起こさない弱毒病原体によって発症した感染症．原因微生物は宿主がすでに体内に保有する微生物である場合が多く，各種常在菌や潜伏状態のウイルス（サイトメガロウイルス，水痘・帯状疱疹ウイルス），真菌（*Pneumocystis jirovecii*）や，結核菌などによる感染症を発症するリスクが高くなる．

**獲得免疫**

獲得免疫を早期の段階で有効に作用させるためには，それ以前に病原体に感染するなどして，病原体固有の抗原を認識しておく必要がある．ワクチンはこの機序を利用したものであり，獲得免疫にあらかじめ病原体を認識させておき，病原体が侵入してきた際の排除に獲得免疫を活用させる仕組みである．

表 1-B-30 自然免疫に関与する各要素

| 物理的防御機構 | ・皮膚の角質層<br>・物理的排出（気道の線毛運動，消化管の蠕動，尿排泄など） |
|---|---|
| 化学的防御機構 | ・抗菌性分泌成分（リゾチーム，ラクトフェリン，胆汁酸など）<br>・体液（涙液，唾液，胃液など） |
| 生物学的防御機構 | ・常在菌（皮膚，口腔・消化管，腟などに存在） |
| 炎症メディエーター | ・エイコサノイド（プロスタグランジン，ロイコトリエンなど）<br>・サイトカイン（インターロイキン，ケモカイン，インターフェロンなど） |
| 補体 | ・オプソニン化，細胞膜障害性複合体（MAC），好中球などへの走化性刺激 |
| 細胞性防御 | ・マクロファージ，好中球<br>・NK 細胞，γδT 細胞<br>・好塩基球，好酸球 |

MAC：membrane attack complex.

表 1-B-31 獲得免疫に関与する各要素

| 液性免疫（B 細胞） | ・抗体（IgG，IgM，IgA，IgD，IgE） |
|---|---|
| 細胞性免疫（T 細胞） | ・ヘルパー T 細胞（サイトカインによる免疫応答の活性化）<br>・細胞障害性 T 細胞（パーフォリン，アポトーシス誘導による感染細胞の傷害）<br>・NKT 細胞（大量のインターフェロン γ 産生能による免疫応答の活性化）<br>・制御性 T 細胞（過剰な免疫反応の抑制） |

## 3 微生物の病原性に関与する因子

### 1）病原性の概念

病原体は宿主のさまざまな防御機構に抵抗して増殖し，感染症を発症させる．すなわち，感染症が成立するためには，病原体が有する病原性が宿主の抵抗力を上回ることが必要となる．病原性が強ければ強いほど，感染症は重症となり，宿主を死に至らしめる可能性が高くなる．しかし宿主を死亡させることは，病原体にとって自分の増殖の場を奪うことにもつながるため，宿主の防御機構を逃れながら体内で生存するために病原性を発揮するものもある．

 病原性
同じ病原体であっても個々の株によって病原性が異なる場合があり，毒素の産生量や増殖速度の違いなどによって差が生じる．

### 2）微生物の病原因子

微生物はさまざまな病原因子を駆使して病原性を発揮する．病原因子は大まかに，病原体そのものの構成成分や病原体が産生する物質，さらには病原体の増殖能力などに分類される．病原体の構成成分としては，たとえば菌体を包み込む莢膜によって，菌は好中球による貪食に抵抗性を示す．病原体が産生する物質は，細胞や組織に傷害を与える酵素や毒素などがある（表 1-B-32）．毒素は大きく内毒素と外毒素に分けられ，内毒素は菌体の構成成分が毒素として作用し，外毒素は菌が産生した毒素を菌体外に分泌して作用する．代表的な内毒素はグラム陰性菌のエンドトキシン（LPS）であり，そのなかのリピド A の部分が宿主細胞の受容体である Toll-like receptor（TLR）4 と結合してサイトカイン産生を誘導し，過剰産生が起こるとエンドトキシンショックを引き起こ

表 1-B-32 各種病原細菌の代表的毒素

| 細菌 | 病原因子 | 関連する疾患 | 特徴 |
|---|---|---|---|
| 黄色ブドウ球菌 | エンテロトキシン | 食中毒 | 耐熱性毒素 |
| | 表皮剝脱毒素（エキソフォリアチン） | 伝染性膿痂疹, 熱傷様皮膚症候群（SSSS） | 細胞間デスモゾームの破壊 |
| | ロイコシジン | 各種感染症 | 白血球傷害 |
| | TSST-1 | トキシックショック症候群 | スーパー抗原として作用 |
| 腸管出血性大腸菌 | ベロ毒素 | 出血性大腸炎, 溶血性尿毒症症候群（HUS） | 志賀毒素と類似 |
| 赤痢菌 | 志賀毒素 | 細菌性赤痢 | 蛋白質合成阻害 |
| コレラ菌 | コレラ毒素 | コレラ | 小腸上皮細胞のイオンチャネルを活性化 |
| 緑膿菌 | エキソトキシンA | 各種感染症 | 細胞傷害 |
| 肺炎球菌 | ニューモリシン | 肺炎, 菌血症 | 細胞傷害 |
| ボツリヌス菌 | ボツリヌス毒素 | ボツリヌス中毒 | 神経筋接合部のアセチルコリン放出阻害（弛緩性麻痺） |
| 破傷風菌 | 破傷風毒素（テタノスパスミン） | 破傷風 | シナプス終末の抑制性神経伝達物質の放出阻害（痙性麻痺） |
| Clostridioides difficile | トキシンA, B, binary toxin | 抗菌薬関連下痢症, 偽膜性腸炎 | 腸管上皮細胞の傷害 |
| ジフテリア菌 | ジフテリア毒素 | ジフテリア | 細胞の蛋白合成阻害 |
| グラム陰性菌 | エンドトキシン | エンドトキシンショック | LPS刺激によるサイトカインの過剰産生 |

SSSS: staphylococcal scalded skin syndrome, TSST-1: toxic shock syndrome toxin-1, HUS: hemolytic-uremic syndrome, LPS: lipopolysaccharide.

す．表 1-B-32 に示したエンドトキシン以外の各種毒素は，菌が菌体外に分泌して作用するため外毒素に分類される．また，病原体は数を急激に増やすことで宿主への影響が明らかに強大となるため，増殖も重要な病原因子である．なお，病原体はこれらの病原因子を常にフルに発揮しているわけではなく，周囲の状況に応じて使い分けることが可能である．

## 4 感染と発症
### 1）感染の発現様式と転帰

病原体が生体内に侵入後，短期間のうちに増殖してなんらかの症状を伴った場合，この経過を急性感染とよんでいる．通常，感染症の原因となった病原体は排除され，症状は消失して感染症は終息する．しかし，時に病原体が排除されず症状が持続する場合があり，この経過を慢性感染とよんでいる（図 1-B-27）．

このように感染症は，急性感染のように短期的に回復する場合もあるが，慢性感染のように病原体が体内に生息し続け感染が長期間続く場合もある．また，潜伏状態の病原体は時に何十年という時間を経過した後で再び増殖する可

表 1-B-33　各種感染経路と代表的な病原体

| 分類 | 感染経路 | 代表的な病原体 |
|---|---|---|
| 水平感染 | 空気感染 | 結核菌，麻疹ウイルス，水痘ウイルス |
| | 飛沫感染 | インフルエンザウイルス，新型コロナウイルス，風疹ウイルス，髄膜炎菌，百日咳菌，インフルエンザ菌，肺炎マイコプラズマ，肺炎クラミジアなど |
| | 接触感染 | 各種耐性菌，ノロウイルス，ロタウイルス，アデノウイルス，疥癬，インフルエンザウイルス，新型コロナウイルスなど |
| | 血液媒介感染 | B型肝炎ウイルス，C型肝炎ウイルス，HIV，梅毒トレポネーマなど |
| | 経口感染（食物媒介感染） | ノロウイルス，腸管出血性大腸菌，カンピロバクター，サルモネラ，黄色ブドウ球菌，腸炎ビブリオ，ウェルシュ菌，ボツリヌス菌，リステリアなど |
| | 性行為感染 | HIV，梅毒トレポネーマ，クラミジア・トラコマチス，淋菌，HPV，HSV-1，HSV-2など |
| | 昆虫媒介感染 | マラリア原虫，デング熱ウイルス，ジカウイルス，日本脳炎ウイルス，ツツガムシ病リケッチア，チクングニアウイルスなど |
| 垂直感染 | 経胎盤感染 | 風疹ウイルス，サイトメガロウイルス，ヒトパルボウイルスB19など |
| | 経産道感染 | B型肝炎ウイルス，HSV-1，HSV-2，HIV，GBSなど |
| | 母乳感染 | HTLV-1，HIV |

HIV：後天性免疫不全症候群，HPV：ヒトパピローマウイルス，HSV-1，HSV-2：単純ヘルペスウイルス 1 型および 2 型，GBS：B群溶連菌（*Streptococcus agalactiae*），HTLV-1：ヒトT細胞白血病ウイルス1型．

能性を有しており，宿主と病原体の相互の関係は複雑である．

## 2）感染源と感染経路

　病原体は，感染源から各種の伝播経路を通じてヒトに感染する．感染源は感染しているヒトの場合もあるが，飲食物あるいは動物や昆虫，環境なども感染源となりうる．感染経路としては，**表1-B-33**に示すように，大きく分けて水平感染と垂直感染に分けられる．水平感染はヒトからヒトに直接，あるいは物や昆虫などを介して感染する経路であり，以下に示すように多様な経路がある．一方，垂直感染は母親から子供へ直接病原体が伝播する経路であり，胎盤を通じて病原体が胎児に伝播する経胎盤感染，胎児が産道を通過する際に母親の血液や腟などに存在していた病原体に感染する経産道感染，および，授乳によって子供に感染する母乳感染に分けることができる．

　医療施設においては，空気感染，飛沫感染，接触感染，および血液媒介感染の4つの感染経路が特に重要であり，血液媒介感染の病原体には標準予防策，その他の病原体には標準予防策に加えて感染経路別の予防策が用いられる．

### (1) 空気感染

　空間を共有する範囲で感染性を有するため，最も伝播する範囲が広い感染形式である．飛沫核感染ともよばれ，結核菌の場合，菌体周囲の水分が蒸発後に，飛沫に含まれていた菌体が空気中を浮遊して感染させる可能性がある．

### (2) 飛沫感染

　飛沫感染では直径5μm以上の大きさをもつ飛沫により感染が広がる．患者

の周囲およそ1～2メートル程度の範囲まで感染させる可能性がある．

### (3) 接触感染
接触感染は患者との直接的な接触によって伝播する直接接触感染と，菌が付着した物体の表面に触れることで感染が成立する間接接触感染に分けられる．

### (4) 血液媒介感染
血液に曝露されることで感染者の血液中に存在する病原体に感染する．ただし，通常は皮膚表面に血液が付着しただけでは感染は成立せず，粘膜面への付着や針刺しなどで起こる場合が多い．

### (5) 経口感染
病原体に汚染された食物や飲み水を介して感染し，食中毒などとしても起こる．感染患者の糞便などで汚染された環境を触って，経口的に病原体が入る場合もあり，糞口感染ともよばれる．

### (6) 性行為感染
性行為によって病原体の伝播が起こるが，性器のみが感染部位とは限らず，口腔内などに保有している場合もある．

### (7) 昆虫媒介感染
蚊やダニなどの媒介物（ベクター）によって刺されたり咬まれたりすることで感染が起こる．東南アジアやアフリカなどの地域に多くの感染者がみられる．

## 5 各種感染症の概念

### 1）新興・再興感染症

**新興感染症**（emerging infectious diseases）とは，「新しく認識された微生物に起因する公衆衛生上問題となる感染症」を指す．さらに近年，その発生が増加した感染症も含む．主な疾患を**表1-B-34**に示すが，その発生地域は世界のほとんどの地域に及ぶ．

一方，**再興感染症**（re-emerging infectious diseases）とは，「既知の感染症で，すでに公衆衛生上の問題とならない程度にまで患者が減少していた感染症のうち，近年再び流行しはじめ，患者数が増加したもの」と定義されており，一度は制圧ないし減少していた脅威が再び勢いを盛り返して流行しはじめたものである．**表1-B-35**に代表的なものを示す．

新興・再興感染症の発生要因には，①微生物側の要因，②ヒト側の要因，③環境要因がある．遺伝子変異や再集合によって新しいウイルスが出現する**インフルエンザ**は，①の代表的なものである．②のヒト側の要因としては，人口増加，都市化，世界的な人の移動，戦争，動物との接触があげられる．③には，洪水，津波，干ばつのような天災・気候変動がある．地球温暖化は，蚊の越冬を可能にさせ，**蚊媒介感染症**の拡大を招いている．

新興・再興感染症は，人類にとって健康危機管理が必要な感染症として認識されるべきものである．

しかし，2015年に西アフリカの数カ国で発生したエボラウイルス感染症の

**国際保健規則（IHR）**
世界保健機関（WHO）は，疾病の国際的伝播を最大限防止することを目的に，従来は黄熱・ペスト・コレラの3疾患を対象としていた国際保健規則（IHR）を2005年に改正した．IHRでは，国際的に懸念される公衆衛生上の緊急事態（PHEIC）はすべて，24時間以内にWHOに通告するよう求めている．この結果，感染症アウトブレイクの発生から微生物検出，広報までの時間が大きく短縮された．PHEICはこれまで，新型インフルエンザ，ポリオ，エボラ出血熱，ジカ熱，新型コロナウイルス感染症，エムポックス（サル痘）について指定された．

表 1-B-34　新興感染症

| | |
|---|---|
| エボラ出血熱 | 重症急性呼吸器症候群（SARS） |
| ハンタウイルス症（腎症候性出血熱） | ニパウイルス感染症 |
| クリミア・コンゴ出血熱 | バンコマイシン耐性黄色ブドウ球菌（VRSA）感染症 |
| 成人T細胞白血病（ATL） | 中東呼吸器症候群（MERS） |
| マールブルグ病 | 鳥インフルエンザ |
| 後天性免疫不全症候群（HIV） | チクングニア熱 |
| 腸管出血性大腸菌感染症（O157など） | 重症熱性血小板減少症候群（SFTS） |
| リフトバレー熱 | ジカウイルス感染症 |
| クリプトスポリジウム症 | 新型コロナウイルス感染症（COVID-19） |
| ラッサ熱 | |

表 1-B-35　再興感染症

| 細菌感染症 | 結核，ペスト，コレラ，ジフテリア |
|---|---|
| ウイルス感染症 | 狂犬病，デング熱・デング出血熱，黄熱，ウエストナイル熱，エムポックス（サル痘） |
| 寄生虫・原虫感染症 | マラリア，リーシュマニア症，住血吸虫症，エキノコックス症 |

大規模な発生のように，貧困，衛生状態，経済，社会，国際協力，危機管理など，新興感染症の抑制には大きな困難と課題が伴う．2019年以来の新型コロナウイルス感染症（COVID-19）の世界的流行も，さまざまな対策と努力にもかかわらず，いまだ制圧には至っていない．

## 2）輸入感染症

海外渡航あるいは動物・食料品など海外からの輸入品に関連して，国内に病原体が持ち込まれることで発生する感染症をいう．海外渡航者および海外からの旅行者の増加，輸入の増加に伴って，増加・多様化している．航空機など輸送手段が発達することで，遠隔地から国内に持ち込まれるリスクが高くなり，それにかかる時間も短くなっている．**表 1-B-36** に主な輸入感染症を示す．

前述の新興・再興感染症のなかでも，輸入感染症である疾患は多い．観光あるいは仕事上の理由で海外に渡航し，現地で感染する事例のみならず，現地の医療機関を受診したり，医療目的で渡航（**医療ツーリズム**）したことがきっかけで感染して，国内に持ち込む例が目立っている．特に，海外で受けた医療行為によって多剤耐性のグラム陰性桿菌に感染するリスクは非常に高く，帰国後にそれが周囲に拡散していることが判明している．

 輸入感染症への対策

輸入感染症に罹患しない，そして国内に持ち込まないためには，①渡航前に渡航先の感染症発生情報を入手し，ワクチン接種や薬剤の予防投与，蚊への対策をとっておくこと，②現地でも新しい情報を手に入れること，③現地では食事，水，手指衛生に配慮し，昆虫や動物との接触を避け，曝露を受ける行為を慎むこと，④帰国時は，検疫や定められた行政窓口に相談することが重要である．

## 3）人獣共通感染症（ズーノーシス，zoonosis）

ヒトと動物の両方に感染・寄生する病原体により生じる感染症を指す（**表 1-B-37**）．ペットや野生動物ばかりでなく，鳥類や爬虫類，魚類，昆虫に関連する感染症も含む．ペットの飼育の増加，種々の動物との接触機会の増加，社会における動物とのかかわりの変化などから，問題となる感染症も変化してきて

人獣共通感染症

ヒトの健康問題という観点から「動物由来感染症」と表現することもある．

表 1-B-36　輸入感染症

| 疾患名 | 病原体（媒介） | 地域 |
|---|---|---|
| ウイルス性出血熱 | 出血熱ウイルス | 西アフリカ，中央アフリカ（流行状況による） |
| デング熱 | デングウイルス（蚊媒介） | アジア，オセアニア，中南米など |
| チクングニア熱 | チクングニアウイルス（蚊媒介） | アジア，オセアニア，中南米など |
| マラリア | マラリア原虫（蚊媒介） | 中央・西部アフリカ，東南・南アジア，中央・南アメリカなど |
| ジカウイルス感染症 | ジカウイルス（蚊媒介） | アジア，オセアニア，中南米など |
| コレラ | Vibrio cholerae | 東南アジア，南アジアなど |
| 腸チフス・パラチフス | Salmonella Typhi, Salmonella Paratyphi | アジア，中南米など |
| コクシジオイデス症 | Coccidioides 属 | 米国，メキシコなど |
| 細菌性赤痢 | Shigella 属 | 東南アジア，南アジアなど |
| ヒストプラズマ症 | Histoplasma 属 | アメリカ大陸，アフリカ |
| ブルセラ症 | Brucella 属 | 地中海地域，西アジアなど |
| 麻疹 | 麻疹ウイルス | アジアなど流行地 |

いる．**狂犬病**のように，動物での感染症を制圧することが困難で，ヒトへの感染予防に重点をおかざるをえないものがある一方で，鳥インフルエンザのように，家禽とヒトの接触が日常生活に深く根差しており，社会全体での動物とのかかわりを見直さざるをえない疾患もある．

## 4）性感染症

ヒトの性行為により感染・伝播する感染症を性感染症（sexually transmitted diseases；STD ないし sexually transmitted infections；STI）とよぶ（**表 1-B-38**）．なかでも患者数が多いのは *Chlamydia trachomatis*（クラミジア・トラコマチス）による感染症である．尿道炎，頸管炎，精巣上体炎のみならず，卵管性不妊症，流・早産，子宮外妊娠などの原因となるが，男女ともに症状が軽微であることから発見が遅れ，若年成人を中心に感染者数が増加している点も大きな問題である．

**HIV** は，CD4 陽性リンパ球に感染し，それを減少させることで免疫不全を生じるが，健康人であればほとんど罹患・発症しない**日和見感染症**まできたした場合を **AIDS** とよぶ．また感染した母親からは，主に経産道感染によって児にも感染が及ぶ．現在，公衆衛生上の取り組み，予防・啓発，治療薬の開発などが効果をあげ，先進国では新規患者数は減少している．しかしながら，わが国では新規患者数はいまだ多数であり，同性間性的接触による男性感染者が多くを占める．しかも根治的な治療法は存在せず，一度罹患すると生涯にわたって抗 HIV 薬を内服しなければならない．なお HIV 感染者は，性行為によって梅毒，A 型・B 型肝炎，アメーバ赤痢にもしばしば罹患する．また，他の STD が存在すると HIV が伝播しやすくなることが知られている．

 HIV

HIV は，1981 年に後天性免疫不全症候群（AIDS）として報告され，のちに原因ウイルスが明らかになったものであるが，その後全世界で感染者が報告されるとともに，サハラ以南のアフリカを中心に爆発的な増加を引き起こした．

表 1-B-37　人獣共通感染症

| 疾患名 | 病原体 | 媒介動物 |
|---|---|---|
| サルモネラ症 | 非チフス性サルモネラ | 爬虫類 |
| ブルセラ症 | *Brucella* 属 | ウシ，ヒツジ，ヤギ，ブタ，ラクダなど |
| ブタレンサ球菌感染症 | *Streptococcus suis* | ブタ |
| Q熱 | *Coxiella burnetii* | 家畜，愛玩動物，ダニ |
| レプトスピラ症 | *Leptospira* 属 | げっ歯類（ネズミ） |
| ツツガ虫病 | *Orientia tsutsugamushi* | ツツガムシ |
| 日本紅斑熱 | *Rickettsia japonica* | マダニ |
| 回帰熱 | *Borrelia* 属 | げっ歯類，鳥類，ダニ，シラミ |
| ライム病 | *Borrelia burgdorferi* | マダニ |
| 日本脳炎 | 日本脳炎ウイルス | ブタが宿主（蚊媒介） |
| 狂犬病 | 狂犬病ウイルス | イヌ，コウモリなど |
| ウエストナイル熱 | ウエストナイルウイルス | トリが宿主（蚊媒介） |
| 鳥インフルエンザ | インフルエンザウイルス H5N1 など | トリ，ブタ |
| ダニ媒介脳炎 | フラビウイルス | げっ歯類が宿主（ダニ媒介） |
| クリプトスポリジウム症 | クリプトスポリジウム | ウシ，ブタ，イヌ，ネコ，ネズミ |
| エキノコックス症 | エキノコックス | キツネ，イヌ |
| トキソプラズマ症 | *Toxoplasma gondii* | ネコ |
| オウム病 | *Chlamydia psittaci* | トリ |
| カプノサイトファーガ感染症 | *Capnocytophaga canimorsus* など | イヌ，ネコ |
| パスツレラ症 | *Pasteurella multocida* など | イヌ，ネコ |
| ニパウイルス感染症 | ニパウイルス | コウモリ，ブタ |
| エムポックス（サル痘） | エムポックスウイルス（サル痘ウイルス） | げっ歯類（リス），サルなど |

**梅毒**は，近年国内および世界で著しく増加している．わが国では男性同性間性的接触者が中心であったが，現在，異性間性的接触による感染者が優位となっている．HIV のみならず，他の STD に関する教育・啓発も，わが国において強く求められている．

### 5）バイオテロ（bioterrorism）

　バイオテロとは，政治的・宗教的・経済的パニックを引き起こすために，ヒトに有害な作用を及ぼす微生物などを意図的に散布することをいう．バイオテロには，被害が大きく，対処がむずかしく，管理や保管が容易（散布しやすい形に加工しやすい，長期間安定であるなど）なものが選ばれやすい．細菌，ウイルス，真菌などの微生物を直接用いる場合と，毒素を利用する場合がある．**表 1-B-39** は，WHO によってあげられた生物兵器として使われるおそれのある微生物および毒素であるが，バイオテロにも利用されるものといえる．

 炭疽

2001 年の米国の炭疽菌事件では，芽胞に直接ないし間接的に曝露されることで，肺炭疽と皮膚炭疽が発生した．特に肺炭疽は死亡率が高いため（75%），早期に抗菌薬療法を開始しなければならない．

表 1-B-38 性感染症

| 原因微生物 | 症状・所見 | 母体ないし胎児への影響・母子感染 |
|---|---|---|
| Chlamydia trachomatis | 性器クラミジア感染症（尿道炎，頸管炎）．男性：排尿時痛，尿道掻痒感，女性：症状が軽く無症状 | 不妊，流産・死産，トラコーマ |
| Treponema pallidum | 梅毒（無痛性の性器潰瘍，リンパ節腫脹，梅毒疹など） | 先天梅毒 |
| 単純ヘルペスウイルス | 性器ヘルペス（有痛性潰瘍），再発が多い | 新生児ヘルペス |
| Neisseria gonorrhoeae | 尿道炎（排尿時痛と膿尿），咽頭炎，直腸炎 | 不妊，淋菌性結膜炎（膿漏眼） |
| HIV | HIV 感染症/後天性免疫不全症候群（AIDS） | 児の HIV 感染症 |
| B 型肝炎ウイルス | 急性肝炎，慢性化することもあり | 児のキャリア化，慢性肝炎 |
| C 型肝炎ウイルス | 急性肝炎→慢性肝炎→肝硬変・肝がん | 児の肝炎 |
| Trichomonas 属 | 腟トリコモナス症．女性：自覚症状に乏しい．帯下の増加，外陰・腟の刺激感や掻痒感 | |
| Candida 属 | 性器カンジダ症．男性：ほぼ無症状，女性：外陰部の掻痒感と帯下の増加 | 新生児カンジダ症 |
| HPV | 尖圭コンジローマ，悪性転化することあり | |
| ケジラミ | 陰股部の掻痒感．陰毛との直接接触により感染 | |
| エムポックス（サル痘） | 発熱，リンパ節腫脹，水疱・膿疱 | |

表 1-B-39 生物兵器に使われるおそれのある感染症

| 細菌感染症 | 炭疽*，ペスト*，野兎病*，ブルセラ症，鼻疽，類鼻疽 |
|---|---|
| リケッチア感染症 | 発疹チフス，Q 熱 |
| 真菌感染症 | コクシジオイデス症 |
| ウイルス感染症 | 天然痘*，ベネズエラウマ脳炎 |
| 毒素 | ボツリヌス症*，リシン中毒*，黄色ブドウ球菌エンテロトキシン B 中毒，アフラトキシン中毒，T2 マイコトキシン中毒，サキシトキシン中毒 |

(WHO：Public health response to biological and chemical weapons, 2nd ed., 2004 より改変)

\*：米国 CDC（疾病予防管理センター）により，最も危険なカテゴリー A に指定されているもの（カテゴリー A にはウイルス性出血熱も含む）．

## 6 食中毒

食品衛生法第 21 条は，「食品，添加物，器具又は容器包装に起因する中毒患者又はその疑いのある者」を食中毒の患者と定義している．微生物による場合とそれ以外の場合があり，後者には植物性食中毒（キノコ，ジャガイモなど），動物性食中毒（フグ，貝など），化学性食中毒（洗剤や食品添加物など）が含まれる．

### 1）細菌性食中毒
#### （1）感染型
微生物を含む食品を摂取し，増殖した微生物が病原性を発揮することで生じる．代表的な細菌として，カンピロバクター，ウェルシュ菌，サルモネラ，病

 天然痘

致死率は 30％以上といわれ，エアロゾルでの散布が懸念される．1977 年を最後に根絶されており，現在は米国とロシアのみがウイルス株を保有している．したがって 1 例でも発生すれば，公衆衛生上の緊急事態と考えてよい．
バイオテロでは，患者および検体の感染対策はきわめて重要である．それとともに，国家レベルでの封じ込めが迅速にとられなければならない．

原性大腸菌，リステリア，エルシニア，腸炎ビブリオ，赤痢がある．近年はウェルシュ菌，病原性大腸菌，カンピロバクターが多い．

#### (2) 毒素型

　細菌が産生する毒素により，食中毒を生じる．代表的なものとして，**黄色ブドウ球菌**のエンテロトキシンや，**セレウス菌**（*Bacillus cereus*）の毒素がある．黄色ブドウ球菌の場合，ヒトや動物の創部や鼻腔に存在する菌が食品に混入し，増殖する．潜伏期が3時間程度と短く，かつ腹痛・下痢よりも嘔気・嘔吐が強い．一方，セレウス菌は自然界に広く存在し，野菜や穀物を汚染している．熱に強い芽胞が食品中で発芽，増殖し（4〜50℃），嘔吐毒を産生して，毒素型食中毒を生じる．さらに，セレウス菌は腸管内で増殖し下痢毒を産生することで，感染型食中毒としての下痢を起こすこともある．また，エルシニアやエロモナスもエンテロトキシンを産生することが知られている．

### 2）ウイルス性食中毒

　ノロウイルス（患者数で最も多い）やサポウイルスなどが知られている．

### 3）原虫や寄生虫によるもの

　クドアやアニサキスが知られている．アニサキスは近年その報告数が増加している．

> **クドア**
> 粘液胞子虫である**クドア**（*Kudoa septempunctata*）がヒラメなどの生食で感染し，比較的短い潜伏期（中央値5時間）で激しい下痢・嘔吐を生じるが，ほとんどは一過性の経過で改善する．

## XIII バイオセーフティ（biosafety）

　**バイオセーフティ**とは，細菌，真菌およびウイルスなどの病原菌や微生物の産生する毒素など，人体に危害を及ぼす要因への曝露等を予防することである．医療関連施設，研究所および外部検査センター等において病原体を取り扱う検査室や実験室などでは，感染症患者からの臨床材料中に病原性および伝播性の強い病原体が含まれている可能性があり，医療従事者への感染の危険性は否めない．2004年に世界保健機関（WHO）は，実験室バイオセーフティ指針を提唱し，これを参考に，多くの検査室は設計および運営されている．

### 1　バイオハザード（biohazard）対策

　**バイオハザード**とは，ヒトの健康に有害な危険性を及ぼす能力をもつ病原体を含む，生物学的な試料，廃棄物や，近年では遺伝子組換え作物などもこの概念に含まれている．臨床検査分野では，血液などの生体物質，病原体および毒素などのほかに，劇毒物などの試薬などがある．WHOは，実験室における作業者のバイオハザードによる相対的な災害（ここでは主に感染）リスクをもとに，病原体を4つの危険度に分類（リスク群分類）する基準を作成した（**表1-B-40**）．同時に，病原体等を取り扱う実験室における安全基準については，①基準実験室：**バイオセーフティレベル**（biosafety level；BSL）1およびBSL2,

表 1-B-40　病原体の危険度分類（リスク群分類）（WHO）

| リスク群分類 | リスク | | 内容（危険度） |
| --- | --- | --- | --- |
| | 個人 | 地域社会 | |
| 1 | ない/低い | ない/低い | ヒトや動物（個体）に疾患（感染症など）を起こす可能性のない微生物. |
| 2 | 中等度 | 低い | 個体に疾患（感染症など）を起こす可能性はあるが，実験室スタッフ，地域社会，家畜および環境などに対して重大な危険性を及ぼす可能性のない病原体．有効な治療法や感染予防策があり，感染が拡大するリスクは限られる． |
| 3 | 高い | 低い | 個体に重大な疾患（感染症など）を起こすが，通常の条件下では個体-個体感染は起こらない病原体．有効な治療法や感染予防策がある． |
| 4 | 高い | 高い | 通常，個体に重大な疾患（感染症など）を起こし，個体-個体感染が直接および間接的に発生しやすい病原体．有効な治療法や感染予防策がない（致死率が高い）． |

表 1-B-41　病原体の危険度分類（リスク群分類）に相応する主な項目のバイオセーフティレベル

| リスク群分類 | 実験室のBSL分類 | 対象となる実験室（例） | 作業の手技および運用 | 安全機器 |
| --- | --- | --- | --- | --- |
| 1 | 基準実験室 BSL1 | 一般教育・研究施設 | GMT | 特になし，開放型実験台 |
| 2 | 基準実験室 BSL2 | 医療関連施設，臨床検査室，医療関連教育施設 | GMT，PPE，バイオハザード標識表示 | BSC（エアロゾル発生の可能性がある場合），開放型実験台 |
| 3 | 封じ込め実験室 BSL3 | 特殊検査・研究施設 | BSL2に加え，専用保護衣，入域の制限，一方向性の気流 | 全作業をBSCまたはそのほかの封じ込め機器を用いて行う |
| 4 | 高度封じ込め実験室 BSL4 | 高度特殊検査・研究施設 | BSL3に加え，入室時のエアロック，退出時のシャワー，特別廃棄処理 | クラスⅢBSCまたは陽圧スーツ＋クラスⅡBSC，両面オートクレーブ（給排気は濾過）の使用 |

BSL：biosafety level，GMT：標準的な微生物学の実験手技，PPE：個人用防護具，BSC：生物学的安全キャビネット．

②封じ込め実験室：BSL3および，③高度封じ込め実験室：BSL4に分類される．実験室と病原体の危険度分類との関連を表1-B-41に示す．多くの医療関連施設における微生物検査室は，基準実験室BSL2で運営されている．ただし，病原体の危険度分類の基準は，使用すべき実験室のBSLとは必ずしも一致するものではなく，リスク群の低い病原体であっても特定の実験などで高濃度のエアロゾル発生が避けられない場合には，危険度分類の一段上を適用し，必要な安全を確保すべきである．以上のことから，バイオハザード防止対策において重要なことは，①病原体等を取り扱う実験室などの設計や設備（ハード面），②作業者における技術・健康管理（ソフト面），③科学的知見に基づく病原体等のリスク評価，④適正な管理体制などである．

## 2　エアロゾル感染

病原体による感染の原因は，針刺し，切創および誤飲などがあるが，そのなかでも**エアロゾルの吸引**が最も多い．エアロゾルは肉眼ではみえず，空気に浮遊した液体のコロイド粒子（直径1 nm〜1 μm程度の粒子）または固体粒子

表 1-B-42　主な病原体のバイオセーフティレベル分類におけるリスク評価について

- 病原体の病原性（毒性，取り扱う量，薬剤耐性株の出現の可能性，遺伝子組換えなど）
- 病原体の伝播様式と宿主域（当該地域の人口群が有する免疫能のレベルや宿主となりうる人口密度と移動度，該当する媒介動物の存在やその地域の環境衛生など）
- 有効な予防対策法を適用できるか否か（予防接種，衛生対策，宿主動物や媒介動物対策も考慮）
- 有効な治療法があり，受けることができるか否か（抗菌薬，抗ウイルス薬，そのほかの化学療法薬，血清療法，曝露後ワクチン接種など）

（直径5μm以下のエアロゾル粒子および直径5～100μmの小滴）を指す．検査の過程においてエアロゾルが発生しやすい操作として，以下があげられる．①検体容器の蓋を開けるとき（試験管口にできた検体の膜がはじけたとき），②検体または検体を含む液体の混和（特にミキサーを使用したとき），③遠心（遠心後のチューブ内にはエアロゾルが充満している），④ピペット操作（内容物を噴出したとき），⑤血液培養ボトルの内容液をディスポーザブル注射器で採取するとき（菌の増殖でボトル内圧が高い場合に注射器を抜いた際に噴き出す．または，注射針を抜く際に針が振動して周囲へ飛散する）．こうしたエアロゾル発生の危険性のある操作は，**生物学的安全キャビネット**内で行う．

### 3　病原体の危険度分類

病原体における危険度分類（BSL分類）は，各国（地域）における感染リスク，個体（ヒトや動物）における免疫能や予防手段の有無などを考慮し，独自に作成される（**表 1-B-42**）．わが国において，日本細菌学会や国立感染症研究所により示されている一部の病原体の危険度分類を**表 1-B-43**に示す．同一菌種であっても，菌量や動物への感染の型などによりBSL分類が異なる場合がある．

BSL：バイオセーフティレベル

### 4　生物学的安全キャビネット（biological safety cabinet；BSC）

**表 1-B-41**に示したように，BSCは機内における気流を利用した防御（エアーバリア）による安全機器の一つである．本機器の適正な使用は，**機内を陰圧に保つ**ことにより病原体を封じ込め，作業者への病原体による曝露（特にエアロゾル）および実験室内環境における汚染の防止に有効である．BSCはエアーバリア方式により3種類（クラスⅠ，ⅡAおよびⅡB，Ⅲ）に分けられる．

### 5　感染性廃棄物の取り扱い方

**感染性廃棄物**とは「医療関係機関等から生じ，人が感染し，若しくは感染するおそれのある病原体が含まれ，若しくは付着している廃棄物又はこれらのおそれのある廃棄物」をいう（昭和45年法律第137号：廃棄物処理法）．この判断基準に基づいて，医療行為等によって廃棄物となった脱脂綿，ガーゼや紙おむつ，患者の生体物質検査や病原微生物関連の検査等に用いたもの，血液が付

表1-B-43 日本における主な病原体の危険度分類（BSL分類）と疾患

| BSL分類 | 細菌 | ウイルス | 真菌 | 寄生虫 |
|---|---|---|---|---|
| 4 | | Lassa virus（ラッサ熱）<br>Marburg virus（マールブルグ病）<br>Crimean-Congo hemorrhagic fever virus（クリミア・コンゴ出血熱）<br>Ebola virus（エボラ出血熱）<br>Variola virus（天然痘） | | |
| 3 | *Bacillus anthracis*（炭疽）<br>*Brucella* 属（ブルセラ症）<br>*Yersinia pestis*（ペスト）<br>*Coxiella burnetii*（Q熱）<br>*Francisella tularensis*（野兎病）<br>*Mycobacterium tuberculosis*（結核）<br>*Salmonella* Typhi（腸チフス）<br>*Salmonella* Paratyphi A（パラチフス）<br>*Burkholderia mallei*（鼻疽）<br>*Burkholderia pseudomallei*（類鼻疽）<br>*Pasteurella multocida*（パスツレラ症）【一部の血清型；B:6, E:6, A:5など】<br>*Orientia tsutsugamushi*（ツツガ虫病）<br>*Rickettsia* 属（リケッチア症） | Rabies virus（狂犬病）<br>Hantavirus（腎症候性出血熱，ハンタウイルス肺症候群）<br>influenza virus【H5N1およびH7N7】（高病原性鳥インフルエンザ）<br>West Nile virus（ウエストナイル熱）<br>human immunodeficiency virus【HIV】（AIDS）<br>SARS coronavirus（重症急性呼吸器症候群）<br>yellow fever virus（黄熱） | *Coccidioides immitis*（コクシジオイデス症）<br>*Histoplasma capsulatum*（ヒストプラズマ症）<br>*Histoplasma farciminosum*（ヒストプラズマ症）<br>*Blastomyces dermatitidis*（ブラストミセス症）<br>*Paracoccidioides brasiliensis*（パラコクシジオイデス症）<br>*Penicillium marneffei*（マルネッフェイ型ペニシリウム症） | |
| 2 | *Bacillus* 属（*B. anthracis* 以外）<br>*Clostridium* 属<br>*Corynebacterium diphtheriae*<br>*Escherichia coli*<br>*Staphylococcus* 属<br>*Streptococcus* 属<br>*Mycoplasma pneumoniae*<br>*Treponema pallidum*（梅毒）<br>*Chlamydia psittaci*（オウム病）【大量培養の場合はBSL3】 | hepatitis B virus（B型肝炎）<br>hepatitis C virus（C型肝炎）<br>varicella zoster virus（帯状疱疹）<br>herpes simplex virus（単純ヘルペス感染症） | *Cryptococcus neoformans*（クリプトコックス症）<br>*Candida* 属<br>*Aspergillus* 属（アスペルギルス症） | 感染の原因となるすべての寄生虫 |
| 1* | | | | |

（ ）：疾患.
＊：BSL1に分類される病原体は，通常は，ヒトや動物に対して病原性がないか低いものを含む.

着した注射針（注射針のような鋭利なものは，血液が付着していないもの，または消毒により感染性を失わせたものも感染性廃棄物と同等の取り扱いとする）など多種類の医療材料が該当する．これらの廃棄物は，中身の性状に応じて「鋭利状」（黄色），「固形状」（橙色）および「液状または泥状」（赤色）の3種類の**バイオハザードマーク**に区分し（**図1-B-28**），適切な材質の容器に梱包し，保管，運搬および処分を行う．

## 6 バイオハザードに留意すべき疾患

医療関連施設などの検査室や研究施設および医学教育施設の実験・実習において，作業中および感染性廃棄物の処理での感染が報告されている．特に，研

黄色　　　橙色　　　赤色
（鋭利状）（固形状）（液状・泥状）

**図 1-B-28　感染性廃棄物における性状別のバイオハザードマーク**

究施設では危険度分類の高い病原体による感染，また，医学教育施設では学生の実習における食中毒菌による数十名以上の感染者の発生が報告されている．

### 1）細菌感染症

細菌感染が原因となった主な疾患は，ブルセラ症，類鼻疽，腸チフス，炭疽，野兎病，腸管病原性感染症（*Salmonella* 属，*Shigella* 属および腸管出血性大腸菌など）などがある．

### 2）抗酸菌感染症

抗酸菌感染症において，結核は，臨床検査技師（微生物検査および病理検査）の業務感染としては最も危険性の高い疾患である．結核菌（*Mycobacterium tuberculosis*）は空気感染を起こす代表的な菌であり，患者の臨床材料を処理する過程でエアロゾルによって感染する可能性があることから，本検査はBSC内で行う必要がある．

### 3）真菌感染症

主に白癬などの皮膚真菌症や，わが国ではまれであるが，コクシジオイデス症，ブラストミセス症やヒストプラズマ症などの輸入真菌症が重要である．糸状菌を取り扱う場合には，胞子の拡散による感染を予防するため，BSC内で検査を進める．特に，輸入真菌症が疑われる糸状菌の発育した培地は，安易にシャーレなどの蓋を開けてはならない．

### 4）ウイルス感染症

主な疾患には，非細菌性急性胃腸炎（ノロウイルスなど），インフルエンザおよび AIDS などがあるが，医療従事者において最も注意すべきは，針刺し・切創による肝炎（B型およびC型肝炎ウイルス）であり，B型肝炎ウイルスはワクチン接種により予防することが可能である．

### 5）その他の感染症（クラミジア，リケッチア，原虫など）

クラミジアによる疾患ではオウム病（通常，病原体の危険度分類はBSL2で

あるが，大量の培養処理の場合はBSL3で取り扱う），リケッチアではQ熱，発疹チフスおよびツツガ虫病など，寄生虫ではトキソプラズマ症およびマラリアなどがある．プリオンが原因とされる疾患には，Creutzfeldt-Jakob病があり，疑われる感染性廃棄物の滅菌および消毒は，通常の方法とは異なることを知っておく必要がある．

## XIV 医療関連感染

### 1 病院感染（院内感染）

#### 1）病院感染の位置づけと感染防止対策の必要性

医療機関内において発生した感染症のことを，従来は「**院内感染（nosocomial infection）**」と称し，他の患者への感染伝播リスクとともに定義づけられていた．近年では，感染伝播リスクとは関連なく「医療機関において患者が原疾患とは別に新たに罹患した感染症」と定義され，そのため**病院感染（hospital-acquired infection）**，あるいは急性期病院のみならず療養型施設や介護施設などの関連施設における感染も含めて，**医療関連感染（healthcare-associated infection）**または医療・介護関連感染という表現が用いられるようになってきている．病院感染の対語として，「**市中感染（community-acquired infection）**」があるが，こちらは，「医療施設以外で発生した感染症」と定義される．両者を区別する定義としては，病院感染は「入院後48時間を超えて発症した感染症」，市中感染は「院外あるいは入院後48時間以内に発症した感染症」となる．

病院内には，外から病原体が持ち込まれないかぎり，市中感染原因微生物は存在せず，病院感染は，病院環境に生息する微生物や患者自身が内因性に保有する病原体によって起こる．入院患者の多くは，基礎疾患やさまざまな医療処置により免疫の機能低下状態にあり，病院感染の多くは**日和見感染症（opportunistic infection）**として発症する．その原因となる病原体としては，メチシリン耐性黄色ブドウ球菌（MRSA），緑膿菌，アシネトバクター，バンコマイシン耐性腸球菌（VRE），基質特異性拡張型β-ラクタマーゼ（ESBL）産生腸内細菌目細菌，カルバペネム耐性グラム陰性桿菌などの耐性菌，*Clostridioides difficile*，*Candida*属や*Aspergillus*属などの真菌，患者自身の常在細菌などがあげられる．

免疫機能が低下している入院患者においては，病原性の低い病原体も含め多くの病原体に感受性であり，感染症原因菌となりうる．病院感染は，防御可能な入院患者に発生する合併症であり，すべての医療関係者が，最大限の感染防止対策を行う義務を負っているといえる．

#### 2）病院感染防止対策

病院感染防止対策として，病院環境菌に感染させない対策と感染症を発症さ

**市中感染の病原体**

市中感染は，健康人でも罹患する比較的病原性や感染伝播力が強い病原体が原因となることが多い．細菌では，結核やマイコプラズマなどの呼吸器感染症の原因菌，病原性大腸菌やカンピロバクターなどの食中毒菌，肺炎球菌やインフルエンザ菌などの髄膜炎や菌血症など重症感染症の原因菌，ウイルスでは，麻疹やノロウイルス，インフルエンザウイルスなどの流行性ウイルス感染症の原因微生物が代表的な市中感染原因微生物となる．

**日和見感染症**

健康人には感染症を起こさないような病原性の低い病原体（日和見病原体）により，免疫機能が低下した人（易感染性宿主）に生じる感染症．

せない対策の両対策が必要となる．まず，入院患者に感染させない対策として最も重要なのが，感染経路の遮断である．病院感染における主な感染経路として，**接触感染**，**飛沫感染**，**空気感染**があげられ，それぞれに感染経路別予防策をとる必要がある．

接触感染は，それらの病原体を保有する患者から直接感染伝播しうるが，実際には医療従事者の手を介した伝播や，汚染された環境からの伝播がほとんどである．このため，感染伝播防止対策として，患者の隔離や手袋やガウンなどの**個人用防護具（PPE）**による感染伝播防止が必要となる．

飛沫感染は，気道系に感染する病原体が患者の咳やくしゃみなどのしぶき（飛沫）によって感染伝播するものである．飛沫は通常，1～2メートルの範囲で患者から排出され，直接感染伝播する．あるいは，飛沫とともに排出された病原体は，短時間であれば環境中でも生息することが可能であるため，接触感染でも伝播しうる．飛沫感染で感染伝播可能な飛沫粒子の大きさは，通常 $5\,\mu m$ 以上とされる．このサイズの粒子は，市販されている不織布マスクで防御可能な大きさとなる．

さらに，飛沫粒子の水分が蒸発し，$5\,\mu m$ 以下の微粒子で感染する感染症もあり，空中を長時間浮遊し感染伝播する．これを空気感染とよぶ．感染者である患者の入院環境から病原体が流出しないための陰圧空調の**空気感染隔離室**（通常個室）が必要となる．また対応する医療従事者は，微粒子を防御できるマスク（**N95マスク**など）が必要となる．**表1-B-44**に，病原体，感染症別の感染経路および感染予防策を示す．

新型コロナウイルスでは，エアロゾル（微小飛沫）が主な感染経路として認識されている．明確な定義はないが，$5\,\mu m$ 以下の微小飛沫が，比較的長時間，患者周囲を浮遊し感染伝播する経路として認識されている．換気が悪い状況下では，周囲数メートルにわたり，病原体が到達する可能性がある．感染対策としては，飛沫感染予防策と同様であるが，患者がマスクを着用できない場合や，エアロゾル産生手技時にはN95マスクの着用とともに，すべてのPPEを使用する full PPE が推奨されている．

病原体が明らかな場合には，それらに対応する感染予防策を行う必要がある．一方，潜在的な病原体に対する感染予防策として，すべての患者，すべての感染症，あるいは病院環境からの感染や血液・体液曝露防止対策として行うべき感染予防策を**標準予防策**とよぶ．標準予防策として最も重要なものが手指衛生である．医療従事者の手を介した感染は，病院感染の原因となるさまざまな病原体の最も頻度の高い感染ルートとなる．

近年WHOは**手指衛生**のタイミングとして，**5 moments for hand hygiene（手指衛生の5つのタイミング）**を発表している．これは，手指衛生が必要なタイミングとして，①患者に触れる前，②清潔/無菌操作の前，③体液に曝露された可能性のある場合，④患者に触れた後，⑤患者周辺の物品に触れた後，とするものであり，医療従事者の遵守を求めている（**図1-B-29**）．手指衛生の種

---

**個人用防護具（personal protective equipment；PPE）**
血液や体液などには潜在的にヒトに感染する病原体が存在すると考えて，その曝露防止対策として用いる医療用具．マスク，ゴーグル，フェイスシールド，ガウン，手袋，キャップ，シューカバーなどが含まれる．

**N95マスク**
米国国立労働安全衛生研究所で定められた防塵マスクの規格であり，直径 $0.3\,\mu m$ の微粒子に対しての捕集効率95%以上のマスクのことである．新型コロナウイルスパンデミックを背景に，2021年，わが国の感染対策医療用マスクの基準としてJIS T9002：2021が制定された．

**エアロゾル産生手技**
気管内挿管，気道吸引，心肺蘇生，気管支鏡検査，ネブライザー療法など，エアロゾルが大量に産生放出される可能性のある医療手技のこと．

**full PPE（フルPPE）**
新興感染症患者に対する診療ケア時に，あらゆる経路の感染伝播を遮断するための個人防護具（PPE）の着用法．新型コロナウイルス感染症の感染拡大後に医療現場でよく使用されるようになった用語であるが，厳密な定義があるわけではない．基本的にN95マスク，フェイスシールド（アイガード），手袋，ガウン，キャップを使用することが多いが，必要に応じて全身をおおう防護服（タイベック®）を用いることがある．

表 1-B-44　医療関連感染の原因となる微生物と主な感染経路および感染予防策

| 感染経路 | 病原体（感染症） | | | 感染予防策* | 感染予防策の要点 |
| --- | --- | --- | --- | --- | --- |
| | 細菌 | ウイルス | 真菌, 原虫ほか | | |
| 接触感染 | 薬剤耐性菌（MRSA, 多剤耐性緑膿菌, 多剤耐性アシネトバクター, ESBL産生菌, メタロβ-ラクタマーゼ産生菌, プラスミド性 Class C β-ラクタマーゼ産生菌, CRE, VRE など）, 感染性胃腸炎（病原性大腸菌, サルモネラなど）, *Clostridioides difficile* | 感染性胃腸炎（ノロウイルス, ロタウイルスなど）, 流行性角結膜炎（アデノウイルス） | 疥癬 | 接触感染予防策 | 個室隔離または同一病原体陽性患者の集団隔離, 医療従事者のマスクやガウンの着用, 聴診器などの専用化, 環境消毒 |
| 飛沫感染 | 百日咳, 溶血性レンサ球菌, マイコプラズマ, ジフテリア, 髄膜炎菌 | インフルエンザ（+接触感染）, 風疹, 流行性耳下腺炎, RSウイルス（+接触感染） | | 飛沫感染予防策 | 個室隔離または1 m以上の距離をあける, 医療従事者のマスク, アイガードの着用 |
| エアロゾル（微小飛沫）感染 | | 新型コロナウイルス（SARS-CoV-2） | | エアロゾル対策 | 個室隔離, 医療従事者のマスク着用, エアロゾル産生手技時には医療従事者のN95マスクの着用などの full PPE |
| 空気感染 | 結核（肺結核, 喉頭結核） | 麻疹, 水痘（播種性帯状疱疹） | | 空気感染予防策 | 空気感染隔離室への隔離, 医療従事者のN95マスクの着用 |
| 病院環境 | *Bacillus* 属, 耐性菌ではないグラム陰性桿菌（*Serratia* 属, *Enterobacter* 属, *Citrobacter* 属, 緑膿菌など）, 緑膿菌以外の *Pseudomonas* 属（*P. fluorescens*, *P. putida* など）, *Burkholderia cepacia*, *Stenotrophomonas maltophilia*, *Alcaligenes* 属, *Legionella* 属 | | *Aspergillus* 属 | 標準予防策 | 手指衛生, 咳エチケット |
| 血液・体液曝露 | | 肝炎ウイルス（HBV, HCV）, HIV, SFTSV | プリオン | 標準予防策 | 血液・体液曝露防止対策 |

MRSA：メチシリン耐性黄色ブドウ球菌, ESBL：基質特異性拡張型 β-ラクタマーゼ, CRE：カルバペネム耐性腸内細菌目細菌, VRE：バンコマイシン耐性腸球菌, HBV：B型肝炎ウイルス, HCV：C型肝炎ウイルス, HIV：ヒト免疫不全ウイルス, SFTSV：重症熱性血小板減少症候群ウイルス.
*：感染経路別予防策は, 標準予防策に加えて行う対策である.

類として, 流水と石けんによる**手洗い**と速乾性手指消毒薬を用いた**手指消毒**のどちらかを行うこととしている. 日常業務において, 通常は手指消毒を行うこととなるが, 目に見える汚れがある場合や, アルコール抵抗性の病原体（*C. difficile* のような芽胞形成菌, ノロウイルスなど）による感染症では, 手洗いが必要となる.

また, 呼吸器系病原体の予防策として, **呼吸器衛生/咳エチケット**がある. こ

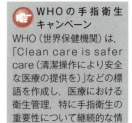

**WHOの手指衛生キャンペーン**
WHO（世界保健機関）は,「Clean care is safer care（清潔操作により安全な医療の提供を）」などの標語を作成し, 医療における衛生管理, 特に手指衛生の重要性について継続的な情報発信を行っている.

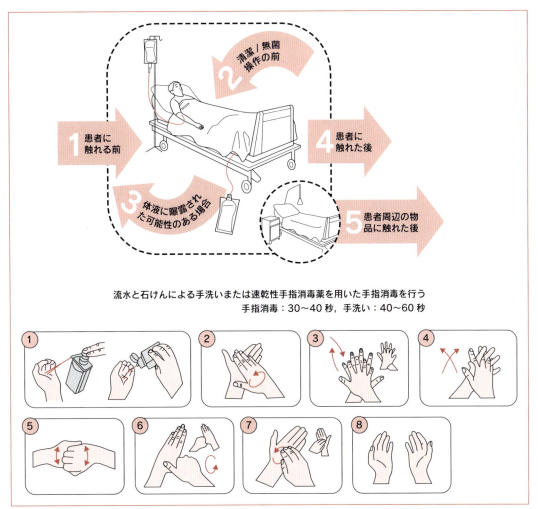

図 1-B-29　手指衛生のタイミング　　　　　　　　　　　　　　　（WHO：My 5 moments for hand hygiene）

れは，呼吸器感染症状（咳や痰，くしゃみ，鼻汁など）を示す患者が行うべき対策であり，マスクの着用やマスクがない場合にはティッシュペーパーで口と鼻をおおい，呼吸器分泌物に触れた後は手洗いを行う．医療従事者にとって，血液・体液曝露防止も標準予防策に含まれる．血液・体液中には未知の病原体が混入していると考えて，触れる可能性がある場合には必ず手袋を着用する．また，血液や体液が飛散する可能性がある医療行為や検査業務を行う場合には，ゴーグルまたはフェイスシールドを着用する．標準予防策は，このように病院感染対策の基本となるものであり，すべての医療従事者にその遵守が求められる．

感染防止対策

感染対策については最新臨床検査学講座「医療安全管理学」も参照のこと．

## 3）感染制御とICT活動，AST活動

### (1) 感染制御（対策）チーム（infection control team；ICT）

病院感染対策を推進する組織であり，医師，看護師，薬剤師，臨床検査技師などがそのメンバーとなり，組織横断的に全病院的に活動を行う．ICTの業務は院内感染対策全般にわたり，日常的にはメンバーのそれぞれの専門性を生かした業務（①医師：ワクチン接種などの職業感染防止，②看護師：感染予防策の遵守，環境整備，③薬剤師：抗菌薬や消毒薬の適正使用支援，④臨床検査技師：微生物検査データの管理，等）を行う．ICTのメンバーが揃って行う活動のなかで，**院内ラウンド**は主要な業務となる．また，ICTは定期的な会議を行い，各メンバーの活動状況の報告および院内で発生したさまざまな感染対策に関する問題について協議を行う．

**院内感染対策マニュアル**の整備もICTの重要な業務の一つである．日常的な院内での感染対策について，可能なかぎりマニュアルに盛り込み，その遵守状況の確認を院内ラウンドで確認する．

### (2) アウトブレイク対応

薬剤耐性菌やインフルエンザなどの市中流行性感染症の院内感染の**アウトブレイク**とは，一定期間内に，同一病棟や同一医療機関といった一定の場所で発生した院内感染の集積が通常よりも高い状態のことをいう．新型コロナウイルスでは，クラスター（症例集団）という用語が用いられる場合が多い．各医療機関は，感染症の院内での発生状況を調査集計し，必要に応じて介入を行う**サーベイランス**を行うことが望ましい．

薬剤耐性菌のアウトブレイクに関しては，1例目の発見から4週間以内に，同一病棟において新規に同一菌種による感染症の発症症例が計3例以上特定された場合，または同一医療機関内で同一菌株と思われる感染症の発症症例が計3例以上特定された場合を基本とする．ただし，カルバペネム耐性腸内細菌目細菌（CRE），多剤耐性緑膿菌（MDRP），バンコマイシン耐性腸球菌（VRE），多剤耐性アシネトバクター（MDRA）などの伝播リスクの高い高度耐性菌については，保菌も含めて1例目からアウトブレイクに準じた厳重な感染対策が必要とされる．

具体的なアウトブレイク対策として，感染症を発症あるいは保菌状態にある患者の確認と，陽性となった患者の隔離予防策の実施（インフルエンザでは飛沫感染予防策，薬剤耐性菌やノロウイルスなどの感染性胃腸炎では接触感染予防策）を行う．環境の汚染が問題となる場合には，汚染された環境の消毒，あるいは手指衛生の厳格な遵守が求められることも多い．また，抗菌薬適正使用もアウトブレイク対応の重要な柱となる．

### (3) 抗菌薬適正使用支援チーム（antimicrobial stewardship team；AST）

さまざまな耐性菌が出現し蔓延する一方で，新規抗菌薬の開発が滞っていることにより，薬剤耐性菌制御には全世界的な取り組みが必要とされる．今後さらなる耐性菌の蔓延を防ぐために，隔離予防策とともに**抗菌薬適正使用支援**

**感染対策向上加算**
2012（平成24）年度より，医師，看護師，薬剤師，臨床検査技師の4職種の構成員からなる感染制御チームの院内感染防止活動に対して，診療報酬上の加算が認められた．業務として，院内ラウンド，サーベイランス，抗菌薬適正使用の推進，AST，新興感染症への対応，他の医療機関との連携などが求められている．

**アウトブレイク**
特定の区域や集団における，通常予想される以上の感染症の症例数の増加を意味する用語である．エボラ出血熱や中東呼吸器症候群など，新興・再興感染症の特定の地域における流行などにも用いられる．

**クラスター**
新型コロナウイルスのパンデミックとともに，使用されるようになった用語である．ある特定の施設あるいは集団における症例集積の意味で使用されており，5人以上の感染者の集積を目安として定義されている．

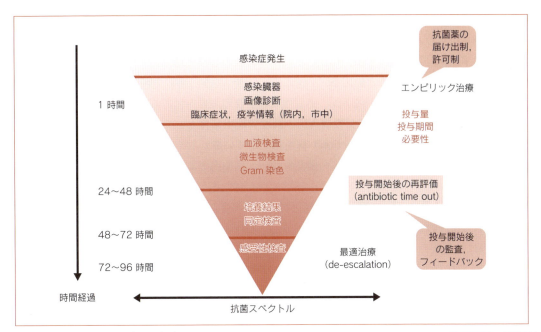

図 1-B-30　抗菌薬適正使用の実践

(antimicrobial stewardship；AS）への取り組みが医療施設に求められている．ASは，感染症患者の抗菌薬治療について，専門家あるいはASTとして適正化の支援を行う仕組みである．ASTとして活動する場合には，ICTと同様に多職種からなるチームとして活動することが望ましい．ASTでは，感染症専門の医師や薬剤師が中心となり，最大限の治療効果と最小限の有害事象により，最適な感染症治療を推進することを目的として活動する．抗菌薬の**届け出制**や**許可制**，**エンピリック治療**（empiric therapy）時の介入と，投与開始後の再評価時に行う監査とフィードバックが主なものとなる（図1-B-30）．エンピリック治療においては，施設内で最近（1年程度）検出された主な菌種の薬剤感受性データ（**アンチバイオグラム**）を参考に選択を行う．その他，指定抗菌薬の長期使用例の監査とフィードバック，周術期抗菌薬の適正化，抗菌薬使用量と主要菌種の薬剤耐性率の解析などが主な業務となる．

## XV 細菌検査の精度管理

臨床検査において，正しい検査結果を報告するために精度管理は必須である．精度管理には，検査施設ごとに行う**内部精度管理**と，外部機関が個々の検査施設を対象に同一試料を配布し，測定結果を調査する**外部精度管理**がある．

### 1　内部精度管理

臨床検査は，患者情報取得の有無，検体の採取・保存・輸送方法や検査に用

> **タイムアウト（time out）**
> 活動や競技などの小休止，中断の意味をもつ言葉である．スポーツ用語では試合をいったん休止し，作戦を練る時間の意味となる．抗菌薬の再評価の他，手術前に，関係者全員が集まり確認作業を行う用語としても用いられている．

> **アンチバイオグラム（antibiogram）**
> 施設内で検出された微生物データを集めて（過去1年分程度），院内で使用されている薬剤に対する感受性率を示したもの．微生物の薬剤感受性率は施設ごとに異なるため，その施設での感受性パターン（ローカルファクター）は，エンピリック治療における抗菌薬選択において非常に重要なデータとなる．

いる機器・試薬・培地などが検査結果に影響する．また，細菌検査では検査担当者の知識・技術レベルなども検査結果を大きく左右する．**一般に，細菌検査の内部精度管理は下記①，②を実施する．しかし，③〜⑨の要因も検査結果に影響を与えるため，広義の精度管理といえる．**

① 薬剤感受性検査は，精度管理用菌株を用い，感受性成績が管理限界内であることを確認する．CLSIでは，薬剤感受性検査用の精度管理用菌株として，ATCC（American Type Culture Collection）株を指定している．
② 孵卵器・冷蔵庫・自動機器は，毎朝，温度の確認を行い，基準内であることを確認する．
③ 患者情報を取得することで，感染症原因菌の推定が可能な場合があり，分離培地の追加や培養条件の変更が可能となる．
④ 細菌検査材料は抗菌薬の影響を避けるため，発病初期の抗菌薬投与前に適切な検体を採取するのが原則である．抗菌薬投与中の場合は次回投与直前（体内抗菌薬濃度が最も低いとき）に採取する．適切な時期に適切な材料を採取することが，原因菌検出には重要である．
⑤ 血液・髄液などの無菌材料を採取する場合は，穿刺部位の皮膚を十分に消毒し，皮膚の常在菌の混入を避ける．喀痰を採取する場合は，可能なかぎり，水道水で2〜3回うがいをさせてから採取する．また，喀痰の外観が膿性であることが重要であり，唾液成分の多いものは検査に適さない．
⑥ 採取容器はすべて密閉できる滅菌容器を用い，ただちに検査室に提出する．保存する場合は，髄膜炎菌などの低温に弱い菌を除き，冷蔵庫に保存する．
⑦ 検査材料と検査依頼には，所属・患者名・材料名・目的菌・コメントを明記する．
⑧ 検体は検査室到着後すみやかに検査を開始する．検査開始までに時間を要する場合は，検査材料中の菌数の変化を避けるために適切な管理方法で保存する（基本的に冷蔵する．淋菌，髄膜炎菌の検出目的の検体は冷蔵不可）．
⑨ 検査担当者は微生物検出情報や新しい菌種の分離・同定方法，薬剤感受性情報の収集に努め，臨床側に有用な情報・検査結果を提供できるようにしなければならない．

## 2　外部精度管理

外部精度管理は，①試料が配布され同定検査や薬剤感受性検査を日常の検査法で実施し，回答するものと，②写真が配布され設問に回答するフォトサーベイがある．外部精度管理は，検査結果の正確性について第三者による評価が得られる．

臨床検査に特化したISO15189では，少なくとも毎年2団体が行う精度管理調査に参加し，不満足とされたものや2 SDを超えたものは是正措置結果を報告することを基本方針としている．

---

**CLSI（Clinical and Laboratory Standards Institute：臨床検査標準協会）**
わが国のほとんどの施設において，薬剤感受性検査における判定基準はCLSIの判定基準（ブレイクポイント）を採用している．

**患者情報と培地の選択**
温泉での感染が疑われる肺炎患者検体では，レジオネラ菌検出のためにWYOα培地を追加する．また，インドなどのコレラ，チフスの流行国から帰国（入国）した下痢患者検体では，コレラ，チフスの選択分離培地や増菌培地を使用し，注意深く観察する．

**ISO15189**
ISO（International Organization for Standardization：国際標準化機構）は，国際的な標準である国際規格を策定するための非政府組織である．
ISO 15189（臨床検査室-品質と能力に関する特定要求事項）とは，臨床検査室の品質と能力に関する要求事項を提供するものとしてISOが作成した国際規格で，主に①「品質マネジメントシステムの要求事項」，②「技術的要求事項」の2つから構成されている．
「ISO 15189（臨床検査室-品質と能力に関する特定要求事項）」に基づき，臨床検査室の審査を行い，臨床検査を行う能力を有していることを認定する．日本ではJAB（Japan Accreditation Board：日本適合性認定協会）が唯一の臨床検査室認定機関である．

SD：標準偏差

# XVI 感染症関連法規

## 1 感染症法

### 1）感染症法とは

　感染症の予防及び感染症の患者に対する医療に関する法律（**感染症法**）は，感染症の予防および感染症の患者に対する医療に関する措置を定めた日本の法律である．感染症法は，従来の「伝染病予防法」「性病予防法」「エイズ予防法」の3つを統合し1998年に制定され，1999年4月1日に施行された．2007年4月1日には「結核予防法」が感染症法に統合された．新たな感染症の出現などに関連して，小改正が繰り返されている．

### 2）感染症法の分類（表1-B-45）

　感染力や罹患した場合の重篤性などに基づき，感染症を危険性が高い順に一類から五類に分類する．一類感染症とは，感染力や罹患した場合の重篤性などに基づく総合的な観点からみた危険性がきわめて高い感染症であり，二類感染症とは，一類感染症に次いで危険性が高い感染症である．三類感染症とは，危険性は高くないものの，特定の職業に就業することにより感染症の集団発生を起こしうる感染症である．四類感染症とは，ヒトからヒトへの感染はほとんどないが，動物，飲食物などを介してヒトに感染し，国民の健康に影響を与えるおそれのある感染症である．五類感染症とは，国が感染症発生動向調査（**感染症サーベイランス**）を行い，その結果に基づき必要な情報を国民や医療関係者などに提供・公開していくことによって，発生・拡大を防止すべき感染症である．既知の感染症であっても，蔓延により国民の生命および健康に重大な影響を与えるおそれがあると判断される場合は，「指定感染症」に指定し対応する．また，すでに知られている感染症とは異なり，重篤度が高い感染症を「新感染症」として分類し対応する．

　感染症法に分類される感染症は，届け出が規定され（五類感染症以外はただちに届け出する），入院診療を担当する感染症指定医療機関（特定，第一種，第二種）が規定されている．

　2019年末に発生した新型コロナウイルス感染症は，当初「指定感染症」に指定されたが，2021年2月からは，「新型インフルエンザ等感染症」に位置づけられ，法整備が進められた．さらに病原性の変化などもふまえて，2023年5月から五類感染症に変更された．

### 3）特定病原体等（図1-B-31）

　感染症法においては，バイオテロ（生物テロ）に使用されるおそれのある病原体等であって，国民の生命および健康に影響を与えるおそれがある感染症の病原体等の管理の強化のために，特定病原体等が定められている．生命および健康への影響の重大さの程度により一種病原体等から四種病原体等までを規定

**感染症指定医療機関**

感染症法で定められた感染症の患者の入院医療を担当できる基準に合致した病床を有する医療機関である．特定感染症指定医療機関は全国に4医療機関（10床），第一種感染症指定医療機関は56医療機関（105床）が指定されている（2022年4月1日現在）．

表 1-B-45 「感染症法」による感染症の分類と届け出〔2023（令和5）年5月26日施行〕

| 分類 | | 感染症 | 届け出 | 指定診療施設 |
|---|---|---|---|---|
| 一類感染症<br>（7 疾患） | 感染力や罹患した場合の重篤性などに基づく総合的な観点からみた危険性がきわめて高い感染症 | エボラ出血熱，クリミア・コンゴ出血熱，痘瘡，南米出血熱，ペスト，マールブルグ病，ラッサ熱 | ただちに | 特定感染症または第一種感染症指定医療機関 |
| 二類感染症<br>（7 疾患） | 感染力や罹患した場合の重篤性などに基づく総合的な観点からみた危険性が高い感染症 | 急性灰白髄炎，結核，ジフテリア，重症急性呼吸器症候群（SARS，病原体がベータコロナウイルス属 SARS コロナウイルスであるものに限る），中東呼吸器症候群（MERS，病原体がベータコロナウイルス属 MERS コロナウイルスであるものに限る），鳥インフルエンザ（H5N1），鳥インフルエンザ（H7N9） | | 特定感染症または第一種，第二種感染症指定医療機関，結核指定医療機関 |
| 三類感染症<br>（5 疾患） | 感染力や罹患した場合の重篤性などに基づく総合的な観点からみた危険性は高くないものの，特定の職業に就業することにより感染症の集団発生を起こしうる感染症 | コレラ，細菌性赤痢，腸管出血性大腸菌感染症，腸チフス，パラチフス | | |
| 四類感染症<br>（44 疾患） | ヒトからヒトへの感染はほとんどないが，動物，飲食物などの物件を介してヒトに感染し，国民の健康に影響を与えるおそれのある感染症 | E 型肝炎，ウエストナイル熱（ウエストナイル脳炎を含む），A 型肝炎，エキノコックス症，黄熱，オウム病，オムスク出血熱，回帰熱，キャサヌル森林病，Q 熱，狂犬病，コクシジオイデス症，エムポックス（サル痘），ジカウイルス感染症，重症熱性血小板減少症候群（SFTS，病原体がフレボウイルス属 SFTS ウイルスであるものに限る），腎症候性出血熱，西部ウマ脳炎，ダニ媒介脳炎，炭疽，チクングニア熱，つつが虫病，デング熱，東部ウマ脳炎，鳥インフルエンザ（鳥インフルエンザ（H5N1，H7N9）を除く），ニパウイルス感染症，日本紅斑熱，日本脳炎，ハンタウイルス肺症候群，B ウイルス病，鼻疽，ブルセラ症，ベネズエラウマ脳炎，ヘンドラウイルス感染症，発疹チフス，ボツリヌス症，マラリア，野兎病，ライム病，リッサウイルス感染症，リフトバレー熱，類鼻疽，レジオネラ症，レプトスピラ症，ロッキー山紅斑熱 | | 特に指定なし |
| 五類感染症<br>（全数把握）<br>（24 疾患） | 国が感染症発生動向調査を行い，その結果に基づき必要な情報を国民や医療関係者などに提供・公開していくことによって，発生・拡大を防止するべき感染症 | アメーバ赤痢，ウイルス性肝炎（E 型及び A 型を除く），カルバペネム耐性腸内細菌目細菌感染症，急性弛緩性麻痺（急性灰白髄炎を除く），急性脳炎（ウエストナイル脳炎，西部ウマ脳炎，ダニ媒介脳炎，東部ウマ脳炎，日本脳炎，ベネズエラウマ脳炎及びリフトバレー熱を除く），クリプトスポリジウム症，クロイツフェルト・ヤコブ病，劇症型溶血性レンサ球菌感染症，後天性免疫不全症候群，ジアルジア症，侵襲性インフルエンザ菌感染症，侵襲性髄膜炎菌感染症，侵襲性肺炎球菌感染症，水痘（入院例に限る），先天性風疹症候群，梅毒，播種性クリプトコックス症，破傷風，バンコマイシン耐性黄色ブドウ球菌感染症，バンコマイシン耐性腸球菌感染症，百日咳，風疹，麻疹，薬剤耐性アシネトバクター感染症 | 7 日以内に（侵襲性髄膜炎菌感染症および風疹，麻疹はただちに） | |
| 五類感染症<br>（定点把握）<br>（26 疾患） | | RS ウイルス感染症，咽頭結膜熱，A 群溶血性レンサ球菌咽頭炎，感染性胃腸炎，水痘，手足口病，伝染性紅斑，突発性発疹，ヘルパンギーナ，流行性耳下腺炎，インフルエンザ（鳥インフルエンザ及び新型インフルエンザ等感染症を除く），新型コロナウイルス感染症，急性出血性結膜炎，流行性角結膜炎，性器クラミジア感染症，性器ヘルペスウイルス感染症，尖圭コンジローマ，淋菌感染症，感染性胃腸炎（病原体がロタウイルスであるものに限る），クラミジア肺炎（オウム病を除く），細菌性髄膜炎（髄膜炎菌，肺炎球菌，インフルエンザ菌を原因として同定された場合を除く），マイコプラズマ肺炎，無菌性髄膜炎，ペニシリン耐性肺炎球菌感染症，メチシリン耐性黄色ブドウ球菌感染症，薬剤耐性緑膿菌感染症 | 週単位または月単位 | |
| 新型インフルエンザ等感染症 | | 新型インフルエンザ，再興型インフルエンザ，再興型コロナウイルス感染症 | | 感染症指定医療機関等 |
| 指定感染症 | | 既に知られている感染性の疾病（一類感染症，二類感染症，三類感染症及び新型インフルエンザ等感染症を除く）であって，感染症法の規定を準用しなければ，当該疾病の蔓延により国民の生命および健康に重大な影響を与えるおそれがあるもの | ただちに | |
| 新感染症 | | ヒトからヒトに伝染すると認められる疾病であって，既に知られている感染性の疾病とその病状または治療の結果が明らかに異なるもので，当該疾病にかかった場合の病状の程度が重篤であり，かつ，当該疾病の蔓延により国民の生命および健康に重大な影響を与えるおそれがあると認められるもの | | 特定感染症指定医療機関 |

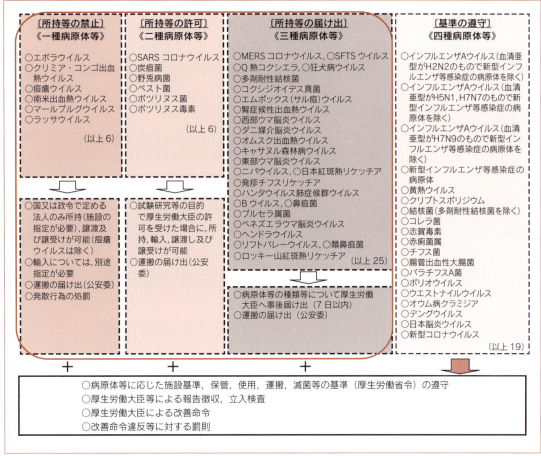

図1-B-31 感染症法に基づく病原体等の管理 （厚生労働省）
一種病原体等：国民の生命および健康にきわめて重大な影響を与えるおそれがある病原体等.
二種病原体等：国民の生命および健康に重大な影響を与えるおそれがある病原体等.
三種病原体等：国民の生命および健康に影響を与えるおそれがある病原体等.
四種病原体等：国民の健康に影響を与えるおそれがある病原体等.

し，その分類に応じて，所持や輸入の禁止，許可，届け出，基準の遵守等の規制が設けられている．病原体等の受け入れに際しては，事前の許可や届け出が必要になる場合がある．

## 2 食品衛生法

飲食に起因する衛生上の危害の発生を防止し，国民の健康の保護を図ることを目的として定められた法律である．本法で規制対象となる食品は，医薬品や医薬部外品を除いた「すべての飲食物」である．食品と添加物の他，食器，割ぽう具，容器，包装，乳幼児用おもちゃ（乳幼児が口に入れるおそれがあるため）についても規制の対象となっている．

食中毒に関する調査報告についても規定されており，医師は，**食中毒**の患者を診断したときには，24時間以内に最寄りの保健所にその旨を届け出なけれ

表 1-B-46 学校保健安全法による出席停止の対象となる感染症

| | 感染症 | 出席停止期間 |
|---|---|---|
| 第一種 | 感染症法の一類，二類感染症（結核を除く） | 治癒するまで |
| 第二種 | インフルエンザ（鳥インフルエンザ H5N1 及び H7N9 を除く） | 発症した後 5 日を経過し，かつ，解熱した後 2 日（幼児にあっては 3 日）を経過するまで |
| | 新型コロナウイルス感染症 | 発症した後 5 日を経過し，かつ，症状が軽快した後 1 日を経過するまで |
| | 百日咳 | 特有の咳が消失するまでまたは 5 日間の適正な抗菌性物質製剤による治療が終了するまで |
| | 麻疹 | 解熱した後 3 日を経過するまで |
| | 流行性耳下腺炎（おたふくかぜ） | 耳下腺，顎下腺または舌下腺の腫脹が発現した後 5 日を経過し，かつ，全身状態が良好になるまで |
| | 風疹 | 発疹が消失するまで |
| | 水痘（みずぼうそう） | すべての発疹が痂皮化するまで |
| | 咽頭結膜熱（プール熱） | 主要症状が消退した後 2 日を経過するまで |
| | 結核 | |
| | 髄膜炎菌性髄膜炎 | |
| 第三種 | コレラ | 病状により学校医その他の医師において感染のおそれがないと認めるまで |
| | 細菌性赤痢 | |
| | 腸管出血性大腸菌感染症 | |
| | 腸チフス | |
| | パラチフス | |
| | 流行性角結膜炎 | |
| | 急性出血性結膜炎 | |
| | その他の感染症 | |

ばならない．医師からの届け出に応じて，保健所による調査が行われることになる．

## 3 その他の法律

### 1）検疫法

　国内に常在しない感染症の病原体が，船舶または航空機を介して国内に侵入することを防止することを目的として定められた法律である．検疫法では，検疫の対象となる感染症（検疫感染症）が定められており，①感染症法の一類感染症 7 疾患，②新型インフルエンザ等感染症，③政令で定める感染症（ジカウイルス感染症，チクングニア熱，中東呼吸器症候群（MERS），デング熱，鳥インフルエンザ H5N1 および H7N9，マラリア）がその対象となる．①および②の感染症患者の隔離や停留措置などが規定されている．

## 2）学校保健安全法

学校における教育活動が安全な環境において実施され，児童生徒等および職員の健康の保持増進を図ることを目的に定められた法律である．感染症の予防のため，**出席停止**等の措置を講じることとされており，出席停止の期間は省令で定める基準によること等が規定されている（**表 1-B-46**）.

## 3）予防接種法

伝染のおそれがある疾病の発生および蔓延を予防するために，公衆衛生の見地から予防接種の実施およびその他必要な措置を講ずることにより，国民の健康の保持に寄与するとともに，予防接種による健康被害の迅速な救済を図ることを目的とし，定められた法律である．新型コロナウイルスのワクチン接種については，予防接種法の臨時接種に関する特例が設けられ，実施された．

**出席停止期間**

他人への感染が起こりやすい間，学校生活を控えさせることを目的に定められた期間である．インフルエンザは抗インフルエンザ薬の普及により，これまでよりも早期に解熱することが可能になったため，従来の「解熱した後2日を経過するまで」から「発症後5日を経過し，かつ解熱した後2日を経過するまで」に改められた．

# 第2章 臨床微生物学

## A 細菌学各論

### a. 好気性または通性嫌気性グラム陽性球菌

#### a-1 スタフィロコッカス属，ミクロコッカス属およびカタラーゼ陽性グラム陽性球菌

この菌群には，*Staphylococcus* 属，*Micrococcus* 属，*Kocuria* 属，*Dermacoccus* 属，*Kytococcus* 属，*Rothia* 属などがある．

### ① スタフィロコッカス属（Genus *Staphylococcus*）

*Staphylococcus* 属は自然界に広く分布し，ヒトや動物の皮膚および粘膜の常在細菌叢を構成する．一方，**皮膚疾患や化膿性疾患の原因菌**であり，致命的な敗血症も起こしうる．また，ある種の *Staphylococcus* 属は耐熱性のエンテロトキシンを産生し，食中毒の原因にもなる．**メチシリン耐性（methicillin resistant）**をはじめ，**多種類の抗菌薬に対して耐性を獲得**している株も存在し，医療関連感染の原因菌としても重要である．現在，*Staphylococcus* 属は 85 菌種，30 亜種で構成されている．大きくは，黄色ブドウ球菌（*Staphylococcus aureus*）とそれ以外のコアグラーゼ陰性ブドウ球菌（coagulase-negative staphylococci；CNS）に分けることができる．

#### 形態と染色

直径 0.5〜1.5 μm 前後のグラム陽性球菌．芽胞，鞭毛はなく，莢膜をもつ株が存在する．通常は**ブドウの房状**を示すが，時にさまざまな形態で確認される．

#### 培養

通性嫌気性．至適温度は 35〜37℃．普通ブイヨン，普通寒天培地によく発育する．**食塩耐容性（耐塩性）**の性質を有するため，マンニット食塩培地，**卵黄加マンニット食塩培地**などの選択培地がある．また，メチシリン耐性を検出する目的で，セフォキシチンなどが添加された培地も存在する．18〜20 時間培養後の 5% ヒツジ血液寒天培地での *S. aureus* の集落は，β溶血環を

> **ブドウ球菌の莢膜**
>
> 通常，莢膜形成菌は食作用に抵抗性を示すが（p.13 を参照），ブドウ球菌の莢膜は食作用への抵抗性に関しては証明されていない．

表 2-A-a1-1　主な Staphylococcus 属の主な生化学的性状

| 菌種 | コアグラーゼ | クランピング因子 | DNase活性 | PYR試験 | ウレアーゼ | β-ガラクトシダーゼ | ノボビオシン耐性 | 糖分解（好気的条件下） ||||
|---|---|---|---|---|---|---|---|---|---|---|---|
| | | | | | | | | マンニトール | マンノース | マルトース | 白糖 |
| S. aureus subsp. aureus | + | + | + | − | d | − | − | + | + | + | + |
| S. epidermidis | − | − | − | − | + | − | − | − | (+) | + | + |
| S. haemolyticus | − | − | − | + | + | − | − | d | − | + | + |
| S. hyicus（動物由来） | d | − | + | − | − | − | − | − | − | − | − |
| S. intermedius（動物由来） | + | d | + | − | + | − | − | (d) | + | (±) | + |
| S. lugdunensis | − | (+) | − | − | d | + | − | − | + | + | + |
| S. pseudintermedius（動物由来） | + | − | ND | + | + | + | − | (±) | + | + | + |
| S. schleiferi subsp. schleiferi | − | + | + | + | − | (+) | − | − | − | − | − |
| S. saprophyticus subsp. saprophyticus | − | − | − | − | + | + | + | d | + | + | + |

＋：90％以上の菌株で陽性，±：90％以上の菌株で弱陽性，−：90％以上の菌株で陰性，d：11〜89％の菌株で陽性，ND：未測定，（ ）：遅延して反応した．
PYR 試験：pyrrolidonyl arylamidase 試験．

伴った直径 1.0〜1.5 mm で淡黄色〜黄色集落を形成する．一方，コアグラーゼ陰性の *Staphylococcus epidermidis* や *Staphylococcus capitis* などは，白色の集落を形成する菌種が多い．ただし，*Staphylococcus haemolyticus* など一部の菌種で β 溶血を示すこともある．近年，small-colony variants（SCVs）とよばれる，通常とは異なる小さなコロニーを形成する株が報告されている．

### 生化学的性状

**カタラーゼ試験陽性**，ブドウ糖（グルコース），**マンニトール**，乳糖，白糖などを分解する．ガスは産生しない．菌種の鑑別にはコアグラーゼなどが使用される．それぞれのブドウ球菌の鑑別ポイントを表 2-A-a1-1 に示す．

### 病原性および病原因子

通常，*Staphylococcus* 属はヒトの皮膚や粘膜の常在細菌であり，定着菌とされることが多い．しかし，外傷や医療行為により皮膚のバリアが崩壊した場合に感染症を起こすことがある．*Staphylococcus* 属が分離された場合，定着（コロナイゼーション），汚染（コンタミネーション）または原因菌であるかの鑑別が必要である．病原因子については，各菌種の項に記載する．

### 薬剤感受性および治療

通常，抗 MRSA 薬といわれるバンコマイシン，テイコプラニン，リネゾリド，ダプトマイシン，アルベカシン，テジゾリドに感性である．ペニシリンは β-ラクタマーゼ産生に依存する．β-ラクタム系薬は *mec* 遺伝子の存在に

---

**small-colony variants（SCVs）**

抗菌薬や環境因子などの影響により，代謝などに関する遺伝子に異常が生じ栄養要求性を示すようになった細菌の亜集団を指す．ブドウ球菌の場合にはチミジン，ヘミン，チアミン，メナジオン依存性の SCVs が報告されている．

**コアグラーゼ**

コアグラーゼには，遊離型と結合型がある．遊離型コアグラーゼは，ヒトや動物の血漿中に存在するプロトロンビンに類似した CRF（coagulase reacting factor）とよばれる物質に作用して，CRF をトロンビン様物質に活性化し，その結果フィブリノゲンがフィブリンとなって血漿凝固が起こると考えられている．一方，結合型コアグラーゼとはクランピング因子であり，菌体表面に存在し，フィブリノゲンに直接結合して凝集を起こす．

**白糖**

白糖はショ糖（スクロース）の慣用的な表記である．

より，感性・耐性が決定される．現在，mec A〜D まで存在する．主には mec A である．

## 1 黄色ブドウ球菌（*Staphylococcus aureus*）

種名 aureus は「黄金色の」を意味し，培地上で黄色のコロニーを形成する．健康人の皮膚や鼻腔に常在しているが，時に化膿性疾患などの感染症を発症する．*Staphylococcus* 属のなかでは最も病原性が高い．多くの抗菌薬に耐性化しており，特に**メチシリン耐性黄色ブドウ球菌**（methicillin-resistant *Staphylococcus aureus*；MRSA）が問題となっている．また，院内感染型だけでなく，**市中感染型 MRSA** とよばれる型の感染症も増加している．

### 形態と染色
直径 0.5〜1.5 μm 前後のグラム陽性球菌．*S. aureus* は**コアグラーゼを産生**し，線維素を凝集する機能がある．そのため，すべてではないが菌体の周囲が赤みを帯びているものが観察されることがある．

### 培養
通性嫌気性．普通寒天培地や血液寒天培地で発育．35〜37℃，18〜24 時間培養で，直径 1.0〜2.0 mm の血液寒天培地上で β 溶血環を伴った淡黄色〜黄色のコロニーを形成する．耐塩性のため，選択培地に食塩を含んだものが多い．また，**マンニトール分解性**や**レシチナーゼ反応**を利用した培地があり，*S. aureus* の鑑別が可能である．また，MRSA 選択用に**セフォキシチン**などの抗菌薬が添加された培地もある．

### 生化学的性状
**カタラーゼ試験陽性，コアグラーゼ産生陽性，マンニトール分解陽性，耐熱性 DNase 産生陽性**，リパーゼ産生陽性，protein A 産生，ノボビオシン感性などの性状を示す．

### 病原性および病原因子
黄色ブドウ球菌は**化膿性炎症疾患**を発症する代表菌であり，せつ，よう，とびひ（膿痂疹），蜂窩織炎などを起こす．糖尿病などの基礎疾患を有する場合には，壊疽や壊死性筋膜炎などにも関与する．肺炎，骨髄炎，関節炎，心内膜炎などの炎症性疾患をきたし，重症化した場合には敗血症を起こす．

① **表皮剥脱毒素**（exfoliative toxin）：**ブドウ球菌性熱傷様皮膚症候群**（staphylococcal scalded skin syndrome；SSSS）を発症する．新生児や幼児に多い．

② **TSST-1**（toxic shock syndrome toxin-1）：**毒素性ショック症候群**（toxic shock syndrome）を発症する．

③ **エンテロトキシン**（enterotoxin）：**耐熱性の外毒素**（A，B，C1，C2，C3，D，E，G，H，I，J，N，P）により**毒素型食中毒**を発症する．食品が，調理師の手や動物性の食材によって毒素産生の *S. aureus* に汚染され，産生された毒素を経口摂取することにより食中毒が起こる．毒素は耐熱性である

---

**市中感染型 MRSA（CA-MRSA）**
CA-MRSA 感染症は，1981 年に CDC が報告して以来，米国，オーストラリア，中国，フランスなど世界中で多くの報告がある．特徴は，①院内感染型と違い多くの抗菌薬に感性を示す，②SCC*mec* 型がⅣ型が多い，③Panton-Valentine 型ロイコシジン（PVL）を産生する，という点である．若年者にも皮膚疾患などを発症する．

**レシチナーゼ**
レシチナーゼは A〜D の 4 種あるが，レシチンを分解し不溶性のジグリセリドを生成して卵黄を含む培地でコロニー周囲が白濁するのはレシチナーゼ C の作用である．レシチナーゼ C は，ホスホリパーゼ C，ホスファチダーゼ D，ホスファチジルコリン-ホスホチジルハイドロラーゼともよばれる．*Clostridium perfringens* が産生する α 毒素もレシチナーゼ C である．酵素名は，本書をはじめ国内，国外の微生物学関連の書物ではレシチナーゼと表記している．

**表皮剥脱毒素（exfoliative toxin）**
抗原性により A，B があり，A は耐熱性で遺伝子は染色体上にある．B は易熱性で遺伝子はプラスミド上に存在する．機序は細胞間隔のデスモゾームを開裂することで剥離させると考えられている．分子量はどちらも 27,000．

ため，調理時の不完全な加熱では失活しない．摂取後，数時間で嘔吐を主とした症状を示す．予後はよく，数日で治癒する．

④ その他：リポタイコ酸やフィブロネクチンなどの定着因子や種々の毒素（溶血毒素，白血球毒素，Panton-Valentine leukocidin など）が病原因子と考えられている．

### 薬剤感受性および治療

通常ではペニシリン系，アミノグリコシド系，グリコペプチド系など，多くの抗菌薬に感性を示す．治療薬の選択は，S. aureus が獲得した耐性機序により異なる．β-ラクタマーゼ産生によるペニシリン耐性は，プラスミドに存在する blaZ 遺伝子を獲得することで，ペニシリナーゼを産生する．本β-ラクタマーゼは誘導型であるため，検出する際には注意を要する．また，β-ラクタム系薬を耐性化する主な因子として mecA 遺伝子がある．この遺伝子により **PBP2' を産生**することで，β-ラクタム系薬が結合できなくなり耐性化する．薬剤感受性検査では，**セフォキシチン**もしくは**オキサシリン**に耐性を示すことで検出できる．この耐性機序による菌株は MRSA とよばれる．MRSA は，感染症法において五類感染症（定点把握）に指定されている．治療には，バンコマイシン，テイコプラニン，リネゾリド，ダプトマイシン，テジゾリドなどが使用される．1961 年に初めて報告されて以降，主に医療関連感染の原因微生物として注目されてきた．感染対策上，最も重要な耐性菌の一つである．また，2002 年には MRSA 治療薬の第 1 選択薬であるバンコマイシン耐性の MRSA が検出されている．バンコマイシン耐性腸球菌から，プラスミド伝達により vanA 遺伝子を獲得したと推測されている．vancomycin resistant *Staphylococcus aureus*（VRSA）は，感染症法において五類感染症（全数把握）に指定されている．

> **Panton-Valentine leukocidin（PVL）**
> PVL は好中球や上皮細胞に対する直接傷害作用を有する毒素であり，感染を重症化させる病原因子の一つと考えられている．海外で分離される市中感染型 MRSA は本毒素を産生する PVL 産生株の割合が高いが，日本での頻度は低い．

> **mec 遺伝子**
> 現在，mec A～D まで存在する．ヒトから分離されるほとんどが mec A である．また，mec C は動物由来とされているが，近年はヒトからの分離例も報告されている．

> **PBP（ペニシリン結合蛋白）**
> β-ラクタム系薬が結合する蛋白である．細胞壁の合成に関与する．PBP が変異することで β-ラクタム系薬に耐性をもつ．

## 2　コアグラーゼ陰性ブドウ球菌群（CNS）

この群は，ヒトの皮膚に常在し弱毒菌であるため，通常は病原菌として扱われることは少ない．主な感染症は，カテーテル関連血流感染症や心内膜炎，人工関節感染などである．

### 1）スタフィロコッカス・エピデルミディス（*Staphylococcus epidermidis*）

ヒトの皮膚や鼻腔に常在し，時に尿路感染症，感染性心内膜炎，**カテーテル関連血流感染症**などの原因菌となる．また，免疫不全においても各種感染症に関与することがしばしばある．普通寒天培地や 5％ヒツジ血液寒天培地で発育し，35～37℃，18～24 時間培養で直径 1.0 mm 前後の白色の集落を形成する．薬剤感受性は S. aureus とほぼ同様であり，耐性機序も blaZ や mecA 遺伝子を獲得した株が存在する．ただし，CLSI の判定基準は，メチシリン耐性を判別する MIC 値が S. aureus とは異なる．

### 2) スタフィロコッカス・ルグドゥネンシス（*Staphylococcus lugdunensis*）

コアグラーゼ陰性ブドウ球菌のなかでも比較的病原性の強い菌種であり、また *S. aureus* と性状が類似しており、注意が必要な菌種である．結合コアグラーゼ（クランピング因子）が陽性なため、本性状のみの同定では *S. aureus* と区別できない．オルニチン脱炭酸試験やウサギプラズマによる凝集試験（試験管法）により両菌種を区別することが可能である．本菌が原因となる心内膜炎では致死率が高く、菌種の迅速な同定が不可欠である．

### 3) 腐生ブドウ球菌（*Staphylococcus saprophyticus*）

本菌は、sexual activity が高い女性の単純性尿路感染症の原因菌として比較的検出率が高い菌種である．検査のピットフォールとして、亜硝酸の還元能力を備えていないため、テープ法による尿試験紙検査では陰性となる．症状も比較的弱いため、慢性的な膀胱炎を起こしている場合が多い．UafA というヘマグルチニンを介して尿路上皮細胞に接着する能力が高いため、尿路感染を繰り返す症例が多い．

## 3 その他のブドウ球菌

### 1) スタフィロコッカス・シュードインターメディウス（*Staphylococcus pseudintermedius*）

本菌は、イヌの膿皮症の原因菌として知られていた *Staphylococcus intermedius* から、遺伝学的な違いにより新しい菌種として登録された（2005年）．近年、獣医学分野のみならずヒトの感染症においても問題となっている．*S. aureus* や *S. intermedius* と性状が類似しており、誤同定される可能性がある．

# II ミクロコッカス属（Genus *Micrococcus*）およびその他の菌種

双球菌、四連球菌や不規則な集塊をつくるグラム陽性の球菌．一般的に好気性、35〜37℃、18〜24時間培養でコロニーは白色、淡黄色、黄色、オレンジ、赤色とさまざまな色調を示す．直径1 mm前後の大きさである．自然界に広く生息し、時に臨床材料から検出されるため、*Staphylococcus* 属との鑑別にはブドウ糖の嫌気的分解を用いる．陰性であれば *Micrococcus* 属を疑う．臨床的意義は低いが、免疫不全の場合に感染症を引き起こすとの報告もある．

## a-2 ストレプトコッカス属（Genus *Streptococcus*）とエンテロコッカス属（Genus *Enterococcus*）

*Streptococcus* 属と *Enterococcus* 属を含む**カタラーゼ陰性グラム陽性球菌**は，現在 15 種類の属に分類される．*Streptococcus* 属は pyogenic group と viridans group などに分かれ，ほかに，*Enterococcus* 属，*Pediococcus* 属，*Leuconostoc* 属，nutritionally variant streptococci（NVS），*Gemella* 属，*Aerococcus* 属などがある．なかでも *Streptococcus* 属および *Enterococcus* 属は，臨床現場でも分離頻度が高く臨床的意義も高い．

### 1 ストレプトコッカス属（Genus *Streptococcus*）

*Streptococcus* 属は，近年，遺伝子学的な分類方法（DNA-DNA ハイブリダイゼーション法や 16S rRNA シークエンス法）により 6 つのグループに分けることができるようになった．従来から実施していた血液寒天培地上の溶血性やコロニーの大きさ，Lancefield 抗原の確認だけでは，詳細な同定はむずかしい場合もあり，正確な同定は 16S rRNA シークエンス法等の塩基配列の確認などを用いて行うようになってきている．しかし，培地上の発育や溶血性，確認試験などの表現形を主体とした検査は現在でも日常検査として実施されており，細菌学的な分類法を行ううえでは重要な検査である．

**通性嫌気性菌**で**カタラーゼ試験陰性**，炭水化物を発酵し乳酸を産生する．至適発育温度は 37℃で，緑色レンサ球菌および *Streptococcus pneumoniae* は炭酸ガス条件下で発育が増強するが，それ以外の *Streptococcus* 属では差がないのが特徴である．

*Streptococcus* 属の多くは口腔内や消化管に常在しているため，**内因性感染**に伴って感染症を引き起こす機会が多い．臨床的に緑色レンサ球菌は歯性感染症や感染性心内膜炎，β溶血性レンサ球菌は急性咽頭炎や細菌性髄膜炎，蜂窩織炎，壊死性筋膜炎を起こし，臨床的意義が非常に高い．

#### 分類

① 溶血性による分類（表 2-A-a2-1）：血液寒天培地上の集落周囲の溶血性の違いから，α，α'（アルファプライム），β，γの4つの型に分けられる．日常検査では，5%ヒツジ血液寒天培地を用いて溶血性の確認を行う方法が用いられている．

② 血清学的分類：レンサ球菌の細胞壁にある細胞壁多糖体（C-ポリサッカライド：C-多糖体）は群特異性があり，Lancefield 分類ともよばれる．この Lancefield 分類は，現在は A～V（I, J は欠番）の 20 群に分類されている．

---

**nutritionally variant streptococci；NVS**

栄養要求性が通常の viridans group streptococci と異なる菌群として従来より NVS と呼称されている菌群で，*Abiotrophia* と *Granulicatella* の 2 属 4 菌種が存在する．NVS は *Streptococcus* 属や Streptococcaceae 科のいずれにも属さないが，病原性や形態が *Streptococcus* 属と類似しているため，本稿では *Streptococcus* 属として扱う．

**Streptococcus 属の溶血性**

*Streptococcus* 属は血液寒天培地の溶血性に特徴があり，α溶血を示す緑色レンサ球菌（viridans group streptococci），β溶血を示すβ溶血性レンサ球菌（β-hemolytic streptococci），および溶血性を示さない非溶血性レンサ球菌（non-hemolytic streptococci）など，溶血性状に基づく俗称も用いられている．溶血性を観察することは分類に大変重要で，これに集落の大きさと Lancefield 抗原を加えた分類により同定を進めることが多い．

**S. anginosus group**

S. anginosus group は small colony size streptococci で，血液寒天培地上で 5 mm 以下の集落を形成する．溶血性はα，α'およびβ溶血と多彩である．

**小林の分類（表 2-A-a2-2）**

血液寒天培地上の溶血性が，基礎培地に添加する血液の種類やブドウ糖の有無により変化することを利用した分類方法．Lancefield 分類の A 群と B 群のスクリーニングに優れている．

表 2-A-a2-1　溶血性による分類

| 溶血の種類 | 溶血性による分類 | 主な菌種 |
| --- | --- | --- |
| α溶血：集落周辺に不明瞭な灰白色から緑色の溶血環を形成する | α溶血性レンサ球菌 | S. pneumoniae, S. mitis, S. sanguinis, S. oralis |
| β溶血：集落周辺に半透明で明瞭な溶血環を形成する | β溶血性レンサ球菌 | S. pyogenes, S. agalactiae, S. dysgalactiae, S. anginosus の一部 |
| γ溶血：集落周辺が無変化である | 非溶血性レンサ球菌 | S. salivarius, S. anginosus, S. bovis など |

表 2-A-a2-2　小林の分類

| 血液の種類 | | ヒツジ | | ウマ | | Lancefield 分類 |
| --- | --- | --- | --- | --- | --- | --- |
| 1%ブドウ糖の有無 | | − | ＋ | − | ＋ | |
| 小林の分類 | Ⅰ型 | β溶血 | α溶血 | β溶血 | α溶血 | A,B 群 |
| | Ⅱ型 | β溶血 | β溶血 | β溶血 | β溶血 | C,G 群 |
| | Ⅲ型 | α溶血 | α溶血 | β溶血 | β溶血 | D 群 |

なかでもヒトの感染症では，A，B，C，D，G と F 群は関連性が深く，A 群では S. pyogenes が M 蛋白（emm 型）と T 蛋白の種類による型別，B 群では S. agalactiae が莢膜多糖体抗原による血清型別（Ⅰa，Ⅰb，Ⅱ～Ⅷ型）でさらに分類される．S. dysgalactiae も，stC 型と stG 型といった M 蛋白に分類される．
③ 生化学的性状の違いによる分類：生化学的性状を用いた Streptococcus 属の同定は，種類が多く菌株同定を行ううえでは困難である．主な Streptococcus 属の性状について表 2-A-a2-3 に示す．

Lancefield 分類
レンサ球菌を感染させたウサギに免疫して得た抗血清による沈降抗体反応により群別分類を行う方法．

# 1　化膿レンサ球菌（溶連菌，Streptococcus pyogenes）

### 形態と染色

直径 0.5～1.0 μm 程度の球菌で，芽胞および鞭毛を有さない．莢膜形成はほとんどの株で認めないが，一部ヒアルロン酸からなる莢膜産生株がある．臨床材料中の Gram 染色では，血液培養液から分離されたものは長い連鎖を形成するが，材料から直接観察した場合は双球状から短い連鎖状のものが多く，組織内の生菌は時にグラム陰性として確認されるものがある．

### 培養

至適温度は 35～37℃．至適 pH は 7.0～7.8．通性嫌気性であるが，好気培養に比べて炭酸ガス条件下や嫌気条件下のほうが溶血性がよい．分離には 5% ヒツジ血液寒天培地が用いられ，35℃で 24～48 時間後に α′溶血した 1 mm 以下の正円形でドーム型のコロニーを形成し，さらに 48 時間後には α′溶血は **β溶血** となる．なかには正円形のぶ厚い莢膜によりムコイド型コロ

コロニー（集落）の性状―ムコイド型（mucoid type）
コロニーが厚い莢膜でおおわれているもので，外観上光沢があるドーム形のコロニー形成をするもの．

表 2-A-a2-3　主な Streptococcus 属の主な生化学的性状

| 菌種 | Lancefield分類 | 溶血性 | 血液寒天培地上でのコロニーの大きさ | CAMP試験 | 6.5%NaCl加BHIブイヨンでの発育 | 胆汁エスクリン培地上での発育 | 馬尿酸塩加水分解 | PYR試験 | VP反応 | バシトラシン感受性試験 | オプトヒン感受性試験 |
|---|---|---|---|---|---|---|---|---|---|---|---|
| S. pyogenes | A | β | 大 | − | − | − | − | + | − | S | |
| S. agalactiae | B | β | 大 | + | d | − | + | − | − | R | |
| S. dysgalactiae subsp. equisimilis | C,G | β | 大 | − | − | − | − | − | − | R | |
| S. anginosus | A,C,G,F,K,L,NT | α,β,γ | 小 | − | − | − | − | − | + | R | |
| S. constellatus | A,C,F,NT | α,β,γ | 小 | − | − | − | − | − | + | R | |
| S. intermedius | K,NT | α,β,γ | 小 | − | − | − | − | − | + | R | |
| S. pneumoniae | NT | α | 大 | − | − | − | − | − | − | R | S |
| S. mitis | K,O,NT | α | 大 | − | − | − | − | − | − | R | |
| S. mutans | E,NT | α | 大 | − | − | − | − | − | − | R | |
| S. salivarius | K,NT | α | 大 | − | − | − | − | − | − | R | |
| S. bovis | D | γ | 大 | − | + | − | − | − | − | R | |
| S. gallolyticus | D | γ | 大 | − | + | − | − | − | − | R | |

NT：型別不能，S：感性，R：耐性，d：不定．

ニーを形成するものもあるが，時間の経過により平坦化したコロニーを形成する．ブレインハートインフュージョン（BHI）培地やその他の液体培地では沈殿発育をするものが多いが，ムコイド形成菌は均等に発育する特徴をもつ．普通ブイヨンや普通寒天培地には発育しない．

[抗原構造]

**Lancefield 分類の A 群**に属し，さらに M 蛋白の種類により約 60 の型に分類される．この M 蛋白は重要な病原因子であり，リポタイコ酸とともに線毛構造を形成し，食作用にも抵抗性を示す．M 蛋白に対する抗体は感染防御機能があり，型特異的である．T 蛋白でも型別分類が行われ，M 蛋白との組み合わせは病気との関連性がある．

[生化学的性状]

**カタラーゼ試験陰性，pyrrolidonyl arylamidase（PYR）試験陽性，バシトラシン感性**，CAMP テスト陰性，VP 反応陰性，小林の分類 I 型．

[代謝産物]

① ストレプトリジン（streptolysin）：赤血球，白血球と血小板を溶血させる**溶血毒素**である．ストレプトリジンには **streptolysin O**（oxygen labile）と **streptolysin S**（oxygen stable）の 2 種類があり，ほとんどの株で同時産生する．

### pyrrolidonyl aryl-amidase（PYR）試験
赤色〜濃いピンク色に発色すると陽性，無色から薄いピンク色で陰性と判定する．Lancefield A 群のうち PYR 試験陽性の場合は S. pyogenes と同定する．

### バシトラシン感受性試験
血液寒天培地に菌を綿棒で塗布し，バシトラシン含有ディスクを設置後，35〜37℃，好気条件で 18〜24 時間培養を実施する．培養後に阻止円が認められた場合には陽性と判定し，S. pyogenes と同定する．

### streptolysin S
streptolysin O と異なり酸素に安定であるが，抗原性は弱い．赤血球に作用し，細胞膜上のリン脂質との相互作用を起こすと考えられている．赤血球以外の細胞にも膜障害作用を起こす．

② **ストレプトキナーゼ**：Lancefield A群以外にもC,G群で産生する．プラスミノゲンを活性化し，フィブリンを溶解する酵素である．病変部位のフィブリン分解反応が菌の侵襲性に関与し，感染の拡大につながると考えられている．

③ **発赤毒素**（erythrogenic toxin）：この毒素は streptococcal pyrogenic exotoxin（SPE）であり，*S. pyogenes* の代表的な外毒素である．猩紅熱患者の分離株濾液中から発見された．発熱性，皮膚発赤性，細胞毒性などの作用がある．

④ **プロテアーゼ**：蛋白質分解酵素であるSpeBによりプロテアーゼが活性化する．このプロテアーゼはフィブロネクチンを分解することが知られている．

| ヒトに対する病原性 |
|---|

検査材料は咽頭粘膜，膿汁や血液などを用いる．**化膿性疾患**を起こす代表的な菌種であり，膿痂疹や咽頭炎，扁桃腺炎，丹毒，蜂窩織炎，猩紅熱，産褥熱，菌血症，敗血症を起こす．また，感染後には急性糸球体腎炎やリウマチ熱を起こすことがある．壊死性筋膜炎や敗血症に起因する**劇症型溶血性レンサ球菌感染症**は，五類感染症（全数把握）である．

## 2 ストレプトコッカス・アガラクティエ（*Streptococcus agalactiae*）

**Lancefield B群**に属する菌で，ウシの乳房炎の原因菌として分離された．ヒトの腟内や消化管の常在菌として知られ，検査材料として，尿や腟分泌物，血液，髄液などを用いる．**新生児髄膜炎**や**敗血症**，肺炎の原因にもなる．新生児感染症の場合は早発型と遅発型があり，早発型は経産道（垂直）感染由来が多く，遅発型は接触（水平）感染由来が多いとされている．妊婦検診で，妊娠後期に腟分泌物および肛門周囲拭い液をスクリーニングすることで，新生児感染症の防止・抑制を行う．

5％ヒツジ血液寒天培地では35～37℃，18～20時間培養後に，*S. pyogenes* と比べて溶血環が小さく，**α'～β溶血**の正円形でやや平坦な集落が形成される．20～48時間後にはカロチノイド色素を産生し，淡黄色からオレンジ色の黄色になり，赤色の集落も観察されることがある．非溶血株は約3％あり，その場合は色素も非産生である．**馬尿酸塩加水分解試験陽性，CAMPテスト陽性**．

## 3 ストレプトコッカス・ディスガラクティエ（*Streptococcus dysgalactiae*）

**Lancefield C群またはG群**に属し，血液寒天培地上で大きな**β溶血**のコロニーを形成する．*S. dysgalactiae* のうち亜種 *equisimilis* は，*S. pyogenes* のM蛋白に類似した蛋白質（M蛋白様物質）を産生し病原性をもつ．血液寒天培地上のコロニーは *S. pyogenes* と非常に類似しているが，**PYR試験陰性**であり *S. pyogenes* と区別ができる．

---

**streptolysin O**

Lancefield A群以外にもC,G群で産生する．熱や酸素に弱いが，抗原性が非常に強い．細胞レセプターはコレステロールであり，結合すると脂質二重層に変化が起こり，細胞質の安定性が保持できなくなるため溶血を起こすと考えられている．感染の有無を確認するため血清抗体価（antistreptolysin O；ASO）を測定する．

**発赤毒素**

発見者の名前をとってディック毒素ともよばれる．分子量29,000の蛋白で，抗原性の違いによりA型（SpeA）とB型（SpeB），C型（SpeC）の3種類に分類される．A型はスーパー抗原活性が強く，C型はT細胞活性が強い．

**馬尿酸塩加水分解試験**

1％馬尿酸ナトリウム水溶液に菌液を接種し，2時間放置後にニンヒドリン試薬を滴下する．液体が青紫～紫色を呈すれば陽性とする．

**CAMPテスト**

5％ヒツジ血液寒天培地に，β溶血をする *S. aureus* を画線し，これと垂直に交わるように菌を塗布する．35～37℃条件下で培養を行い，*S. aureus* に近い部分で溶血環が増強して矢じり状に確認されれば陽性と判定する．

検査材料は咽頭粘液，膿汁や血液などを用いる．咽頭炎や扁桃腺炎，皮膚軟部組織感染症，壊死性筋膜炎を起こすが，猩紅熱は起こさない．比較的成人から分離される機会が多い．

### 4 ストレプトコッカス・アンギノーサス　グループ（*Streptococcus anginosus* group）

*S. anginosus* group は *Streptococcus milleri* group とされてきたが，その後 *S. anginosus* group となった．現在，*S. anginosus*, *S. constellatus* および *S. intermedius* の3菌種があり，膿胸，腹腔内膿瘍や扁桃周囲膿瘍など膿瘍形成を起こすことが多いことから，検査材料には膿汁を用いる．β溶血した場合は，*S. pyogenes* や *S. dysgalactiae* と比べると小型のコロニーを形成する．

> *S. pyogenes*, *S. agalactiae*, *S. dysgalactiae*, *S. anginosus* group の薬剤感受性

① ペニシリンG，アンピシリンに感性である．
② マクロライド耐性菌：エリスロマイシン（EM）やクリンダマイシン（CLDM）には一部耐性のものがある．

### 5 ビリダンスグループ ストレプトコッシ（viridans group streptococci）

*Streptococcus mitis* group, *Streptococcus salivarius* group, *Streptococcus mutans* group, *Streptococcus bovis* group が含まれる．

口腔内や上気道の常在菌であり，特に歯性感染症を起こす．ここを進入門戸として膿胸，扁桃周囲膿瘍，脳膿瘍および感染性心内膜炎の患者から分離される機会が多い．特に，感染性心内膜炎では抜歯や感冒，口内炎を機会に一過性菌血症を起こし，心疾患がある患者を中心として弁膜に付着（疣腫）を起こした結果，弁損傷を伴った感染症の病態となる．ペニシリン耐性菌もあり，治療方針の決定にはペニシリンGの感受性検査結果が重要である．

### 6 ストレプトコッカス・ニューモニエ（*Streptococcus pneumoniae*）

*S. mitis* group に属するが，ヒトに対して多彩な感染症を起こすため，臨床的意義が高いレンサ球菌である．健康人にも口腔内や上気道の常在菌として定着しており，**市中肺炎**では最も分離機会が多い．小児や成人，高齢者を問わず，肺炎，敗血症，髄膜炎，関節炎，胸膜炎，中耳炎を起こす例が多く，喀痰や血液，髄液，関節液，胸水，耳漏などが材料になる．尿および喀痰や咽頭拭い液などから検出する簡易検査キットも市販されている．このキットは髄液中抗原も同様に検出することができる．**ペニシリン耐性肺炎球菌（PRSP）**は，ペニ

---

**CLDM誘導耐性試験**
CLDM感受性試験で耐性（完全耐性）のもの以外に，潜在的にCLDM耐性を示すものがあり，EM存在下ではCLDM耐性となる．CLDM誘導耐性がある場合は，EM側のディスク阻止円に歪みが生じ，ローマ字のDのようになるため，Dテストともいう．

**S. bovis groupの病原性**
*S. bovis* group のなかで *S. gallolyticus* subsp. *gallolyticus* は，大腸疾患（特に大腸がん）との関連性が高いとの報告がある．また，*S. gallolyticus* subsp. *pasteurianus* は新生児髄膜炎の原因菌となる．

**PRSP**：penicillin resistant *S. pneumoniae*

**肺炎球菌ワクチン**
近年，小児では13価，成人では23価のワクチン接種が定期接種になり，さらに13価に加えて15価のワクチンも接種可能となっている．ワクチンの効果で小児の細菌性髄膜炎例は減少している．

**感染症法の分類（肺炎球菌）**
感染症法では五類感染症であり，血液と髄液から分離された場合は侵襲性肺炎球菌感染症（全数報告）として，ペニシリン耐性肺炎球菌感染症の場合は基幹定点から保健所に届け出が必要である．

シリン結合蛋白の変異でペニシリン，セフェムやカルバペネムとの親和性が低下しているために治療に難渋し問題となっている．

### 形態と染色

検査材料からの菌は直径 0.5〜1.0 μm の**グラム陽性双球菌**で，楕円形の両端が細くなったランセット型の形態をとる．**多糖体からなる莢膜があり**，115 の血清型に分類される．莢膜の確認はこの菌の推定に重要であり，莢膜は染色性をもたずに色が抜けて観察される．培養した菌の場合は双球状や連鎖状のものが多く確認されるが，培養時間が経過すると菌体の自己融解が進み過ぎた結果，グラム陰性に確認されることがある．

### 培養

5％ヒツジ血液寒天培地を用い，35〜37℃，炭酸ガス条件下で 18〜24 時間培養を行うと，**α溶血**をした直径 1.0〜1.5 mm の光沢のあるスムース（S）型コロニーを形成する．コロニーの中央部はややクレーター状に陥没しており，48 時間培養まで延長すると明瞭な陥没集落が確認される．中央が陥没するのは，菌が自己融解酵素を産生し融解を起こしているためである．

### 生化学的性状

**オプトヒン感性，胆汁溶解試験陽性．**

### 病原因子

① 莢膜血清型：101 種，115 種類の血清型が存在し，小児と成人では検出される血清型が少し異なる．2010 年より肺炎球菌ワクチンが乳幼児や高齢者に定期接種化されている．ワクチンにはコンジュゲート（蛋白結合型）ワクチンとポリサッカライド（多糖体）ワクチンの 2 種類がある．

② 自己融解酵素：自己融解を起こすことで定常期に達しないようにする菌の自己調節機能といわれている．

③ 代謝産物：白血球傷害毒素（ロイコリジン），ヒアルロン酸分解酵素（ヒアルロニダーゼ）を産生する．

### 薬剤感受性

*S. pneumoniae* は**ペニシリン耐性**株が存在するため，ペニシリンに対する薬剤感受性検査は重要である．ペニシリン耐性かどうかは，最小発育阻止濃度（minimun inhibitory concentration；MIC）値により判定する（**表 2-A-a2-4**）．なお，髄膜炎か非髄膜炎か，注射薬か経口薬投与によるものかで判定基準は異なる．ペニシリン耐性肺炎球菌の感染症法上の届け出基準は，ペニシ

> **コロニー（集落）の性状—スムース型（S 型）とラフ型（R 型）**
> スムース（smooth）型：コロニーの表面が光沢のあるなめらかなもの．
> ラフ（rough）型：コロニー表面に凸凹のある乾燥したもの．

> **莢膜産生が旺盛な菌株の培養**
> 莢膜産生が旺盛な菌株（血清型 3 型に多い）は 18〜24 時間後にドーム型のムコイド型コロニーを形成するが，培養時間を延長すると平坦なコロニーへと形状が変化する．

> **viridans group streptococci の一部の培養**
> viridans group streptococci の一部でも，クレーター状に陥没するコロニーを形成するものがあり，コロニー形状では菌種を推定することが困難なため，同定検査へ進める必要がある．

> **オプトヒン感受性試験**
> 血液寒天培地に菌を塗布し，オプトヒンディスクを設置し，18〜24 時間培養後，阻止円が 14 mm 以上認められた場合には感性と判定し，*S. pneumoniae* を推定する．

> **胆汁溶解試験**
> McFarland 1.0 の菌液の一方に 10％デオキシコール酸ナトリウム溶液を 3〜4 滴，もう一方に生理食塩水を滴下し，35〜37℃で 2 時間放置後に判定をする．培養液が透明化した場合は陽性と判定する．*S. pneumoniae* は陽性となり，他の viridans group streptococci は陰性である．

**表 2-A-a2-4 ペニシリン耐性肺炎球菌の MIC（μg/mL）判定基準**

| 疾患別・投与経路別 | S（感性） | I（中間） | R（耐性） |
| --- | --- | --- | --- |
| 非髄膜炎（ペニシリン注射剤） | ≦2 | 4 | ≧8 |
| 非髄膜炎（ペニシリン経口剤） | ≦0.06 | 0.12〜1 | ≧2 |
| 髄膜炎（ペニシリン注射剤） | ≦0.06 | — | ≧0.12 |

表 2-A-a2-5　主なバンコマイシン耐性腸球菌（VRE）の分類

| VREの型 | 耐性遺伝子 | MIC（µg/mL） VCM | MIC（µg/mL） TEIC | 遺伝子の所在 | 主な菌種 |
| --- | --- | --- | --- | --- | --- |
| VanA | vanA | 64〜>1,024 | 16〜512 | プラスミド/染色体 | E. faecalis, E. faecium |
| VanB | vanB | 4〜1,024 | 0.5〜1 | プラスミド/染色体 | E. faecalis, E. faecium |
| VanC | vanC1 | 2〜32 | 0.5〜1 | 染色体 | E. gallinarum |
|  | vanC2 | 2〜32 | 0.5〜1 | 染色体 | E. casseliflavus |

VCM：バンコマイシン，TEIC：テイコプラニン．

> **バンコマイシン耐性腸球菌（表 2-A-a2-5）**
> バンコマイシン耐性遺伝子（van 遺伝子）により，バンコマイシンの作用点を変異させ結合しにくくなることで耐性となる．
> vanA および vanB 遺伝子は，プラスミドにより耐性遺伝子の授受を行うことができる．バンコマイシンとテイコプラニンの感受性により耐性遺伝子の種類を推測することができる．

リン G の MIC が 0.12 µg/mL 以上か，オキサシリンディスクを用いた場合の阻止円径が 19 mm 以下を示したものであり，血液や髄液などの通常無菌検体から分離された場合，あるいは喀痰など通常無菌的ではない検体から分離され感染症の原因菌と判定された場合である．
ペニシリン感性肺炎球菌（penicillin susceptible *S. pneumoniae*；PSSP）には，ペニシリン G，アンピシリン，ペニシリン耐性肺炎球菌にはメロペネム，バンコマイシンが有効である．

## ■ エンテロコッカス属（Genus *Enterococcus*）

ヒトの腸管内に常在し，菌血症や尿路感染症，感染性心内膜炎の原因菌となる．「腸球菌」という名称で総称されることもある．**Lancefield の D 群**の抗原をもつ．*E. faecalis* や *E. faecium* が日常検査でよく検出され，*E. avium*，*E. casseliflavus*，*E. gallinarum* などもまれに検出される．バンコマイシンに耐性を獲得した**バンコマイシン耐性腸球菌**（vancomycin resistant enterococci；**VRE，表 2-A-a2-5**）による感染症は，医療関連感染対策でも問題となり，わが国でもアウトブレイク事例が報告されている．*E. faecalis* および *E. faecium* の VRE 感染症の場合は，感染症法では五類感染症（全数把握）の届け出が必要になる．

> **VRE 感染症の感染症法上の届け出基準**
> 下記の要件を満たす場合は，五類感染症の届け出（全数把握）を行う必要がある．
> ① 無菌材料（血液，腹水，胸水，髄液他）：バンコマイシンの MIC が 16 µg/mL 以上．
> ② 無菌材料以外（喀痰，膿汁，尿，その他無菌材料以外）：バンコマイシンの MIC が 16 µg/mL 以上，かつ感染症の原因菌として判定されたもの．

### 1　エンテロコッカス・フェカーリス（*Enterococcus faecalis*）

0.5〜1.0 µm のグラム陽性球菌．楕円形のものが多く，一部円形に確認され，単在や双球状や短い連鎖を形成する．莢膜や鞭毛はもたない．血液寒天培地上では灰白色の S 型平坦なコロニーを形成する．通性嫌気性菌．**胆汁エスクリン培地では，エスクリンを分解し黒色コロニーを形成する．PYR 試験陽性**である．
多くがペニシリン G に感性であるほか，イミペネム，レボフロキサシン，ミノサイクリンやバンコマイシンにも感性である．

### 2　エンテロコッカス・フェシウム（*Enterococcus faecium*）

0.5〜1.0 µm のグラム陽性球菌で，円形のものが多く，一部楕円形に確認さ

> ***E. faecium* の薬剤感受性**
> *E. faecalis* と異なり，ペニシリン G 耐性菌が多く検出される．イミペネムやレボフロキサシンに交差耐性をもつものも多く，ミノサイクリンやバンコマイシン，リネゾリドには感性を示すものが多い．

表 2-A-a2-6　主な *Enterococcus* 属の主な生化学的性状

| 菌　種 | 溶血性 | 6.5%NaCl加BHIブイヨンでの発育 | 胆汁エスクリン培地上での発育 | アルギニン加水分解 | 糖分解 マンニトール | 糖分解 ソルビトール | 糖分解 アラビノース | 運動性 | 黄色色素産生 |
|---|---|---|---|---|---|---|---|---|---|
| *E. faecalis* | α, α', γ | + | + | + | + | + | − | − | − |
| *E. faecium* | α, γ | + | + | + | + | d | + | − | − |
| *E. avium* | α, γ | + | + | − | + | + | + | − | − |
| *E. casseliflavus* | α | + | + | + | + | d | + | + | + |
| *E. gallinarum* | α, α', γ | + | + | + | + | − | + | + | − |

れ，単在や双球状，短い連鎖を形成する．血液寒天培地では灰白色のS型で少し隆起したコロニーを形成する．通性嫌気性菌．PYR試験陽性である．

### 3　その他のエンテロコッカス属（表2-A-a2-6）

*E. avium* や *E. casseliflavus*，*E. gallinarum* の検出例もある．*E. casseliflavus* や *E. gallinarum* は染色体性のバンコマイシン耐性遺伝子（*vanC* 遺伝子）を保有しており，バンコマイシンは低感受性を示すものが多い．そのため，*E. faecalis* や *E. faecium* との鑑別が重要である．

## III　その他のカタラーゼ陰性グラム陽性球菌

### 1　ロイコノストック属（Genus *Leuconostoc*）とペディオコッカス属（Genus *Pediococcus*）

0.5〜1.0 μm のグラム陽性球菌で，単在から双球状，短連鎖を形成する．**バンコマイシンに自然耐性**の菌である．ヒトの腸管内に常在し，悪性腫瘍や腹膜炎患者から分離されることがある．**PYR試験陰性**であるので，*Enterococcus* 属との鑑別は容易である．

### 2　エロコッカス属（Genus *Aerococcus*）

高齢者に尿路感染症や菌血症を起こすことがある．0.5〜1.0 μm のグラム陽性球菌でブドウの房状の集塊を形成する．そのため，Gram 染色像は *Staphylococcus* 属や *Micrococcus* 属と類似している．血液寒天培地で，18〜24時間培養で微小コロニーを形成し，48時間後にはα溶血をした隆起状のコロニーを形成する．*A. viridans* や *A. urinae* が主に検出される．

## b. グラム陰性球菌および球桿菌

### b-1 ナイセリア科（*Neisseriaceae*）と モラクセラ科（*Moraxellaceae*）

ナイセリア科には *Neisseria* 属，*Kingella* 属，*Eikenella* 属，*Chromobacterium* 属など30属が含まれる．この科の菌は芽胞や鞭毛をもたないグラム陰性の単在，**双球状から集塊形成**，球桿菌，らせん菌まで多彩な菌形態をとる．ヒトから分離され臨床的意義の高い菌は *Neisseria* 属，*Kingella* 属，*Eikenella* 属であり，なかでも *Neisseria* 属は分離される機会も多く重要な菌である．

モラクセラ科には *Moraxella* 属と *Acinetobacter* 属があり，*Moraxella catarrhalis* は呼吸器感染症の原因菌として臨床的意義が高い．*Acinetobacter* 属は臨床微生物検査ではブドウ糖非発酵グラム陰性桿菌として扱うので，本項では詳しくは記載しない（p.175を参照）．

## 🅘 ナイセリア属（Genus *Neisseria*）

0.6〜2 μm のグラム陰性球菌，球桿菌から桿菌の形態をとる．通常は球菌として確認され，双球状として確認されたり集塊を形成するものがある．現在，25菌種存在し，*N. gonorrhoeae* や *N. meningitidis* といった病原性が高い菌種から *N. subflava*, *N. mucosa* や *N. lactamica* など口腔内細菌とされる菌種までさまざまである．

### 1 淋菌（*Neisseria gonorrhoeae*）（表2-A-b1-1）

#### 形態と染色

0.6〜1.0 μm の**グラム陰性球菌で双球状**を呈する．芽胞や鞭毛はもたないが線毛をもつ．淋疾患者から採取した尿道分泌物の直接 Gram 染色では多核白血球が多数存在し，細胞質に貪食されたグラム陰性双球菌が確認されれば淋菌と推定が可能である．咽頭炎患者の粘膜の Gram 染色では，常在している非病原性ナイセリアとの区別がつかない．

#### 培養

至適温度は35〜37℃で，30℃以下や38.5℃以上では発育ができない．至適pHは7.3〜7.4と狭く，適当な湿潤が必要で，3〜7％炭酸ガス条件下では発育が良好となる．そのため**炭酸ガス培養**を行う．血液寒天培地上での発育は悪く，発育阻害因子の混入した培地では分離ができないこともある．72時間を超えて培養を継続すると菌は死滅するため，早めに検出する．**低温に非常に弱く**，検査材料を冷蔵保存した場合にはすぐに死滅するので，保存条件に

 培地

非選択培地ではチョコレート寒天培地やGC寒天培地を用い，雑菌による発育阻害を起こす可能性がある材料では，**サイアー・マーチン（Thayer-Martin）培地**やニューヨークシティ（NYC）培地といったグラム陽性菌やグラム陰性菌の発育を阻害する抗菌剤が含有された選択分離培地を使用する．

表 2-A-b1-1　主な Neisseria 属，M. catarrhalis の主な生化学的性状

| 菌種 | Gram染色像 | チョコレート寒天培地上のコロニー性状 | サイアー・マーチン培地上での発育 | 血液寒天・チョコレート寒天培地(22℃)上での発育 | 普通寒天培地上での発育 | DNase活性 | 硝酸塩還元 | 亜硝酸塩還元 | 糖分解 ブドウ糖 | マルトース | 乳糖 | 白糖 | フルクトース |
|---|---|---|---|---|---|---|---|---|---|---|---|---|---|
| N. gonorrhoeae | 球菌 | 灰白色のコロニー | + | - | - | - | - | - | + | - | - | - | - |
| N. meningitidis | 球菌 | 無色～透明 S型コロニー | + | - | - | - | - | d | + | + | - | - | - |
| N. lactamica | 球菌 | 無色～透明 S型コロニー | + | d | + | - | - | + | + | + | + | - | - |
| N. flavescens | 球菌 | 黄色 S型コロニー | - | + | + | - | - | + | - | - | - | - | - |
| N. subflava | 球菌 | 黄色 S型～乾燥したコロニー | d | + | d | - | - | + | + | + | - | d | d |
| N. elongata | 桿菌 | 白色～灰色, 扁平 乾燥したコロニー | - | + | + | - | · | - | - | - | - | - | - |
| M. catarrhalis | 球菌 | 白色 S型コロニー | d | + | + | + | + | - | - | - | - | - | - |

S 型：スムース型，d：不定．

は十分に注意が必要である．

### 生化学的性状

**オキシダーゼ試験陽性**，**カタラーゼ試験陽性**．糖分解性では**ブドウ糖は陽性**であるが，乳糖，白糖，フルクトースやマルトースは陰性となる．合成基質を用いた同定ではプロリル-ヒドロキシプロリルアミノペプチダーゼは陽性，β-ガラクトシダーゼおよびγ-グルタミルアミノペプチダーゼは陰性となる．

### 病原性

ヒトのみを宿主として**性感染症**を起こし，淋菌感染症の原因菌である．尿道炎や前立腺炎，精巣上体炎，子宮内感染，卵管炎や骨盤内膿瘍を起こす．まれに菌血症も起こし，感染性心内膜炎や化膿性関節炎，播種性淋菌感染症を起こす．健康人も咽頭に保菌することがあり，咽頭炎や口内炎の原因菌として検出されることがある．新生児では淋菌性結膜炎を起こすことがある．

### 薬剤感受性

ペニシリンG（PCG）感性株が多かったが，近年耐性化が深刻化してきている．ペニシリン耐性菌には，**ペニシリナーゼを産生する淋菌**（penicillinase producing N. gonorrhoeae；PPNG）とペニシリン結合蛋白（PBP）1および2の変異により**ペニシリンGの親和性が低下した淋菌**(chromosomally mediated penicillin-resistant N. gonorrhoeae；CMRNG）がある．また，レボフロキサシンを含めニューキノロン系抗菌薬にも耐性化が進み，分

離されるほとんどの株は耐性となっている．スペクチノマイシンやセフォジジム，セフトリアキソン，テトラサイクリンには感性株が多い．セフィキシムやセフトリアキソンにも耐性菌の検出例がある．

| その他 |

熱抵抗性は弱く，55℃では5分以内，40〜41℃でも5〜15時間以内に死滅する．

| 検査法 |

① 検査材料：主に尿道分泌物や腟分泌物，子宮頸管粘液，結膜分泌物が材料になる．尿道炎の場合は，外尿道口から多量の膿性分泌物が排泄されるので，綿棒に採取し培養に用いる．

また，血液や関節液や咽頭粘液，直腸粘液も材料になる．血液以外の材料は，採取後すぐに塗抹検査や培養検査を行う．

② 染色：尿道分泌物のGram染色所見では，多核白血球の細胞質の中にグラム陰性双球菌が確認されれば淋菌と推定が可能である(**写真2-A-b1-1**)．

③ 分離培養：非選択培地では，チョコレート寒天培地やGC寒天培地を用いる．選択培地はサイアー・マーチン培地やニューヨークシティ培地のいずれかを用い，35〜37℃，炭酸ガスで48時間培養を行う．チョコレート寒天培地では直径0.5〜1.0 mmの，灰白色のコロニーを形成する．

④ 同定検査：チョコレート寒天培地，GC寒天培地やサイアー・マーチン培地上では特徴的なコロニー形成があるので，Gram染色で双球菌として確認され，追加でオキシダーゼ試験やカタラーゼ試験を行い，糖分解性や合成基質を用いた酵素同定法により同定できる．近年は，尿道分泌物や初尿を用いた核酸同定検査もある．

⑤ その他：感染症法では淋菌感染症は五類感染症（性感染症定点報告）．

 検査材料
腟分泌物では他のNeisseria属やVeillonella属などの類似菌もあり，鑑別が困難な場合がある．咽頭粘液では上気道の常在性Neisseria属との鑑別が困難である．鑑別困難な場合は培養を行い，菌が検出されてから判定を行う．

**写真2-A-b1-1　尿道分泌物で確認された淋菌**

 淋菌の薬剤感受性検査
ディスク拡散法と寒天平板希釈法があり，発育促進剤としてL-システインを含有したサプリメントを加えたGC寒天培地を用いて，35〜37℃，5%炭酸ガス条件下で，20〜24時間培養を行う．また，β-ラクタマーゼ検査によりペニシリナーゼ産生能を調べる．

## 2　髄膜炎菌（*Neisseria meningitidis*）（表2-A-b1-1）

**侵襲性髄膜炎菌感染症**の原因菌で，五類感染症（全数把握）の届け出疾患である．髄膜炎以外では敗血症や関節炎を起こす．健康保菌者では咽頭，鼻腔や腟に保菌している場合もあり，**飛沫感染**を起こす．

| 形態と染色 |

0.5〜0.8 µmの**グラム陰性の双球状**を呈する．芽胞および鞭毛はないが，線毛を保有し，莢膜を産生する．莢膜はGram染色では確認が困難であり，莢膜膨化試験で確認する．髄膜炎菌性髄膜炎患者の髄液には，多核白血球に貪食されたグラム陰性双球菌が認められ，髄膜炎菌として推定可能である．

| 培養 |

至適温度は36〜37℃で，至適pHは7.4〜7.6．好気性，湿潤条件で5〜10%炭酸ガス条件下で発育が良好になるので，**炭酸ガス培養**を行う．

| 生化学的性状 |

**オキシダーゼ試験陽性**，**カタラーゼ試験陽性**．糖分解性ではブドウ糖とマル

 髄膜炎菌の莢膜血清型
莢膜血清型は13種類あり，A型，B型，C型，Y型，W-135型が多くみられる．

トース陽性であるが，乳糖，白糖やフルクトースは陰性となる．合成基質を用いた同定では$\beta$-ガラクトシダーゼは陰性，$\gamma$-グルタミルアミノペプチダーゼは陽性となる．

[病原性]

主にヒトを宿主として感染を起こす．飛沫感染により鼻腔や咽頭粘液から血液に侵入し発症するが，健康保菌者となる場合もある．そのため，発症者と濃厚に接触したことのある人への保菌調査が必要になる．実験室内感染を起こすので，検査室内での取り扱いは十分に注意する．

[薬剤感受性]

ペニシリンGやセフォタキシム，セフトリアキソン，シプロフロキサシンに感性である．

[その他]

① 熱抵抗性：55℃では5分以内に死滅する．低温に弱いので髄液を冷蔵保存しないようにする．
② 予防接種：日本では血清群A，B，W，Yの4種類をカバーするワクチンが発売されている．

[検査法]

① 検査材料：髄膜炎菌は，主に血液や髄液が検査材料になる．血液は血液培養ボトルで培養を行い，髄液は1,000 Gで10分間遠心後の沈渣を塗抹検査と培養検査に用いる．低温に弱いため冷蔵保存をしてはならない．
髄液は塗抹・培養検査と迅速抗原検査で検体処理方法が異なるので，別々の容器で採取を行う．迅速抗原検査は加熱処理後の上清を用いる．
② 染色：0.6～0.8 $\mu$mのグラム陰性双球菌．髄液で多核白血球の細胞質内に貪食されたものが確認されると，髄膜炎菌と推定が可能である（**写真2-A-b1-2**）．
③ 培養：非選択培地ではチョコレート寒天培地やGC寒天培地を用いる．選択培地はサイアー・マーチン培地やニューヨークシティ培地のいずれかを用い，36～37℃，炭酸ガスで48時間培養を行う．チョコレート寒天培地では，48時間後に光沢のあるドーム型の直径1.0～2.0 mmの透明から半透明S型コロニーを形成する．自己融解が強く早く死滅するため，72時間を超えて培養を行う場合は継代培養を行う．
④ 同定検査：チョコレート寒天培地，GC寒天培地やサイアー・マーチン培地上では特徴的なコロニー形成があるので，Gram染色で双球菌として確認され，追加でオキシダーゼ試験やカタラーゼ試験を行い，糖分解性や合成基質を用いた酵素同定法によって同定できる．
MALDI-TOF MSにより同定を行う場合は，*N. cinerea*などとの誤同定があるため，生化学的性状の確認などを行い他の*Neisseria*属との鑑別を確実に行う必要がある．
⑤ 薬剤感受性検査：ディスク拡散法と微量液体希釈法がある．

> **髄膜炎菌の輸入感染例**
> アフリカのサハラ砂漠以南に髄膜炎菌性髄膜炎の流行地域（髄膜炎ベルト）があり，先進国でも渡航後に発症する事例が報告されている．

> **検査材料**
> 咽頭粘液では上気道の常在性*Neisseria*属との鑑別が困難である．鑑別困難な場合は培養を行い，菌が検出されてから判定を行う．

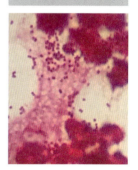

**写真 2-A-b1-2　髄液で確認された髄膜炎菌**
（ツカザキ病院・藤原美樹氏）

> **侵襲性髄膜炎菌感染症**
> 五類感染症で全数把握の届け出疾患である．血液や髄液から分離された場合は報告対象となる．

> **髄膜炎菌の迅速抗原検査**
> 髄液を加熱処理し遠心した上清を用いる．ラテックス凝集法でA型，B型，C型，Y型およびW-135型の莢膜抗原を検出する．

### 3 その他のナイセリア属

口腔や鼻咽頭に常在している．喀痰や咽頭粘液採取時には灰白色から黄色のコロニーをつくる．コロニーは粘性が高いものや硬性であり，釣菌しにくい．ほとんどは非病原性ナイセリアであるが，N. lactamica や N. mucosa などは歯性感染症や副鼻腔炎を起こすこともある．N. elongata は細長い桿菌状になる．

## II キンゲラ属 （Genus *Kingella*） （表 2-A-b1-2）

ヒトに病原性をもつ *Kingella* 属は現在 4 菌種あり，なかでもキンゲラ・キンゲ （*Kingella kingae*） は上気道や口腔粘膜に常在している菌で，0〜4 歳以下の小児に分離例が多く，菌血症や関節炎，骨髄炎，感染性心内膜炎，膿胸，腔炎を起こししばしば重症化する．1.0×2.0〜3.0 μm のグラム陰性桿菌で，双球状や 4〜8 連鎖を形成する．Gram 染色で脱色に抵抗性があり，まれにグラム陽性菌として確認される．莢膜や芽胞および鞭毛はもたない．

偏性好気性菌で 5％ヒツジ血液寒天培地やチョコレート寒天培地，GC 寒天培地，コロンビア寒天培地に発育するが，マッコンキー （MacConkey） 寒天培地には発育しない．オキシダーゼ試験陽性，カタラーゼ試験陰性．ブドウ糖とマルトースは分解できるが，マンニトールや乳糖，白糖は分解しない．アンピシリン感性株が多いが，β-ラクタマーゼ産生株の報告もある．

**検査材料**
咽頭粘液からの分離はかなりの菌量がなければ困難である．ヒツジ血液寒天培地では 35〜37℃，炭酸ガス条件で，48 時間後に 0.5〜1.0 mm の β 溶血した微小コロニーを形成する．

## III エイケネラ属 （Genus *Eikenella*） （表 2-A-b1-2）

口腔内や消化器の常在菌で，小児から成人まで幅広く分離される．現在，エイケネラ・コロデンス （*Eikenella corrodens*） 1 菌種のみである．1.5〜4.0×0.3 μm で，直線性のあるグラム陰性桿菌である．上気道や胸水，肺，関節に膿瘍形成を起こし，*Staphylococcus* 属や *Streptococcus* 属とともに分離されることが多い．菌血症を起こすことがあり，感染性心内膜炎患者の血液より分離される報告もある．

普通寒天培地やマッコンキー寒天培地には発育せず，血液寒天培地やチョコレート寒天培地には良好に発育し，炭酸ガス培養すると発育が旺盛になる．血液寒天培地上のコロニーは灰白色〜黄色で，培地にめり込んだ特徴的なコロニーを形成する．運動性はなく，オキシダーゼ試験陽性，カタラーゼ試験陰性で，糖分解においてブドウ糖陰性，乳糖陰性，白糖陰性である．

**E. corrodens の薬剤感受性**
アンピシリン，セファロスポリン，レボフロキサシン，アジスロマイシン，テトラサイクリンには感性であるが，β-ラクタマーゼ産生株の報告がある．

## IV クロモバクテリウム属 （Genus *Chromobacterium*） （表 2-A-b1-2）

現在ヒトに病原性があるのは，クロモバクテリウム・ビオラセウム （*Chromobacterium violaceum*） 1 菌種のみである．環境菌で，特に環境由来の汚染

表 2-A-b1-2　K. kingae, E. corrodens, C. violaceum の主な生化学的性状

| 菌種 | 炭酸ガス要求性 | マッコンキー寒天培地上での発育 | オキシダーゼ | カタラーゼ | TSIの性状 斜面 | TSIの性状 高層 | 運動性 | 糖分解 ブドウ糖 | 糖分解 乳糖 | 糖分解 白糖 | 硝酸塩還元 | インドール産生 | ウレアーゼ | オルニチン脱炭酸 | 解エスクリン加水分 |
|---|---|---|---|---|---|---|---|---|---|---|---|---|---|---|---|
| K. kingae | + | − | + | − | − | − | − | + | − | − | − | − | − | − | − |
| E. corrodens | + | − | + | − | − | − | − | − | − | − | + | − | − | + | − |
| C. violaceum | − | + | + | + | − | + | + | + | − | d | + | d | − | − | − |

d：不定.

水に生息する機会が多く，菌血症や膿瘍を起こすため血液や膿汁が検査材料となる．形態はやや大型の通性嫌気性グラム陰性桿菌で，鞭毛は片側に 1〜2 本あり運動性を有する．

普通寒天培地やマッコンキー寒天培地に発育する．至適温度は 35〜37℃でオキシダーゼ試験陽性，カタラーゼ試験陽性．ブドウ糖を発酵するため，腸内細菌目細菌や Aeromonas 属との鑑別が必要となる．水に不溶性の紫色コロニーを形成することがある．

> **C. violaceum の薬剤感受性**
> アンピシリンやセファゾリン，セフォタキシム，セフトリアキソンには耐性を示すが，イミペネムやメロペネム，アミノグリコシド系抗菌薬，クロラムフェニコール，テトラサイクリン，サルファ剤には感性を示す．

## V モラクセラ属（Genus Moraxella）

Moraxella 属は現在 20 種類あり，M. catarrhalis のほか，M. osloensis や M. nonliquefaciens などがある．ヒトの上気道に常在細菌叢を形成している．グラム陰性で M. catarrhalis は球菌であるが，他の Moraxella 属は桿菌状にみえるものもある．

### 1 モラクセラ・カタラーリス（Moraxella catarrhalis）
（表 2-A-b1-1，写真 2-A-b1-3）

0.5〜1.5 μm の**偏性好気性グラム陰性双球菌**で，莢膜や芽胞，鞭毛をもたない．

ヒトの鼻咽頭粘膜に常在し，小児で保菌者が多い．肺炎や気管支炎，中耳炎，結膜炎を起こすため，喀痰や耳漏，結膜分泌物が検査材料になる．菌血症や感染性心内膜炎を起こすことがある．肺炎では慢性閉塞性肺疾患（COPD）など慢性気道感染症患者や高齢者で重症化する．そのため，喀痰からはグラム陰性双球菌が多数確認され，多核白血球に貪食されている場合は M. catarrhalis を強く疑うことができる．β-ラクタマーゼを産生する．

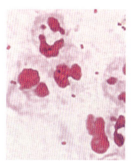

写真 2-A-b1-3
M. catarrhalis

COPD：chronic obstructive pulmonary disease

#### 培養
5％ヒツジ血液寒天培地で，35〜37℃，好気条件下で 18〜24 時間後に 1.0 mm の小型で光沢のある S 型コロニーを形成する．48 時間後には灰白色〜ク

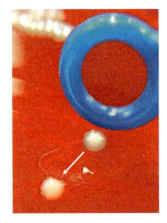

**写真 2-A-b1-4　コロニーの釣菌（ホッケーパック）**
コロニーを押すと、アイスホッケーのパックのように、形を保ったまま培地上を移動する．

リーム色になる．コロニーを白金線で釣菌すると、コロニーの形をくずさずに培地上を移動するのが特徴である（**写真 2-A-b1-4**）．コロニーの外観は *K. pneumoiniae*, *Corynebacterium* 属, *Rothia* 属と紛らわしい．

|生化学的性状|

**オキシダーゼ試験陽性**，**カタラーゼ試験陽性**．糖分解性が悪く、**ブドウ糖，マルトース，乳糖は陰性**．硝酸塩還元試験陽性，DNase 陽性．DNase 陽性は *Neisseria* 属との鑑別に役立つ．

### 2　モラクセラ・ラクナータ（*Moraxella lacunata*）

モラー（1866～1935 年）とアクセンフェルト（1867～1930 年）によって亜急性結膜炎から分離された菌である．1.5～2.5×1.0～1.5 μm の偏性好気性グラム陰性双球菌で、莢膜や芽胞、鞭毛をもたない．カタラーゼ試験陽性，オキシダーゼ試験陽性，糖分解性はない．

5%ヒツジ血液寒天培地上では 35～37℃，好気条件下で 48 時間後に小コロニーを形成する．亜急性感染性結膜炎や角膜眼瞼炎から検出され、アンピシリンに感性である．

> ***M. catarrhalis* の薬剤感受性**
> *M. catarrhalis* は β-ラクタマーゼを産生してアンピシリン耐性になるが、β-ラクタマーゼ阻害薬配合ペニシリンやセフェム系，マクロライド系，ニューキノロン系，テトラサイクリン系抗菌薬には感性を示す．*M. catarrhalis* 以外の *Moraxella* 属はアンピシリンにも感性を示す．

## c. グラム陰性，通性嫌気性の桿菌

### c-1 腸内細菌目（*Enterobacterales*）

#### 1 分類

　通性嫌気性のグラム陰性桿菌には多くの菌種が含まれるが，そのなかの大きなグループが従来，腸内細菌科（*Enterobacteriaceae*）とよばれ，①無芽胞，②普通寒天培地によく発育，③ブドウ糖を発酵的に分解して酸を産生，④硝酸塩を亜硝酸に還元（硝酸塩還元試験陽性），⑤オキシダーゼ試験陰性\*を基本的な共通性状としていた．近年，腸内細菌科に属していた属が，他の科に分類されることになり，このため上位の分類である腸内細菌目（*Enterobacterales*）を使用する方が適切となった．**表 2-A-c1-1** に腸内細菌目に属する主な菌種の分類を示す．

\*ただし，*Plesiomonas shigelloides* はオキシダーゼ試験が例外的に陽性となる．

#### 2 病原性

　腸内細菌目は，ヒトや動物の腸管内，河川や土壌，医療機関内など環境中に広く分布する．臨床上問題となる主要な菌種，およびヒトでの感染症を**表 2-A-c1-1** に示す．ヒトに対する病原性が高い菌種には，*Yersinia pestis* や *Shigella* 属，*Salmonella* Typhi などがあげられる．腸内細菌目による感染症は，①市中感染症として尿路感染症や細菌性腸炎，呼吸器感染症，胆道感染症，細菌性髄膜炎などを生じる場合，②免疫不全患者やがん患者，デバイスの挿入患者，手術後の患者で，**日和見感染症**や**医療関連感染症**として，**尿路感染症**，**院内肺炎・人工呼吸器関連肺炎**，**手術部位感染**，**血流感染症**などを生じる場合に大別される．

#### 3 生化学的性状による分類と同定

　グラム陰性菌では，生化学的性状による同定がこれまで長く行われてきたが，現在では自動分析装置が普及し，迅速化も図られている．加えて，質量分析や遺伝子関連検査による同定も普及しつつあり，これらが適宜併用して実施されている．ここでは，同定に寄与する生化学的性状について述べる．質量分析による同定や遺伝子関連検査については他項を参照されたい．

　まず，BTB 乳糖寒天培地（ドリガルスキー改良培地），DHL 寒天培地，マッコンキー寒天培地での乳糖の分解性が基本的な鑑別指標になる．乳糖分解の有無によって，主な菌属は次の 2 群に大別される．

① 乳糖分解：*Escherichia*\*，*Klebsiella*，*Enterobacter*，*Citrobacter*\*．
② 乳糖非分解：*Salmonella*，*Shigella*，*Yersinia*，*Hafnia*，*Serratia*，*Proteus*，

\*乳糖非分解のこともある．

表 2-A-c1-1　腸内細菌目の主要な菌種と感染症

| 科 (Family) | 属 (Genus) | 種 (Species) など | 感染症および感染経路 |
|---|---|---|---|
| Enterobacteriaceae (腸内細菌科) | Escherichia | E. coli | 急性胃腸炎，食中毒（食品や水系，接触感染），尿路感染症，胆道感染症，菌血症，髄膜炎，日和見感染症，腸管出血性大腸菌感染症（溶血性尿毒症候群 HUS） |
| | Shigella | S. dysenteriae, S. flexneri, S. boydii, S. sonnei | 細菌性赤痢（水系，食品，時に接触感染） |
| | Salmonella | S. enterica subsp. enterica　serovar Typhi　serovar Paratyphi A | 腸チフス　パラチフス |
| | | その他の血清型（非チフス性サルモネラ） | 急性胃腸炎，食中毒（食品，水系，ペットや爬虫類との接触），菌血症 |
| | Citrobacter | C. freundii, C. koseri, C. amalonaticus | 日和見感染症，菌血症，手術部位感染症，デバイス感染症など |
| | Klebsiella | K. pneumoniae subsp. pneumoniae | 肺炎，尿路感染症，胆道感染症，日和見感染症 |
| | | K. pneumoniae subsp. ozaenae | 臭鼻症 |
| | | K. pneumoniae subsp. rhinoscleromatis | 鼻硬化症 |
| | | K. oxytoca | 日和見感染症，胆道感染症，出血性大腸炎 |
| | | K. aerogenes | 日和見感染症，菌血症，手術部位感染症，デバイス感染症など |
| | Enterobacter | E. cloacae | 日和見感染症，菌血症，手術部位感染症，デバイス感染症など |
| | Plesiomonas* | P. shigelloides | 急性胃腸炎，食中毒（海産物など），日和見感染症 |
| Yersiniaceae (エルシニア科) | Yersinia | Y. pestis | ペスト（飛沫感染，動物媒介感染） |
| | | Y. enterocolitica, Y. pseudotuberculosis | 急性胃腸炎・食中毒（食品や水系，接触感染），菌血症など |
| | Serratia | S. marcescens, S. liquefaciens | 日和見感染症，カテーテル関連菌血症，皮膚軟部組織感染症 |
| Hafniaceae (ハフニア科) | Hafnia | H. alvei | 日和見感染症 |
| | Edwardsiella | E. tarda | 日和見感染症，急性胃腸炎 |
| Morganellaceae (モルガネラ科) | Proteus | P. vulgaris, P. mirabilis | 尿路感染症，日和見感染症 |
| | Providencia | P. rettgeri, P. stuartii | 日和見感染症 |
| | Morganella | M. morganii | 日和見感染症 |

この他，Erwiniaceae（エルウィニア科），Budviciaceae（ブドビシア科），Pectobacteriaceae（ペクトバクテリア科）があるが，ヒトからの分離はまれである．
*Plesiomonas 属の腸内細菌目内の位置づけについては議論がある．

Providencia, Morganella, Plesiomonas, Edwardsiella.

腸内細菌目の主な鑑別性状として，IPA 反応，硫化水素産生，インドールテスト，VP 反応，リジン脱炭酸試験，クエン酸塩利用能テスト，運動性，オルニチン脱炭酸試験，DNase 活性がある．概要は以下のとおりである．

① **オキシダーゼ試験**：細胞内電子伝達系の呼吸代謝酵素．Plesiomonas shigelloides を除き陰性．

② IPA反応：インドールピルビン酸（IPA）を褐色の鉄イオン反応物の生成で確認する．SIM培地（IPA反応，硫化水素産生，インドール産生，運動性を調べる）を用いる．
③ 硫化水素産生：TSI寒天培地(triple sugar iron：ブドウ糖0.1%，乳糖1%，白糖1%を含む）やクリグラー鉄寒天培地（Kligler iron agar）を用い，生じた硫化水素を硫化鉄（黒色）の生成で確認する．
④ インドールテスト：トリプトファナーゼによるトリプトファンの加水分解で生じたインドールを検出する．SIM培地やLIM培地（リジン脱炭酸，インドール産生，運動性を調べる）が使われる．
⑤ VP反応：ブドウ糖分解の終末産物のピルビン酸が脱炭酸されて生じるアセトインを検出する．*Yersinia enterocolitica* は37℃の培養で陰性であるが，25℃の培養では陽性となる．*Klebsiella*, *Enterobacter*, *Serratia* で陽性となる．
⑥ リジン脱炭酸試験：LIM培地やMøller（メラー）培地を用い，リジン脱炭酸酵素活性をカダベリン（アミン）の生成による培地のアルカリ化で確認する．
⑦ クエン酸塩利用能テスト：シモンズのクエン酸塩培地（Simmons citrate agar）を用い，発育によってクエン酸塩の利用能をみる．
⑧ 運動性：培地の混濁によって確認する．*Yersinia enterocolitica* と *Y. pseudotuberculosis* は37℃の培養で陰性であるが，25℃の培養では陽性となる．
⑨ オルニチン脱炭酸試験：OIM培地やMøller培地を用い，オルニチン脱炭酸酵素活性をプトレシン（アミン）の生成による培地のアルカリ化で確認する．
⑩ DNase活性：DNA寒天培地を用い，DNAの加水分解によって生じるトルイジンブルーOの変色で確認する．
⑪ 糖分解：TSI寒天培地やクリグラー鉄寒天培地での所見が参考になる．

## 4　薬剤耐性の傾向

### 1）β-ラクタム系抗菌薬

　おおまかに，第一世代のセファロスポリン系抗菌薬に感性を示すグループ（*Escherichia coli*, *Klebsiella pneumoniae*, *Proteus mirabilis* など）と，染色体性に *AmpC* 遺伝子を有し，第三世代にも内因性あるいは誘導型の耐性を示すグループ（*Enterobacter* 属，*Serratia* 属，*Citrobacter* 属）に大別される．

　一方1980年代には，プラスミド性の**基質特異性拡張型β-ラクタマーゼ**(extended-spectrum β-lactamase；ESBL）産生菌が欧州を中心に増加し，わが国でも2000年代から急速に増加した．ESBL産生菌は，セファロスポリン系抗菌薬に広範に耐性を示すとともに，薬剤耐性遺伝子を含むプラスミドが伝播し，他の腸内細菌目細菌も耐性になるという特徴をもつ．ESBL産生菌に対して有効な抗菌薬は，カルバペネム系やセファマイシン系などに限られている．

　さらに，カルバペネム系抗菌薬にも耐性を獲得した，**カルバペネム耐性腸内細菌目細菌**（carbapenem-resistant *Enterobacterales*：CRE）も出現し，

**誘導型の耐性**

誘導型の耐性の場合は，セファロスポリン系抗菌薬によって *AmpC* 遺伝子の発現が促進され，当初感性であったものが，抗菌薬開始後には耐性を示すようになる．さらに，プラスミド上に *AmpC* 遺伝子をもつものもある．

世界的に増加，蔓延した．特に，カルバペネマーゼを産生するCPE (carbapen-emase-producing *Enterobacterales*) が問題であり，現在でも治療に用いることができる抗菌薬はほとんどない．

### 2) ニューキノロン系抗菌薬

キノロン系はDNAジャイレースを阻害するが，*gyrA*と*parC*遺伝子からなるキノロン耐性決定領域（QRDR）に変異が生じることなどで耐性をきたす．国内の*E. coli*のレボフロキサシン耐性率は約40％である（入院検体）．

### 3) アミノグリコシド系抗菌薬

種々のアミノグリコシド修飾酵素の産生により耐性となる．

## Ⅰ 腸内細菌科（*Enterobacteriaceae*）

### 1 エシェリキア属（Genus *Escherichia*）

*Escherichia*属菌は，*Escherichia coli*, *E. blattae*, *E. fergusonii*, *E. hermannii*, *E. vulneris*, *E. albertii*の6菌種に分類される．これらのうち検出頻度が高く，臨床的にも重要な菌種は*E. coli*（大腸菌）である．

#### 1) 大腸菌（*Escherichia coli*）

大腸菌はヒトおよび動物の腸管内に常在する代表的な菌種である．ヒトの大腸内には，糞便1gあたり約$10^8$個の大腸菌が常在している（しかし，*Bacteroides*属菌などの偏性嫌気性菌の1/1,000程度にすぎない）．

##### 一般性状

大きさ0.4〜0.7×2.0〜4.0μm．多くは周毛性の鞭毛をもち活発に運動するが，鞭毛を欠き非運動性の株もある．発育温度域は10〜45℃，至適温度は37℃，ブドウ糖の分解によってガスを産生し，インドール産生陽性（*E. blattae*, *E. vulneris*, *E. albertii*は陰性）．リジン脱炭酸試験陽性，硫化水素を産生せず，VP反応とクエン酸塩利用能テストは陰性（**表2-A-c1-2**）．腸管組織侵入性大腸菌などの一部の病原性大腸菌は，ガスを産生せず，非運動性，乳糖・白糖非分解，リジン脱炭酸試験陰性であり，主要性状が赤痢菌に類似している．

##### 抗原構造

腸内細菌では①O抗原（耐熱性の菌体抗原），②H抗原（易熱性の鞭毛抗原），③K抗原（莢膜抗原），④F抗原（線毛抗原）が知られている．大腸菌の抗原構造はO抗原とH抗原の特異性によって血清型（serotype）と表現され，両血清型を組み合わせることにより血清型別として疫学的調査などに用いられる．

**O抗原**
細胞壁外膜を構成するリポ多糖（lipopolysaccharide；LPS）成分で，感染症の原因菌として分離される大腸菌は特定の抗原型のものが多い．

**H抗原**
大腸菌の運動器官である鞭毛を構成する蛋白（フラジェリン：flagellin）成分．

**K抗原**
O抗原の表層をおおい，形態学的には莢膜（カプセル）として認められる抗原．

**F抗原**
線毛を構成する蛋白成分．

表 2-A-c1-2 主な Escherichia 属菌と Shigella 属菌の主な生化学的性状

| 菌種 | インドール産生 | VP反応 | シモンズクエン酸塩利用能 | 硫化水素産生/TSI | リジン脱炭酸 | オルニチン脱炭酸 | 尿素分解 | 運動性/35℃ | ONPGテスト | 糖分解 ブドウ糖からのガス産生 | 乳糖 | 白糖 |
|---|---|---|---|---|---|---|---|---|---|---|---|---|
| *Escherichia coli* | + | − | − | − | + | d | − | + | + | + | + | d |
| *Shigella dysenteriae* | d | − | − | − | − | − | − | − | d | − | − | − |
| *Shigella flexneri* | d | − | − | − | − | − | − | − | − | − | − | − |
| *Shigella boydii* | [−] | − | − | − | − | − | − | − | − | − | − | − |
| *Shigella sonnei* | − | − | − | − | − | + | − | − | + | − | − | − |

−：0〜10%が陽性，[−]：11〜25%が陽性，d：26〜75%が陽性，[+]：76〜89%が陽性，+：90〜100%が陽性．

### 病原性

大腸菌を原因とする疾患は，腸管感染症と腸管外感染症に大別される．感染症を起こす大腸菌を病原性大腸菌とよび，下痢原性大腸菌，尿路病原性大腸菌，新生児髄膜炎の原因大腸菌の3群に分類される．

① 腸管感染症

a）腸管出血性大腸菌（enterohemorrhagic *E. coli*；EHEC）：本菌は，1982年にアメリカで発生したハンバーガーが原因食と推定される食中毒患者の血性下痢から初めて分離された大腸菌で，血清型はO157：H7であった．この原因菌の *E. coli* O157：H7は，**Vero細胞を変性させる細胞毒（ベロ毒素，Vero toxin；VT）を産生する**．

EHECは大腸粘膜上皮細胞に付着して増殖し，細胞の働きを妨げるとともにVTを産生する．その結果，感染局所に出血，浮腫，壊死が起こり，激しい腹痛を伴う頻回（10〜20/日）の水様便の後に，血便となる（出血性大腸炎）．血便の初期は血液の混入は少量であるが，次第に増加し，典型例では便成分のほとんどない**鮮血便**となる．発熱は軽度で，多くは37℃台である．一部の患者(特に小児)では，VTによる**溶血性尿毒症症候群**（hemolytic uremic syndrome；HUS）や脳症などの合併症を起こし，重症例では死亡することもある．

**腸管出血性大腸菌感染症は三類感染症**に指定されている．

b）腸管毒素原性大腸菌（enterotoxigenic *E. coli*；ETEC）：熱帯・亜熱帯の海外渡航者の旅行者下痢症（traveler's diarrhea）の原因菌として分離されることが多く，大規模な集団食中毒の原因となることもある．主症状は下痢であり嘔吐を伴うことも多いが，腹痛は軽度で発熱もまれである．しかし，重症例，特に小児の場合にはコレラと同様に脱水症状に陥ることがある．潜伏期間は12〜72時間である．

> **腸管出血性大腸菌**
> 腸管出血性大腸菌（EHEC）は，ベロ毒素産生性大腸菌（Vero toxin-producing *E. coli*；VTEC）あるいは志賀毒素産生性大腸菌（Shiga toxin-producing *E. coli*；STEC）ともよばれる．VT (Stx)にはVT1 (Stx1)，VT2 (Stx2)の2種類があり，VT2 (Stx2)の方が毒性が強い．毒素産生は株によって異なり，両毒素を産生する株と，どちらか一方を産生する株がある．

> **ベロ毒素**
> ベロ毒素は，構造が志賀赤痢菌の産生する志賀毒素（Shiga toxin；Stx）に類似していたことから，志賀毒素様毒素（Shiga like-toxin；SLT）と名付けられたが，その後，SLTはVTと同一であることが明らかとなった．

> **EHECに関連する血清型**
> O157，O26，O111による感染事例が多く，関連する血清型はO26：H11，O111：H2，O111：H18，O157：H7などである．

小腸粘膜上皮細胞に付着，増殖し，細胞を壊すことはなく，エンテロトキシン（enterotoxin：腸管毒）を産生して下痢を起こす．感染成立には定着因子としての線毛（CFA）が必要である．

c）腸管組織侵入性大腸菌（enteroinvasive E. coli；EIEC）：赤痢に似た症状を起こす．菌の粘膜上皮細胞への侵入，増殖，隣接細胞への伝播による上皮細胞の壊死，脱落，潰瘍形成や炎症像がみられる．EIEC は海外渡航者の旅行者下痢症からの分離が多い．

d）腸管病原性大腸菌（病原血清型大腸菌，enteropathogenic E. coli；EPEC）：毒素は産生しないが，線毛で小腸の粘膜上皮細胞に付着し，絨毛の剝離と細胞骨格障害を起こす．症状は下痢，腹痛，発熱，嘔吐などで，乳幼児および小児に感染が多い．2 歳以下の乳幼児では脱水症状による重症例も多い．潜伏期間は 10～30 時間である．

e）腸管凝集付着性大腸菌（enteroaggregative E. coli；EAEC）：EAEC は，1987 年に南米のチリで，小児の下痢症原因菌として分離された凝集性の強い大腸菌である．開発途上国の乳幼児下痢症患者からよく分離される．わが国では EAEC 下痢症の散発事例はあるが，食中毒，集団発生事例の報告は少ない．

症状は 2 週間以上の持続性下痢として特徴づけられるが，一般には粘液を含む水様性下痢および腹痛が主で，嘔吐は少ない．潜伏期間は 12～48 時間である．

② 腸管外感染症

　a）尿路感染症：宿主側の尿流障害，高血圧，代謝異常，妊娠，泌尿器科的器具の使用などによって誘発され，膀胱炎，腎盂炎，腎炎などの疾患を起こす．

　b）新生児髄膜炎：O1，O6，O7，O18ac などの特定の O 抗原と，K1 抗原をもつ大腸菌が新生児髄膜炎の原因菌として分離される．neonatal meningitis E. coli（NMEC）とよばれる．

　c）その他：前立腺炎，腹膜炎，胆囊炎，胆管炎，髄膜炎，心内膜炎，虫垂炎，創傷感染症，肺炎，血流の感染症などを起こす．医療器具などに関連した医療関連感染原因菌として検出されることも多い．

[検査法]

① 検査材料：下痢症の場合は糞便が検査材料となる．各種腸管外感染症を起こすので，尿，髄液，血液，膿などすべての検査材料が検査対象となる．

② 分離培養と集落の特徴（写真 2-A-c1-1）：分離培養には，糞便では SS 寒天培地，DHL 寒天培地，マッコンキー寒天培地を用いる（SS 寒天培地には発育しないか，小集落の場合がある）．EHEC O157 を目的とする場合は，SIB 寒天培地，SMAC 寒天培地，CT-SMAC 寒天培地を用いる．近年では，EHEC 分離用の発色基質培地も用いられている．

SS 寒天培地，マッコンキー寒天培地では乳糖を分解し，DHL 寒天培地では

---

**わが国の EHEC 感染**

EHEC 感染症が大きな注目を集めるようになったのは，1990 年 10 月に浦和市の幼稚園で汚染された井戸水が原因となる腸管出血性大腸菌 O157：H7（ベロ毒素 1，2 産生）で 2 名の園児が亡くなったことがきっかけである．その後，集団食中毒や散発下痢症がしばしば発生している．

**エンテロトキシン**

易熱性毒素（heat-labile enterotoxin；LT）と，耐熱性毒素（heat-stable enterotoxin；ST）の 2 種類があり，ETEC はその一方または両方を産生する．LT はコレラ菌の下痢の原因となる毒素であるコレラエンテロトキシン（CT）と物理化学的，免疫学的性状が似ているだけでなく，下痢を起こす機序も CT と同じである．

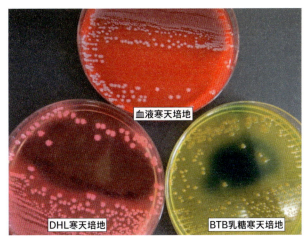

写真 2-A-c1-1　大腸菌の集落

乳糖あるいは白糖を分解して混濁した赤桃色の集落を形成する．BTB 乳糖寒天培地では乳糖を分解し，黄色集落を形成する．乳糖・白糖非分解の菌株では，各培地で赤痢菌に似た無色透明〜半透明の集落を形成する．EHEC O157 はソルビトール非分解であるため，SIB 寒天培地，SMAC 寒天培地，CT-SMAC 寒天培地では濁った白色コロニーを形成する（その他の大腸菌は赤桃色の集落）．

③ **血清型**：O 抗原は，100℃，1 時間または 121℃，15 分加熱処理した濃厚菌液を抗原液として，スライド凝集法にて凝集塊を確認する．H 抗原はトリプチケースソイブイヨンで増菌後，同量の 1％ホルマリン加生理食塩水を加え固定後に，試験管凝集法にて H 抗原を確認する．

④ **毒素の検出**：ETEC が産生する LT の検出法として逆受身ラテックス凝集反応を利用した方法が，ST の検出法として ELISA 法を利用した方法がある．EHEC の VT1（Stx1），VT2（Stx2）の検出法として，逆受身ラテックス凝集反応や ELISA 法を利用した方法がある．

[治療]

腸管感染症で下痢をしている場合は，止瀉薬を使用しない（止瀉薬は菌の体外排出を遅らせるため）．脱水症状が強い場合は補液を行う．抗菌薬は，フルオロキノロン系薬かホスホマイシンの経口投与を行う．

## 2　シゲラ属（Genus *Shigella*）

*Shigella* 属菌は，生化学的性状と O 抗原により *Shigella dysenteriae*，*S. flexneri*，*S. boydii*，*S. sonnei* の 4 菌種に分類される．菌種は亜種ともよばれ，*S. dysenteriae* は A 群赤痢菌，*S. flexneri* は B 群赤痢菌，*S. boydii* は C 群赤痢菌，*S. sonnei* は D 群赤痢菌に該当する．

*Shigella* 属菌（赤痢菌）は，感染症法における**三類感染症の細菌性赤痢**の原

属名の由来
—*Shigella* 属菌
属名は，1898 年に赤痢菌（*Shigella dysenteriae*：志賀赤痢菌）を初めて分離した志賀潔に由来する．

因菌である．

> 一般性状

大きさ 0.4〜0.6×1〜3 μm．鞭毛を欠き，非運動性である．ブドウ糖を分解するが，ガス非産生である．*S. dysenteriae* はマンニトール非分解，他の3菌種はマンニトール分解である．乳糖非分解であるが，*S. sonnei* は遅れて分解（乳糖遅分解）する．リジン脱炭酸試験陰性，VP反応陰性，クエン酸塩利用能テスト陰性，*S. sonnei* 以外はオルニチン脱炭酸試験陰性．インドールテストは *S. sonnei* は陰性，その他は菌種により異なる（表2-A-c1-2）．

> 病原性

汚染された食物・水などを摂取することによって感染する．菌が付着した手や食器などを介して経口感染することもある．水系感染は大規模な集団発生を起こす．

病原因子は細胞侵入性で，経口的に摂取された菌が大腸の粘膜上皮細胞に侵入し，増殖，隣接細胞への伝播を繰り返しながら上皮細胞を破壊するが，血流中に侵入することはほとんどない．そのため，血中抗体価は上昇しないので，血清反応を利用した診断は行われない．

潜伏期間は1〜5日（通常1〜3日）で，1〜2日の発熱とともに，水様性下痢，腹痛，膿粘血便やしぶり腹などの症状が現れる．*S. sonnei*（D群赤痢菌）は症状が軽く，軟便や軽度の発熱で経過することが多い．

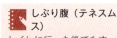

しぶり腹（テネスムス）
トイレに行った後でもすっきりせず，またトイレに行きたくなる状態．

> 治療

対症療法と抗菌薬療法がある．対症療法は止瀉薬を使用せず，生菌整腸薬を併用する．脱水が強い場合には，静脈内あるいは経口補液を行う．抗菌薬療法としては，成人ではフルオロキノロン系薬，5歳未満の小児にはホスホマイシンを選択する．

> 検査法

患者や保菌が疑われるヒトの糞便を検査材料とする．分離培地は SS 寒天培地を用いるが，SS 寒天培地は選択性が強く発育が抑制される菌株があるため，選択性の弱い DHL 寒天培地やマッコンキー寒天培地を併用することが望ましい．これらの培地では 35℃，18〜20 時間培養で，直径 1〜2 mm，S型，無色透明な集落を形成する．

## 3　サルモネラ属（Genus *Salmonella*）

*Salmonella* 属菌は，元来はイヌやネコ，ブタ，ニワトリ，カメ，爬虫類，淡水魚，昆虫などが保有している細菌で，河川，下水，土壌などの自然環境にも広く分布している．経口的にヒトに感染し，急性胃腸炎を主体とする**食中毒**や**チフス性疾患**を起こす．

*Salmonella* 属菌は，*Salmonella enterica* と *S. bongori* の2種に分類され，*S. enterica* は6亜種に細分化される（表2-A-c1-3）．

ヒトに病原性を示すのは，*S. enterica* subsp. *enterica* と *S. enterica* subsp.

表 2-A-c1-3　サルモネラの分類

| 菌種名 | 亜種名 | 亜種群 |
|---|---|---|
| Salmonella enterica | enterica | I |
| | salamae | II |
| | arizonae | IIIa |
| | diarizonae | IIIb |
| | houtenae | IV |
| | indica | VI |
| Salmonella bongori | | V |

*arizonae* である．その他はヒトに感染症は起こさず，変温動物や自然界に分布する．

　*Salmonella* 属菌の分類は O 抗原と H 抗原による血清型別が行われ，現在までに 2,500 以上の血清型が報告されている．*Salmonella* 属菌の正式菌名は，チフス菌は *Salmonella enterica* subsp. *enterica* serovar（または serotype）Typhi, 腸炎菌は *Salmonella enterica* subsp. *enterica* serovar（または serotype）Enteritidis である．しかし，日常では *S.* Typhi, *S.* Enteritidis などのように，*Salmonella* の省略形 *S.*（イタリック体）＋血清型で表記することも認められている．

### 一般性状

大きさ 0.7〜1.5×2.0〜5.0 μm．5〜45℃（至適発育温度：35℃），pH4.0〜9.6（至適発育 pH：7.0〜8.0）で発育可能である．糞便中で 1〜2 カ月程度生存する．乾燥や冷凍に抵抗性が強く，土壌，乾燥食品，冷凍食品などでも長期間生存する．

乳糖・白糖非分解でインドールテスト陰性である．*S.* Typhi（チフス菌），*S.* Paratyphi A（パラチフス A 菌）と，その他の *S. enterica* subsp. *enterica*（一般のサルモネラ菌または非チフス性サルモネラ菌）の鑑別性状は，クエン酸塩利用能テストが一般のサルモネラ菌が陽性，チフス菌・パラチフス A 菌は陰性である．リジン脱炭酸試験は一般のサルモネラ菌とチフス菌が陽性，パラチフス A 菌は陰性である．ブドウ糖からのガス産生（TSI 寒天培地）は一般のサルモネラ菌とパラチフス A 菌が陽性，チフス菌は陰性である（**表 2-A-c1-4**）．

### 抗原構造

*Salmonella* 属菌は O 抗原，H 抗原，Vi 抗原によって各種の血清型に型別される（**表 2-A-c1-5**）．O 抗原により群別し，H 抗原により細分する．

① O 抗原（菌体抗原）：*Salmonella* 属菌の多くは，2 つあるいはそれ以上の耐熱性の O 抗原（糖脂質：LPS）をもち，1 つの主抗原とその他の副抗原の分布によって群別をする．

---

**Salmonella 属菌の正式菌名**
*Salmonella* 属菌など一部の菌については，抗原性の違いに基づき血清型（serovar）を用いて菌名を決定する考え方が一般的に受け入れられている．そのため，パラチフス菌の場合，正式な学名は「*Salmonella enterica* subspecies *enterica* serovar Paratyphi A」と表記される．具体的には，*Salmonella enterica* という菌種のなかの *enterica* という亜種（subsp. *enterica*）に該当し，さらに Paratyphi A の血清型に一致する菌という分類法である．なお，従来の serovar という表記の他に serotype という用語を用いる場合もある．

**S. enterica subsp. arizonae の性状**
*S. enterica* subsp. *arizonae* は，マロン酸塩利用能テストと ONPG（*o*-nitrophenyl-β-D-galactopyranoside）テストが陽性であることが特徴である．

**ONPG テスト**
β-ガラクトシダーゼ産生の有無を調べるテスト．

**Salmonella 属菌の O 抗原**
*Salmonella* 属菌の O 抗原は 67 種類あり，1〜67 のアラビア数字（算用数字）で表す．

表 2-A-c1-4　主な *Salmonella* 属菌の主な生化学的性状

| 菌種 | インドール産生 | VP反応 | シモンズクエン酸塩利用能 | 硫化水素産生/TSI | リジン脱炭酸 | オルニチン脱炭酸 | 運動性/35℃ | ONPGテスト | ブドウ糖からのガス産生 | 乳糖 | 白糖 |
|---|---|---|---|---|---|---|---|---|---|---|---|
| *Salmonella enterica* subsp. *enterica* serovar（または serotype）Typhi | − | − | − | + | + | − | + | − | − | − | − |
| *Salmonella enterica* subsp. *enterica* serovar（または serotype）Paratyphi A | − | − | − | − | − | + | + | − | + | − | − |
| その他の *Salmonella enterica* subsp. *enterica* | − | − | + | + | + | + | + | − | + | − | − |

−：0〜10％が陽性，＋：90〜100％が陽性．

表 2-A-c1-5　*Salmonella* 属菌の代表的な血清型の抗原構造と病原性

| O抗原群（旧表現） | 血清型 | O抗原 | H抗原 1相 | H抗原 2相 | 病原性 ヒト | 病原性 動物 |
|---|---|---|---|---|---|---|
| 2群（A） | *S.* Paratyphi A | 1, 2, 12 | a | ― | パラチフス | |
| 4群（B） | *S.* Paratyphi B | 1, 4, [5], 12 | b | 1, 2 | 胃腸炎 | |
| | *S.* Typhimurium | 1, 4, [5], 12 | i | 1, 2 | 胃腸炎 | ネズミチフス菌 |
| | *S.* Abortusequi | 4, 12 | ― | e, n, x | | ウマ流産菌 |
| 7群（C1） | *S.* Paratyphi C | 6, 7, [Vi] | c | 1, 5 | 胃腸炎 | |
| | *S.* Choleraesuis | 6, 7 | [c] | 1, 5 | 胃腸炎 | ブタコレラ菌 |
| | *S.* Thompson | 6, 7, 14 | k | 1, 5 | 胃腸炎 | |
| | *S.* Infantis | 6, 7, 14 | r | 1, 5 | 胃腸炎 | |
| 8群（C2, C3） | *S.* Litchfield | 6, 8 | l, v | 1, 2 | 胃腸炎 | |
| 9群（D1） | *S.* Typhi | 9, 12, [Vi] | d | ― | 腸チフス | |
| | *S.* Sendai | 1, 9, 12 | a | 1, 5 | 胃腸炎 | |
| | *S.* Enteritidis | 1, 9, 12 | g, m | | 胃腸炎 | |
| | *S.* Gallinarum | 1, 9, 12 | ― | | | ニワトリチフス菌 |
| 3, 10群（E1, E2, E3） | *S.* Give | 3, 10, [15] | [d], l, v, | 1, 7 | 胃腸炎 | |
| | *S.* Anatum | 3, 10, [15] | e, h | 1, 6 | 胃腸炎 | |
| 1, 3, 19群（E4） | *S.* Senftenberg | 1, 3, 19 | g, [s], t | ― | 胃腸炎 | |

O抗原の下線はファージ変換により得られるもの，［ ］は欠けている場合もあることを示す．

②H抗原（鞭毛抗原）：H抗原は易熱性で80種類あり，アルファベットの小文字とアラビア数字（算用数字）で表す．O抗原との組み合わせにより血清型を決定する．H抗原は鞭毛をもたない菌には存在しない．

③Vi抗原（莢膜様抗原）：Vi抗原は *S.* Typhi, *S.* Paratyphi C, *S.* Dublinの一部に認められる．新鮮分離株にのみ認められる．菌体表面に存在する莢

膜様抗原で，O抗原の凝集反応を抑制する．Vi抗原は100℃，30分の加熱で容易に消失するため，Vi抗原陽性でO抗原に凝集を認めない場合は，加熱処理後の菌液でO抗原凝集を実施する．また，継代培養を続けるとVi抗原は消失する（V-W変異）．

### 病原性

*Salmonella* 属菌の病原性は，次のように大別される．

- ヒトにチフス性疾患を起こす菌：*S.* Typhi や *S.* Paratyphi A があり，感染症法の**三類感染症原因菌**である．
- ヒトに急性胃腸炎や食中毒を起こす菌：*S.* Enteritidis，*S.* Typhimurium などの *S. enterica* subsp. *enterica* および subsp. *arizonae* に属する菌．

① **腸チフス，パラチフス**：腸チフスは *S.* Typhi，パラチフスは *S.* Paratyphi A が原因菌である．腸チフスとパラチフスはほぼ同様の臨床症状を呈するが，パラチフスの方が一般的に症状は軽い．通常10～14日の潜伏期の後に発熱で発症する．第1病週には徐々に体温が上昇し，39～40℃に達する．第1病週後半にチフスの3主徴である比較的徐脈，バラ疹（rose spot），脾腫が出現する．第2病週は，熱は40℃台の高熱が続き（稽留熱），昏迷状態（typhoid state）になることもある．第3病週は，回腸末端のリンパ組織（パイエル板：peyer's patch）で菌が著しく増加して潰瘍をつくり腸出血，腸穿孔が起こりやすい．第4病期には解熱し，回復に向かう．急性期には白血球は軽度に減少する．

合併症として時に転移性病変を生じ，二次的に細菌性動脈瘤を生じることがある．また，菌が胆嚢内に残って慢性保菌者となることがあり，この場合は感染源として注意が必要である．

② **胃腸炎**：ヒトからヒトへの感染は特殊な場合以外はなく，汚染された食物や水を介して感染する．主な症状は，発熱，腹痛，下痢，嘔吐である．小児や高齢者ではチフス様で重篤となることがある．近年，集団食中毒の原因微生物として，ノロウイルス，ウェルシュ菌，カンピロバクターに次いで患者数が多い．飲食物以外ではミドリガメやイヌ，ネコなどペットからの接触感染もみられる．潜伏期間は6～48時間（平均12時間）である．

### 治療

腸チフス，パラチフスではフルオロキノロン系抗菌薬，アンピシリン，クロラムフェニコール，セフトリアキソン，ST合剤が使用される．

一般のサルモネラによる急性胃腸炎の場合は，必ずしも抗菌薬の投与が必要なわけではなく，生菌整腸剤などの投与が行われる．重症例など抗菌薬が必要と判断された場合は，フルオロキノロン系抗菌薬，ホスホマイシン，アンピシリンを用いる．

### 検査法

① **分離培養と集落の特徴**：SS寒天培地，DHL寒天培地，BTB乳糖寒天培地を用いる．一般のサルモネラ菌は硫化水素を産生するため，SS寒天培地，

**動物のみに病原性を示し，ヒトには病原性を示さない菌**
*S.* Abortusequi（ウマ流産菌），*S.* Abortusovis（ヒツジ流産菌），*S.* Typhisuis（ブタパラチフス菌），*S.* Gallinarum（ニワトリチフス菌）など，各家畜，家禽では致命的な疾患を起こす．

**稽留熱（けいりゅうねつ）**
体温の日差（最高体温と最低体温との差）が1℃以内で，38℃以上の高熱が持続する熱型．腸チフスや髄膜炎などで認めやすい．

**ウェルシュ菌による食中毒**
ウェルシュ菌による食中毒は，大量の食事を取り扱う給食施設や仕出し弁当屋での発生事例が多いため，患者数が多くなる．事件数と患者数は同数になるとはかぎらない．

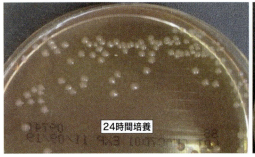
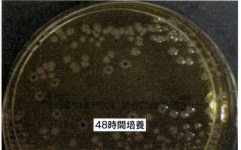

写真 2-A-c1-2 *Salmonella* Typhi（SS 寒天培地）

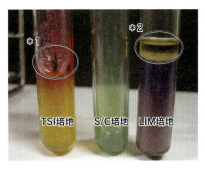

写真 2-A-c1-3 *Salmonella* Typhi
S/C 培地：シモンズのクエン酸塩培地．
＊1：特徴的な硫化水素産生．他のサルモネラ属菌（パラチフス A 菌を除く）は高層部分全体が黒変する（p.369 および p.367 の写真 3-E-2 参照）
＊2：試薬添加後．陰性（無変化），陽性の場合赤色．（p.368「インドールテスト」参照）

DHL 寒天培地では周辺部が無色透明，中心部分が黒い集落を形成する．チフス菌は硫化水素弱産生のため，48 時間培養で集落の中心部がやや黒変する（**写真 2-A-c1-2**）．パラチフス菌は硫化水素非産生のため，赤痢菌に類似した乳糖非分解の集落を形成する．また，近年はサルモネラ分離培養用の発色基質培地も使用されるようになった．
② 増菌培養：セレナイト培地，テトラチオネート培地などの液体培地がある．
③ 確認試験：サルモネラ菌が疑われる集落を TSI 培地に接種，培養すると，斜面部はアルカリ性（赤），高層部は酸性（黄）で，ガス産生があり，高層部で硫化水素産生（黒変）が確認できる．LIM 培地ではリジン脱炭酸試験陽性，インドールテストは陰性である．チフス菌は硫化水素弱産生であり，斜面部と高層部の境界部分が黒変するのが特徴である（**写真 2-A-c1-3**）．

## 4　クレブシエラ属（Genus *Klebsiella*）

*Klebsiella* 属菌は *Klebsiella pneumoniae*, *K. oxytoca*, *K. ozaenae*, *K. rhinoscleromatis*, *K. aerogenes* など 12 菌種に分類される．大きさは 0.3～1.0×0.6～6.0 nm．*K. aerogenes* 以外は運動性陰性（無鞭毛）．*K. aerogenes* は 2017 年に *Enterobacter* 属菌から *Klebsiella* 属菌に分類された．

表 2-A-c1-6 主な Klebsiella 属菌，Enterobacter 属菌，Citrobacter 属菌，Plesiomonas 属菌の主な生化学的性状

| 菌 種 | インドール産生 | VP反応 | シモンズクエン酸塩利用能 | 硫化水素産生／TSI | リジン脱炭酸 | オルニチン脱炭酸 | アルギニン加水分解 | 尿素分解 | DNase活性／25℃ | 運動性／35℃ | ONPGテスト | 糖分解 ブドウ糖からのガス産生 | 乳糖 | 白糖 |
|---|---|---|---|---|---|---|---|---|---|---|---|---|---|---|
| Klebsiella pneumoniae subsp. pneumoniae | − | + | + | − | + | − | + | + | − | − | + | + | + | + |
| Klebsiella pneumoniae subsp. ozaenae | − | − | d | − | d | − | − | − | − | [+] | d | d | d | [−] |
| Klebsiella oxytoca | + | + | + | − | + | − | + | + | − | − | + | + | + | + |
| Klebsiella aerogenes | − | + | + | − | + | + | − | + | − | + | + | + | + | + |
| Enterobacter cloacae | − | + | + | − | − | + | + | d | − | + | + | + | + | + |
| Citrobacter freundii | d | − | [+] | [+] | − | − | d | d | − | + | [+] | [+] | [+] | [+] |
| Citrobacter koseri | + | − | + | − | − | + | [+] | d | − | + | + | + | [−] | + |
| Plesiomonas shigelloides | + | − | − | − | + | + | + | − | − | + | + | − | − | − |

−：0〜10%が陽性，[−]：11〜25%が陽性，d：26〜75%が陽性，[+]：76〜89%が陽性，+：90〜100%が陽性．

## 1) クレブシエラ・ニューモニエ
### (Klebsiella pneumoniae subsp. pneumoniae)

感染病巣中の菌は莢膜を形成することがあり，Gram 染色で菌体の周囲に莢膜が無染色部分として観察される場合がある．寒天培地上の集落はムコイド集落を形成する．ヒトの腸管に生息しているが，土壌，水，植物など自然界に広く分布している．尿路感染症と呼吸器感染症の原因菌となることが多いが，副鼻腔炎，咽頭炎，髄膜炎，肝・胆管系感染症，腹膜炎，卵管炎などほぼ全身に感染症を起こす．肺感染は大葉性肺炎あるいは気管支炎に類似するが，慢性の経過をたどることが多い．乳糖・白糖を分解し，クエン酸塩利用能テスト陽性，インドールテスト陰性である（表 2-A-c1-6）．

クラス Aβ-ラクタマーゼを産生するため，ペニシリン系薬に耐性である．近年は，多剤耐性菌として KPC 産生菌が欧米を中心に問題となっている．治療には β-ラクタマーゼ阻害薬配合ペニシリン系薬，セフェム系薬，フルオロキノロン系薬，アミノグリコシド系薬を用いる．

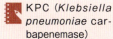

KPC (Klebsiella pneumoniae carbapenemase)
1996 年に米国で，カルバペネム系薬を分解する酵素を産生する K. pneumoniae から初めて検出された．Ambler の分類でクラス A 型に属し，すべての β-ラクタム系薬を加水分解する．

## 2) クレブシエラ・オキシトカ（Klebsiella oxytoca）

ヒトの腸管に生息しているが，自然界にも広く分布している．尿路感染症や呼吸器感染症など K. pneumoniae と同様の感染症を起こすが，抗菌薬投与中の患者に菌交代症として下痢（抗菌薬関連下痢症）や出血性大腸炎を起こすことがある．インドールテスト陽性である点が K. pneumoniae との鑑別点である（表 2-A-c1-6）．治療薬も K. pneumoniae と同様の抗菌薬を用いる．

### 3）クレブシエラ・オザナエ（*Klebsiella ozaenae*）

菌名は，本菌が臭鼻症（ozena, ozaena）の原因菌であることに由来する．鼻汁から検出されることが多い．VP反応，ウレアーゼが陰性（**表2-A-c1-6**），マロン酸塩利用能テスト陰性である点で鑑別できる．

### 4）クレブシエラ・リノスクレロマティス（*Klebsiella rhinoscleromatis*）

菌名は，本菌が鼻硬化症（rhinoscleroma）の原因菌であることに由来する．鼻汁から検出されることが多い．VP反応，クエン酸塩利用能テスト，ウレアーゼが陰性であるが，マロン酸塩利用能テスト陽性の点で*K. ozaenae*と鑑別できる．

### 5）クレブシエラ・アエロゲネス（*Klebsiella aerogenes*）

以前は*Enterobacter*属菌に分類されていたが，遺伝子学的特徴から*Klebsiella*属菌に移された．ヒトや動物の腸管に常在し，日和見感染として尿路感染，敗血症，手術部位感染の原因菌となる．運動性陽性，リジン脱炭酸試験，オルニチン脱炭酸試験陽性，インドールテスト，ウレアーゼ陰性である（**表2-A-c1-6**）．AmpC型β-ラクタマーゼ（セファロスポリナーゼ）産生遺伝子を染色体上にもつため，ペニシリン系薬，第一および第二世代セファロスポリン系薬には耐性を示す．治療にはフルオロキノロン系薬，第三世代，第四世代セファロスポリン系薬，アミノグリコシド系薬，カルバペネム系薬が有効である．AmpC型β-ラクタマーゼ過剰産生菌の一部は，カルバペネム系薬のMIC値が上昇（≧2μ/mL）し，五類感染症のCRE（カルバペネム耐性腸内細菌目細菌）と判定される株も検出されている．

## 5 エンテロバクター属（Genus *Enterobacter*）

*Enterobacter*属菌は21菌種に分類され，ヒトの感染症に関連するのは*E. cloacae*が多い．しかし，*E. cloacae*と生化学的性状での鑑別が困難な6菌種（*E. asburiae*, *E. hormaechei*, *E. kobei*, *E. ludwigii*, *E. mori*, *E. nimipressuralis*）は，*E. cloacae*と合わせて*E. cloacae* complexと報告される場合がある．ヒトや動物の腸管内に常在し，下水，河川，土壌，食品などに広く分布し，病院環境では，流しや排水口など湿潤箇所に分布している．大きさは0.6〜1.0×1.2×3.0μm．多くは乳糖分解，VP反応陽性，クエン酸利用能テスト陽性で*Klebsiella*属菌と類似した性状を示すが，運動性陽性，オルニチン脱炭酸試験陽性の点で鑑別可能である．また，*Enterobacter*属菌から*Klebsiella*属菌に移行した*K. aerogenes*とは，リジン脱炭酸試験とアルギニン加水分解により鑑別できる（**表2-A-c1-6**）．

AmpC型β-ラクタマーゼ（セファロスポリナーゼ）産生遺伝子を染色体上にもつため，ペニシリン系薬，第一および第二世代セファロスポリン系薬には耐性を示す．治療にはフルオロキノロン系薬，第三世代，第四世代セファロス

ポリン系薬，アミノグリコシド系薬，カルバペネム系薬が有効である．AmpC型β-ラクタマーゼ過剰産生菌の一部は，カルバペネム系薬のMIC値が上昇（≧2μ/mL）し，五類感染症のCRE（カルバペネム耐性腸内細菌目細菌）と判定される株も検出されている．

## 6 シトロバクター属（Genus *Citrobacter*）

*Citrobacter*属菌は*Citrobacter freundii*, *C. braakii*, *C. koseri*など11菌種に分類される．ヒトや動物の腸管内に常在し，水，土壌や食品などにも広く分布している．尿路感染症，創傷感染，菌血症や敗血症の原因菌として分離される．大きさ1.0×2.0〜6.0μm．多くは乳糖を分解し，クエン酸塩利用能テスト陽性である．

### 1）シトロバクター・フロインディ（*Citrobacter freundii*）

日和見感染症として，尿路感染症，呼吸器感染症，胆道系感染症，術後感染症などを起こす．

硫化水素産生株では*Salmonella*属菌との鑑別が必要であるが，本菌はONPGテスト陽性，リジン脱炭酸試験陰性，オルニチン脱炭酸試験陰性である点で鑑別できる（**表2-A-c1-6**）．

治療にはフルオロキノロン系薬，第三世代，第四世代セファロスポリン系薬，アミノグリコシド系薬，カルバペネム系薬が有効である．

> **C. freundii の薬剤感受性**
> AmpC型β-ラクタマーゼ（セファロスポリナーゼ）産生遺伝子を染色体上にもつため，ペニシリン系薬，第一世代〜第三世代セファロスポリン系薬には耐性である．

### 2）シトロバクター・コセリ（*Citrobacter koseri*）

日和見感染症として*C. freundii*と同様の感染症を起こす．加えて，新生児髄膜炎の原因菌として分離されることがある点は重要である．

オルニチン脱炭酸試験陽性（**表2-A-c1-6**）で，アドニトールを分解する点で*C. freundii*と鑑別できる．

治療にはフルオロキノロン系薬，アミノグリコシド系薬，第三世代，第四世代セファロスポリン系薬，カルバペネム系薬などが用いられる．

## 7 プレジオモナス属（Genus *Plesiomonas*）

本菌属は*Plesiomonas shigelloides*1菌種のみの1属1菌種である．他の腸内細菌目細菌と異なり**オキシダーゼ試験陽性**，叢毛性の鞭毛（菌体の一端に2〜数本の鞭毛）をもち，以前は*Vibrio*科に分類されていたが，2005年に腸内細菌科に変更された．

*P. shigelloides*は淡水域に存在し，河川，湖，沼およびそこに生息する魚類などに分布している大きさ0.8〜1.0×3.0μmのグラム陰性桿菌である．本菌は**下痢症**，特に海外渡航者の旅行者下痢症の主要な原因菌である．免疫不全患者では菌血症や敗血症を起こすことがある．

乳糖・白糖非分解（一部の菌株では乳糖分解）のため，SS寒天培地，DHL

寒天培地, BTB 乳糖寒天培地上で赤痢菌と類似した集落を形成する. O 抗原に *Shigella sonnei* や *Shigella dysenteriae* と共通抗原をもち, *S. sonnei* や *S. dysenteriae* 抗血清で凝集する. オキシダーゼ試験により赤痢菌とは容易に鑑別できる.

治療には, シプロフロキサシン（フルオロキノロン系薬）やセフトリアキソン（セフェム系薬）が用いられる.

## II エルシニア科（*Yersiniaceae*）

### 1 エルシニア属（Genus *Yersinia*）

*Yersinia* 属菌は 17 菌種に分類されるが, ヒトの疾患の原因としては *Yersinia pestis*, *Y. enterocolitica*, *Y. pseudotuberculosis* の 3 菌種が重要である. 自然界における保菌動物で重要なものは野生げっ歯類であり, *Y. enterocolitica* と *Y. pseudotuberculosis* は, ウシ, ブタなどの家畜, イヌ, ネコなどのペットや自然環境中に広く分布する人獣共通感染症の原因菌である. 0～4℃の低温でも発育できる.

#### 1）ペスト菌（*Yersinia pestis*）

感染症法において**一類感染症**に分類される**ペスト（plague）** の原因菌であり, **生物危険度レベル分類 3** に分類される.

日本では 1929 年以降発生例はない. また, バイオテロに使用される可能性が高い菌とされている.

**一般性状**

大きさ 0.5～1.0×1.0～2.0 μm の卵円形の小桿菌. 菌体の両端が濃染する極染色性を有する. 芽胞を形成せず, 22℃でも 35℃でも鞭毛を有しない非運動性の菌である. 発育温度域が広く 1～45℃の範囲で発育する. 至適発育温度は 25～28℃で, 35℃では発育が遅い. 液体培地では沈殿して発育する. 普通寒天培地や BTB 乳糖寒天培地で中央隆起のへそ状集落を形成し, 粘度の高い莢膜を有するため釣菌時に糸を引く.

乳糖・白糖非分解, ブドウ糖を分解するが, ガス非産生, オルニチン脱炭酸試験陰性, VP 反応陰性, ウレアーゼ陰性である（**表 2-A-c1-7**）.

**病原性**

腺ペスト, 肺ペスト, 敗血症型ペストがある. 腺ペストは, ヒトペストの 80～90％を占め, ペスト菌含有ノミの咬傷により感染し, リンパ行性に菌血症を起こす. 治療をしない場合の致死率は約 90％である. 腺ペスト末期や敗血症型ペスト患者の肺に菌が侵入して肺炎を続発すると, この患者が感染源となりヒト-ヒト飛沫感染により肺ペストを発症する. 致死率はほぼ 100％である. 敗血症型ペストはヒトペストの約 10％を占める. 菌が全身に伝播して敗血症を引き起こし, 2～3 日で死亡する症例が多い.

 **検査材料**

細菌検査では, 腺ペストでは腫大したリンパ節や血液, 肺ペストでは喀痰や血液, 敗血症型ペストでは血液が検査材料となる.

表 2-A-c1-7　主な Yersinia 属菌，Serratia 属菌の主な生化学的性状

| 菌　種 | インドール産生 | VP反応 | シモンズクエン酸塩利用能 | 硫化水素産生/TSI | リジン脱炭酸 | オルニチン脱炭酸 | 尿素分解 | DNase活性/25℃ | 運動性/35℃ | 糖分解　ブドウ糖からのガス産生 | 乳糖 | 白糖 |
|---|---|---|---|---|---|---|---|---|---|---|---|---|
| Yersinia pestis | − | − | − | − | − | − | − | − | − | − | − | − |
| Yersinia enterocolitica | d | * | − | − | − | + | d | − | * | − | − | + |
| Yersinia pseudotuberculosis | − | − | − | − | − | − | + | − | * | − | − | − |
| Serratia marcescens | − | + | + | − | + | + | [−] | + | + | d | − | + |

−：0〜10%が陽性，［−］：11〜25%が陽性，d：26〜75%が陽性，＋：90〜100%が陽性．
＊：25℃では＋，35℃では−．

治療

早期の抗菌薬投与が必須である．ストレプトマイシン，ゲンタマイシン，テトラサイクリン，ドキシサイクリン，クロラムフェニコール，フルオロキノロン系抗菌薬が有効である．

## 2）腸炎エルシニア（Yersinia enterocolitica）

食中毒の原因菌である．

一般性状

大きさ 0.5〜0.8×1.0〜3.0 μm の桿状から卵円形のグラム陰性桿菌．0〜45℃で発育可能であり，至適発育温度は 25〜28℃．他の腸内細菌と比較し発育は遅い．**35℃で培養すると運動性，VP 反応は陰性であるが，25℃で培養すると両性状とも陽性となるなど，培養温度により性状が異なる．**ブドウ糖を分解するが，ガス非産生，オルニチン脱炭酸試験陽性，リジン脱炭酸試験陰性，ウレアーゼ陽性である（表 2-A-c1-7）．

疫学

生物学的性状から 5 生物型に分けられる．血清学的に O 抗原が 57 種，K 抗原が 6 種，H 抗原が 19 種明らかにされている．病原性は O3 群，O5 群，O8 群，O9 群に特定され，わが国では O3 群が大部分である．

病原性

野ネズミなどの野生動物やウシ，ブタなどの家畜，イヌ，ネコなどのペットに存在し，ヒトへは食物汚染や保菌動物との接触により感染する．乳幼児では急性胃腸炎が主体であり，年齢が高くなると急性胃腸炎のみでなく回腸末端炎，腸間膜リンパ節炎，関節炎や血流感染を起こす．回腸末端炎は，右下腹部痛と嘔気，嘔吐から虫垂炎症状を呈し，虫垂炎と混同される場合がある．

### 治療

単なる胃腸炎に対しての治療は不要である．クラスAβ-ラクタマーゼを産生するため，ペニシリン系薬，第一世代セファロスポリン系薬に耐性である．アミノグリコシド系薬，ドキシサイクリン，フルオロキノロン系薬，ST合剤の使用が有効である．

### 培養検査

分離培地にはSS寒天培地，マッコンキー寒天培地，DHL寒天培地や本菌の選択分離培地である**CIN寒天培地**などを用いる．また，菌数の少ない材料では，リン酸緩衝液を用いた低温増菌培養（4℃，2〜3週間）を併用することが望まれる．マッコンキー寒天培地では培地色の集落，DHL寒天培地では紫ピンク〜赤ピンク色の集落，SS寒天培地では赤痢菌様集落を形成する．CIN寒天培地では赤色，湿潤で周辺が白色を帯びた特徴ある集落を形成する．*Yersinia*属菌感染症を強く疑う場合は，25℃で24〜48時間培養する．日常検査では35℃培養を行うため，一夜培養後に疑わしい場合は，25℃でさらに24〜48時間培養を行う．

**病原株の判定**

分離当初に菌株をBHIB（ブレインハートインフュージョンブロス）などで37℃，24時間培養後に軽く振ると，非病原株は凝集しないが，病原株は凝集する．

### 血中抗体価測定

*Y. enterocolitica*の感染には血中抗体価の急激な上昇がみられるので，患者の初期血清と回復期血清の抗体価を測定することは，本感染の裏付けとなる．菌が分離されない場合でも，抗体価の上昇が認められた場合は感染が強く疑われる．

## 3) 仮性結核菌（*Yersinia pseudotuberculosis*）

げっ歯類の結核様病変の原因菌として知られていたが，1970年代頃からヒトの感染事例が明らかにされた．感染は2〜3歳をピークとする幼児に多く，成人はまれである．敗血症，腸間膜リンパ節炎，虫垂炎，結節性紅斑，下痢症と多様な病態を起こす．集団発生は西日本に多いが，千葉，長野，青森でも報告がある．

### 一般性状と検査法

形態は*Y. pestis*に類似している．ブドウ糖を分解するが，ガス非産生，乳糖・白糖非分解，リジン脱炭酸試験陰性，ウレアーゼ陽性である（**表2-A-c1-7**）．35℃で培養すると運動性，VP反応は陰性であるが，25℃で培養すると運動性は陽性，VP反応は陰性となる．至適発育温度，分離培地は*Y. enterocolitica*と同様であるが，CIN寒天培地に発育できないものもある．

### 治療

マクロライド系薬を除いて高感性である．治療には*Y. enterocolitica*と同様の抗菌薬が用いられる．

## 2 セラチア属（Genus *Serratia*）

*Serratia*属菌は*S. marcescens*, *S. liquefaciens*, *S. odorifera*, *S. rubidaea*

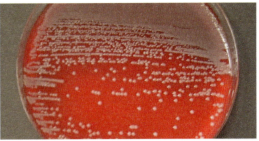

写真 2-A-c1-4　*S. marcescens* 色素産生株（左）と色素非産生株（右）（血液寒天培地）

など 11 菌種に分類されるが，感染症の原因菌として重要な菌種は *S. marcescens* である．*S. marcescens* は「霊菌」とよばれることもある．

### 1）セラチア・マルセッセンス（*Serratia marcescens*）

　水や土壌，空気中など自然界に広く分布する．病院内では水回りの湿潤環境を好み，流しや排水口，浴室に多く生息している．大きさは 0.5〜0.8×0.9〜2.0 μm で，他の腸内細菌目細菌より小さい．**赤色色素プロジギオシン（prodigiosin）** とピリミン（pyrimine）を産生し，赤色集落（色素産生株および非産生株：写真 2-A-c1-4）を形成する株があるが，非水溶性の色素なので培地は赤変しない（近年は赤色色素産生株の分離は減少している）．乳糖非分解，白糖分解，DNase 活性陽性が鑑別性状である（表 2-A-c1-7）．

　本菌は健康人に感染を起こすことはまれであるが，免疫不全患者に呼吸器感染症，尿路感染症，血流感染症（内因性敗血症），髄膜炎などを起こす．また，消毒薬に抵抗性を示し，消毒薬の不適切な使用が原因と考えられる汚染事例や，低温環境（4℃）でも増殖可能であるので，冷蔵庫で保存されていた輸液製剤の汚染事例など，医療関連感染の原因菌としても重要である．

　治療にはフルオロキノロン系薬，第三世代，第四世代セファロスポリン系薬，アミノグリコシド系薬，カルバペネム系薬が有効である．

> **菌名の由来 —*S. marcescens***
> *S. marcescens* には，赤い色素を産生する株もあり，パンがキリストの血で赤く着色するキリスト教の故事にちなんで「霊菌」とよばれる．

> ***S. marcescens* の薬剤感受性**
> AmpC 型 β-ラクタマーゼ（セファロスポリナーゼ）産生遺伝子を染色体上にもつため，ペニシリン系薬，第一および第二世代セファロスポリン系薬には耐性である．

## III ハフニア科（*Hafniaceae*）

### 1　ハフニア属（Genus *Hafnia*）

　*Hafnia* 属菌は *H. alvei* 1 菌種（DNA group 1, 2）であったが，2010 年に *H. alvei* DNA group 2 が *H. paralvei* として登録され，2 菌種となった（マロン酸塩利用能テストで鑑別可能）．ヒトの腸管，動物（哺乳類，鳥類，爬虫類，魚類，昆虫を含む）に常在し，下水，土壌などに分布する．菌血症や敗血症，消化器感染症，呼吸器感染症の原因菌となる．

　大きさは 1.0×2.0〜5.0 μm．インドールテスト陰性，ウレアーゼ陰性，シモンズクエン酸塩利用能テスト陰性，リジン脱炭酸試験陽性，オルニチン脱炭酸試験陽性である．VP 反応は，22℃では陽性であるが，35℃では陰性である．

表 2-A-c1-8 主な Hafnia 属菌, Edwardsiella 属菌の主な生化学的性状

| 菌　種 | インドール産生 | VP反応 | シモンズクエン酸塩利用能 | 硫化水素産生/TSI | リジン脱炭酸 | オルニチン脱炭酸 | アルギニン加水分解 | 尿素分解 | DNase活性/25℃ | 運動性/35℃ | ONPGテスト | 糖分解 ブドウ糖からのガス産生 | 乳糖 | 白糖 |
|---|---|---|---|---|---|---|---|---|---|---|---|---|---|---|
| *Hafnia alvei* | - | * | - | - | + | + | - | - | - | [+] | + | + | - | - |
| *Edwardsiella tarda* | + | - | - | + | + | + | - | - | - | + | - | + | - | - |

-:0～10%が陽性, [+]:76～89%が陽性, +:90～100%が陽性.
*:22℃では+, 35℃では-.

硫化水素は SIM 培地では弱陽性であるが, TSI 寒天培地では陰性となる(表2-A-c1-8).

ピペラシリン, イミペネム, フルオロキノロン系薬, 第三世代および第四世代セファロスポリン系薬には感性である.

## 2　エドワージエラ属 (Genus *Edwardsiella*)

*Edwardsiella tarda*, *E. ictaluri*, *E. piscicida*, *E. hoshinae* の 4 菌種に分類される. 水辺に生息する哺乳類, 鳥類, 爬虫類などの腸管内, 湖沼, 河川水などに分布する. ヒトの感染症に関連する菌種は, *E. tarda* で下痢症の原因菌となる. まれに日和見感染症を起こし, 創傷, 血液から検出されることがある. ヒトの感染症は, 魚あるいはカメとの接触が関連している. また *E. tarda* はウナギ, テラピア, ヒラメなどのパラコロ病の原因菌として重要である. 大きさは 1.0×2.0～3.0 μm. 乳糖・白糖非分解で, 硫化水素を産生し *Salmonella* 属菌に類似したコロニーを形成するが, インドールテストが陽性である点で鑑別できる(表 2-A-c1-8). 抗菌薬への耐性は基本的にはない. アンピシリン, セファロスポリン系薬, アミノグリコシド系薬, キノロン系薬, ST 合剤などが治療に有効である.

## IV　モルガネラ科 (*Morganellaceae*)

腸内細菌目細菌のなかで, モルガネラ科のプロテウス属菌(Genus *Proteus*), モルガネラ属菌(Genus *Morganella*), プロビデンシア属菌(Genus *Providencia*)の 3 属だけが, **IPA 反応** (indole-pyruvic acid reaction) と PPA 反応 (phenylpyruvic acid reaction) が陽性である.

自然界に広く分布し, 土壌, 汚水, ヒトや動物の糞便などから検出されるが, 日和見感染や医療関連感染の原因菌として重要である.

IPA 反応

IPA 反応陽性菌は, SIM 培地で酸素が十分にある培地上部のみが褐色となる. ちなみに, IPA 反応陽性菌を SIM 培地に接種し嫌気培養を行った場合, IPA 反応は陰性となる.

写真2-A-c1-5 血液寒天培地上の遊走

## 1 プロテウス属（Genus *Proteus*）

*Proteus vulgaris*, *P. mirabilis*, *P. penneri*, *P. myxofaciens*, *P. hauseri* の5菌種に分類される。大きさは0.4～0.8×1.0～1.3μmである。運動性の活発な*Proteus*属菌の菌株では、湿った寒天培地上で**遊走**（swarming：スウォーミング、写真2-A-c1-5）し、限局したコロニーを形成せず、培地面に薄く広げたような発育を示す。遊走は、①培地に胆汁あるいは胆汁酸塩、窒化ナトリウム、活性炭を加える、②食塩を加えない、③寒天濃度を2％以上にする、これらのいずれかにより阻止される。

*Proteus vulgaris* OX19、OX2株は発疹チフスリケッチア（*Rickettsia prowazekii*）および発疹熱リケッチア（*R. typhi*）、日本紅斑熱リケッチア（*R. japonica*）と共通抗原をもち、*P. mirabilis* OXK株はツツガムシ病リケッチア（*Orientia tsutsugamushi*）と共通抗原をもつ。

### 1）プロテウス・ブルガリス（*Proteus vulgaris*）

日和見感染として尿路感染症、呼吸器感染症、創傷感染などを起こす。血液から分離されることもある。インドールテスト陽性、硫化水素産生、ウレアーゼ陽性である（表2-A-c1-9）。

クラスAβ-ラクタマーゼを産生するので、ペニシリン系薬、第一世代セファロスポリン系薬に耐性である。治療にはフルオロキノロン系薬、アミノグリコシド系薬、第三世代、第四世代セファロスポリン系薬、β-ラクタマーゼ阻害薬配合ペニシリン系薬（タゾバクタム/ピペラシリンなど）などが用いられる。

### 2）プロテウス・ミラビリス（*Proteus mirabilis*）

*Proteus*属菌のなかで最も分離頻度が高い。日和見感染として尿路感染症を起こし、特に尿道カテーテル留置患者で発症しやすい。上行性の腎盂腎炎に進展する場合もある。インドールテスト陰性、オルニチン脱炭酸試験陽性が*P. vulgaris*との鑑別点である（表2-A-c1-9）。アンピシリン、ピペラシリン、セファロスポリン系、およびアミノグリコシド系抗菌薬に感性を示す。

表 2-A-c1-9 主な *Proteus* 属菌, *Morganella* 属菌, *Providencia* 属菌の主な生化学的性状

| 菌種 | インドール産生 | VP反応 | シモンズクエン酸塩利用能 | 硫化水素産生/TSI | リジン脱炭酸 | オルニチン脱炭酸 | 尿素分解 | 運動性/35℃ | 糖分解 ブドウ糖からのガス産生 | 乳糖 | 白糖 |
|---|---|---|---|---|---|---|---|---|---|---|---|
| *Proteus vulgaris* | + | − | [−] | [+] | − | − | + | + | [+] | − | + |
| *Proteus mirabilis* | − | d | d | + | − | + | + | + | + | − | [−] |
| *Morganella morganii* subsp. *morganii* | + | − | − | [−] | − | + | + | + | + | − | − |
| *Providencia rettgeri* | + | − | + | − | − | − | + | + | + | − | [−] |
| *Providencia stuartii* | + | − | + | − | − | − | d | [+] | − | − | d |

−:0〜10%が陽性, [−]:11〜25%が陽性, d:26〜75%が陽性, [+]:76〜89%が陽性, +:90〜100%が陽性.

## 2　モルガネラ属（Genus *Morganella*）

　*Morganella morganii*, *M. psychrotolerans* の2菌種に分類され, *M. morganii* はさらに, *M. morganii* subsp. *morganii* と *M. morganii* subsp. *sibonii* の2つの亜種に分類される．ヒトの感染症の原因菌は *M. morganii* で, *M. psychrotolerans* は魚類に感染症を起こす．

　大きさは 0.6〜1.0×1.0〜3.0 μm である．運動性陽性であるが遊走はしない．*Proteus* 属菌と同様の日和見感染を起こす．インドールテスト陽性, オルニチン脱炭酸試験陽性, ウレアーゼ陽性である（**表2-A-c1-9**）．亜種の鑑別性状は, *M. morganii* subsp. *morganii* がアドニトール, トレハロース, アラビトール非分解で, テトラサイクリンに感性を示す．

　治療にはフルオロキノロン系薬, 第三世代, 第四世代セファロスポリン系薬, アミノグリコシド系薬, カルバペネム系薬が有効である．

## 3　プロビデンシア属（Genus *Providencia*）

　*Providencia* 属菌は *Providencia alcalifaciens*, *P. rettgeri*, *P. stuartii*, *P. burhodogranariea*, *P. heimbachae*, *P. vermicola* の6菌種に分類されるが, ヒトの感染症に関連するのは前3菌種である．

　大きさは 0.6〜0.8×1.5〜2.5 μm である．運動性陽性であるが遊走はしない．*P. alcalifaciens* は糞便から検出されることが多い．3菌種ともに尿路感染症の原因菌となる．

　*P. stuartii* はアミノグリコシド系薬, フルオロキノロン系薬に耐性を示すため, 治療には第三世代, 第四世代セファロスポリン系薬, カルバペネム系薬などを用いる．

# c-2 ビブリオ科（*Vibrionaceae*）

ビブリオ科には，6種の属（*Vibrio, Photobacterium, Salinivibrio, Enterovibrio, Grimontia, Aliivibrio*）があり，110種以上の菌種が存在する．主に臨床材料から分離されるのが *Vibrio* 属（10菌種），*Photobacterium* 属，*Grimontia* 属である．

## I ビブリオ属（Genus *Vibrio*）（表 2-A-c2-1）

*Vibrio* 属は，コレラ菌（*Vibrio cholerae*），腸炎ビブリオ（*V. parahaemolyticus*），*V. mimicus, V. alginolyticus, V. fluvialis, V. furnissii, V. vulnificus, V. metschnikovii, V. cincinnatiensis, V. harveyi* の10菌種がある．

グラム陰性桿菌．通性嫌気性の菌で，菌の形状は弯曲（コンマ状）あるいは直線状のものがあり，**弯曲した形態は *Vibrio* 属を疑う重要な性状**である．大きさは 0.5〜0.8×1.4〜2.6 μm である．ほとんどの菌種で鞭毛があり，液体培地で極単毛もしくは多毛を示す．

普通寒天培地および普通ブイヨンによく発育するが，好塩性であり，菌種により最小発育濃度は違うものの，0.03〜4.1% の食塩（NaCl）を必要とする．オキシダーゼ陽性．ブドウ糖を発酵的に分解して酸を産生し，*V. fluvialis* の一

NaCl：食塩＝塩化ナトリウム

表 2-A-c2-1　主な *Vibrio* 属の主な生化学的性状

| 菌種 | TSI培地ガス産生 | インドール産生 | VP反応 | 利用能シモンズクエン酸塩 | リジン脱炭酸 | アルギニン加水分解 | オルニチン脱炭酸 | NaCl加ペプトン水での発育 0% | 3% | 8% | 10% | TCBS寒天培地上での発育 | 糖分解 乳糖 | 白糖 |
|---|---|---|---|---|---|---|---|---|---|---|---|---|---|---|
| V. cholerae | − | + | d | + | + | − | + | + | + | − | − | 黄 | (d) | + |
| V. cholerae non-O1, non-O139 (NAGビブリオ) | − | + | d | + | + | − | + | + | + | − | − | 黄 | (d) | + |
| V. alginolyticus | − | d | + | + | + | − | + | − | + | + | + | 黄 | − | + |
| V. fluvialis | d | d | − | + | − | + | − | + | + | + | − | 黄 | − | + |
| V. mimicus | − | + | − | + | + | − | + | + | − | − | − | 緑 | (d) | − |
| V. parahaemolyticus | − | + | − | + | + | − | + | − | + | + | − | 緑 | − | + |
| V. vulnificus | − | + | − | + | + | − | d | − | + | − | − | 緑 | + | d |
| V. harveyi | − | + | + | − | − | − | − | d | − | − | − | 緑 | + | − |

d：11〜89% が陽性，(d)：11〜89% が遅れて陽性．

部の菌株を除く，ほとんどの菌種がガスを産生しない．一部の菌種を除き硝酸塩還元試験陽性，TCBS 寒天培地に発育する．また，一部の菌種は好塩菌のため，水環境中でも特に海水に生息する．主な感染症は，下痢症，軟部組織感染症，敗血症，眼科および耳鼻科領域感染症などである．

TCBS：thiosulfate-citrate-bile salts-sucrose

## 1 コレラ菌（*Vibrio cholerae*：血清型 O1 および O139 型）

コレラはインド・ガンジス川のデルタ地帯の風土病であったが，貿易がさかんになった 19 世紀はじめころから世界各地に伝播し，1923 年までにアジア型（biovar *cholerae*）とよばれるコレラ菌によるパンデミックが発生している．菌体表面の O 抗原によって 210 種類に分けられるが，O1 型および O139 型のなかでコレラ毒素を産生するものが狭義のコレラ菌とされている．それ以外が「NCV〔*V. cholerae* non-O1, non-O139, NAG（ナグ）ビブリオ〕」と称されている．

 好塩菌

ヒトに病原性を示す好塩菌は，一般的に，発育に 3% 以上の食塩濃度を要求する細菌を対象とする．

 コレラ菌

1905 年，エジプトで発見されたコレラ菌は溶血性を特徴とするエルトール型（biovar *eltor*）とよばれ，1961 年以降現在まで世界的流行株となっている．日本ではコレラは感染症法の**三類感染症**であり，報告される多くは海外からの輸入例である．

### 形態と染色
1.5～2.0×0.5 μm の，コンマ状のやや彎曲したグラム陰性の桿菌．端在性の極単毛の鞭毛をもつ．

### 培養
通性嫌気性，普通寒天培地や普通ブイヨンによく発育する．患者糞便材料からの分離培養では**TCBS 寒天培地またはビブリオ寒天培地で 37℃，16～24 時間**，増菌培養ではアルカリ性ペプトン水にて 37℃，16～18 時間の一次培養を行う．二次培養として，TCBS 寒天培地に塗布して確認を行う．TCBS 寒天培地上でのコレラ菌の集落は**白糖分解による黄色集落**，ビブリオ寒天培地では直径 2 mm 前後の青色透明集落を形成する．

### 生化学的性状
**オキシダーゼ試験陽性**．ブドウ糖を発酵的に分解するが，ガスは産生しない．インドールテスト陽性，リジン脱炭酸試験陽性，**0% NaCl 加ペプトン水発育陽性**．

### 血清型
菌体表面の O 抗原によって 210 種類に分けられる．コレラ菌が疑われるコロニーが観察された場合には，血清型 O1 および O139 の確認が生化学的性状よりも重要である．さらに，O1 型は O 抗原の型特異因子である A，B，C により，小川型（A，B），稲葉型（A，C）および彦島型（A，B，C）の 3 種の血清型に分けられる．血清型はスライド凝集法で確認する．検査にあたってはそれぞれの血清が市販されている．

### 生物型
O1 型は**アジア型（biovar *cholerae*）とエルトール型（biovar *eltor*）**に分けられる．型別は溶血性（ヒツジ），ニワトリ赤血球凝集反応，VP 反応およびポリミキシン B（50 U）に対する感受性で分けられる．エルトール型は，ポリミキシン B 耐性以外はすべて陽性である．

### 毒素産生と病原性

コレラ菌は，コレラエンテロトキシン（CT）を産生することで下痢症を発症させる．なかには，O1型やO139型であってもCT非産生株も存在する．エンテロトキシンは，逆受身ラテックス凝集反応やELISA法により検出する，もしくはPCR法によりエンテロトキシンをコードする遺伝子を検出する．コレラ菌が感染するのはヒトのみで，主に汚染された水（飲料水）や食物を介して経口感染する．腸管粘膜および腸管で増殖し，エンテロトキシンを産生する．エンテロトキシンは，腸管上皮細胞に作用して，電解質と水分を多量に排出させることにより下痢と嘔吐を発症させる．潜伏期は他の腸管病原菌と比較して短時間であり，一般的には12〜18時間とされている．

### 薬剤感受性と治療

治療は，下痢により大量に喪失した水分と電解質の補給が主で，GES（glucose-electrolyte-solution）の経口投与または点滴を行う．不必要な抗菌薬の投与は耐性を助長するだけである．ただし，重症患者の場合には抗菌薬の使用が推奨されている．その利点は，下痢の期間や菌の排泄期間が短くなることである．治療薬には，ニューキノロン系薬，テトラサイクリンやドキシサイクリンがある．近年，耐性菌の報告もあり，これらの薬剤に耐性の場合には，エリスロマイシンやST合剤などを使用する．

> **コレラエンテロトキシン**
> cholera toxin. 細菌が産生する蛋白毒素のなかで，腸管に作用して下痢症など生体に異常反応を引き起こす毒素．耐熱性と易熱性がある．

> **経口補水療法（ORT）**
> WHOは，点滴を行うことができない場合の下痢による脱水症の改善に，塩化ナトリウム3.5 g，塩化カリウム1.5 g，グルコース20 g，重炭酸ナトリウム2.5 gを1リットルの水に溶かした経口補水液（oral rehydration solution；ORS）の投与を推奨している．

## 2 非O1，非O139 コレラ菌（*Vibrio cholerae* non-O1，non-O139）

本菌の形態や培養，生化学的性状などはコレラ菌（O1，O139）と全く同じである．

**コレラ菌の抗血清O1およびO139に凝集しないコレラ菌を，*Vibrio cholerae* non-O1，non-O139と称する**．以前は*V. cholerae* non-O1とのみ称されていたが（non-O1ビブリオともよばれる），1992年10月，インド南部でコレラ毒素産生性のO139型によるコレラ様のパンデミックが発生したため，WHOはO1と同様にO139をコレラの原因菌として定義し，現在は*V. cholerae* non-O1, non-O139を，いわゆるNAGビブリオ（non-agglutinable *Vibrio cholerae*：ナグビブリオ）と称している．まれではあるが，コレラ毒素を産生する株も存在する．生態はコレラ菌と同様で，河口付近の河川水，底泥などに存在する．下痢を伴う食中毒のほかに，敗血症や創傷感染などの腸管外感染を発症することもある．

## 3 ビブリオ・ミミカス（*Vibrio mimicus*）

本菌はコレラ菌およびNAGビブリオと類似した菌種だが，**白糖非分解**という点が異なる．食中毒の原因菌で，海水，海泥，魚介類に分布しており，牡蠣などの生食後に発症する．

## 4　腸炎ビブリオ（*Vibrio parahaemolyticus*）

　腸炎ビブリオは，日本で発生する食中毒の原因菌の一つである．腸炎ビブリオによる食中毒は，ほとんどが魚介類の生食による．現在でも，8月を発生のピークとして，7～9月に多発する細菌性食中毒の主要原因菌の一つである．本菌の増殖は気温と温度に影響され，夏期に海水中で大量に増殖し，魚介類に付着する．腸炎ビブリオへの食中毒対策の強化のため近年は減少している．

### 形態と染色

　大きさ 0.4～0.6×1～3 μm で，グラム陰性の桿菌である．鞭毛は，液体培養菌は1本の極単毛をもち活発に運動するが，固形培地上で増殖する菌では側毛とよばれる周毛性の鞭毛をもつ．

### 培養

　通性嫌気性，**好塩性**を示す．1～8%NaCl 加培地で増殖しやすく，**増殖至適食塩濃度は 2～3%**である．ゆえに，**食塩（NaCl）を含まない培地には発育しない**．本菌の増殖速度は条件によって異なるが，きわめて速い（至適条件下での世代時間は10分程度）という点で，他の食中毒菌と異なる．至適発育温度は 30～37℃，至適 pH 域は 7.6～8.0 であるが，食塩が存在しなければすみやかに死滅する．分離用培地としては TCBS 寒天培地，ビブリオ寒天培地などがある．TCBS 寒天培地では**白糖非分解**のため緑色のコロニー，ビブリオ寒天培地ではやや不透明なコロニーを形成する．増菌培養には，4%NaCl 加ペプトン水を用いる．

### 生化学的性状

　**オキシダーゼ試験陽性**．ブドウ糖を発酵的に分解するが，ガスは産生しない．乳糖および白糖を分解しない．インドールテスト陽性，VP反応陰性，リジン脱炭酸試験陽性．3～5%の食塩添加でよく発育するが，10%ではほとんど発育しない．

　また，本菌は特殊な条件下（ヒト血球を含む我妻培地上での培養）において，**神奈川現象**を示す．本菌の90%以上が陽性となる．

**神奈川現象**
本菌の病原因子である耐熱性溶血毒により，ヒトまたはウサギ血球を溶血（β溶血）する現象．

### 血清型

　腸炎ビブリオは，耐熱性の菌体抗原（O抗原），鞭毛抗原（H抗原），易熱性の莢膜抗原（K抗原）を有する．血清型は，OおよびK抗原の組み合わせで表現され，現在，O抗原は16種類，K抗原は71種類に分けられている．

### 毒素産生と病原性

　病型は急性胃腸炎で，6～32時間の潜伏期間を経て発症する．主症状は発熱，嘔吐，上腹部痛，下痢で，粘血便を排出する場合は赤痢との鑑別が必要となる．重要な病原因子としては，耐熱性溶血毒（TDH）およびその類似溶血毒（TRH）とよばれる溶血活性のある蛋白性毒素がある．

TDH：thermostable direct hemolysin

TRH：TDH-related hemolysin

### 薬剤感受性と治療

　下痢による脱水症状に対しては輸液を行う．抗菌薬の使用は必ずしも必要ではない．抗菌薬を使用する場合は，ニューキノロン系抗菌薬などを投与する

ことが多い．薬剤感受性は，クロラムフェニコール，テトラサイクリン，キノロン系薬に感性である．アンピシリンやアミノグリコシド系薬には耐性株が多い．

## 5　ビブリオ・アルギノリチカス（Vibrio alginolyticus）

**白糖分解**，VP反応が陽性である．3〜5％の食塩添加でよく発育するが，10％でも発育する．海水に常在する菌種で，**中耳炎，皮膚潰瘍**や**創傷感染，菌血症**の原因菌である．

## 6　ビブリオ・フルビアリス（Vibrio fluvialis），ビブリオ・ファーニシ（Vibrio furnissii）

鞭毛は，腸炎ビブリオと同様に液体培地で培養すると極単毛であるが，固形培地では周毛性となる．いずれも乳糖非分解，**白糖分解**，VP反応陰性．**好塩性**で0％NaCl加ペプトン水では発育せず，3％NaCl加ペプトン水でよく発育する．TCBS寒天培地では，白糖を分解するため黄色のコロニーを形成する．V. furnissii はブドウ糖を分解してガスを産生する．海水および海産性の魚介類に広く分布しており，**下痢症の原因**となる．V. fluvialis は，腸炎ビブリオと**混合感染する**症例が多く報告されている．

## 7　ビブリオ・バルニフィカス（Vibrio vulnificus）

Vibrio 属の一般性状を有するが，乳糖分解性である．腸炎ビブリオと共通点も多い．

健康人では下痢や腹痛を発症することもあるが，軽症例が多い．一方，免疫能の低下している人，肝硬変などの肝疾患のある人，貧血などで鉄剤の投与を受けている患者には重症例が報告されている．肝臓でのクリアランスの低下や血清鉄が細菌の病原性や増殖性を増すことにより，菌体が血液中に侵入し，数時間から1日の潜伏期の後，**壊死性筋膜炎などの皮膚病変や発熱，悪寒，血圧の低下などの敗血症様症状**を起こす．致死率は高く50〜70％とされている．補液や抗菌薬による治療が中心となる．第三世代セファロスポリン系抗菌薬やテトラサイクリンなど胆汁排泄型の抗菌薬が使用されることが多い．

## c-3　エロモナス属（Genus *Aeromonas*）

*Aeromonas* 属は現在，36 菌種存在し，ヒトへの病原菌として *A. hydrophila*, *A. caviae*, *A. dhakensis* および *A. veronii* biovar *sobria* が重要である．本属は，湖沼，河川，その周辺の汚水の淡水域や汽水域に広く分布する．

### 1　エロモナス・ハイドロフィラ（*Aeromonas hydrophila*），エロモナス・ダケンシス（*Aeromonas dhakensis*），エロモナス・キャビエ（*Aeromonas caviae*），エロモナス・ヴェロニ生物型ソブリア（*Aeromonas veronii* biovar *sobria*）

**形態と染色**

$1.0〜3.5×1.0\,\mu m$ のグラム陰性桿菌．極単毛の鞭毛（固形培地上では周毛性）をもつため運動性がある．莢膜や芽胞は形成しない．

**培養**

通性嫌気性で，通常の培養温度（35〜37℃）および室温（20〜25℃）で発育する．普通寒天培地によく発育するが，糞便からの分離には，SS 寒天培地（乳糖非分解：無色透明〜半透明の集落，発育しない株もある）や DHL 寒天培地（白糖分解：赤色の集落）を用いる．ヒツジ血液寒天培地上では $\beta$ 溶血を示す集落を形成する．TCBS 寒天培地には発育しない．

**生化学的性状**

ブドウ糖を発酵的に分解し酸を産生するが，ガスの産生は菌株により異なる．**オキシダーゼ試験陽性**（腸内細菌目細菌との鑑別）．DNase 活性陽性，リジン脱炭酸試験およびオルニチン脱炭酸試験は陰性（*Plesiomonas* 属との鑑別）である．O/129（2,4-diamino-6,7-diisopropylpteridine）（150 μg）

表 2-A-c3-1　主な *Aeromonas* 属の生化学的性状

| 菌種 | HG群 | オキシダーゼ | エスクリン加水分解 | VP反応 | ブドウ糖からのガス産生 | インドール産生 | DNase活性 | リジン脱炭酸 | オルニチン脱炭酸 | シモンズクエン酸塩利用能 | 糖分解 アラビノース | 乳糖 | 白糖 | 運動性 | O/129（150 μg） |
|---|---|---|---|---|---|---|---|---|---|---|---|---|---|---|---|
| *A. hydrophila* | 1 | + | + | [+] | + | + | + | − | − | + | [+] | d | + | + | 耐性 |
| *A. caviae* | 4 | + | [+] | − | − | + | + | − | − | [+] | + | d | + | + | 耐性 |
| *A. veronii* biovar *sobria* | 8 | + | − | [+] | + | + | + | + | − | d | − | − | + | + | 耐性 |

−：0〜10%が陽性，d：26〜75%が陽性，[+]：76〜89%が陽性，＋：90〜100%が陽性．
HG 群：DNA hybridization group, O/129：2,4-diamino-6,7-diisopropylpteridine．

を用いることにより，*A. hydrophila* は耐性，多くの *Vibrio* 属は感性を示す．これらの *Aeromonas* 属の3種の鑑別には，エスクリン加水分解能，VP反応，ブドウ糖からのガス産生能およびアラビノース分解能を用いる（**表 2-A-c3-1**）．また，*A. hydrophila* complex に属する *A. dhakensis* はアラビノース分解能が陰性のため，*A. hydrophila* との鑑別が可能である．なお，*Aeromonas* 属のより正確な菌種同定には質量分析法が有用である．

#### 病原性

本菌は淡水魚，爬虫類，両生類および家畜（ブタやウシ）などの病原菌である．ヒトには胃腸感染症と腸管外感染症を起こす．胃腸感染症では *A. caviae* が高頻度に分離され，急性胃腸炎症状を呈する**感染型食中毒**の原因菌となる．健康人では自然回復するが，免疫能の低下した患者では重症化することがある．腸管外感染症では，敗血症を伴う患者から *A. caviae*，*A. dhakensis* および *A. veronii* biovar *sobria* が，創部感染症においては *A. hydrophila* および *A. dhakensis* が高頻度に分離され，そのほかに肺炎や尿路感染症などの原因菌となる．

#### 薬剤感受性

多くの菌株が β-ラクタマーゼを産生するためペニシリン系抗菌薬に耐性を示し，カルバペネム系，ニューキノロン系およびアミノグリコシド系抗菌薬に感性を示す．

> **Aeromonas 属による胃腸炎**
> 本菌による胃腸炎の下痢症状は，水様性から赤痢様あるいはコレラ様など，多様である．

> **Aeromonas 属の病原因子**
> 細胞障害性毒素，プロテアーゼ，溶血毒，リパーゼ，接着因子，下痢毒素などがある．

# c-4　パスツレラ科（*Pasteurellaceae*）

パスツレラ科には 17 菌属があり，そのうち *Pasteurella* 属，*Haemophilus* 属，*Aggregatibacter* 属および *Actinobacillus* 属の 4 菌属がヒトの病原菌として認識されている．

## Ⅰ パスツレラ属（Genus *Pasteurella*）

本属は 32 菌種に分類され，ほとんどの菌種が哺乳類または鳥類の口腔や上気道の常在菌で，**人獣共通感染症**の原因菌である．ヒトの臨床材料から分離される菌種は *Pasteurella multocida*，*P. canis*，*P. dagmatis* および *P. stomatis* などであり，そのなかでも *P. multocida* による感染症が多い．

### 1　パスツレラ・ムルトシダ（*Pasteurella multocida*）

*P. multocida* は 3 つの亜種の *multocida*，*septica* および *gallicida* に分類される．

　形態と染色

1～2 μm の，グラム陰性の小さい球桿菌または短桿菌の多形性を示す．鞭毛はなく非運動性で，芽胞は形成しない．

　培養

通性嫌気性で，血液寒天培地およびチョコレート寒天培地において，37℃，24 時間培養で 1～2 mm の不透明な灰色の集落を形成する．溶血性はない．莢膜をもつ菌株はムコイド型を示すことがある．マッコンキー寒天培地には発育しない．

　生化学的性状

カタラーゼ試験およびオキシダーゼ試験は陽性．ブドウ糖を発酵するが，ガスは産生しない．硝酸塩還元試験，オルニチン脱炭酸試験およびインドールテストは陽性である．

　病原性

ヒトおよび動物に対する病原性がある．ヒトの感染症は，気管支炎，気管支拡張症などの**呼吸器感染症**，および**ネコおよびイヌによる咬傷・搔傷による軟部組織感染症**がある．敗血症，髄膜炎および脳膿瘍などでは重症例の報告もある．

　薬剤感受性

ペニシリン系抗菌薬をはじめ多くの抗菌薬に感性である．

## Ⅱ ヘモフィルス属（Genus *Haemophilus*）

　本属は臨床材料から分離される菌種のなかで，ヒトへの主な病原菌として8菌種と，ヒトへの病原性が未確定な1菌種（*H. sputorum*）がある．*Haemophilus* 属は，ヒトや動物の上気道に常在している通性嫌気性のグラム陰性の小さな短桿菌または球桿菌で，多形性を示す．非運動性で芽胞を形成しない．炭酸ガス培養で増殖が促進されるものがある．発育因子としてX因子およびV因子（NAD）の両方またはどちらか一方を必要とする．ヒツジ血液寒天培地上に溶血性のブドウ球菌が同時に発育していると，溶血を示したゾーンにおいてブドウ球菌が産生した NAD を利用して *Haemophilus* 属の増殖が促進し，集落が大きくなることを**衛星現象**（**写真 2-A-c4-1**）とよぶ．*Haemophilus* 属の主要な鑑別性状を**表 2-A-c4-1** に示す．*Haemophilus* 属は HACEK 群の「H」に相当し，感染性心内膜炎（infective endocarditis；IE）の原因菌となる．

### 1　ヘモフィルス・インフルエンザ（*Haemophilus influenzae*）

#### 形態と染色
0.3〜0.5×0.5〜1 μm のグラム陰性短桿菌で，多形性を示す（**写真 2-A-c4-2**）．非運動性で芽胞は形成しない．有莢膜株が存在する．

#### 培養
通性嫌気性で，炭酸ガスで発育が促進され，**発育にX因子およびV因子を必要**とし，ウマおよびウサギ血液寒天培地に微小な集落を形成するが，溶血性はない（**写真 2-A-c4-3**）．ヒツジ血液寒天培地には発育しないが，チョコレート寒天培地を用いた 35〜37℃の 24 時間培養では，1〜2 mm の灰白色の集落を形成する（**写真 2-A-c4-4**）．バシトラシンを添加した選択培地が市販されている．莢膜を有する菌株は，ムコイド状の集落を形成する．

#### 生化学的性状
カタラーゼ試験およびオキシダーゼ試験は陽性．ブドウ糖を発酵するが，ガスは産生しない．ポルフィリンテストは陰性である（**表 2-A-c4-1**）．オルニチン脱炭酸試験，ウレアーゼ産生性およびインドールテストの性状の組み合わせにより，Ⅰ〜Ⅷ型の生物型に分類される．

---

**X因子（耐熱性，ヘミンまたはそのほかのポルフィリン）**
X因子の要求は呼吸酵素に必要なポルフィリンを合成できないことを意味している．多くの培地には微量のX因子が含まれており，偽陽性と判定される可能性があるため，δ-アミノレブリン酸からのポルフィリン合成能をみる（ポルフィリンテスト）．

**V因子（NAD：nicotinamide adenine dinucleotide）**
易熱性の vitamin 様物質（Vと命名）であり，補酵素または酸化-還元反応の触媒として作用する．溶血レンサ球菌やナイセリアなども，NAD を産生する菌株がある．

**感染性心内膜炎（IE）と HACEK 群**
IE の原因菌として，HACEK 群（*Haemophilus* 属，*Aggregatibacter* 属（以前は *Actinobacillus* 属とされていた），*Cardiobacterium* 属，*Eikenella* 属および *Kingella* 属）に属する菌は重要である．

**菌名の由来—*Haemophilus influenzae***
1892年，ファイファーによりインフルエンザ患者の喀痰より分離され，当時はインフルエンザの原因菌と考えられ，*H. influenzae* と命名された．その後，1933年，真の病原体はインフルエンザウイルスであることが明らかとなった．

写真 2-A-c4-1　衛星現象
（順天堂大学医学部附属順天堂医院・長南正佳氏）

表 2-A-c4-1　*Haemophilus* 属および *Aggregatibacter* 属の主な生化学的性状

| 菌　種 | 発育要求 X因子 | 発育要求 V因子 | 炭酸ガス | カタラーゼ | オキシダーゼ | ポルフィリン | 溶血性* | インドール産生 | ウレアーゼ | オルニチン脱炭酸 | β-ガラクトシダーゼ | 糖分解 ブドウ糖 | 糖分解 白糖 | 糖分解 乳糖 | 糖分解 キシロース | 糖分解 マンノース |
|---|---|---|---|---|---|---|---|---|---|---|---|---|---|---|---|---|
| H. influenzae | + | + | − | + | + | − | − | v | v | v | − | + | − | − | + | − |
| H. aegyptius | + | + | − | + | + | − | − | − | + | − | − | + | − | − | − | − |
| H. haemolyticus | + | + | − | + | + | − | + | v | + | + | − | + | − | − | v | − |
| H. parainfluenzae | − | + | − | v | + | + | − | v | v | v | − | + | + | − | − | + |
| H. ducreyi | + | − | − | − | + | − | − | − | − | − | − | v | − | − | − | − |
| H. parahaemolyticus | − | + | − | + | + | − | + | − | + | − | − | v | + | − | − | − |
| H. pittmaniae | − | + | uk | w | uk | uk | + | uk | uk | uk | + | + | + | − | − | + |
| H. paraphrohaemolyticus | − | + | − | + | + | − | + | v | + | − | − | v | + | − | − | − |
| H. sputorum | − | + | uk | uk | uk | uk | + | + | + | − | uk | + | uk | − | − | − |
| A. actinomycetemcomitans | − | − | v | + | v | − | − | − | − | − | − | + | − | − | v | uk |
| A. aphrophilus | − | − | + | − | − | + | − | − | − | − | + | + | + | + | + | + |
| A. paraphrophilus | − | + | − | − | − | + | − | − | − | − | uk | + | + | + | uk | + |
| A. segnis | − | + | − | v | − | + | − | − | − | − | − | + | w | w | − | − |

＋：陽性，−：陰性，uk：不明，v：多様，w：弱反応．
＊：ウマまたはウサギ血液．

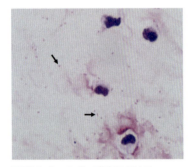

写真 2-A-c4-2　喀痰における *H. influenzae* の Gram 染色標本（×1,000）

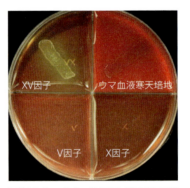

写真 2-A-c4-3　X因子，V因子の要求試験およびウマ血液寒天培地における溶血性
（順天堂大学医学部附属順天堂医院・長南正佳氏）

> **Haemophilus influenzae の培養**
> 本菌は乾燥や低温に弱いため，臨床材料から可能なかぎり早く分離する必要がある．
> ヒツジ血液寒天培地には発育できず，ウマまたはウサギ血液寒天培地に発育できるのは，他の動物（ヒツジなど）に比し，ウマ，ウサギ赤血球中にＶ因子破壊酵素が著しく少ないためである．
> 血液寒天培地を加熱して作製するチョコレート寒天培地では，ヒツジ赤血球などが用いられていても発育可能である．赤血球中のＶ因子破壊酵素は培地作製時の加熱によって失活するが，Ｖ因子は作製時の加熱程度では破壊されず培地中に残存するからである．

[病原性]

莢膜多糖体抗原による「a〜f」の 6 種類の血清型と無莢膜型（nontypeable *Haemophilus influenzae*；NTHi）に分類される．化膿性髄膜炎や敗血症から分離される株（侵襲性インフルエンザ菌感染症：五類感染症）は**血清型 b**

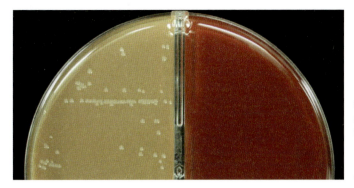

写真 2-A-c4-4　*H. influenzae* の集落（24 時間炭酸ガス培養）
左：チョコレート寒天培地，右：5％ヒツジ血液寒天培地．
（順天堂大学医学部附属順天堂医院・長南正佳氏）

(*H. influenzae* type b；Hib) および生物型 II，III 型が多い．乳児や小児（2 カ月〜5 歳）において発症頻度が高いため，Hib ワクチンの定期接種が行われている．NTHi は主に結膜炎や中耳炎，肺炎などの呼吸器感染症の原因菌となる．

### 薬剤感受性

本菌はアンピシリン，第三世代セファロスポリン系抗菌薬およびニューキノロン系抗菌薬に感性を示す．しかし，以下の耐性菌株が存在する．①BLNAR (β-lactamase-negative ampicillin-resistant)：β-ラクタマーゼ非産生で PBP3 遺伝子上の変異，②BLPACR (β-lactamase producing AMPC/CVA resistant)：β-ラクタマーゼ産生で PBP3 遺伝子上の変異，③BLPAR (β-lactamase producing ampicillin resistant)：β-ラクタマーゼ産生．

### ■ Hib ワクチン

*Haemophilus influenzae* b 型（Hib）ワクチンの抗原は，莢膜多糖である．

### ■ BLNAR

β-ラクタマーゼ非産生アンピシリン耐性を示す菌株を BLNAR とよび，抗菌薬耐性機構は，隔壁合成に関与する penicillin binding protein（PBP）3 をコードする *ftsI* の遺伝子変異による親和性の低下が原因とされている．本菌株の検出頻度は調査した施設ごとに異なり，20〜50％で推移している．

## 2 軟性下疳菌（*Haemophilus ducreyi*）

性感染症 (sexually transmitted disease；STD) の一つである**軟性下疳** (chancroid) の原因菌であり，わが国における発生頻度は低いが，アフリカ，東南アジアや南米に多い．連鎖した細長いグラム陰性桿菌で多形性を示す．難培養性であるが，臨床材料からの分離には，GC 寒天培地を基礎に 1％ IsoVitaleX，5％ウシ胎児血清，1％ヘモグロビンおよびバンコマイシン 3 g を添加した選択培地などがあり，5％炭酸ガス環境下で 33℃，5 日間の培養を行う．マクロライド系，ニューキノロン系および第三世代セファロスポリン系抗菌薬に感性である．多くの菌株が β-ラクタマーゼを産生する．

### ■ 軟性下疳の症状

性器の感染部位における痛みの強い壊疽性潰瘍と，鼠径リンパ節の化膿性炎症が特徴である．

## 3 ヘモフィルス・パラインフルエンザ（*Haemophilus parainfluenzae*）

ヒトの上気道や口腔内に常在する．まれに細菌性心内膜炎，菌血症および髄膜炎などの原因菌となる．

## 4 ヘモフィルス・エジプチウス（*Haemophilus aegyptius*）

Koch-Weeks 桿菌ともよばれ，莢膜はなく，*H. influenzae* の生物型の III に

包括され，鑑別が困難である．ヒトの赤血球を凝集し，ウレアーゼが陽性である．急性の化膿性結膜炎など，眼科領域の臨床材料から分離される．

### 5 ヘモフィルス・ヘモリチカス（Haemophilus haemolyticus）

上気道に常在し，病原性はほとんど認められない．H. haemolyticus は，溶血性を示すことから H. influenzae との鑑別が可能であるが，近年，これまで H. influenzae と同定されていた菌株のなかに非溶血性 H. haemolyticus が含まれ，誤同定されていたことが明らかにされた．

## III アグリゲイティバクター属（Genus Aggregatibacter）

Aggregatibacter 属には A. actinomycetemcomitans のほかに，以前は Haemophilus 属に分類されていた A. aphrophilus, A. paraphrophilus および A. segnis が含まれる．本菌属は HACEK 群の「A」に相当し，感染性心内膜炎の原因菌となる．

### 1 アグリゲイティバクター・アクチノミセテムコミタンス（Aggregatibacter actinomycetemcomitans）

通性嫌気性，グラム陰性の球桿菌または小桿菌で，非運動性である．炭酸ガス培養で発育が促進される．ブドウ糖を発酵するが，ガス非産生である．血液寒天培地で発育できるが，マッコンキー寒天培地では発育しない．本菌はインドールテスト，オルニチン脱炭酸試験およびウレアーゼが陰性であることから，Haemophilus 属（いずれかが必ず陽性）との鑑別が可能である．ヒトの歯垢などにおける口腔内の常在菌である．歯周病，心内膜炎および軟部組織感染症の原因菌となる．薬剤感受性は，セファロスポリン系，テトラサイクリン系およびアミノグリコシド系抗菌薬に感性である．

### 2 アグリゲイティバクター・アフロフィルス（Aggregatibacter aphrophilus），アグリゲイティバクター・パラフロフィルス（Aggregatibacter paraphrophilus）およびアグリゲイティバクター・セグニス（Aggregatibacter segnis）

A. aphrophilus は上気道に常在するが，脳膿瘍や心内膜炎の原因菌となり，そのほか骨や関節の感染症や脊椎椎間板炎などの患者の臨床材料から分離される．A. segnis は菌血症や腎盂腎炎の原因菌となることがある．

## IV アクチノバシラス属（Genus Actinobacillus）

Actinobacillus 属は，A. equuli, A. lignieresii および A. suis が動物由来で，

*A. hominis* および *A. ureae* がヒト由来である．本属は，通性嫌気性，非運動性のグラム陰性の球桿菌である．炭酸ガス培養で発育が促進され，血液寒天培地に発育する．ヒト由来の菌種は，カタラーゼ試験，オキシダーゼ試験およびウレアーゼが陽性で，マッコンキー寒天培地に発育しない．病原性は免疫能の低下した患者に日和見感染症を起こすことがあるが，ペニシリンなど多くの抗菌薬に感性である．

# c-5　バルトネラ科（Bartonellaceae）

## I バルトネラ属（Genus Bartonella）

Bartonella 属は 39 菌種が確認されており，多くの菌種がヒトや動物の疾病と関連している．そのなかで Bartonella quintana, B. henselae および B. bacilliformis は，ヒトにおける感染症の原因菌として重要である．

### 1　バルトネラ・クインタナ（Bartonella quintana），バルトネラ・ヘンセラエ（Bartonella henselae），バルトネラ・バシリフォルミス（Bartonella bacilliformis）

#### 形態と染色
$0.2〜0.6 × 0.5〜1.0\,\mu m$ の**グラム陰性球桿菌または小桿菌**である．**Gram 染色は難染性**であるが，**Giménez 染色**でよく染まる．B. bacilliformis は単極に鞭毛を有し，B. henselae の鞭毛は確認されていないが，いずれも運動性を示す．

#### 培養
偏性好気性で，至適発育温度は B. quintana および B. henselae は 35〜37℃，B. bacilliformis は 25〜30℃である．**ヘミン**の要求性が高く，血液寒天培地（ウサギ血液を用いるのが望ましい）に発育するが，5%炭酸ガスの存在下で 8〜45 日の長期培養が必要である．B. quintana の初代培養では S 型で小さく，灰色および半透明な，粘着性のあるムコイド型の集落，B. henselae は灰白色で表面が不規則に隆起したカリフラワー状，非溶血性，乾燥した R 型の小さな集落を形成する．

#### 生化学的検査および診断
**オキシダーゼ試験およびカタラーゼ試験は陰性**，糖分解試験など従来の生化学的性状を用いた菌種の同定は，発育に血液を必要とするため困難な場合がある．診断には，菌の核酸を用いた遺伝子関連検査，質量分析法や間接蛍光抗体法による抗体価の測定を行う．

#### 病原性
B. quintana は**塹壕熱**（ざんごうねつ）の病原体で，五日熱ともよばれる．シラミがベクターであり，ヒトがリザーバーとなる．また，B. henselae とともに，血液培養陰性心内膜炎や免疫不全患者における細菌性血管腫症（bacillary angiomatosis）の原因菌である．B. henselae は健康人に対する**ネコひっかき病**の原因菌であり，世界中で認められる．ネコノミがベクターで，飼いネコやイヌがリザーバーとなり，**人獣共通感染症**である．

---

**塹壕熱（trench fever）**
感染したシラミの糞が皮膚の擦過傷および結膜などにこすりつけられてヒトに伝播する．ヒト-ヒト感染はない．15〜25 日の潜伏期を経て遷延性または再発性の発熱を起こす．症状は発熱，頭痛，下肢疼痛，不快感，腹痛，不穏および不眠などとともに突然発症する．発熱は 3〜5 日の間隔で周期的に起こる（五日熱の由来）．

**ネコひっかき病（cat scratch disease）**
保菌ネコやイヌからの受傷のみならず，ノミからの感染もある．3〜5 日後に受傷部位に丘疹，膿疱や痂皮がみられ，所属リンパ節腫脹に発熱，倦怠感や頭痛が併発する定型例と全身性の重症な非定型例（不明熱，視神経網膜炎および急性脳症など）がある．HIV 感染などの免疫不全患者では，細菌性血管腫症や肝紫斑病を惹起する．

**ベクター（vector）とリザーバー（reservoir）**
ベクターとは媒介者，媒介体および媒介生物とよばれ，その病原体の生活環のなかで病原体がベクターの体内で増殖し他の宿主に感染する場合と，ベクターの体表面への付着や吸血などにより病原体を物理的に移動させる場合がある．リザーバーは保有者，保有体および感染巣とよばれ，病原体を保有している動物を指す．

**薬剤感受性**

薬剤感受性検査では，ペニシリン系，セフェム系，マクロライド系，アミノグリコシド系およびニューキノロン系など多くの抗菌薬に感性を示す．治療には，テトラサイクリン系のドキシサイクリン，マクロライド系のエリスロマイシンやアジスロマイシンおよびリファンピシンなどが用いられる．

**カリオン病**

*B. bacilliformis* はオロヤ熱とペルーいぼの原因菌であり，両疾患を一括してカリオン病とよぶ．南米のペルー，エクアドルおよびコロンビアの太平洋岸に限られた感染症である．サシチョウバエがベクターで，ヒトがリザーバーとなる．

# c-6　その他の通性嫌気性グラム陰性桿菌

## I　カルジオバクテリウム属（Genus *Cardiobacterium*）

### 1　カルジオバクテリウム・ホミニス（*Cardiobacterium hominis*），カルジオバクテリウム・ヴァルヴァルム（*Cardiobacterium valvarum*）

*Cardiobacterium* 属には *C. hominis* と *C. valvarum* の2菌種がある．通性嫌気性のグラム陰性の多形性を示す球桿菌で，運動性はない．5〜10%の炭酸ガスを必要とし，高湿度下で発育が増強する．血液寒天培地上の集落は37℃，2日間培養で1mm以下と小さい．普通寒天培地に発育しない．ブドウ糖発酵菌で，菌種同定はインドール産生性や各糖の分解能などの性状を観察する（表2-A-c6-1）．本菌はヒトの上気道に常在し，消化管や泌尿生殖器からも分離される．病原性は HACEK 群（Cに相当）に属し，感染性心内膜炎（IE）や腹部膿瘍の原因菌となる．*C. hominis* および *C. valvarum* による IE の原因因子は，それぞれ内視鏡検査および歯周病に関連し異なることから，正確な菌種同定を行うことは，血液中への菌の侵入門戸を推定するうえで重要である．抗菌薬感受性はペニシリンなど多くの抗菌薬に感性であり，まれに β-ラクタマーゼ産生菌株が分離される．

## II　カプノサイトファーガ属（Genus *Capnocytophaga*）

*Capnocytophaga* 属には *C. canimorsus*, *C. cynodegmi*, *C. ochracea*, *C. gingivalis* など12菌種が含まれる．通性嫌気性の紡錘状のグラム陰性桿菌で，鞭毛をもたない．血液寒天培地における炭酸ガスあるいは嫌気培養の環境下で

表 2-A-c6-1　*Cardiobacterium* 属の主な生化学的性状

| 菌　種 | 炭酸ガス要求性 | マッコンキー寒天培地上での発育 | オキシダーゼ | カタラーゼ | インドール産生 | 硝酸塩還元 | 糖分解 ブドウ糖 | 白糖 | マンニトール | マルトース | 運動性 |
|---|---|---|---|---|---|---|---|---|---|---|---|
| *Cardiobacterium hominis* | + | − | + | − | +w | − | + | + | + | + | − |
| *Cardiobacterium valvarum* | + | − | + | − | v | − | v | v | v | v | − |

−：90%以上が陰性，＋：90%以上が陽性，v：多様，w：弱い．

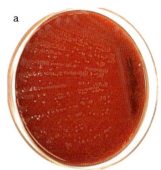
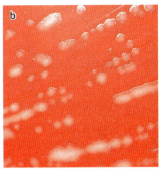
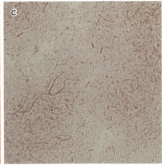

（日本獣医生命科学大学・片岡 康氏）

**写真 2-A-c6-1** *Capnocytophaga canimorsus* の 5%ヒツジ血液寒天培地上での集落（a, b）および Gram 染色像（c）

a：炭酸ガス環境下，37℃，48 時間培養を行った．集落の特徴は，淡黄白色，淡灰白色あるいは淡桃白色で，集落の辺縁が不規則に広がる．
b：a における集落の一部を拡大した．
c：Gram 染色像．糸状あるいは紡錘状の多形性のグラム陰性桿菌を認める．

37℃，48 時間培養後，淡黄白色，淡灰白色あるいは淡桃白色の集落を形成する（**写真 2-A-c6-1**）．本菌は栄養要求性が厳しく（普通寒天培地に発育しない），増殖が遅い．また，初期の分離培養における集落の特徴として，滑走運動（gliding motility）する．選択分離培地にはバシトラシン，ポリミキシン B やバンコマイシンを添加したサイアー・マーチン培地を用いる．本菌属は菌体の形態，カタラーゼ試験とオキシダーゼ試験の性状および常在する宿主により 2 つの菌群に分別されるが（**表 2-A-c6-2**），正確な菌種同定には遺伝子解析を要する．ヒトの口腔内常在菌の菌群では，敗血症，内因性感染症や歯周病などの日和見感染を起こす．*C. canimorsus* はイヌやネコの口腔内常在菌であり，咬傷・掻傷および濃厚接触などによる敗血症や髄膜炎などの原因菌となり，致死率は約 30%に達する．広域スペクトルのセファロスポリン系，カルバペネム系，クリンダマイシン系，マクロライド系およびフルオロキノロン系の抗菌薬に感性であり，アミノグリコシド系抗菌薬には耐性である．$\beta$-ラクタマーゼ産生株がある．

## III ストレプトバシラス属（Genus *Streptobacillus*）

### 1 ストレプトバシラス・モニリフォルミス（*Streptobacillus moniliformis*）

*Leptotrichiaceae*（レプトトリキア）科に属する *Streptobacillus* 属は 6 菌種が存在し，ヒトへの病原菌として *S. moniliformis* があり，莢膜，運動性のない通性嫌気性のグラム陰性桿菌である．菌の形態は非常に多形を示し，小さく細長く，弯曲しながら輪になった繊維状のものがある．培養は血液（15%），血清や腹水などの体液を添加した培地を用い，37℃，2～3 日間の炭酸ガス培

表 2-A-c6-2　主な Capnocytophaga 属，Streptobacillus 属および Gardnerella 属の主な生化学的性状

| 菌種 | Gram染色像 | 炭酸ガス要求性 | カタラーゼ | オキシダーゼ | インドール産生 | アルギニン加水分解 | 硝酸塩還元 | ONPG | 乳糖 | 白糖 | キシロース | 運動性 | 常在宿主と部位 | 病原性 |
|---|---|---|---|---|---|---|---|---|---|---|---|---|---|---|
| C. ochracea | 明瞭な紡錘状 | + | − | − | − | − | v | + | + | + | − | − | ヒトの口腔内 | 敗血症，内因性感染症[*1]や歯周病など |
| C. gingivalis |  | + | − | − | − | − | − | − | v | + | − | − |  |  |
| C. sputigena |  | + | − | − | − | − | v | + | v | + | − | − |  |  |
| C. haemolytica |  | + | − | − | − | ND | + | + | + | + | − | − |  |  |
| C. granulosa |  | + | − | − | − | ND | − | + | + | + | − | − |  |  |
| C. canimorsus | 不明瞭な紡錘形態 | + | + | + | − | + | + | + | + | + | − | − | イヌやネコの口腔内 | イヌやネコによる咬傷などを原因とする敗血症[*2] |
| C. cynodegmi |  | + | + | + | − | + | + | + | + | + | − | − |  |  |
| S. moniliformis | 多形性 | d | − | − | + | − | − | − | − | − | − | − | げっ歯類の上気道 | 鼠咬症（rat bite fever），汚染物からの経口感染（Haverhill fever） |
| G. vaginalis |  | + | − | − | − | − | − | ND | − | d | − | − | 肛門直腸，女性の腟内 | 細菌性腟症 |

−：90％以上が陰性，＋：90％以上が陽性，v：多様，w：弱い，d：菌株により異なる，ND：no data．
ONPG：o-nitrophenyl-β-D-galactopyranoside．
[*1]：健康人および免疫抑制患者において心内膜炎，子宮内膜炎や軟部組織感染症など．
[*2]：脾臓摘出，糖尿病やアルコール依存症患者などに発症しやすい．

養を行う．培養中にL型菌になりやすい．カタラーゼ試験およびオキシダーゼ試験は陰性である（表2-A-c6-2）．本菌は野生および実験用のげっ歯類の上気道に常在するため，ヒトへは咬傷・掻傷により感染する（鼠咬症：rat bite fever）．ヒトの血液，関節液や膿瘍などの臨床材料から分離される．ペニシリン系，クロラムフェニコールやエリスロマイシンなどの抗菌薬に感性である．

## IV　分類学的に科が確定していない通性嫌気性グラム陰性桿菌

### 1　ガードネレラ属（Genus Gardnerella）
#### 1）ガードネレラ・バジナリス（Gardnerella vaginalis）

　本属は6菌種存在し，G. vaginalis はヒトにおける疾患との関係が認められている．1.5〜2.0×0.5 μm の大きさの通性嫌気性のグラム不定の多形性（桿菌あるいは球桿菌）を示す．ヒトまたはウサギ血液寒天培地において炭酸ガス，35℃，48時間培養で 0.3〜0.5 mm の β 溶血を示す集落を形成するが，ヒツジ血液寒天培地では溶血しない．ガードネレラ寒天培地などが市販されている．カタラーゼ試験およびオキシダーゼ試験は陰性，ブドウ糖を発酵的に分解し，

**L型菌**
L型菌とは，本来細胞壁をもつ菌が培養中に細胞壁をもたない菌株となり，グラム陰性として染色される．

**鼠咬症**
鼠咬症の症状には高熱，頭痛，嘔吐，多発関節痛，筋肉痛および発疹などがあり，合併症に心内膜炎，心筋炎，脳炎や深部膿瘍などがある．鼠咬症スピリルム（Spirillum minus）も原因菌となる．

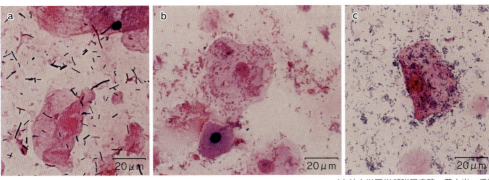

**写真 2-A-c6-2　腟分泌物の Gram 染色像**　　　　　　　　　　　　（杏林大学医学部附属病院・荒木光二氏）
a：デーデルライン桿菌（グラム陽性桿菌）を優勢とする常在細菌叢を示す．
b：*Mobiluncus* 属（彎曲した Gram 染色不定の桿菌）が優勢に存在している．
c：*Gardnerella vaginalis* が優勢に存在し，中央に clue cell と思われる細胞を認める．

非運動性である（表 2-A-c6-2）．そのほかに馬尿酸塩加水分解試験陽性，メトロニダゾール（50 μg）およびトリメトプリム（5 μg）による発育阻止などの性状を示す．肛門直腸（男女）および生殖可能年齢における女性の腟内に常在し，細菌性腟症（bacterial vaginosis；BV）の原因菌の一つである．BV 診断の一つに，腟分泌物標本の Gram 染色を用いて clue cell の存在や *Lactobacillus* 属，*Gardnerella* 属，*Mobiluncus* 属の各視野に認められる菌数を求める Nugent 法がある（写真 2-A-c6-2）．メトロニダゾールやアンピシリンを治療に使用する．多くの抗菌薬に感性を示し，β-ラクタマーゼ産生株の報告はない．

 **細菌性腟症（BV）**

BV とは，乳酸桿菌を主体とする腟内常在細菌叢の破綻により G. vaginalis および嫌気性菌（*Prevotella* 属や *Mobiluncus* 属など）が過剰に増殖し，妊婦では絨毛膜羊膜炎，早産や子宮内膜炎などの疾患に関連する．症状は，灰白色粘着性帯下やアミン臭などである．

**clue cell**

clue cell とは，腟上皮細胞上に本菌を含む多数の嫌気性グラム陰性短桿菌の付着した細胞である．

**Nugent score**

Gram 染色した腟分泌物のスメアを 1,000 倍で観察し，3 つの細菌型についてスコアをつけ，その合計を求める．スコア合計が 7 以上を細菌性腟症，4〜6 を判定保留，0〜3 を正常と判定する（表 2-A-c6-3）．

**表 2-A-c6-3　Nugent score**

| 細菌型 | 菌数/視野 | スコア |
| --- | --- | --- |
| *Lactobacillus* type<br>（大型のグラム陽性桿菌） | 0<br><1<br>1〜4<br>5〜30<br>>30 | 4<br>3<br>2<br>1<br>0 |
| *Gardnerella* type<br>（グラム陰性または不定の小桿菌） | 0<br><1<br>1〜4<br>5〜30<br>>30 | 0<br>1<br>2<br>3<br>4 |
| *Mobiluncus* type<br>（グラム不定の三日月形桿菌） | 0<br><1 または 1〜4<br>5〜30 または >30 | 0<br>1<br>2 |

## d. グラム陰性，好気性の桿菌

## d-1 シュードモナス科（*Pseudomonadaceae*），他

本項では，ブドウ糖非発酵グラム陰性桿菌群（non-fermentative Gram-negative rods；NFGNR）を取り上げる．NFGNR は，*Pseudomonas* 属を筆頭に，*Burkholderia* 属，*Stenotrophomonas* 属，*Alcaligenes* 属，*Achromobacter* 属，*Bordetella* 属および *Acinetobacter* 属など多数の菌属に分類される．

> **ブドウ糖非発酵菌**
> ブドウ糖を発酵（嫌気的条件において分解）することはないが，好気的条件においては酸化的に分解する特徴を有する菌を，ブドウ糖非発酵菌と総称している．

### ❶ シュードモナス属（Genus *Pseudomonas*）

土壌，水および海水など自然環境に広く分布し，動植物に病原性を有するものもある．本菌属には 200 種類以上の菌種が属し，そのうちヒトに病原性を有するものが 12 菌種ある．

#### 1 緑膿菌（*Pseudomonas aeruginosa*）

**［形態と染色］**

**ブドウ糖非発酵のグラム陰性桿菌**（0.5〜0.8×1.5〜3.0 μm）．**1 本の極在性鞭毛をもち運動性がある．芽胞はない．**喀痰の Gram 染色において**ムコイド型の集落を形成する菌株は，菌体の周りにグラム陰性に染まる厚い多糖体が観察される**（写真 2-A-d1-1）．

**［培養］**

偏性好気性菌．至適発育温度は 37℃である．42℃で発育するが，4℃では発育しない．血液寒天培地や BTB 乳糖寒天培地など各種の寒天培地に発育する．非ムコイド型の菌株の集落は灰白色で金属様光沢があり，平坦で広がりを示し，集落の辺縁部が不整（鋸歯状）のことが多い．血液寒天培地では β 溶血を示す．特有のにおい（線香様臭）を発する．選択分離培地の NAC 寒天培地では緑色系の色素産生の確認が可能である（写真 2-A-d1-2）．また，ムコイド型株は，菌体外に粘液性の強いアルギン酸を主成分とする多量の多糖体を分泌し，露滴状の盛り上がった集落を形成する．発育に 48 時間を要す

> **ムコイド**
> 菌体外に産生される多糖性の粘稠物．ムコイドに菌体が包み込まれることで，生体の貪食から回避する．

> **ムコイド型菌株**
> 慢性閉塞性肺疾患の患者の喀痰から高頻度に分離される（バイオフィルム感染症）．

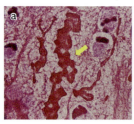

**写真 2-A-d1-1　検体中（喀痰）にみられたムコイド型菌株のグラム染色像および発育集落**
a：菌体の周りにグラム陰性に染まる厚いムコイドな莢膜多糖が観察される（黄色矢印）．
b：ムコイド型菌株の集落は露滴状の集落を形成する（ヒツジ血液寒天培地）．

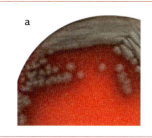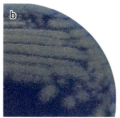

(a〜c：国立病院機構災害医療センター・守屋 任氏)

**写真 2-A-d1-2　非ムコイド型菌株の各種寒天培地における発育集落および色素産生性（35℃, 24 時間培養）**
a：ヒツジ血液寒天培地, b：ドリガルスキー（BTB）寒天培地, c：NAC 寒天培地, d：色素産生〔左：ピオシアニン（キングA培地）, 右：ピオベルジン（キングB培地）〕.

ることが多い（**写真 2-A-d1-1**）.

### 生化学的性状

**オキシダーゼ試験陽性**, ブドウ糖を酸化的に分解（好気的解糖）, **アシルアミダーゼ陽性**, アルギニン加水分解試験陽性である. ゼラチン液化能は菌株により異なる. 乳糖分解陰性, インドールテスト陰性, リジンおよびオルニチン脱炭酸試験陰性である（**表 2-A-d1-1**）.

### 代謝産物

本菌の多くの菌株は, 水溶性で, クロロホルム可溶性色素の**ピオシアニン**（pyocyanin：青緑色）およびクロロホルム不溶性の**ピオベルジン**（pyoverdine：蛍光黄緑色）を産生する（**写真 2-A-d1-2**）. このほか一部の菌株は, ピオルビン（pyorubin：赤紫色）, ピオメラニン（pyomelanin：褐色）を産生する. 色素産生能は菌株により異なるが, ピオシアニンは *P. aeruginosa* のみが産生することから, 鑑別や菌種同定に重要である.

本菌による**バイオフィルム**（biofilm）の形成は, 宿主への付着, 貪食細胞からの回避および抗菌薬の浸透性低下などにより, 局所における持続的な繁殖を促す.

### 病原性

**日和見感染症**の原因菌である. 本菌は, 病院内における湿潤な環境への定着をはじめ, ヒトの腸管内にも一過性に分布している場合がある. また, 各種の抗菌薬に耐性を示す菌株では, 広域スペクトル抗菌薬治療を受けている患者において**菌交代症**を起こす. 感染経路は, 医療器具や医療従事者の手指などを介する接触感染や内因感染が多い. 本菌は, 喀痰, 尿, 開放性膿や穿刺液などの各種臨床材料から分離され, 免疫能が非常に低下した患者において肺炎, 尿路感染症および菌血症や敗血症などの原因菌となる. また, 多剤耐性株による院内流行により, 多くの感染患者が発生した事例が報告されている. 本菌は市中（市井(しせい)）感染として角膜炎, 外耳炎および皮膚における化膿性発疹などの原因菌となる.

> **外毒素の産生**
>
> 外毒素としてエキソトキシンA（ジフテリア毒素に類似し, 組織障害）, エキソエンザイムS（G蛋白質のADPリボシル化）, ヘモリジン（溶血素）およびサイトトキシン（ロイコシジン：細胞膜損傷）など. 分泌酵素としてエラスターゼ（肺組織および血管壁傷害）, アルカリプロテアーゼ（肺および組織障害）などを産生する.

**薬剤感受性**

通常は，ペニシリン系，第三世代セファロスポリン系，カルバペネム系，アミノグリコシド系，ニューキノロン系の抗菌薬に感性を示すが，各抗菌薬に対する耐性機構を発現・獲得し，これまでに治療効果の認められていたカルバペネム系，アミノグリコシド系およびニューキノロン系抗菌薬のすべてに耐性を示す**多剤耐性緑膿菌**（multidrug-resistant *Pseudomonas aeruginosa*；MDRP）株が医療関連感染において問題となっている．本感染症（薬剤耐性緑膿菌感染症）は，感染症法において**五類感染症**（定点把握）に分類された．

## 2 シュードモナス・フルオレッセンス（*Pseudomonas fluorescens*），シュードモナス・プチダ（*Pseudomonas putida*）

*P. fluorescens* および *P. putida* は，極多毛鞭毛（2本以上）をもつため運動性があり，**オキシダーゼ試験陽性**である．蛍光色素を産生する．*P. aeruginosa* との鑑別には，ピオシアニン，42℃発育およびアシルアミダーゼテストを用いる（表2-A-d1-1）．また，*P. fluorescens* はゼラチン液化および4℃での発育がいずれも陽性を示し，*P. putida* の性状と異なる．本菌は，自然環境に広く分布し，病院内の湿潤な環境に生息する．日和見病原菌で，免疫能の低下した患者の各種の臨床材料から分離され，医療関連感染の原因菌となる．

# Ⅱ バークホルデリア属（Genus *Burkholderia*）

*Burkholderia* 属は，以前は *Pseudomonas* 属であったが，菌の16S rDNA系統解析により独立した．本菌属は，本来，土壌や水中などの自然環境に分布しているが，一部の菌を除き，病院内の湿潤な環境に生息し，患者に使用される医療機器や薬剤などの汚染菌となる．*B. mallei*（鼻疽菌）および *B. pseudomallei*（類鼻疽菌）は，**人獣共通感染症でバイオセーフティレベル3**に分類され，三種病原体等および四類感染症のため行政への届け出，菌の取り扱いに注意する必要がある．

## 1 バークホルデリア・セパシア（*Burkholderia cepacia*）

本菌は，極多毛鞭毛をもつため運動性があり，30℃前後での発育が良好であるが，4℃では発育しない．**オキシダーゼ試験陽性**（弱いまたは遅い），**アシルアミダーゼ陽性**，乳糖分解陽性である（表2-A-d1-1）．免疫能の低下した患者に対して肺炎，尿路感染症，菌血症およびカテーテル関連感染症などの原因となる日和見病原菌である．薬剤感受性は，メロペネム，ミノサイクリン，クロラムフェニコールおよびST合剤の抗菌薬に感性で，ペニシリン系，第一世代および第二世代セファロスポリン系やアミノグリコシド系など多くの抗菌薬に耐性を示す．

表 2-A-d1-1 主な *Pseudomonas* 属および *Burkholderia* 属の主な生化学的性状

| 菌種 | オキシダーゼ | 色素産生 ピオシアニン | 色素産生 ピオベルジン | 糖分解(OF培地) ブドウ糖 | マルトース | 乳糖 | キシロース | 白糖 | アシルアミダーゼ | ゼラチン液化 | DNase活性 | 硝酸塩還元 | マッコンキー寒天培地上での発育 | 42℃発育 | ウレアーゼ | リジン脱炭酸 | オルニチン脱炭酸 | アルギニン加水分解 | 運動性(鞭毛数) |
|---|---|---|---|---|---|---|---|---|---|---|---|---|---|---|---|---|---|---|---|
| *Pseudomonas aeruginosa* | + | + | d | + | − | − | + | − | + | d | − | + | + | + | d | − | − | + | 1 |
| *Pseudomonas fluorescens* | + | − | + | + | − | d | + | d | − | + | − | + | − | + | − | − | − | + | >1 |
| *Pseudomonas putida* | + | − | + | + | − | − | d | d | − | − | − | + | − | + | − | d | − | + | >1 |
| *Burkholderia cepacia* | + | − | − | + | d | + | d | + | d | + | − | + | − | d | d | + | d | − | + | >1 |
| *Burkholderia gladioli* | v | − | − | + | − | + | + | − | ND | d | ND | d | + | d | + | − | − | + | >1 |
| *Burkholderia mallei* | − | − | − | + | − | d | d | − | − | − | − | + | − | + | − | − | d | − | − |
| *Burkholderia pseudomallei* | + | − | − | + | + | + | + | + | + | + | − | + | + | + | − | − | d | − | + | >1 |

v：多様，d：菌株により異なる，ND：決定されていない．

## 2 バークホルデリア・シュードマレイ（類鼻疽菌，*Burkholderia pseudomallei*）

### 形態と染色
ブドウ糖非発酵のグラム陰性短桿菌（0.4〜0.8×2.0〜5.0 μm）．鞭毛（極鞭毛）をもち運動性がある．

### 培養
血液寒天培地，チョコレート寒天培地やマッコンキー寒天培地に発育するが，常在菌の多い検査材料（喀痰などの呼吸器検体や便など）にはアッシュダウン（Ashdown's）培地，BPSA（*B. pseudomallei* selective agar）やBCA（*B. cepacia* agar）などの選択培地を用いる．培養条件は，好気培養で35〜37℃，48時間培養で，小さくS型のクリーム色から鮮明なオレンジ色と多様な集落を形成し，1週間培養では縮んだシワのある集落（R型）やムコイド型となる．その集落は特有の臭気（カビ臭，土壌臭）があるが，感染防止の観点からにおいを嗅いではならない．

### 生化学的性状
**オキシダーゼ試験陽性**，カタラーゼ試験陽性，多くの糖から酸を産生し，硝酸塩還元試験陽性である（**表2-A-d1-1**）．

### 病原性
類鼻疽（melioidosis）の原因菌である．本菌の流行地域は，東南アジアの熱帯地方，中国南部，台湾およびオーストラリア北部などであり，日本国内には存在しない．ヒトへの感染経路は，本菌が土壌や水などの自然環境に分布していることから，本菌を含む土壌，粉塵，水などの吸引や創傷などによる．

肺炎，敗血症，軟部組織感染症および内臓への膿瘍形成などを発症し，重篤な場合は死に至る．日本国内において類鼻疽疑い患者を認めた場合は，流行地域への渡航歴を確認する（**輸入感染症**）．

> 薬剤感受性

セフタジジム，クラブラン酸/アモキシシリン，イミペネム，ドキシサイクリンおよびST合剤などの抗菌薬には感性で，ペニシリン系，アミノグリコシド系，ニューキノロン系およびマクロライド系など広範囲の抗菌薬に耐性を示す．なお，流行地ではセフタジジムに対する耐性株の報告がある．

## 3 バークホルデリア・マレイ（鼻疽菌，*Burkholderia mallei*）

鼻疽（glanders）の原因菌である．東欧，アジア，アフリカおよび中東などで発生しており，日本国内には存在しない．鼻疽はウマ科動物（ウマ，ロバ，ラバなど）の感染症で，病畜からヒトへ感染する．主な感染経路は，ウマの分泌物の吸入による飛沫感染あるいは分泌物との接触による感染である．*B. mallei* は感染した動物の体内にのみ存在し，自然環境には生息しない．本菌は鞭毛を欠き運動性はない．**オキシダーゼ試験陰性**，42℃発育陰性（**表2-A-d1-1**）．

**鼻疽の症状**
急性型は，発熱，頭痛，鼻汁，鼻腔粘膜の結節，皮下リンパ管の念珠様結節および膿瘍や潰瘍など特異的な鼻疽結節が現れ，重篤な敗血症性ショックを生じやすい．また，肺炎（急性壊死性肺炎），肺膿瘍や皮膚潰瘍を形成することがある．慢性型は，微熱を繰り返し，徐々に痩せていく．

## III ステノトロホモナス属（Genus *Stenotrophomonas*）

*Pseudomonas* 属から *Xanthomonas* 属を経て，現在の *Stenotrophomonas* 属として独立した．本菌属は23菌種存在し，湿潤な自然および病院内環境に広く生息し，臨床材料から分離される菌種のほとんどは *Stenotrophomonas maltophilia* である．

## 1 ステノトロホモナス・マルトフィリア（*Stenotrophomonas maltophilia*）

偏性好気性のブドウ糖非発酵グラム陰性桿菌で，血液寒天培地およびBTB乳糖寒天培地に発育し，運動性（2本以上の極多毛鞭毛）がある．菌の集落は可溶性の褐色の色素を産生する．生化学的性状を**表2-A-d1-2**に示す．**オキシダーゼ試験陰性**，**DNase活性陽性**，ゼラチン液化能陽性であり，ブドウ糖よりも**マルトース**を強く分解することも特徴である．また，リジン脱炭酸試験陽性で，アルギニン加水分解試験陰性である．本菌は，喀痰，尿，開放性膿や穿刺液などの各種臨床材料から分離される．日和見病原菌であり，菌血症，肺炎，尿路感染症，心内膜炎，髄膜炎および創部感染症など多様な医療関連感染の原因菌となる．薬剤感受性は，セフタジジム，ミノサイクリン，ニューキノロン系およびST合剤の抗菌薬に感性であるが，カルバペネム系抗菌薬を含む多くの抗菌薬に**自然耐性**を示す．

表 2-A-d1-2 主な Stenotrophomonas 属と Acinetobacter 属の主な生化学的性状

| 菌種 | オキシダーゼ | インドール産生 | DNase活性 | 硝酸塩還元 | シモンズクエン酸塩利用能 | ゼラチン液化 | 色素 | β溶血（ヒツジ血液寒天培地） | 糖分解 ブドウ糖 | マルトース | キシロース | 運動性 |
|---|---|---|---|---|---|---|---|---|---|---|---|---|
| Stenotrophomonas maltophilia | − | − | + | d | d | + | 褐色（水溶性） | − | d | + | d | + |
| Acinetobacter calcoaceticus-baumannii complex | − | − | − | − | + | − | − | − | + | d | + | − |
| Acinetobacter lwoffii | − | − | − | d | − | − | − | − | − | − | − | − |

d：菌株により異なる，ND：決定されていない．

# Ⅳ アシネトバクター属（Genus Acinetobacter）

Acinetobacter 属は 80 種類以上の菌種が存在し，そのなかで臨床材料から高頻度に分離されるのが，Acinetobacter calcoaceticus-baumannii complex（A. baumannii, A. calcoaceticus, A. pittii および A. nosocomialis）と Acinetobacter lwoffii である．通常，土壌や下水など自然環境に広く分布する菌であるが，病院内の環境や健康人の手，咽頭および腋窩に生息することがある．また，他のグラム陰性菌に比し，乾燥に比較的強い性質をもつ．

### 形態と染色
**グラム陰性球桿菌**（0.9～1.6×1.5～2.5 μm）で，莢膜，芽胞および鞭毛はない．形態は，菌の増殖曲線において対数増殖期では桿菌状を，定常期（静止期）では球菌状となる．

### 培養
偏性好気性．35～37℃，24 時間培養後の BTB 乳糖寒天培地上では黄緑色，血液寒天培地上では一部の腸内細菌に類似した白色集落，マッコンキー寒天培地上ではピンク色の集落を形成する．

### 生化学的性状
**オキシダーゼ試験陰性**．A. calcoaceticus-baumannii complex は，シモンズクエン酸塩利用能テスト陽性で，ブドウ糖を酸化的に分解する（**表 2-A-d1-2**）．菌種の正確な同定は遺伝子関連検査を行う．

### 病原性
**日和見病原菌**で，新生児や乳幼児の髄膜炎をはじめ，免疫能の低下した患者において肺炎，尿路感染症や血管留置カテーテルによる菌血症の原因菌となる．特に，A. baumannii と A. pittii は，多剤耐性に関連するなどの医療関連感染の観点からも重要である．

>  薬剤感受性

通常は、β-ラクタマーゼ阻害薬配合ペニシリン、カルバペネム系、ミノサイクリン、ニューキノロン系およびコリスチンなどに感性であるが、カルバペネム系、アミノグリコシド系およびニューキノロン系抗菌薬のすべてに耐性を示す**多剤耐性アシネトバクター**（multidrug-resistant *Acinetobacter*；MDRA）が医療関連感染において問題となっており、**五類感染症**（全数把握）に分類された（薬剤耐性アシネトバクター感染症）．

## Ⅴ アルカリゲネス属（Genus *Alcaligenes*），アクロモバクター属（Genus *Achromobacter*）

*Alcaligenes faecalis* および *Achromobacter xylosoxidans* は、これらの菌属のなかで高頻度に臨床材料から分離される菌種である．偏性好気性のブドウ糖非発酵グラム陰性桿菌で、血液寒天培地およびBTB乳糖寒天培地に発育し、**オキシダーゼ試験陽性**、インドールテスト陰性、運動性（周毛性鞭毛）がある（**表2-A-d1-3**）．これに加えて *A. xylosoxidans* は、ブドウ糖よりキシロースを強く分解することが特徴である．正確な菌種名の同定は、生化学的性状では困難であり、遺伝子解析を要する．これらの菌属は土壌や水などの自然環境に広く生息し、病院内の環境にも存在する．日和見病原菌であり、菌血症、髄膜炎、肺炎および腹膜炎などの原因菌となることがある．

## Ⅵ クリセオバクテリウム属（Genus *Chryseobacterium*），エリザベスキンギア属（Genus *Elizabethkingia*）

*Chryseobacterium indologenes* および *Elizabethkingia meningoseptica*（以前は *Chryseobacterium* 属に分類）は、これらの菌属のなかで高頻度に臨床材料から分離される菌種である．偏性好気性のブドウ糖非発酵グラム陰性桿菌で、血液寒天培地、BTB乳糖寒天培地に発育し、**オキシダーゼ試験およびインドールテストが陽性**で、運動性はない．その他の生化学的性状について**表2-A-d1-4**に示す．日和見病原菌で、これまでに新生児における髄膜炎の原因菌として分離された報告がある．

## Ⅶ ボルデテラ属（Genus *Bordetella*）

*Bordetella* 属は15菌種存在するが、臨床的に重要なのは *Bordetella pertussis*（百日咳菌）、*B. parapertussis*（パラ百日咳菌）および *B. bronchiseptica*（気管支敗血症菌）である．

表 2-A-d1-3　Alcaligenes faecalis と Achromobacter xylosoxidans の主な生化学的性状

| 菌　種 | オキシダーゼ | インドール産生 | BTB寒天培地上のコロニーの特徴 | 運動性（鞭毛） | 硝酸塩還元 | ウレアーゼ | アシルアミダーゼ | 糖分解 ||||
|---|---|---|---|---|---|---|---|---|---|---|---|
| | | | | | | | | ブドウ糖 | キシロース | マルトース | 白糖 |
| Alcaligenes faecalis | + | − | 滑走性集落 果実臭（青リンゴ） | 周毛性 | − | − | + | − | − | − | − |
| Achromobacter xylosoxidans | + | − | 青緑〜黄緑 | 周毛性 | + | d | d | + | + | − | − |

d：菌株により異なる．

表 2-A-d1-4　Chryseobacterium indologenes と Elizabethkingia meningoseptica の主な生化学的性状

| 菌　種 | オキシダーゼ | インドール産生 | 運動性 | β溶血 | オレンジ色素産生 | 他の色素 | DNase活性 | ウレアーゼ | エスクリン加水分解 | ゼラチン液化 | β-ガラクトシダーゼ | 糖分解 |||||
|---|---|---|---|---|---|---|---|---|---|---|---|---|---|---|---|---|
| | | | | | | | | | | | | ブドウ糖 | マンニトール | キシロース | アラビノース | マルトース | 白糖 |
| Chryseobacterium indologenes | + | + | − | − | + | − | + | − | + | + | + | + | − | − | − | + | d |
| Elizabethkingia meningoseptica | + | + | − | − | − | −/PY/PS | + | − | + | + | + | + | + | − | − | + | − |

β溶血はヒツジ血液寒天培地で3日間の培養後に認められる．
d：菌株により異なる．PY：pale yellow，PS：pale salmon-pink．

## 1　百日咳菌（Bordetella pertussis）

### 形態と染色
菌体は小さく（0.5〜2.0×0.2〜0.5μm），好気性のグラム陰性球桿菌で，極染色性や多形性がみられる．芽胞，鞭毛はない．S型菌では莢膜があり，S-R変異がみられる．

### 培養
培養には，**ボルデー・ジャング（Bordet-Gengou）培地**，シクロデキストリン寒天培地（cyclodextrin solid medium；CSM）を用い，好気的に35〜37℃で，7日間の培養が推奨されているが，3〜4日の培養で水銀様の光沢のある微小（約1mm以下）で，弱いβ溶血環を伴う集落を形成する．血液寒天培地およびチョコレート寒天培地に発育しない．

### 生化学的性状
**オキシダーゼ試験陽性**，カタラーゼ試験陽性，炭水化物分解陰性，ウレアーゼ陰性（表2-A-d1-5）．

### 病原性
百日咳（whooping cough）は，**飛沫感染**による伝染性の強い呼吸器疾患である．三種混合ワクチン接種により患者数は減少しているが，ワクチンによ

> **百日咳菌の病原因子**
> 宿主の粘膜など防御機能を障害する毒素として百日咳毒素（pertussis toxin；PT），気管上皮細胞毒素（tracheal cytotoxin），易熱性皮膚壊死毒素（dermonecrotizing toxin, heat labile toxin）およびアデニル酸シクラーゼ毒素（adenylate cyclase toxin）などがある．接着因子として線維状赤血球凝集素（filamentous hemagglutinin；FHA），線毛，パータクチン（pertactin）がある．

> **百日咳菌の病原性**
> 1歳未満の乳児は無呼吸発作などの重篤な症状を呈し，特に3カ月未満の乳児における死亡率が高い．

表 2-A-d1-5 主な Bordetella 属の臨床的特徴と生化学的性状

| 菌種 | 分布（感染経路） | ヒトへの疾患 | ボルデー・ジャング培地上での発育日数 | 血液寒天培地上での発育 | マッコンキー寒天培地上での発育 | 運動性 | オキシダーゼ | ウレアーゼ | 硝酸塩還元 | 色素産生性 |
|---|---|---|---|---|---|---|---|---|---|---|
| B. pertussis | ヒト（飛沫） | 百日咳 | 3日以上 | − | − | − | + | − | − | − |
| B. parapertussis | ヒト（飛沫），ヒツジ（不明） | パラ百日咳[*1] | 1〜2日 | + | − | − | − | + | − | 褐色 |
| B. bronchiseptica | ヒト，動物（いずれも飛沫の可能性あり） | 呼吸器疾患，全身性感染[*2] | 1〜2日 | + | + | + | + | + | + | − |

[*1]：百日咳よりも軽症で経過が短く発症頻度も少ないが，臨床的には区別が困難とされる．
[*2]：免疫能の低下した患者が対象となりやすい．

る免疫効果が 4〜12 年程度で減弱するため，小児（10〜14 歳）および成人における罹患率の上昇が問題となっている．

### 診断

鼻咽頭からの分離同定が必要であるが，菌はカタル期後半に分離され，痙咳(けいがい)期では分離が困難なことが多い．血清学的診断では百日咳菌凝集素価の測定が行われ，東浜株（ワクチン株）および山口株（流行株）を用いる．また，ELISA 法による抗 PT 抗体，抗 FHA 抗体の測定も行われる．近年では，遺伝子関連検査（PCR 法，LAMP 法）が簡便で，迅速な結果が得られる．感染症法の分類では**五類感染症**の全数把握疾患である．

### ワクチンと薬剤感受性

ワクチンは，百日咳ワクチンを含む**三種混合ワクチン**（ジフテリア・百日咳・破傷風）または**四種混合ワクチン**（ジフテリア・百日咳・破傷風・ポリオ）の接種が行われる．マクロライド系抗菌薬に感性である．

---

**百日咳の症状と経過**

潜伏期は 7〜10 日である．初期症状としては風邪症状がみられ，徐々に咳が強くなる（カタル期：約 2 週間）．その後，百日咳に特有の発作性痙攣性の咳（痙咳）がみられ，短い咳が連続的に起こる（スタッカート）．吸気時にヒューという音の笛声（whoop）が出て，しばしば，嘔吐を伴う（痙咳期：約 2〜3 週間）．激しい咳は徐々におさまるが，時折，発作性の咳がみられる（回復期：2〜3 週間）．成人において，咳は長期間続き軽症で経過するため，受診・診断が遅れることがある．

PT：百日咳毒素

FHA：線維状赤血球凝集素

## d-2 ブルセラ科（*Brucellaceae*）

### I ブルセラ属（Genus *Brucella*）

ブルセラ症（波状熱）は人獣共通感染症であり，*Brucella melitensis*（マルタ熱菌），*B. suis*（ブタ流産菌），*B. abortus*（ウシ流産菌），*B. canis*（イヌ流産菌）の4菌種がヒトの病原菌として重要である．

#### 形態と染色
0.6〜1.5×0.5〜0.7μm のグラム陰性短桿菌（球桿菌）である．多形性を示す．芽胞や鞭毛はもたず，細胞内に寄生する．*Bordetella* 属や *Francisella* 属と類似する．

#### 培養
偏性好気性菌で，至適 pH6.6〜7.4，至適温度 37℃である．5％ウシ血清加トリプチケースソイ寒天培地を用い，5〜10％炭酸ガス，35〜37℃，10日間培養で発育する．特に *B. abortus* の発育には**炭酸ガスが必要**である．集落は正円形，隆起したS型である．栄養要求性が厳しく発育が遅い．

#### 生化学的性状
カタラーゼ試験陽性，オキシダーゼ試験陽性，硝酸塩還元試験陽性である．菌種の鑑別に，アニリン系色素（チオニン，塩基性フクシン）による発育性の違いが利用される（**表 2-A-d2-1**）．

#### 病原性
動物との関連が深く，感染動物からヒトに感染する．潜伏期は通常1〜3週間であるが，時に数カ月になることもある．急性期は**間欠的な高熱**が特徴である．バイオセーフティレベル3に分類されている．感染症法において，ブルセラ症は**四類感染症**，*Brucella* 属菌は**三種病原体等**に分類されている．

表 2-A-d2-1 *Brucella* 属の主な生化学的性状

| 菌種 | 宿主 | ヒトへの病原性 | チオニン | 塩基性フクシン | 尿素分解 | 硫化水素産生 | 炭酸ガス要求性 |
|---|---|---|---|---|---|---|---|
| *B. melitensis* | ヤギ・ヒツジ | 強い | 耐性 | 耐性 | + | − | − |
| *B. suis* | ブタ | 強い | 耐性 | 感性 | + | −* | − |
| *B. abortus* | ウシ | 中等度 | 感性 | 耐性 | + | + | + |
| *B. canis* | イヌ | 弱い | 耐性 | 感性 | + | − | − |

*：生物型Ⅰは陽性．

**薬剤感受性**
テトラサイクリン系抗菌薬に感性である．一般的にドキシサイクリンとストレプトマイシンまたはゲンタマイシンと併用される．

## d-3　フランシセラ科（*Francisellaceae*）

### I　フランシセラ属（Genus *Francisella*）

#### 1　野兎病菌（*Francisella tularensis*）

　**野兎病**は感染動物（ウサギまたはリス）への接触，または感染したダニに咬まれて感染する，人獣共通感染症である．*Francisella tularensis* には3亜種が存在する．

**形態と染色**

0.2〜0.7×0.2μm のグラム陰性短桿菌（球桿菌）である．極染色性があり，多形性を示す．芽胞，鞭毛はない．

**培養**

偏性好気性菌で，至適pH6.3〜7.3，至適温度37℃である．8％血液加ユーゴン寒天培地を用い，好気環境下で35〜37℃，2〜5日培養する．集落は露滴状，透明，粘稠性のあるS型で，集落直下の弱い緑変が特徴である．菌の発育にはシステインやシスチンの添加が必要なため，普通寒天培地に発育しない．

**生化学的性状**

カタラーゼ試験弱陽性，オキシダーゼ試験陰性である．ブドウ糖，マルトースを分解し酸を産生するが，ガスは産生しない．

**他の検査法**

特異抗血清による凝集反応や特異遺伝子の検出による同定が行われる．

**病原性**

感染動物との接触，感染しているダニの咬傷，汚染された肉の摂取により感染する．潜伏期は3〜10日で，発熱，頭痛などの感冒症状で始まり，次いで**リンパ節腫脹**，感染創の化膿・潰瘍化を起こす．日本では東北・関東地方にみられ，リンパ節腫脹を伴う例が多い．感染症法において，野兎病は**四類感染症**，野兎病菌は**二種病原体等**に分類されている（バイオセーフティレベル3）．

**薬剤感受性**

ストレプトマイシン，テトラサイクリン系抗菌薬に感性である．ペニシリン系，セフェム系抗菌薬は無効である．

> **野兎病菌の特徴**
> わずか10〜50菌体で感染可能な感染力をもつ．亜種の1つである*F. tularensis* subsp. *tularensis* は強病原性である．

# d-4　レジオネラ科（*Legionellaceae*）

## Ⅰ　レジオネラ属（Genus *Legionella*）

亜種も含めて60菌種（厚労省HP）が知られているが，*Legionella pneumophila*が最も検出率が高い．さらに，*L. pneumophila*は3つの亜型に細分される（*L. pneumophila* subsp. *fraseri*, *L. pneumophila* subsp. *pascullei*, *L. pneumophila* subsp. *pneumophila*）．

自然環境の水や空調の冷却水，土壌，温泉水などから分離される．

### 1　レジオネラ・ニューモフィラ（*Legionella pneumophila*）

#### 形態と染色
2～5×0.3～0.7μmのグラム陰性桿菌である．検査材料中ではGram染色による確認は困難である．ほとんどの菌種が極鞭毛をもつ．線毛を有するが，莢膜や芽胞は有さない．

#### 培養
偏性好気性菌で，至適pH 6.9±0.05，至適温度36℃，発育可能温度域は25～43℃である．発育に**L-システイン**，**L-メチオニン**などのアミノ酸と**鉄**を要求するため，これらを加えたB-CYEα（buffered charcoal yeast extract）培地や他の菌の発育を抑制する選択培地WYOα（Wadowsky Yee Okuda）培地を用い培養する．3～7日培養後に青みがかった白色集落をつくる（**写真2-A-d4-1**）．*Legionella*属には，集落に紫外線（365 nm付近）を照射すると青白い蛍光を発する菌種もあるが，*L. pneumophila*は陰性である．普通寒天培地，BTB乳糖寒天培地，血液寒天培地などには発育しない．

検査材料

培養には喀痰，気管分泌物，血液，胸水，剖検肺組織などが用いられる．汚染材料は酸処理法または熱処理法で処理した後，分離培養する．

#### 生化学的性状
カタラーゼ試験弱陽性，オキシダーゼ試験陰性または弱陽性である．炭水化物分解陰性で，馬尿酸塩加水分解試験は陽性である．ゼラチナーゼ，**β-ラクタマーゼ**を産生する．

#### 血清型
血清型は15以上に分類され，患者から分離される頻度が高い血清群は血清型1である．
市販の抗血清により*L. pneumophila*血清群1～6, *L. micdadei*, *L. dumoffii*, *L. bozemanae*, *L. gormanii*の同定が可能である．

#### 他の検査法
検査材料中の菌はGram染色ではほとんど染色されないため，**Giménez（ヒメネス）染色**を行う．Giménez染色ではマクロファージ内外に赤色の極染色性の桿菌として観察される（**写真2-A-d4-2**）．蛍光抗体法も行われる．

検査材料中の特徴

本菌はグラム陰性菌であるが，検査材料中では好中球やマクロファージ細胞内で増殖しているため，Gram染色で細胞内の菌を確認することは困難である．

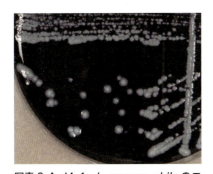

写真 2-A-d4-1　*L. pneumophila* のコロニー
B-CYEα 培地で 3 日間培養．

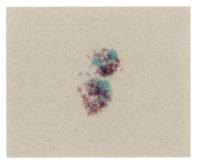

写真 2-A-d4-2　*L. pneumophila* 感染細胞の Giménez 染色

> **Giménez 染色**
> 細胞内のリケッチアやレジオネラを証明するための染色法である．喀痰，気管分泌物などの検査材料を用いた Gram 染色では通常染まらないので，細胞内の細菌を確認するために行われる．ただし，リケッチアやレジオネラ以外の細菌も染色される点に注意する．

検査材料から *Legionella* 属の遺伝子を検出する PCR 法や LAMP 法がある．また，**尿からの抗原検出法**では，従来の市販のキットで *L. pneumophila* の血清型 1 のみ検出が可能であったが，新しく開発されたキットはすべての血清型（1〜15）が検出可能となっている．

### 病原性

本菌は環境中にアメーバを宿主として生息する．温泉水，浴槽，空調，加湿器などの感染源から発生するエアロゾルの吸入により，肺胞内に到達し感染する．ヒトに急性肺炎（レジオネラ肺炎，在郷軍人病）や熱性疾患（ポンティアック熱）を引き起こす．細胞内寄生するため，細胞性免疫の低下した場合に肺炎を発症しやすい．**レジオネラ症**は感染症法において**四類感染症**に分類されている．

> **在郷軍人病**
> 1976 年 7 月，米国・フィラデルフィア市のホテルで開催された米国在郷軍人集会にて発生した原因不明の集団肺炎は，在郷軍人病（legionnaires' disease）として注目された．

### 薬剤感受性

エリスロマイシン，リファンピシン，ニューキノロン系抗菌薬に感性である．細胞内寄生菌であるため β-ラクタム系抗菌薬は効果がない．

# d-5　コクシエラ科（*Coxiellaceae*）

## I　コクシエラ属（Genus *Coxiella*）

### 1　Q熱コクシエラ（*Coxiella burnetii*）

　Q熱は人獣共通感染症であり，*Coxiella burnetii* が病原菌である．*C. burnetii* は従来リケッチアに分類されていたが，16S rRNA塩基配列の解析により *Legionella* 属に近い細菌であることがわかり，リケッチア目からレジオネラ目・コクシエラ科・コクシエラ属に再分類された．

　*C. burnetii* は，①ヒトへの感染に節足動物を必要としない，②乾燥，熱，日光に対して耐性であるため飛沫感染する，③発疹は認められない，④濾過性病原体であるといった点でリケッチアと異なる．

| 形態と染色 |

0.4〜1.0×0.2〜0.4 μm の短桿菌である．構造的にはグラム陰性菌であるが，Gram染色では難染性である．多形性を示す．

| 培養 |

**偏性細胞内寄生性**で，**人工培地では増殖しない**．培養は発育鶏卵の卵黄嚢内接種，またはマウス，モルモットの腹腔内へ接種して行う．

| 検査法 |

血清中の抗体価測定やPCRによるDNA診断が行われる．

| 病原性 |

ヒトへの感染源はウシ，ヤギ，ヒツジなどの家畜である．ときに愛玩動物も感染源となる．

ヒトの病型は急性Q熱および慢性Q熱に大別される．急性Q熱の潜伏期は通常2〜4週間で，肺炎や肝炎の症状を伴う．慢性Q熱のほとんどは心内膜炎の病像をとる．バイオセーフティレベル3に分類されている．感染症法において，Q熱は**四類感染症**，*C. burnetii* は**三種病原体等**に分類されている．

| 薬剤感受性 |

テトラサイクリン系抗菌薬が第一選択薬として用いられる．マクロライド系，ニューキノロン系抗菌薬は有効であるが，β-ラクタム系およびアミノグリコシド系抗菌薬は効果がない．

 病原性

動物が妊娠すると，感染している菌は胎盤でさかんに増殖し，分娩時に胎盤の飛沫物や汚染された塵埃などにより飛沫感染を起こす．また，これらに由来する非加熱の生乳，乳製品も感染のリスクがある．動物間ではダニを介して感染が起こる．

## e. グラム陰性，微好気性のらせん菌

らせん菌とは，らせん状（S状）に彎曲したグラム陰性桿菌の総称である．菌体の長さが比較的短い（5μm）ものと，5μm以上の長いらせん状菌に分けられる．ヒトに病原性を示すものに *Spirillum* 属，*Campylobacter* 属，*Arcobacter* 属，*Helicobacter* 属がある．

### I スピリルム属（Genus *Spirillum*）

比較的大きならせん状桿菌で，約1.5×15〜60μm．両端に多数の鞭毛をもち，活発に運動する．ヒトの感染症に**鼠咬症スピリルム**（*Spirillum minus*）がある．

#### 1 鼠咬症スピリルム（*Spirillum minus*）

**形態と染色**
0.2〜0.5×3〜5μmの2〜6回のらせんをもつグラム陰性らせん状桿菌．血液や感染組織などの材料を用いて，Giemsa染色，Wright染色，暗視野法で菌体を確認する方法がある．

**培養および検査**
**人工培地では発育不可**で，PCRなどの遺伝子学的検査が主である．梅毒の血清学的検査の50％が偽陽性を示すと報告されている．

**病原性**
ネズミに咬まれて感染する．鼠咬症は1〜3週間の潜伏期間の後，発熱，所属リンパ節腫脹，咬傷部の炎症などの症状を示す．未治療の場合，死亡率は10％である．

> **鼠咬症スピリルム**
> *Spirillum minus* は1887年に発見され，1915年に日本の二木謙三が**鼠咬症**の原因微生物であることを証明した．世界中で報告されているが，特に極東で多いとされている．日本では「sodoku」（so=rat, doku=poison）として知られている．

> **S. minus の薬剤感受性と治療**
> ペニシリンが第一選択薬．ストレプトマイシンおよびテトラサイクリンも有効である．

### II カンピロバクター属（Genus *Campylobacter*）
（表2-A-e-1）

*Campylobacter* 属は1963年，シーボルドとヴェロンにより，当時 *Vibrio* 属に分類されていた *V. fetus* および *V. bubulus* の2菌種をもって初めて提唱された菌属である．その後，現在では61菌種16亜種で構成されている．**オキシダーゼ試験陽性，グラム陰性のらせん状菌**．大きさは0.5〜5×0.2〜0.8μm．1本の鞭毛を，一端もしくは両端にもち，活発な運動性を示す．培養条件は，酸素5％，炭酸ガス10％，窒素85％の微好気的条件下で，35〜37℃で発育する．42℃でも発育可能な菌種が多く，同定の鑑別点でもある．スキロー寒天培地など選択培地を用いる．培養条件により球形を示す場合もある．ニワトリ・

表 2-A-e-1　主な *Campylobacter* 属の主な生化学的性状

| 菌種 | カタラーゼ | 水素要求性 | ウレアーゼ | 発育 25℃ | 発育 42℃ | 発育 1%グリシン | 硫化水素 TSI寒天培地 | 馬尿酸塩加水分解 | 酢酸インドキシル | アリルスルファターゼ | 亜セレン酸還元 | 感受性 ナリジクス酸 30μg | 感受性 セファロチン 30μg |
|---|---|---|---|---|---|---|---|---|---|---|---|---|---|
| *C. jejuni* subsp. *jejuni* | + | − | − | − | + | + | − | + | + | d | d | S* | R |
| *C. coli* | + | − | − | − | + | + | − | − | + | + | d | S* | R |
| *C. lari* | + | − | d | − | + | + | − | − | − | − | d | R | R |
| *C. fetus* subsp. *fetus* | + | − | − | + | − | − | − | − | + | − | − | R | S |
| *C. upsaliensis* | − | − | − | − | + | + | − | − | + | − | + | S | S |
| *C. concisus* | − | + | − | − | − | + | − | + | − | − | − | d | R · |

d：菌株により異なる，S：感性，R：耐性．
＊：ナリジクス酸耐性の *C. jejuni* や *C. coli* が存在する．

ブタ・ペット・野鳥などの動物の消化管内に広く保菌されている．ヒトの感染症は主に下痢症や菌血症で，臨床材料から主に検出される菌種に，*Campylobacter jejuni*, *C. coli*, *C. lari*, *C. upsaliensis*, *C. fetus* がある．

## 1　カンピロバクター・ジェジュニ（*Campylobacter jejuni*）

*C. jejuni* は食中毒の主要な原因菌であり，厚生労働省の食中毒統計調査では，近年は，患者数，事件数ともに細菌のなかで上位を占めている．また，食中毒の集団発生例の報告も多い．

### 形態と染色

大きさが 0.5〜5×0.2〜0.8 μm のグラム陰性で，2〜3 回転（1 回転は 1 μm 程度）のらせん状菌．通常，単極または両極にそれぞれ 1 本の鞭毛をもち，活発な運動性を示す．酸素の存在下や長期培養株では球形を示す．

### 培養

糞便，血液，髄液などの臨床材料のほかに，食中毒発生時には鶏肉などの食品，飲料水，河川水などの材料も対象となる．血液寒天培地にも発育するが，糞便を材料とする場合には，**スキロー寒天培地**あるいは **CCDA 培地**などのカンピロバクター用選択培地に塗布する．増菌培養が必要な場合には**プレストン（Preston）培地**で増菌後，CCDA 培地やバツラ（Butzler）培地に塗布する．**微好気条件（酸素：5%，炭酸ガス：10%，窒素：85%）**，発育温度 37℃，48 時間湿潤培養する．特に本菌を疑う場合には，**42〜43℃で 2 日間培養**する．血液寒天培地では，直径 1〜2 mm の隆起したやや紅色を帯びた非溶血性のコロニーを形成する．

CCDA：charcoal-cefoperazone-deoxycholate agar

| 生化学的性状 |

オキシダーゼ試験，カタラーゼ試験ともに陽性．**馬尿酸塩加水分解試験陽性**が鑑別ポイントである．酢酸インドキシルテスト陽性，ブドウ糖など炭水化物は非分解．TSI寒天培地における硫化水素産生は陰性．25°Cと42°Cの発育試験において，25°Cで非発育，42°Cで発育する（**表 2-A-e-1**）．

| 病原性および病原因子 |

ウシ，ヒツジ，ニワトリ，イヌ，ネコ，水鳥など多くの動物が保有する．経口感染によってヒトに胃腸炎を起こす．特に鶏肉の生食による例が多い．乳幼児や小児に感染率が高く，20歳以上の成人がこれに次いで多い．食品や飲料水を介した集団食中毒の事例も多い．潜伏期は通常1〜7日で，発熱（38°C台），腹部痙攣，下痢などを主訴とする．下痢は一般に水様便であるが，粘液ないし血便を伴うことが多い．通常，2〜5日で回復する．未治療の場合には再燃することもある（5%程度）．腸炎のほかに敗血症（腸炎の0.15%）や関節炎，髄膜炎を起こすこともある．合併症として，C. jejuni 感染後に神経疾患である Guillain-Barré（ギラン・バレー）症候群を発症することがある．

| 治 療 |

一般的に自然治癒するため，対症療法が中心となる．ただし，重症例や免疫不全例ではニューキノロン系やマクロライド系抗菌薬が使用される．近年，ニューキノロン系抗菌薬に耐性の株が増加している．

## 2　カンピロバクター・コリ（Campylobacter coli）

形態，発育性，生化学的性状が C. jejuni に類似する．C. coli は馬尿酸塩加水分解試験陰性である点で，C. jejuni と鑑別が可能である．

C. coli も C. jejuni と同様に多くの動物で保菌しているが，特にブタやニワトリが高率に保有している．下痢症や食中毒を起こすが，国内の感染例は5〜10%である．

## 3　カンピロバクター・フィタス（Campylobacter fetus）

C. fetus subsp. fetus および subsp. venerealis があり，いずれもウシやヒツジなど家畜の流産菌である．subsp. fetus はヒト，特に妊婦や免疫不全の場合に感染，発症する．疾患は**敗血症，心内膜炎，関節炎，髄膜炎**などで，まれに下痢症を起こす．C. jejuni との鑑別点は，比較的菌体が長い，発育温度は20〜40°Cで，42°Cでは発育しない，ナリジクス酸に抵抗性，セファロチンに感性である．

## 4　嫌気性カンピロバクター属

### 1）カンピロバクター・ウレオリティカス（Campylobacter ureolyticus）

小さな半透明で，ピッチング集落（寒天に食い込む集落）やスプレッティン

---

**C. jejuni の病原性**
発症に必要な菌数は1,000個程度と比較的少ない．菌が腸管上皮細胞へ粘着，細胞内侵入，毒素産生するなどにより発症する．病原因子として，粘着因子，細胞致死性膨張毒素，リポ多糖，鞭毛，S-layer protein，エンテロトキシンなどがある．

**Guillain-Barré（ギラン・バレー）症候群**
急速に発症する左右対称性の四肢筋力の低下と腱反射の消失を主徴とする．原因の約3割は C. jejuni 感染によるものとされている．

**C. jejuni の薬剤感受性**
マクロライド系，アミノグリコシド系抗菌薬，ドキシサイクリン，ミノマイシン，ニューキノロン系抗菌薬に感性．ペニシリンGやセファロスポリン系抗菌薬，リンコマイシン，コリスチン，ST合剤，ポリミキシンBなどに耐性である．

グ集落（培地上を滑走したように広がった集落，**写真 2-A-e-1**）を呈する．運動性はなく，**ウレアーゼ陽性**である．膿瘍から分離される．

### 2) カンピロバクター・グラシリス（*Campylobacter gracilis*）

*C. ureolyticus* に似た微小集落を示すが，ウレアーゼは陰性である．運動性はない．

### 5 その他のカンピロバクター属

このほかに，*C. lari*，*C. hyointestinalis*，*C. upsaliensis*，*C. concisus* などもヒトに感染し，下痢症などを発症することが知られている．

写真 2-A-e-1
スプレッティング集落

## Ⅲ ヘリコバクター属（Genus *Helicobacter*）

1983 年にオーストラリアのマーシャルとウォレンによって胃疾患患者の胃から発見された微好気性のらせん菌である．その後，1989 年に *Helicobacter* 属が新設され，現在は 78 菌種で構成されている．形態はグラム陰性のらせん菌で，大きさは 1〜10×0.3〜0.6 μm である．複数の鞭毛を一端または両端にもち，活発な運動性を示す．微好気性で *Campylobacter* 属とほぼ同様の培養条件で発育する．オキシダーゼ試験陽性，**ウレアーゼ活性陽性．ヒトへの感染部位は，主に胃もしくは腸管である**．肝疾患との関連性も報告されている．ヒトに感染を起こす代表的な菌種に *Helicobacter pylori* がある．また，近年免疫不全患者などの血液から *Helicobacter cinaedi* 検出の報告例が増加している．

### 1 ヘリコバクター・ピロリ（*Helicobacter pylori*）

*Helicobacter pylori* は，発見当時の菌名は *Campylobacter pyloridis* であった．胃に症状のない健康人が保菌しており，世界人口の 40〜50％が感染しているとされている．

#### 形 態

大きさは 2.5〜4.0×0.5〜1.0 μm．グラム陰性のらせん状（S 状）で，やや大きめの形態を示す．**単極に 4〜7 本の鞭毛があり，活発な運動性を示す**．鞭毛には鞭毛鞘があり，鞭毛の先端は球状に膨らんでいる．胃粘膜ではらせん状をしているが，口腔内，糞便や培養菌などでは球状（coccoid forms）を示す．胃生検材料のスタンプ標本を直接 Gram 染色することで，*H. pylori* を確認することが可能である．

#### 培 養

胃前庭部および胃体部から採取した胃生検組織が検査材料となる．胃生検材料をホモジナイズし，カンピロバクターの分離培地であるスキロー寒天培地やヘリコバクター用の選択培地に塗布，35〜37℃，4〜7 日間微好気にて培養する．普通寒天培地には発育しない．また，糞便中の *H. pylori* の培養は

困難である．

### 生化学的性状

オキシダーゼ試験とカタラーゼ試験が陽性である．本菌の生化学的特徴は**強いウレアーゼ活性**をもつことである．アルカリホスファターゼおよびγ-グルタミルトランスペプチダーゼ陽性．ナリジクス酸（30 μg）に耐性，セファロチン（30 μg）に感性を示す．*Campylobacter* 属にきわめて類似した生化学的性状である．

### その他の検査

非侵襲的検査として，**尿素呼気試験**（$^{13}C$ 標識尿素を経口投与し，分解産物 $^{13}CO_2$ を呼気にて測定），**便中 *H. pylori* 抗原測定法（ELISA 法にて検出）**，**尿検査法**（尿中に存在するヘリコバクター抗体を検出）などがある．侵襲的検査は，内視鏡で胃前庭部および胃体部から検体を採取し，その材料を使用した**培養法，病理学的診断，迅速ウレアーゼ試験**などがある．また，血清抗体価も診断に使用される．PCR法など，遺伝子学的検査を用いた検出も実用化されている．

### 病原性

健康人でも胃に *H. pylori* を保菌する率が高い．菌の感染により，慢性胃炎，胃潰瘍や十二指腸潰瘍（発症率：15%）のみならず，胃がん（発症率：約0.5%）や MALT リンパ腫やびまん性大細胞型 B 細胞リンパ腫などの発生につながることが報告されている．また，特発性血小板減少性紫斑病，小児の鉄欠乏性貧血，慢性蕁麻疹などの胃外性疾患との関連も指摘されている．

### 薬剤感受性と除菌

本菌は前述のように胃がんなどの要因と考えられているため，保菌者には除菌が推奨されている．

2000 年に，アモキシシリン，クラリスロマイシン，プロトンポンプ阻害剤の3剤併用療法が保険適用となっている．しかし，クラリスロマイシンの耐性化が進行したため（除菌率 80% 以下に低下），上記の一次除菌が不成功の場合は，メトロニダゾールを含めた二次除菌も承認されている．近年では，メトロニダゾール耐性株も出現している．

**H. pylori の病原性**

「胃は無菌である」という通説を覆したのが本菌である．強いウレアーゼ活性をもつ本菌は，この酵素により胃粘液中の尿素をアンモニアと二酸化炭素に分解し，生じたアンモニアで，局所的に胃酸を中和することによって胃へ定着（感染）している．

**H. pylori の病原因子**

病原因子は，ウレアーゼ，Ⅳ型分泌システム（T4SS），細胞空胞化毒素（VacA）や各種分泌酵素（ムチナーゼやプロテアーゼ）などがある．

## 2 ヘリコバクター・シネジー（*Helicobacter cinaedi*）

*Helicobacter cinaedi* は，ヒトなどさまざまな動物の腸管に存在する．ヒトでは，抗がん剤治療中（主に血液腫瘍）や透析を必要とする患者の血液培養から検出される．形態は，グラム陰性でやや長めのらせん状桿菌である．培養は，高濃度の水素ガス（5〜10%）の存在により発育が促進される．血液寒天培地上ではフィルム状の発育が認められる．血液培養では3日以上を要することが多い．カタラーゼ陽性，オキシダーゼ陽性，硝酸塩還元試験陽性を示す．

## Ⅳ アーコバクター属 (Genus Arcobacter)

　*Arcobacter* 属は1977年に初めてウシから分離され，1990年代以後にヒトからの分離が報告された，比較的新しい病原菌である．日本では，ウシ，ブタおよびニワトリの腸管や市販鶏肉，また河川水からの分離が報告されている．*Campylobacter* 属に似たグラム陰性のらせん状桿菌で，15～37℃で発育が可能である．42℃では発育しない．また，好気培養において発育が可能である．*A. butzleri* および *A. cryaerophilus* がヒトの主要病原菌と考えられ，敗血症や下痢症を起こす．

## f. グラム陽性，好気性の桿菌

### f-1　有芽胞菌

### Ⅰ バシラス属（Genus *Bacillus*）

*Bacillus* 属は，枯草菌（*Bacillus subtilis*），食中毒の原因菌であるセレウス菌（*B. cereus*），炭疽の原因菌である炭疽菌（*B. anthracis*），腐蛆病菌（*B. larvae*）などを含み，現在List of Prokaryotic names with Standing in Nomenclature（LPSN）では628種が登録されている．*Bacillus* 属菌は，**芽胞**を形成する菌である．そのため，熱や乾燥に対する抵抗性が強く，通常100℃の高温にも耐えるため，滅菌・消毒には注意が必要な菌種である．偏性好気性または通性嫌気性の有芽胞桿菌で，新鮮分離株ではグラム陽性を示すが，菌が古くなるとGram染色性が不定または陰性に染まる場合がある．カタラーゼ試験は，ほとんどの菌種で陽性である．至適発育温度は菌種により異なり，5〜60℃と幅広い．主にヒトに病原性を示す菌種に *B. anthracis* および *B. cereus* がある．

#### 1　炭疽菌（*Bacillus anthracis*）

*Bacillus anthracis* は炭疽の病原体で人獣共通感染症であり，四類感染症として届け出が必要な菌種である．本来，ウシ，ウマ，ヤギなどの家畜に感染するが，まれにヒトにも感染を引き起こし，皮膚炭疽，腸炭疽，肺炭疽などを発症させる．日本では**バイオセーフティレベル3**に分類され，バイオテロの危険があることから**二種病原体等**にも指定されており，所持等の認可も必要である．

##### 形態と染色

炭疽菌は，1.5〜3 μmのグラム陽性大桿菌で，**鞭毛は保有していない**点が他の *Bacillus* 属とは異なる．*in vivo* では莢膜を伴う単独または短い**連鎖状**であるが，人工培地では莢膜の形成がないか弱く，竹節状の長い連鎖となる．

##### 培養

通性嫌気性．普通寒天培地や血液寒天培地で，37℃で急速に発育する．早いものであれば8時間程度で確認可能である．コロニーは，血液寒天培地上では直径2〜5 mmの大きさで，非溶血性で粘着性があり，辺縁が縮毛状の集落（メズサの頭様コロニー）を形成する．

##### 生化学的性状

カタラーゼ試験陽性，ブドウ糖などを分解して酸を産生するが，ガスは産生しない．硝酸塩還元試験陽性，カゼイン加水分解陽性，スターチ加水分解陽性，卵黄寒天培地でのレシチナーゼテスト陽性，VP反応陽性．しかし，生化学的性状だけでは菌種同定には至らないため，アスコリテスト，パールテ

### 炭疽の疫学

炭疽は地球上に広く存在し，多くの地域で発生がみられ，ヒトでは年間2万人，家畜では100万頭に達すると推定されている．日本においては家畜衛生などの対策が功を奏して，動物の炭疽発生はきわめて少ない．

### 炭疽菌によるバイオテロ

2001年，米国でのバイオテロは，郵便物に粉と一緒に炭疽菌を同封したことにより発生した．最初の症例は2001年9月27日に発症し，その後肺炭疽11例（すべて確定例），皮膚炭疽12例（確定7例，疑い5例），計23例の症例が報告されている．

### メズサの頭

辺縁が縮れたフィラメント状の集落をメズサの頭という．ギリシャ神話に出てくるメズサの蛇髪に似ていることから，この名称でよばれている．

スト，γファージテストなどがある．

#### 病原性

本来，ヒツジやウマなどの草食動物に感染し，敗血症を発症する．ヒトへの感染はまれではあるが，病型は伝播様式によって**皮膚炭疽**（経皮感染），**腸炭疽**（経口感染），および**肺炭疽**（吸入感染）の3種に分けられる．皮膚炭疽は，自然感染による炭疽の95％以上を占める．感染様式は創傷部から芽胞が体内に取り込まれて感染する．潜伏期間は1〜10日．未治療の場合，致死率は10〜20％．腸炭疽は感染した肉を摂食することで発症する．致死率は25〜50％．肺炭疽の発生はきわめてまれである．芽胞を吸入することで発症する．未治療での致死率は90％以上に達するとされる．病原因子として，浮腫や致死を起こす毒素（浮腫因子・致死因子）が重要である．

#### 薬剤感受性

ペニシリンG，ストレプトマイシンなどのアミノグリコシド系薬，テトラサイクリン，ニューキノロン系薬など多くの抗菌薬に感性である．

### 2 バシラス・セレウス（*Bacillus cereus*）

1887年，環境の調査で検出された菌であり，土壌，空中，水など自然環境に広く分布しているグラム陽性の大型桿菌である．

#### 形態と染色

短径が1.2μmのグラム陽性大桿菌で，中央に芽胞を形成する．*B. anthracis*とほぼ同様の形態を示すが，莢膜を欠き運動性を有する点で鑑別できる．

#### 培養

通性嫌気性．普通寒天培地や血液寒天培地に発育する．至適発育温度は30℃前後，ヒツジまたはウマ血液寒天培地上でβ溶血性を示す．

#### 生化学的性状

カタラーゼ試験陽性，ブドウ糖などを分解して酸を産生するが，ガスは発生しない．硝酸塩還元試験，ゼラチン液化能，**レシチナーゼテスト**，VP反応が陽性．生化学的性状が*B. anthracis*と類似しているため，鑑別が困難である．

#### 病原性

一般的に非病原性であるが，免疫不全やカテーテルなどのデバイス使用の場合に，医療関連感染として敗血症などを発症する場合がある．まれに，**毒素型食中毒**の原因菌となる場合がある．下痢・腹痛を主訴とする下痢型（潜伏時間8〜16時間）と，吐気・嘔吐を主訴とする嘔吐型（潜伏期間1〜5時間）があるが，多くが嘔吐型である．

#### 薬剤感受性

ペニシリナーゼを産生するためペニシリン系抗菌薬には耐性である．クリンダマイシン，エリスロマイシン，アミノグリコシド系，ニューキノロン系抗菌薬に感性である．

---

**アスコリテスト（Ascoli's test）**
炭疽菌の莢膜の成分であるグルタミン酸ポリペプチドと抗血清との反応による沈降帯（白濁）を，試験管内で確認する．

**パールテスト（pearl test）**
微量のペニシリンG（0.05単位/mL）を含む培地で菌が真珠の膨満した形態で確認できるか，含まない培地で桿菌状であるかを確認する．炭疽菌は陽性となる．

**γファージテスト**
菌を血液寒天培地に3〜4cmに広げ，γファージ液を中央に1滴滴下して37℃培養する．3〜4時間でγファージ液滴下部分が溶菌する．

**下痢毒素と嘔吐毒素**
下痢毒素は56℃，5分で毒力がなくなるが，嘔吐毒素は熱に強く126℃，90分でも安定しているので注意が必要である．

### 3 枯草菌（Bacillus subtilis）

非病原性で，自然界に広く分布している．一般的に，雑菌や汚染菌とされる．グラム陽性大桿菌で中央に芽胞を形成する．偏性好気性のため嫌気培養で発育しない．ごくまれに，菌血症，心内膜炎，呼吸器感染，食中毒を起こすことがある．

### 4 ゲオバシラス・ステアロサーモフィラス（Geobacillus stearothermophilus）

きわめて耐熱性の高い芽胞を形成することから，加圧殺菌，薬剤殺菌，電磁波照射殺菌などのさまざまな殺菌効果を評価するために利用されている．

# f-2　無芽胞菌

## Ⅰ　リステリア属（Genus *Listeria*）

*Listeria* 属は無芽胞グラム陽性桿菌で，通性嫌気性である．カタラーゼ試験陽性，低温（4℃）での増殖が可能なこと，耐塩性（6％以上）で運動性があることから，他のグラム陽性無芽胞桿菌と区別される．*Listeria* 属は，*Listeria monocytogenes* を代表とし，*L. grayi, L. innocua, L. ivanovii* subsp. *ivanovii, L. ivanovii* subsp. *londoniensis, L. seeligeri, L. welshimeri* の7菌種に分類される．*Listeria* 属は環境に広く分布しており，土壌や水，肉などから分離されるが，ヒトに感染を起こすものは *L. monocytogenes* のみとされている．

### 1　リステリア・モノサイトゲネス（*Listeria monocytogenes*）

1926年に，英国・ケンブリッジの動物舎における流行感染に伴いマレーにより発見された．ヒトおよび動物のリステリア症（listeriosis）の原因菌で，リステリア症は**人獣共通感染症**の一つである．感染した宿主の細胞内外の両方で増殖可能な細胞内寄生菌である．

#### 形態と染色
グラム陽性の短桿菌（大きさ 0.5〜2×0.4〜0.5 μm）．縦に短い連鎖を形成する場合がある．グラム不定であり，血液培養などでは陰性菌のようにみえることもある．**4本の鞭毛（周毛性鞭毛）をもち，20〜28℃で活発な運動性を示す**．芽胞や莢膜はない．

#### 培養
好気培養より微好気培養（炭酸ガス培養）の方が発育は良好である．この性状から，半流動培地では培地表面少し下に傘状発育（umbrella motility）とよばれる発育が認められる．普通寒天培地には発育不良で，5％ヒツジ，ウマ，ウサギの血液寒天培地などで発育する．至適発育温度は 30〜37℃であるが，**4℃でも発育する**．24〜48時間培養で直径 0.5〜1.5 mm の小さなコロニーを形成する．ヒツジまたはウサギ血液寒天培地では，弱い β 溶血性を示す．

#### 生化学的性状
カタラーゼ試験陽性，オキシダーゼ試験陰性．ブドウ糖を分解して酸を産生する．エスクリン加水分解試験陽性，VP反応陽性，インドールテスト陰性，馬尿酸塩加水分解試験陽性，**CAMPテスト陽性**．

#### 病原性
成人における細菌感染症として**化膿性髄膜炎**，敗血症，脳炎などがある．健康な成人では無症状のまま経過することが多いが，感染初期には倦怠感，弱

---

**CAMPテスト**

血液寒天培地上で *S. aureus* と *L. monocytogenes* を直交するように画線塗抹し，35℃または37℃で12〜18時間培養する．塗抹線に沿って弱い β 溶血を示し，*S. aureus* の β 溶血部分で鮮明に増強されるものを *L. monocytogenes* とする．

い発熱を伴うインフルエンザ様の症状を示すことがある．潜伏期間は平均3週間と推定されている．

#### 薬剤感受性

第一選択薬は，通常アミノベンジルペニシリン系抗菌薬（アンピシリンなど）とされている．ミノサイクリンやバンコマイシンなどにも感性である．**セファロスポリン系抗菌薬には耐性である**．

> **L. monocytogenes の病原性**
> 胎児敗血症では，妊婦から子宮内の胎児に垂直感染が起こり，**流産や早産の原因となる**．また，妊婦は感染リスクが通常の20倍との報告もある．乳幼児および小児の感染が半数以上を占める．

## II エリジペロスリックス属（Genus *Erysipelothrix*）

*Erysipelothrix* 属には，*Erysipelothrix rhusiopathiae*，*E. tonsillarum*，*E. inopinata* の3菌種が存在し，ヒトには主に *E. rhusiopathiae* が感染症を引き起こす．

### 1 豚丹毒菌（*Erysipelothrix rhusiopathiae*）

*E. rhusiopathiae* は**豚丹毒菌**とよばれ，ブタに感染症を発症させる．ヒトでの本菌の感染症は類丹毒とよばれている．古くから代表的な**人獣共通感染症**の原因菌の一つとして知られている．

#### 形態と染色

グラム陽性，直線またはやや彎曲した小桿菌（0.2〜0.5×0.8〜2.5 μm）．通常，単在から2連鎖であるが，しばしば繊維状の長い連鎖を示す．また，非抗酸性，鞭毛および線毛はなく，芽胞も形成しない．莢膜様構造物を有する株もある．

#### 培養

通性嫌気性．培養は好気または微好気（炭酸ガス培養）の環境下で，37℃で48時間行う．本菌は特別な栄養素を必要としないが，通常の培地では発育は悪く，平板培地には脂質（Tween80など）を0.1％加えたものを用いることで発育を増強できる．

#### 生化学的性状

カタラーゼ試験陰性，オキシダーゼ試験陰性．TSI寒天培地で硫化水素産生テスト陽性，ガス非産生，乳糖分解能陽性．TSIでの硫化水素産生能は早期鑑別に有用である．

#### 病原性

豚丹毒菌に感染した場合，ヒトでは①限局性皮膚疾患型（類丹毒），②全身性皮膚疾患型，③敗血症の3つが主な病型である．敗血症患者の多くは心内膜炎を併発し，死亡率が高い．

#### 薬剤感受性

β-ラクタム系，ニューキノロン系抗菌薬，クリンダマイシンに感性を示す．一方，バンコマイシンやアミノグリコシド系抗菌薬に耐性である．

## III コリネバクテリウム属 (Genus *Corynebacterium*)

*Corynebacterium* 属は，現在 100 を超える菌種が分類されており，臨床材料から検出される代表的な菌種に，*C. diphtheriae*, *C. striatum*, *C. ulcerans*, *C. jeikeium*, *C. urealyticum*, *C. pseudodiphtheriticum*, *C. kroppenstedtii* などがある．一部の菌種では，細胞壁にミコール酸や結核ステアリン酸（TBSA）が含まれている．グラム陽性の短桿菌ないし桿菌で比較的細く，わずかに弯曲している菌種もあるが分岐はしていない．好気性または通性嫌気性で無芽胞，運動性はない．カタラーゼ試験陽性，オキシダーゼ試験陰性．5%ヒツジ血液寒天培地上では微小コロニーを形成し，Tween80 などを添加した培地を用いると発育が促進される（脂質好性）．脂質非好性の菌種は血液寒天培地で，好気的条件下において発育が良好である．ヒトに病原性を示すものは *C. diphtheriae* のみとされており，他の菌種は基本的には口腔内や皮膚の常在細菌である．

### 1 ジフテリア菌 (*Corynebacterium diphtheriae*)

1883 年，クレブスがはじめて患部の偽膜で観察し，1884 年にレフレル（Löffler）が培養に成功した．*Corynebacterium* 属のなかでは，他の菌種と違い**ジフテリア症**の原因菌である．日本国内では，ジフテリアトキソイドの接種によりジフテリア患者は激減している．**ジフテリアは，感染症法において二類感染症**に指定されている．

#### 形態と染色

大きさは $1.0 \sim 8.0 \times 0.3 \sim 0.8 \mu m$．細長いグラム陽性桿菌で，やや多形性，一端がやや膨らみを帯びた棍棒状や亜鈴状，真っすぐなものや，やや弯曲したものが，柵状，松葉状，V 状に混在する．**異染小体（ナイセル小体）**を有し，**Neisser（ナイセル）染色**（カウドリィ変法）で，菌体の末端に異染小体が観察される．

#### 培養

好気性または微好気性ではあるが，嫌気状態でも発育する．発育至適温度は 35〜37℃．至適 pH は 7.5±0.3 である．普通寒天培地では発育不良で，発育に血液または血清を必要とし，5%ヒツジ血液寒天培地では 37℃，18 時間培養で直径 1〜2 mm の乳白色クリーム状の集落を形成する．選択分離培地として，**亜テルル酸塩（tellurite）を含む荒川培地**や非選択培地である**レフレル培地**などが用いられる．荒川培地は亜テルル酸カリウムを含むため，菌が亜テルル酸を還元し，灰色〜黒色の集落を形成する．

#### 生化学的性状（表 2-A-f2-1）

カタラーゼ試験陽性，多くは硝酸塩還元試験陽性，尿素分解陰性，運動性陰性．ブドウ糖，マルトースを分解する．CAMP テストは陰性である．
生物型として，*gravis, intermedius, mitis, belfanti* の 4 つの亜種（subsp.）

---

**偽膜**
組織としての構造をもたず，線維組織に膿などが加わってできた膜様のもの．ジフテリア症などの際にみられる．

**ジフテリア菌の毒素産生と病原性**
ジフテリア毒素は，易熱性の蛋白毒素（分子量 62,000 の一本鎖のペプチド）で，ウサギやモルモットの皮内または皮下に注射すると，局所の浮腫，充出血・壊死などを生じ，局所の循環障害を起こす．ヒトでは，主に上気道粘膜が侵され局所感染を起こし，灰白色の偽膜が形成される．また，毒素が全身に広がると，心筋炎・心不全による循環器系障害，四肢の筋肉および呼吸筋などの麻痺（ジフテリア後神経麻痺）の原因となる．

表 2-A-f2-1 主な *Corynebacterium* 属の主な生化学的性状

| 菌種 | カタラーゼ | 硝酸塩還元 | ウレアーゼ | エスクリン加水分解 | 糖分解 ブドウ糖 | 糖分解 マルトース | 糖分解 白糖 | 脂質好性 | CAMPテスト |
|---|---|---|---|---|---|---|---|---|---|
| C. diphtheriae | + | +* | − | − | + | + | − | d | − |
| C. ulcerans | + | − | + | − | + | + | − | − | REV |
| C. pseudodiphtheriticum | + | + | + | − | − | − | − | − | − |
| C. jeikeium | + | − | − | − | + | d | − | + | − |
| C. urealyticum | + | − | + | − | − | − | − | + | − |
| C. kroppenstedtii | + | − | − | + | + | d | + | + | − |
| C. striatum | + | + | − | − | + | d | − | − | d |

＊：subsp. *belfanti* は陰性，d：菌株により異なる，REV：逆 CAMP 試験陽性．

に区別されており，グリコーゲン分解やプロピオン酸の検出などで分けることができる．分類学上は区別されていない．

#### 薬剤感受性および治療
一般的にペニシリン G，エリスロマイシンに感性である．抗菌薬投与は感染初期には有効であるが，毒素に対しては効力がないので，抗毒素血清を用いて毒素を中和する血清療法が行われる．

#### 予防
ジフテリアトキソイドによる予防接種が行われている．現在，出生 2 カ月以降にジフテリア，破傷風，百日咳，ポリオの四種混合ワクチン（DPT-IPV）が接種されている．

> **シックテスト**
> 感染後の発病は，ジフテリア菌の毒素産生力と血液中の抗毒素力による．ジフテリア毒素に対する感受性の有無を検査する方法にシックテスト (Schick test) がある．少量のジフテリア菌を皮内に注射し，4 日後に判定し，抗体がない場合には皮膚に発赤，硬結が出現する．変化がなければジフテリアの発病を防ぐのに十分な抗毒素をもっていると判断される（毒素中和反応）．

## 2 その他のジフテロイド

ジフテロイド（diphtheroid）とは，ジフテリア菌に性状などが類似する菌の総称である．外毒素は非産生であるため一般的に病原性は低いが，日和見感染症の原因となる場合がある．

### 1）コリネバクテリウム・ウルセランス（*Corynebacterium ulcerans*）

ジフテリア様の臨床像をきたす人獣共通感染症の原因菌であり，特にウシの乳房炎の原因となる．

#### 生化学的性状
通常 *C. ulcerans* は，毒素は非産生の場合が多いが，ジフテリア様疾患の患者から分離された *C. ulcerans* は，ジフテリア菌とほぼ同じ毒素を産生することがわかっている．毒素産生性の *C. ulcerans* は，毒素非産生株に毒素の遺伝子をもつバクテリオファージが感染することが原因と考えられている．

### 2）コリネバクテリウム・シュードツベルクローシス（*Corynebacterium pseudotuberculosis*）

系統学的に *C. diphtheriae* に近縁で，ジフテリア毒素を産生する遺伝子を保有している可能性がある．ウマの流産や膿瘍の原因菌であり，ヒトではリンパ節炎を起こす．

### 3）コリネバクテリウム・シュードジフテリティカム（*Corynebacterium pseudodiphtheriticum*）

上気道に常在し，呼吸器系材料からの分離例が主である．また，そのほとんどは免疫不全の患者に発症するが，まれに市中肺炎の報告もある．

### 4）コリネバクテリウム・ジェイケイウム（*Corynebacterium jeikeium*）

ヒトの皮膚や粘膜上の常在菌であるが，免疫不全患者には心内膜炎，敗血症などを発症する．脂質好性の性質があるため，鼠径部，直腸周囲，腋窩などの皮脂の多い箇所によく分布している．

### 5）コリネバクテリウム・ウレアリティカム（*Corynebacterium urealyticum*）

尿路感染の原因となる菌種である．強いウレアーゼ活性を有することから，閉塞性尿路感染症から高アンモニア血症となり意識障害を引き起こすことがある．

### 6）コリネバクテリウム・ストリアータム（*Corynebacterium striatum*）

通常は皮膚の常在菌であるが，AIDSや血液疾患などの免疫不全患者において，肺炎を発症することがある．一方で，多剤耐性化傾向にあり，医療関連感染やアウトブレイクの報告も存在する．

### 7）コリネバクテリウム・クロッペンステッティー（*Corynebacterium kroppenstedtii*）

肉芽腫性乳腺炎の膿汁から分離される菌種である．近年，日本においても感染症例の報告が増えつつある．脂質好性である．

## g. グラム陽性，抗酸性の桿菌

### g-1 マイコバクテリア科（*Mycobacteriaceae*）

#### Ⅰ マイコバクテリウム属（Genus *Mycobacterium*）

*Mycobacterium* 属は，1.0〜10×0.2〜0.6 μm のやや弯曲したものから真っすぐな桿菌で，分岐様や Y 字状のものもある．菌は菌糸体状の発育をするが，容易に断裂し桿菌状または球菌状となる．*M. tuberculosis* complex ではコード（cord）形成がみられることがあるが，これは菌体表層の高い疎水性に関係している．細胞壁には多量の脂肪酸を含み，一度染色されると酸やアルコールで容易に脱色を受けない抗酸性の性質をもち，抗酸菌（acid fast bacteria）ともよばれている．本来，グラム陽性桿菌であるが，脂質を多く含有するために Gram 染色では染色性が悪く，顆粒状に部分的に陽性に染まるか，ガラス片状に抜けて確認される（**写真 2-A-g1-1**）．

偏性好気性菌で，非運動性，芽胞や莢膜形成はしない．菌の世代時間が長く，発育には時間がかかり通常 4 日〜8 週間培養時間がかかる．

結核菌を除く非結核性抗酸菌の同定検査は，生化学的性状や色素産生性，温度発育性といった表現形による培養ベースの同定方法と，DNA-DNA ハイブリダイゼーション法により行ってきた．近年では，遺伝子配列による解析や MALDI-TOF MS を用いる同定検査の有用性が評価されてきており，同定は亜種を含めて細かく分類されるようになっている．その反面，MALDI-TOF MS では *M. marinum* と *M. ulcerans* などのようにリボソーム蛋白の相同性が高い菌種は分別を行うことができず，遺伝子配列による解析でも 16S rRNA に加えて，*rpoB* や *hsp65* といった複数の遺伝子配列を解析することで同定を行う菌種も存在する．わが国では，非結核性抗酸菌症の発生数が結核の発生数より多くなり，今後は非結核性抗酸菌の同定および薬剤感受性検査は重要になると考えられている．なお，抗酸菌の菌名の表記については，**表 2-A-g1-2** のように改訂されている．

**コード（cord）形成**
結核菌の横方向に 2 分裂に分裂するが，喀痰中では V 字もしくは Y 字，束上に菌体が確認されることがある．これをコード（cord）形成とよぶ．

写真 2-A-g1-1　結核菌の Gram 染色所見

**語 *Mycobacterium* 属**
現在，212 菌種が登録されている．結核菌群と非結核性抗酸菌に分けられ，そのうちヒトに対して病原性があるものは，培養ができない *M. leprae* を除いて 69 菌種ある（**表 2-A-g1-1**）．

**語 非結核性抗酸菌**
非結核性抗酸菌はライアン（Runyon）分類によって，Ⅰ群（光発色菌群），Ⅱ群（暗発色菌群），Ⅲ群（非光発色菌群）およびⅣ群（迅速発育菌群）の 4 つに大別されてきた．

### 1 結核菌群（*Mycobacterium tuberculosis* complex）

#### 1）結核菌（ヒト型結核菌，*Mycobacterium tuberculosis*）

**形態と染色**

1〜4×0.3〜0.6 μm の，直線状またはやや弯曲した細長い桿菌．鞭毛や莢膜，芽胞はもたない．通常 Gram 染色では検出されないが，Gram 染色所見では顆粒状に部分的に陽性に染まるか，ガラス片状に抜けてみえる．一般的に Ziehl-Neelsen（チール・ネルゼン）法や蛍光法で抗酸菌染色を行い，塗

表 2-A-g1-1　主な抗酸菌群

| 群別 | 分類 | | ヒトに対する起因性 | |
|---|---|---|---|---|
| | | | 一般的 | まれ |
| 遅発育菌群 | 結核菌群 | | M. tuberculosis<br>M. africanum<br>M. bovis | M. microti |
| | 非結核性抗酸菌群 | I群 | M. kansasii<br>M. marinum | M. intermedium<br>M. simiae |
| | | II群 | M. scrofulaceum<br>M. xenopi<br>M. ulcerans | M. gordonae<br>M. heckeshornense<br>M. lentiflavum<br>M. shinshuense<br>M. szulgai |
| | | III群 | M. avium<br>M. intracellulare<br>M. malmoense | M. branderi<br>M. celatum<br>M. genavense<br>M. haemophilum<br>M. nonchromogenicum<br>M. shimoidei<br>M. terrae<br>M. triplex<br>M. triviale |
| 迅速発育菌群 | | IV群 | M. abscessus<br>M. chelonae<br>M. fortuitum<br>M. immunogenum<br>M. massiliense | M. goodii<br>M. mageritense<br>M. porcinum<br>M. thermoresistibile |

（日本結核病学会　抗酸菌検査法検討委員会：抗酸菌検査ガイド2020. 南江堂, 2020）

表 2-A-g1-2　抗酸菌の菌名の改訂

| 改訂後の菌種名 | 改訂前の菌種名 |
|---|---|
| Mycobacterium tuberculosis var. afriacanum | Mycobacterium africanum |
| Mycobacterium tuberculosis var. bovis | Mycobacterium bovis |
| Mycobacterium tuberculosis var. BCG あるいは M. bovis BCG | Mycobacterium bovis BCG strain |
| Mycobacterium tuberculosis var. caprae | Mycobacterium caprae |
| Mycobacterium tuberculosis var. microti | Mycobacterium microti |
| Mycobacterium tuberculosis var. pinnipedii | Mycobacterium pinnipedii |
| Mycobacterium abscessus subsp. massiliense | Mycobacterium massiliense |

抗酸菌の菌名が上記の内容で改訂されているが，現場の混乱もあるため，現在も改訂前の菌種名をそのまま用いている場合が多い．なお，var. は variant を意味している．

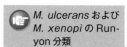 **M. ulcerans および M. xenopi の Runyon 分類**

日本では，抗酸菌検査については『抗酸菌検査ガイド』（日本結核・非結核性抗酸菌症学会）を参考にしているため，本書では『抗酸菌検査ガイド』に基づき M. ulcerans および M. xenopi を「Runyon II群・暗発色菌群」としたが，文献によっては2菌種ともに「Runyon III群・非光発色菌群」としているものもある．特に，M. ulcerans は Runyon III群としている文献も多く，M. xenopi は，培養当初は非光発色菌群に分類されるが，培養する期間が長くなるにつれ一部で発色するため，分類にバラツキが生じていると考えられる．

抹検査する．Ziehl-Neelsen 法は光学顕微鏡で観察し，結核菌は赤色に染まる．蛍光法では蛍光顕微鏡で観察し，オーラミン法は黄緑色，アクリジンオレンジ法ではオレンジ色に観察される．

菌数は簡易的な記載で報告を行う（**表 2-A-g1-3**）．

表 2-A-g1-3　塗抹検査の結果報告方法

| 記載法 | 蛍光法 200倍で観察 | Ziehl-Neelsen法 1,000倍で観察 | 備考（相当するガフキー号数） |
|---|---|---|---|
| − | 0/30 視野 | 0/300 視野 | Gaffky 0号 |
| ± | 1〜2/30 視野 | 1〜2/300 視野 | Gaffky 1号 |
| 1+ | 2〜20/10 視野 | 1〜9/100 視野 | Gaffky 2号 |
| 2+ | >20/10 視野 | >10/100 視野 | Gaffky 5号 |
| 3+ | >100/1 視野 | >10/1 視野 | Gaffky 9号 |

### 検体の前処理
検体中には一般細菌が混在していることがあり，培養時に同時に発育するため，抗酸菌のみ選択的に発育させる目的でアルカリ処理を行う．

### 培養
偏性好気性菌であるが，5〜10％炭酸ガス条件で発育が促進される．至適温度は37℃，至適pHは6.4〜7.0である．世代時間は14〜15時間と長く，そのため培養には時間がかかる．通常，小川培地で2〜3週間で微小コロニーの発育があり，肉眼的に観察されるには3〜4週間を要する．小川培地上ではR型で淡黄色のコロニーが発育し，菌の表面は乾燥し中央が隆起した形となる（写真 2-A-g1-2）．

液体培地は固形培地に比べて感度がよく発育速度が早く，1〜2週間で菌塊が培地中に確認できる．しかし，固形培地に比べ菌塊の所見をもって菌種推定をすることが困難であり，また複数の抗酸菌が存在しても区別しにくい．液体培地には，自動機器を用いて発育判定を行うことのできるものがある．

### 菌体成分
菌体はミコール酸を中心とした多くの脂質を含有する．そのため結核菌は疎水性であり，**抗酸性**を有する．

### 代謝産物
ツベルクリンやナイアシンがある．ナイアシンは結核菌の発育に不可欠で，結核菌以外の抗酸菌でもナイアシンは産生するが産生量は少ないことを利用し，過去にはナイアシン試験が鑑別に用いられていた．

### 病原性
*M. tuberculosis* はヒトのみに感染し**結核症**を起こす．結核菌は**空気感染**を起こすため，結核症のなかでも肺結核が最も多い．肺以外のあらゆる臓器や組織に感染を起こし（肺外結核），結核性髄膜炎や腎結核，腸結核，結核性脊椎炎（脊椎カリエス）など多彩な病態をとる．

結核は感染症法では**二類感染症（全数把握）**で，結核を発症していない潜在性結核症も届け出対象になっている．

**ガフキー号数**
喀痰直接塗抹法の結果で，全視野観察して検出される菌数を表したもの．

**小川培地**
固形培地には小川培地やミドルブルック（Middlebrook）7H10および7H11培地があり，小川培地は卵を基礎培地とした斜面状の固形培地である．

写真2-A-g1-2　小川培地上の結核菌コロニー

### 治療

抗結核薬による治療を行う．抗結核薬は一次抗結核薬として**イソニアジド**，**リファンピシン**，エタンブトールおよびピラジナミド，ストレプトマイシンがあり，イソニアジドおよびリファンピシンは結核治療に欠かせない抗結核薬である．二次抗結核薬としてカナマイシン，レボフロキサシン，エチオナミド，エンビオマイシン，サイクロセリン，パラアミノサリチル酸，カプレオマイシンがある．最近は新しい抗結核薬としてリファブチンとデラマニドが開発された．リファブチンはリファンピシンと同じリファマイシン系薬であるが，薬の相互作用が弱く他剤との併用が可能なため，使用する機会が増えている．デラマニドは多剤耐性結核菌用の抗結核薬として開発された．
治療は一次抗結核薬のうち2〜4剤を用い，6〜12カ月間治療を行う．抗結核薬を複数同時に服用することは，耐性菌の出現頻度を下げる効果がある．結核菌の薬剤耐性は突然変異により発生する．

近年では新薬（ベダキリン，デラマニド，リネゾリドなど）の開発やフルオロキノロン系薬の耐性率の変化を考慮して，多剤耐性結核菌の定義はWHOにおいて変更されている．

耐性菌のうち，イソニアジドとリファンピシンの2剤に耐性を有するものを**多剤耐性結核菌**（multidrug-resistant tuberculosis；MDR-TB）といい，さらにレボフロキサシンやモキシフロキサシンといったフルオロキノロン系薬やベダキリンまたはリネゾリドのうち1種類以上に耐性を有するものを**超多剤耐性結核菌**（extensively drug-resistant tuberculosis；XDR-TB）という．XDR-TBは，現在「多剤耐性結核菌」として三種病原体等に指定されており，菌株の所持には届け出が必要になる．また，一般的に郵便では運搬ができず，運搬する場合は事前に公安委員会への届け出義務がある．

### ワクチン

結核の予防として**BCGワクチン**がある．予防接種法では生後6カ月未満の乳児に対して定期接種を行っている．

### 検査法

肺結核が最も多いため，喀痰が検査材料として多く用いられる．喀痰以外では，気管支洗浄液，胃液，糞便，尿，髄液，血液など，さまざまである．

① **塗抹検査**：直接塗抹法と集菌法があるが，集菌法が一般的な検査法である．集菌法の方が感度は高いが，直接法に比べて検査に時間がかかる．染色法はZiehl-Neelsen法と蛍光法がある．

② **分離培養**：常在菌や雑菌の汚染を抑えるため，アルカリ処理を行ってから培地に接種する．アルカリ処理には4%水酸化ナトリウムを検体と等量混和し（終濃度2%），20分間反応させる．反応液にリン酸バッファーを混和し遠心集菌を行い，沈渣を塗抹検査と培養に用いる．
小川培地に沈渣100μLを接種し，35〜37℃，好気条件または5%炭酸ガス条件下で最大8週間培養を行い判定する（表2-A-g1-4）．発育したコロニー

**BCGワクチン**
BCGワクチンは，カルメットとゲランがウシ型結核菌からつくった弱毒化ワクチンである．

**検査材料**
喀痰は，溶解・均質化のためにN-アセチル-L-システイン（NALC）を水酸化ナトリウムに混ぜて使用するとより使いやすい．特に，液体培地や遺伝子関連検査には，NALC処理した検体を用いる．

表 2-A-g1-4 結核菌の小川培地上の判定

| 表記法 | 所見 | コロニー数（CFU） |
| --- | --- | --- |
| − | コロニーが認められない | 0 |
| ＋ | コロニーが 200 CFU 未満の場合は実数を併記する | 1〜200 |
| ＋＋ | 大多数のコロニーは個々に分離しているが，一部は融合している場合 | 200〜500 |
| ＋＋＋ | コロニー数が多く，ほとんどのコロニーが融合している場合 | 500〜2,000 |
| ＋＋＋＋ | コロニーが培地全体をおおうように発育している場合 | 2,000 以上 |

表 2-A-g1-5 主な抗酸菌の主な生化学的性状

| 群別 | 菌種 | 固形(小川)培地上での発育 温度(℃) 28 | 37 | 45 | 発育速度 | ナイアシン | 硝酸塩還元 | 耐熱性カタラーゼ | Tween 80 水解試験 | アリルスルファターゼ | ウレアーゼ | 増菌 ピクリン酸培地 | PNB 培地 | HA 培地 | PAS 培地の黒変 |
| --- | --- | --- | --- | --- | --- | --- | --- | --- | --- | --- | --- | --- | --- | --- | --- |
| 結核菌群 | M. tuberculosis | − | ＋ | − | 2〜3 週間 | ＋ | ＋ | − | − | − | ＋ | − | − | − | − |
| | M. bovis | − | ＋ | − | 3〜5 週間 | − | − | − | − | − | ＋ | − | − | − | − |
| Ⅰ群 | M. kansasii | ＋ | ＋ | − | 2〜3 週間 | − | ＋ | ＋ | ＋ | ＋ | ＋ | − | ＋ | ＋ | − |
| | M. marinum | ＋ | ± | − | 2〜3 週間 | − | − | ± | ＋ | ＋ | ＋ | − | ＋ | ＋ | − |
| Ⅱ群 | M. scrofulaceum | ＋ | ＋ | − | 2〜3 週間 | − | − | ＋ | − | ＋ | ＋ | − | ＋ | ＋ | − |
| | M. xenopi | − | ＋ | ＋ | 2〜4 週間 | − | − | ＋ | − | ＋ | − | − | ＋ | ＋ | − |
| | M. ulcerans | ＋ | ＋ | − | 4〜7 週間 | − | ＋ | ＋ | − | − | − | − | ＋ | ＋ | − |
| | M. gordonae | ＋ | ＋ | − | 2〜3 週間 | − | − | ＋ | ＋ | ± | ± | − | ＋ | ＋ | − |
| Ⅲ群 | M. avium–intracellulare complex | ＋ | ＋ | ± | 2〜3 週間 | − | − | ＋ | − | − | ± | − | ＋ | ＋ | − |
| | M. nonchromogenicum complex | ＋ | ＋ | − | 2〜3 週間 | − | − | ＋ | − | − | − | − | ＋ | ＋ | − |
| Ⅳ群 | M. fortuitum | ＋ | ＋ | − | <3 日 | − | ＋ | ＋ | − | ＋ | ＋ | ＋ | ＋ | ＋ | ± |
| | M. chelonae | ＋ | ＋ | − | <3 日 | ± | − | ＋ | − | ＋ | ＋ | ＋ | ＋ | ＋ | ＋ |
| | M. abscessus | ＋ | ＋ | − | <3 日 | − | − | ＋ | − | ＋ | ＋ | ＋ | ＋ | ＋ | ＋ |

**同定**

最近では，結核菌の培養途中で産生する蛋白質（MPB64 抗原）をイムノクロマトグラフィ法で検出する方法があり，結核を疑うコロニーから直接 15 分で判定できる．

**遺伝子関連検査**

遺伝子関連検査は DNA があれば陽性となり，生菌か死菌かの判断はつかない．また，培養検査の方が検出感度は高く，材料中の菌量が十分に確保できない場合は陰性になることがある．そのため，培養検査を必ず並行して行う必要がある．

はおおよその菌量をもとに半定量し，その結果を報告する．液体培地には沈渣を接種し，35〜37℃，好気条件下で最大 6 週間培養を行う．

③ **同定**：従来は，結核菌と非結核性抗酸菌の鑑別は生化学的性状やナイアシン試験により行ってきた（**表 2-A-g1-5**）．塗抹検査は抗酸菌の確認ができるが，菌種の区別は困難である．また，培養検査は，結核診断には有用であるが時間がかかるため，時間的制限の強い検査である．現在は，PCR 法や LAMP 法，DNA プローブ法，DNA-DNA hybridization（DDH）法を用いた遺伝子関連検査も行われている．

④ **薬剤感受性**：1％小川培地を基礎培地とした固定濃度法（**写真 2-A-g1-3**）やマイクロタイター法，液体培地を基礎とした 1 濃度法，微量液体希釈法がある．

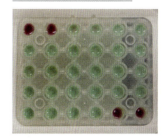

写真 2-A-g1-3 1％小川培地での薬剤感受性検査

培養で検出された結核菌を，一度純培養状に継代分離し，均質な菌液を用いて薬剤感受性検査を行う．結核菌は疎水性のため菌塊形成をするので，薬剤感受性検査に用いる菌液は慎重に取り扱う．

⑤インターフェロンγ遊離試験（IGRA）：ヒトの血液中のリンパ球に試験管内で結核菌の特異抗原（CFP-10，ESAT-6 や TB7.7）を反応させ，遊離してくるインターフェロンγを測定し，結核感染の診断検査に用いている．結核菌に対する免疫の有無を確認する検査であり，過去に感染の既往がある場合でも陽性となる．

> IGRA：interferon-gamma release assay. 第3章J「免疫学的検査法（抗酸菌の免疫学的検査）」参照.

## 2）ウシ型結核菌（*Mycobacterium bovis*）

ウシの結核から分離された抗酸菌で，結核菌群に分類される．ヒトは非殺菌性汚染牛乳の摂取により感染を起こす．現在でも，非常にまれであるが欧米で成人や小児の肺結核として報告例がある．

結核菌診断のために市販されている遺伝子関連検査試薬では，*M. tuberculosis* と *M. bovis* を区別することはできない．

## 3）ネズミ型結核菌（*Mycobacterium microti*）

ネズミの結核から分離された菌で，ヒトから分離されるのはまれである．ナイアシン試験は陽性である．

## 4）アフリカ型結核菌（*Mycobacterium africanum*）

ヒトに結核を起こすが，日本での報告はない．

# 2 光発色菌群（Ⅰ群，photochromogens）

コロニーは，暗所ではクリーム色であるが，増殖期のコロニーに1～2時間光照射を行い，培養を継続すると24時間以内にレモン色～黄色に発色する．これは，光照射によりカロチノイド色素が活性化され産生能が高まるからである．

## 1）マイコバクテリウム・カンサシー（*Mycobacterium kansasii*）

結核菌と同様に肺に空洞形成を起こす．菌体は結核菌に比べて大型で，抗酸菌染色をするとまだら状に染まることが多い．小川培地上では暗所でクリーム色のR型コロニーを形成するが，光照射により黄色いR型コロニーになる（**写真2-A-g1-4**）．硝酸塩還元試験陽性である．

薬剤感受性検査はリファンピシン，イソニアジドとエタンブトールについて行うが，特にリファンピシンがキードラッグである．

## 2）マイコバクテリウム・マリナム（*Mycobacterium marinum*）

本来は魚の病原菌であり，ヒトには皮膚に結節（スポロトリコーシス類似病

写真2-A-g1-4　小川培地上の *M. kansasii*
左：光照射，右：暗室．

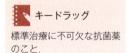

キードラッグ
標準治療に不可欠な抗菌薬のこと．

変）や潰瘍形成を起こしたり，骨髄炎を起こす．**至適温度が 25～28℃と結核菌に比べて低いため，低温培養を行う**．*M. ulcerans* と臨床症状が類似しており，鑑別が重要である．

### 3) マイコバクテリウム・シミエ（*Mycobacterium simiae*）

サルから分離され，ヒトからの分離例は少ない．ナイアシン試験陽性になるので結核菌との鑑別が必要になるが，コロニー性状が結核菌とは異なり *M. avium* complex と類似の S 型コロニーを形成し，硝酸塩還元試験陰性，光照射による発色がある点が異なる．

## 3 暗発色菌群（Ⅱ群，scotochromogens）

光照射の有無に関係なく発色する菌群．

### 1) マイコバクテリウム・スクロフラセウム（*Mycobacterium scrofulaceum*）

かつて，日本の非結核性抗酸菌症のうち第 2 位の分離頻度であったが，最近では分離頻度が低くなっている．小児の頸部リンパ節炎の原因菌として分離される．硝酸塩還元試験陰性，Tween 80 加水分解試験陰性である．

### 2) マイコバクテリウム・ゼノピ（*Mycobacterium xenopi*）

肺結核に類似の肺感染症を起こすが，易感染者に肺外感染症や播種性病変を起こすことがある．培養初期は非発色性または淡黄色を呈するが，時間経過とともに黄色くなる．42℃でも発育可能で，コロニーはシワのある鳥の巣状になる．

### 3) マイコバクテリウム・ゴルドネ（*Mycobacterium gordonae*）

土壌や水など環境中に広く分布している．病院環境中でも，管理不十分な水から分離されることがある．まれに肺抗酸菌症を起こすことがある．山吹色の S 型コロニーを形成する．

### 4) マイコバクテリウム・ウルセランス（*Mycobacterium ulcerans*）

熱帯や亜熱帯地域での流行がある．ヒトに慢性皮膚潰瘍を形成する菌で，ブルーリ（Buruli）潰瘍ともよばれる．この菌はマイコラクトンとよばれる菌体外毒素を産生する．DDH 法を用いた同定検査では *M. marinum* と誤同定されるため，ハウスキーピング遺伝子による遺伝子相同性の確認により同定を行う．*M. ulcerans* subsp. *shinshuense* は日本固有の菌種である．

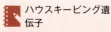

**ハウスキーピング遺伝子**
細胞の維持と増殖に欠かすことのできない遺伝子で，変異が少なくクローンの特定に使用される．

## 4　非光発色菌群（Ⅲ群，nonchromogens）

### 1）マイコバクテリウム・アビウム-イントラセルラーレコンプレックス
（*Mycobacterium avium-intracellulare* complex；MAC）
（写真 2-A-g1-5）

*M. avium* と *M. intracellulare* を総称して *Mycobacterium avium-intracellulare* complex（MAC）とよんでいる．この 2 つの菌は生化学的性状で区別することは困難であるが，遺伝子学的に区別することは容易である．現在，結核菌に次いで日本で分離される抗酸菌で 2 番目に多く，非結核性抗酸菌の半数以上を占める．

MAC は主に肺抗酸菌症を起こし，AIDS 患者では播種性感染症を起こすことがある．

写真 2-A-g1-5　小川培地上の *M. avium* コロニー

薬剤感受性

クラリスロマイシンやアジスロマイシンの感受性検査が重要．CLSI 法に準じて行う方法が一般的である．クラリスロマイシン耐性の場合は他剤（ニューキノロン系抗菌薬やリネゾリドなど）への変更も検討が必要になる．

### 2）マイコバクテリウム・ヘモフィラム（*Mycobacterium haemophilum*）

1978 年に，Hodgkin（ホジキン）病治療中の患者で分離された非結核性抗酸菌である．発育にはヘモグロビンかヘミン，またはクエン酸鉄アンモニウムが必要であるため，通常の小川培地上では発育が困難である．そのため，血液寒天培地を用いて培養を行う．至適温度は 25〜30℃と結核菌に比べて低温である．皮膚軟部組織感染症や関節炎，骨髄炎からの分離報告がある．

### 3）マイコバクテリウム・ノンクロモゲニカムコンプレックス（*Mycobacterium nonchromogenicum* complex）

*M. nonchromogenicum*, *M. terrae*, *M. triviale* の 3 つの菌種があり生化学的性状で区別できないため，*M. nonchromogenicum* complex または *M. terrae* complex とよばれる．

## 5　迅速発育菌群（Ⅳ群，rapid growers）

培養開始後 7 日以内に発育する菌群で，血液寒天培地に発育することが可能である．コロニー性状は S 型から R 型，色調もさまざまである．現在，60 菌種以上あり，ほとんどがヒトに病原性をもたない．

*M. fortuitum*, *M. chelonae*, *M. abscessus* はヒトの皮膚軟部組織感染症，肺抗酸菌症，骨髄炎，菌血症を起こす．*M. abscessus* は 3 つの亜種（subsp. *abscessus*, subsp. *bolletii*, subsp. *massiliense*）があり，それぞれ病原性が異なることが分かってきた．

薬剤感受性

抗酸菌に分類されているが，一般細菌の抗菌薬に感性を示し，セフェム系や

 マクロライド耐性菌の確認

迅速発育菌群では *erm* 遺伝子の発現によるマクロライド耐性菌の確認が重要で，通常はクラリスロマイシンの薬剤感受性検査で確認を行う．薬剤感受性検査は 5 日目で一次判定を行い，14 日目で最終判定を行う．

カルバペネム系，アミノグリコシド系，テトラサイクリン系，ニューキノロン系抗菌薬，クラリスロマイシン，リネゾリドの感受性検査を行う．

## 6 らい菌群
人工培地に発育ができない菌群である．

### 1）らい菌（*Mycobacterium leprae*）
ハンセン病（らい病）の原因菌．$1.0～8.0×0.3～0.5\,\mu m$ の大きさで，弯曲や直線状の桿菌である．塗抹染色所見では菌塊として集合体で確認される．時には組織球性細胞（らい細胞）中の細胞質に菌塊が確認されるものがあり，らい球とよぶことがある．

ハンセン病は主に皮膚や末梢神経が増殖性病変を起こし，らい腫型では鼻粘膜に病変が起こり，諸臓器，器官や骨も侵襲する．

病型の国際分類では，類結核型，未分化型，境界型とらい腫型に分類される．

微生物検査では病巣から直接PCRを行うか，レプロミン試験を行う．レプロミン試験は，加熱滅菌や加熱によりらい菌から抽出した抗原を用いた皮内反応である．

## g-2　ノカルジア科（*Nocardiaceae*）

ノカルジア科には *Nocardia* 属，*Gordonia* 属，*Rhodococcus* 属 および *Williamsia* 属がある．なかでも *Nocardia* 属は分離される機会も多く，臨床的意義の高い菌である．

### I　ノカルジア属（Genus *Nocardia*）

分岐状をした菌で，*Actinomyces*（アクチノミセス）属とは放射状の発育など類似した特徴を有するが，細胞壁にミコール酸を含む抗酸性の桿菌であることから鑑別できる．Gram 染色性が悪く，水色〜青色で顆粒状に確認される．*Mycobacterium* 属と比べて抗酸性は弱く，塩酸アルコールでは容易に脱色されるが，硫酸アルコール（Kinyoun 変法）では脱色を受けにくい．

現在，*Nocardia* 属は 133 菌種の報告があり，ヒトから分離されるのは 46 菌種以上ある．臨床上分離される機会の多い菌種は，*N. asteroides*，*N. farcinica*，*N. nova*，*N. brasiliensis*，*N. otitidiscaviarum* などがある．

#### 形態と染色

0.5〜1.0 μm のグラム陽性桿菌である．**抗酸性**をもつために Gram 染色所見では水色〜青色に観察される．**分岐状**の大型の桿菌で，*Actinomyces* 属と類似している．*Actinomyces* 属との大きな違いは抗酸性で，*Nocardia* 属は**キニヨン（Kinyoun）変法**で赤色に染まり，*Actinomyces* 属は染まらないために容易に鑑別ができる．検査材料中の菌は放線状になるが，培地から釣菌した菌を確認した場合は細切れとなり，グラム陽性の短桿菌にみえることがある．

#### 培養

偏性好気性菌で，サブロー（Sabouraud）寒天培地，血液寒天培地，小川培地などに発育する．発育速度は遅く，培養の翌日はコロニー形成が確認しにくいが，2〜3 日後には R 型の白色〜灰白色のコロニーを形成する．菌によっては 1 週間程度で黄色〜オレンジ色に着色するものがある．コロニーは乾燥していて硬く，土壁のようなきな臭いにおいがする．

#### 生化学的性状（表 2-A-g2-1）

非運動性で芽胞や莢膜形成はない．カタラーゼ試験陽性，ウレアーゼ陽性．アミノ酸加水分解試験は菌種同定には重要であるが，より迅速で正確に同定する方法として遺伝子関連検査を用いることがある．

#### 病原性

ノカルジア症は内臓ノカルジア症と皮膚ノカルジア症があり，内臓ノカルジア症には肺炎や肺膿瘍，脳膿瘍などがあり，血行性に全身播種することがあ

**Kinyoun 変法**

*Nocardia* 属は *Mycobacterium* 属と同じく菌体にミコール酸を含有し，弱抗酸性を示す．しかし，*Mycobacterium* 属に比べて炭素の数が少なく，弱抗酸性を示す．Ziehl-Neelsen 染色は塩酸アルコールを使用するが，*Nocardia* 属では容易に過脱色されてしまうため，硫酸アルコールに代えて脱色を行うことで抗酸性の確認ができる．

表 2-A-g2-1 主な Nocardia 属の主な生化学的性状

| 菌　種 | 加水分解試験 | | | | クエン酸塩利用能 | ウレアーゼ | 42℃発育性 |
| --- | --- | --- | --- | --- | --- | --- | --- |
| | カゼイン | ヒポキサンチン | チロシン | キサンチン | | | |
| N. asteroides | − | − | − | − | + | + | − |
| N. farcinica | − | − | − | − | − | + | + |
| N. nova | − | − | − | − | − | + | − |
| N. brasiliensis | + | + | + | − | + | + | − |
| N. otitidiscaviarum | − | + | − | + | d | + | d |

る．多くは日和見感染症を起こし，免疫不全患者や悪性腫瘍患者で発症する．

薬剤感受性

ST 合剤が第一選択薬．感受性は菌株により異なるので，薬剤感受性検査は必要である．β-ラクタマーゼを産生する．感受性の薬剤は ST 合剤，アミカシン，セフトリアキソン，イミペネム，ニューキノロン系抗菌薬，クラブラン酸/アモキシシリンなどである．

## g-3 ツカムレラ科 (*Tsukamurellaceae*)

### I ツカムレラ属 (Genus *Tsukamurella*)

*Nocardia*属と同じ**抗酸性**をもつグラム陽性桿菌であるが,放射状の大型桿菌である.

主に日和見感染症を起こし,肺炎や肺膿瘍を起こす.偏性好気性菌で,サブロー寒天培地,血液寒天培地,小川培地などに発育する.発育速度は遅く,2～3日培養後にはR型の灰色～茶色のコロニーを形成する.現在22菌種が存在する.

## h. 偏性嫌気性菌

## h-1　総論

### I 偏性嫌気性菌の定義

　偏性嫌気性菌（obligate anaerobe）は，遊離酸素（酸素）の存在下では増殖できないか死滅する酸素感受性細菌で，嫌気性菌と略称される．また，酸素の有無にかかわらず増殖できる細菌を，通性嫌気性菌とよぶ．通性嫌気性菌が酸素存在下で好気呼吸，無酸素下で発酵を行うのに対し，嫌気性菌はもっぱら**発酵**や**嫌気呼吸**によってエネルギー代謝を行う．嫌気性菌の酸素感受性は，活性酸素を処理する酵素群〔**スーパーオキシドジスムターゼ（SOD）**，ペルオキシダーゼ，カタラーゼなど〕のすべてまたは一部の欠如によると考えられるが，感受性の程度は菌種により異なる．

### II 嫌気性菌と酸素

　酸素濃度が0.05％以下の環境でしか発育できないものを「厳密な意味での偏性嫌気性菌（strict anaerobe）」，0.05〜5％で発育でき60分程度の空気曝露（空気との接触）では生菌数が減少しないものを「耐気性の嫌気性菌（aerotolerant anaerobe）」として区別する．

### III 嫌気性菌と酸化還元電位

　大気中の酸素の**酸化還元電位**（$E_h$）は+820 mVで，一般的なpH7の培地が大気に接触しているときの$E_h$は+200〜400 mVである．嫌気性菌は−200 mV以下の$E_h$でないと発育できないため，培養には脱酸素や還元物質（ブドウ糖，システイン，チオグリコール酸，ジチオスレイトールなど）の添加によって，$E_h$を低くした培地を用いる．

　通性嫌気性菌が定着している部位では，通性嫌気性菌が増殖に酸素を消費するため$E_h$が低下し，嫌気性菌の増殖が始まる．このような部位では，**通性嫌気性菌と嫌気性菌の混合感染**が成立する．

### IV 嫌気性菌の生息部位

　嫌気性菌は，土壌をはじめとする自然界に広く分布している．ヒトでは皮膚や口腔，鼻咽頭，大腸，下部尿道，腟などの粘膜面に常在し，**内因性嫌気性菌**

---

**嫌気呼吸**
終末電子受容体として酸素を使用せず，硝酸，硫酸，フマル酸などを用いる呼吸の総称である．発酵と異なり，電子伝達系や酸化的リン酸化の過程でATPを合成する．

**スーパーオキシドジスムターゼ（superoxide dismutase；SOD）**
細胞内で形成された過酸化物は，SODの作用によってすみやかに$H_2O_2$と$O_2$に変わる．生成した$H_2O_2$はカタラーゼやペルオキシダーゼによって$H_2O$などに分解される．この反応が繰り返されることによって，$O_2$の有害性が除去される．

**酸化還元電位（electric potential of hydrogen；$E_h$）**
酸化還元反応系で電子の授受の際に発生する電位のことで，物質の酸化または還元の能力を示す尺度になる．$E_h$がマイナスの数値である場合は，その物質が還元力をもつことを意味する．

として常在細菌叢（indigenous microbiota）の一部を構成している．これらのうち，無芽胞嫌気性菌とよばれる菌群には**日和見感染症**の原因菌として重要な菌種が含まれている．また，ヒトの腸管内に生息する嫌気性菌には，酵素反応によって有害物質を無毒化するものや有害物質を生成するもの（いわゆる善玉菌と悪玉菌）など，生体内の代謝に関与しているものがある．

## Ⅴ 嫌気性菌の分類

嫌気性菌の分類は，基本的な形態と Gram 染色性，**終末代謝産物**の種類や産生量などに基づき，DNA の GC 含量や相同性，16S rRNA の塩基配列などを利用した分子生物学的な分類手法（遺伝子関連検査）も用いられている．

主な嫌気性グラム陽性球菌・桿菌，グラム陰性球菌・桿菌を**表 2-A-h1-1** に示す．嫌気性菌は，芽胞の有無により有芽胞嫌気性菌〔*Clostridium*（クロストリジウム）属，*Clostridioides*（クロストリジオイデス）属，*Sporolactobacillus*（スポロラクトバシラス）属の細菌〕と無芽胞嫌気性菌に大別される．

> **終末代謝産物**
> 揮発性脂肪酸（酢酸，プロピオン酸，酪酸，イソ酪酸，吉草酸，イソ吉草酸など），不揮発性カルボン酸（乳酸，コハク酸など），アルコール（エタノール，ブタノールなど）などの発酵産物が，嫌気性菌の終末代謝産物である．ガスクロマトグラフィによる分析が同定検査に用いられる．

## Ⅵ 嫌気性菌の関連する疾患

### 1 外因性嫌気性菌による疾患

外因性感染を起こす嫌気性菌として重要なのは，*Clostridium* 属の細菌である．*Clostridium* 属の細菌は土壌細菌として自然界に分布し，それらの芽胞が経口的あるいは創傷部位から体内に侵入することによって感染する．病原因子は強力な外毒素や菌体外酵素で，破傷風，ボツリヌス食中毒，乳児ボツリヌス症，創傷ボツリヌス症，ウェルシュ菌食中毒などを起こす．ボツリヌス食中毒は，食品中で産生された毒素を食品とともに摂取して起こる毒素型食中毒である．

### 2 内因性嫌気性菌による疾患

皮膚や粘膜面に常在する内因性嫌気性菌のなかには，日和見感染を起こすものが多い．とくに，無芽胞嫌気性菌では通性嫌気性菌との混合感染が問題となり，複数菌の病原因子の作用によって病原性が強力になる場合がある．

腸管内の細菌叢に少数常在する *Clostridioides difficile* は，**菌交代現象**によって抗菌薬関連下痢症や偽膜性大腸炎を起こす．

### 3 嫌気性菌が関与する感染症の一般的な特徴

嫌気性菌感染症には，外毒素産生性の *Clostridium* 属細菌などによる単一菌種感染のほかに，複数種の嫌気性菌による混合感染，**嫌気性菌と通性嫌気性菌による混合感染**が多いことが特徴である．

嫌気性菌が関与する感染症の多くは内因性感染であるため，原因菌の種類は

表 2-A-h1-1　主な嫌気性菌

| 染色性 | 基本形態 | 芽胞 | 属・菌種 |
|---|---|---|---|
| グラム陽性 | 球菌 | − | *Anaerococcus*（アナエロコッカス）属<br>　*A. prevotii*<br>*Finegoldia*（ファインゴルディア）属<br>　*F. magna*<br>*Parvimonas*（パルビモナス）属<br>　*P. micra*<br>*Peptoniphilus*（ペプトニフィラス）属<br>　*P. asaccharolyticus, P. harei, P. indolicus, P. ivorii, P. lacrimalis*<br>*Peptostreptococcus*（ペプトストレプトコッカス）属<br>　*P. anaerobius* |
| | 桿菌 | − | *Actinomyces*（アクチノミセス）属<br>　*A. gerencseriae, A. israelii, A. odontolyticus, A. viscosus*<br>*Bifidobacterium*（ビフィドバクテリウム）属<br>　*B. bifidum, B, dentium*<br>*Lactobacillus*（ラクトバシラス）属<br>　*L. acidophilus, L. casei, L. delbrueckii*<br>*Propionibacterium*（プロピオニバクテリウム）属<br>　*P. propionicus*<br>*Cutibacterium*（キューティバクテリウム）属<br>　*C. acnes* |
| | 桿菌 | ＋ | *Clostridium*（クロストリジウム）属<br>　*C. botulinum, C. novyi, C. perfringens, C. septicum, C. tetani*<br>*Clostridioides*（クロストリジオイデス）属<br>　*C. difficile*<br>*Sporolactobacillus*（スポロラクトバシラス）属<br>　*S. inulinus* |
| グラム陰性 | 球菌 | − | *Veillonella*（ベイヨネラ）属<br>　*V. parvula* |
| | 桿菌 | − | *Bacteroides*（バクテロイデス）属<br>　*B. fragilis, B. thetaiotaomicron*<br>*Fusobacterium*（フソバクテリウム）属<br>　*F. necrophorum, F. nucleatum*<br>*Parabacteroides*（パラバクテロイデス）属<br>　*P. distasonis*<br>*Porphyromonas*（ポルフィロモナス）属<br>　*P. asaccharolytica, P. gingivalis*<br>*Prevotella*（プレボテラ）属<br>　*P. intermedia, P. melaninogenica* |

感染部位の常在細菌叢に関連する．このような関連性を示す例としては，腹部感染症から高頻度に分離される *Bacteroides*（バクテロイデス）属や *Fusobacterium*（フソバクテリウム）属の細菌，口腔内・上気道感染から高頻度に分離される *Porphyromonas*（ポルフィロモナス）属や *Prevotella*（プレボテラ）属の細菌などがあげられる．

外毒素産生性の *Clostridium* 属細菌は重篤な感染症を引き起こす．無芽胞の嫌気性菌は感染局所で化膿性炎症を起こすことが多く，血流に侵入して菌血症を起こすこともある．

## 4 嫌気性菌感染症を成立させる宿主側の因子

嫌気性菌感染症を成立させる宿主側の因子には，組織の破壊・壊死，血流の停滞，感染局所における酸化還元電位の低下などがある．血流の停滞による局所の酸素不足，共存する通性嫌気性菌による酸化還元電位の低下は，嫌気性菌の増殖に適した環境をつくる．

## 5 嫌気性菌の病原因子

*Clostridium* 属の *Clostridium tetani*（破傷風菌），*C. botulinum*（ボツリヌス菌）は向神経性毒素，*C. perfringens* などのガス壊疽菌群は組織障害性毒素，*Clostridioides difficile* は CD トキシン〔トキシン A（腸管毒），トキシン B（細胞毒）〕を産生して特徴的な疾患を引き起こす．

## 6 嫌気性菌の関与する疾患の種類

嫌気性菌感染症は，膿瘍，膿胸，肺炎，口腔内感染，胆道感染，腹腔内感染，泌尿生殖器感染，菌血症など多様であるが，多くは無芽胞嫌気性菌によるものである．嫌気性菌が関与する感染症と高頻度に分類される嫌気性菌の属名を**表 2-A-h1-2** に示す．

> **嫌気性菌のその他の病原因子**
> その他の病原因子には，炎症性サイトカインなどの産生を誘導するグラム陰性菌のリポ多糖（LPS），膿瘍形成に関与する *Bacteroides fragilis* の多糖体性莢膜，ロイコシジン（白血球毒素），ヘモリジン（溶血毒素），コラゲナーゼ（コラーゲン分解酵素），ヒアルロニダーゼ（ヒアルロン酸分解酵素），フィブリノリジン（フィブリン分解酵素），ヘパリナーゼ（ヘパリン分解酵素），レシチナーゼ（レシチン分解酵素），リパーゼ（脂質分解酵素）などがある．

**表 2-A-h1-2　嫌気性菌が関与する感染症と高頻度分離菌の属名**

| 感染症 | 属名 |
|---|---|
| 脳膿瘍 | *Prevotella*, *Fusobacterium*, *Bacteroides*, *Porphyromonas* など |
| 耳鼻科領域の感染症（慢性副鼻腔炎，慢性中耳炎など） | *Prevotella*, *Fusobacterium*, *Finegoldia*, *Peptostreptococcus*, *Veillonella* など |
| 眼科領域の感染症（角膜炎など） | *Cutibacterium*, *Propionibacterium* など |
| 口腔歯科領域の感染症 | *Prevotella*, *Fusobacterium*, *Veillonella*, *Actinomyces*, *Porphyromonas* など |
| 誤嚥性肺炎，肺化膿症，膿胸 | *Prevotella*, *Porphyromonas*, *Fusobacterium*, *Actinomyces*, *Bacteroides* など |
| 菌血症・敗血症 | *Bacteroides*, *Fusobacterium*, *Parvimonas* など |
| 肝膿瘍 | *Bacteroides*, *Fusobacterium*, *Clostridium*, *Peptostreptococcus* など |
| 胆道感染（胆管炎，胆囊炎など） | *Bacteroides*, *Clostridium* など |
| 抗菌薬関連下痢症，偽膜性大腸炎 | *Clostridioides*（*C. difficile*） |
| 腹腔内感染（腹膜炎，腹腔内膿瘍など） | *Bacteroides*, *Clostridium*, *Fusobacterium*, *Parvimonas* など |
| 肛門周囲膿瘍 | *Bacteroides*, *Fusobacterium*, *Clostridium* など |
| 産婦人科領域の感染症（子宮内膜炎，細菌性腟症など） | *Prevotella*, *Porphyromonas*, *Clostridium* など |
| 筋壊死 | *Clostridium*（*C. perfringens* などのガス壊疽菌群） |

## Ⅶ 嫌気性菌感染症の検査・診断

嫌気性菌感染症の検査・診断を確実に行うためには，検査に適した材料を常在菌の混入を避けて**迅速に採取し**，**嫌気性を保った状態で検査室に輸送する**ことが必要である．

### 1 検査に適した材料と適さない材料

嫌気性菌感染症の検査に適した材料は，通常無菌的である血液，脳脊髄液，胸水，心嚢液，関節液，肺穿刺液，無菌的な部位から外科的に採取された材料（脳，心臓，肺，肝臓，骨，関節，軟部組織など），注射器で採取した閉鎖性膿瘍の膿などである．

常在菌の混入が避けられず，嫌気性菌が分離されても病原的意義の見極めが困難な喀痰，糞便，尿などは，特殊な病原菌分離を目的とする場合を除き，嫌気性菌感染症の検査には適さない．

### 2 正しい輸送法と輸送容器

嫌気性菌の検出を目的とする材料は，採取後ただちに分離培養を行うことが望ましい．検査室などへの輸送が必要な場合は，嫌気性輸送容器を使用して迅速に輸送する．すみやかな培養操作が不可能な場合には，材料を入れた嫌気性輸送容器を冷蔵庫内で保管する．ただし，これらの容器を使用しても，3時間以内に分離培養を行うことが望ましい．

### 3 嫌気培養システム

一般に行われる嫌気培養のシステムには，密閉式チャンバーの内部を嫌気的にする**嫌気チャンバー（嫌気グローブボックス）法**，化学反応を利用してジャーやパックの内部を嫌気的にする**嫌気ジャー法**，**嫌気パック法**などがある．

嫌気チャンバー法は，培地の還元，材料の前処理，分離培地への材料の塗抹，培養を，酸素がない環境で連続して行うことができる．一方，嫌気ジャー法，嫌気パック法では酸素の曝露を避けられないため，培地の酸素曝露を最小限にとどめることが必要である．

### 4 検査室での検査材料の処理法

#### 1）直接塗抹標本の観察所見

嫌気性菌感染症が疑われる材料の場合，直接塗抹標本のGram染色では白血球が多数みられることが多い．また，染色性と形態による菌の推定が可能な場合がある．

#### 2）前処理と分離培養

嫌気性菌の分離を目的とした材料の前処理と分離培地への塗抹は，**嫌気チャ**

> **嫌気性菌感染症が疑われる材料の特徴**
> 一般に，嫌気性菌を多数含む材料では悪臭を発する場合が多い．
> 次の①～④に該当する材料の場合は，嫌気性菌感染症を視野に入れ，嫌気培養による検査を行う．①病巣部や膿などに悪臭があったり，血液の混入やガスの発生が認められる．②材料の直接塗抹標本で菌を認めながら，好気培養で菌の発育が認められない．③菌血症・敗血症，感染性心内膜炎が疑われながら，好気培養で菌の発育が認められない．④内因性嫌気性菌が多数常在する部位，およびその近傍の病巣から採取された．

ンバー（嫌気グローブボックス）内で酸素の曝露を避けて行うことが望ましい．培養に嫌気ジャーや嫌気パックを用いる場合は，酸素の曝露を最小限に抑えることが必要である．大気中では還元した培地にすみやかに材料を塗抹し，迅速に嫌気培養を開始する．

## 5 嫌気性菌の同定

嫌気性菌の基本的な同定では，材料の肉眼的観察とGram染色のほかに，分離培養，増菌培養，耐気性試験，生化学的性状試験（同定検査），薬剤感受性検査が行われる．

### 1）分離培養

非選択培地として嫌気性菌用血液寒天培地（ブルセラHK血液寒天培地，CDC嫌気性菌用ヒツジ血液寒天培地，アネロコロンビアウサギ血液寒天培地など），選択分離培地としてBBE寒天培地（*Bacteroides*属細菌の分離），PV加ブルセラHK血液寒天培地（嫌気性グラム陰性桿菌の分離）などを併用する．

### 2）増菌培養

臨床用チオグリコール酸塩（チオグリコレート）培地，ABCM半流動培地，GAM半流動培地，ブルセラHK半流動培地などを用いる．

### 3）耐気性試験

嫌気培養で発育した分離培地上の単一コロニーから釣菌し，好気性菌用血液寒天培地，チョコレート寒天培地，嫌気性菌用血液寒天培地に塗抹後，好気性菌用血液寒天培地を好気培養，チョコレート寒天培地を炭酸ガス培養，嫌気性菌用血液寒天培地を嫌気培養する．嫌気性菌であれば，嫌気培養した培地でのみ発育する．

### 4）各種同定検査

同定検査では，分離培地でのコロニーの性状，Gram染色による形態と染色性，生化学的性状試験によって菌種を同定する．日常の検査では，各種の嫌気性菌同定キットを用いた簡易同定・迅速同定も行われる．また，必要に応じてガスクロマトグラフィなどの機器を用いた発酵産物（終末代謝産物）の同定が行われる．

# Ⅷ 嫌気性菌感染症の治療

## 1 治療の原則

この項目における嫌気性菌とは，酸素の非存在下で発育できる偏性嫌気性菌のなかで，芽胞を形成しない無芽胞嫌気性菌を対象とする．嫌気性菌は体内に

おいて，特に消化管内の常在細菌叢の主要な位置を占めており，*Bacteroides* 属，*Porphyromonas* 属，*Fusobacterium* 属などに代表される菌が多数定着している．さらに口腔内にも *Prevotella* 属や *Porphyromonas* 属の細菌が存在し，腟内にも *Prevotella* 属や *Bacteroides* 属の細菌が定着している．

　上記の嫌気性菌は通常，宿主自らが体内に保有していた細菌による内因性感染症を起こす．すなわち，嫌気性菌による感染症は体内に常在する細菌がさらに発育しやすい環境におかれて増殖することで起こりやすい．代表的な嫌気性菌による感染症としては，深部膿瘍，誤嚥性肺炎，肺化膿症，腹膜炎，皮膚・軟部組織感染症，骨髄炎，骨盤内炎症性疾患，菌血症などがある．

　嫌気性菌感染症の治療として，外科的処置と抗菌薬投与の2つが重要である．嫌気性菌は体深部の膿瘍感染や，壊死組織が含まれる状態での感染が多く，抗菌薬投与だけでは病巣部に十分な濃度の抗菌薬が到達しない場合が多い．そのため，膿瘍のドレナージや壊死組織のデブリドマンを行うことで治療効果を高めることが可能である．

## 2　嫌気性菌の化学療法

　嫌気性菌感染症の治療は，嫌気性菌に有効な抗菌薬を選択し，投与することが原則である．ただし，嫌気性菌感染症の多くは好気性菌との混合感染の場合が多いため，好気性菌もカバーできるような抗菌薬の選択が必要であり，表2-A-h1-3 に示すように複数の抗菌薬を併用することがある．嫌気性菌に一般的に有効な抗菌薬として，カルバペネム系抗菌薬，β-ラクタマーゼ阻害薬配合ペニシリン系抗菌薬，メトロニダゾールなどがある．クリンダマイシンは，以前は嫌気性菌感染症の治療薬として頻用されてきたが，*Bacteroides* 属などに耐性化の傾向が認められるため，単独での投与は推奨されない．

　嫌気性菌感染症に用いられる各抗菌薬の特徴としては，カルバペネム系抗菌薬は嫌気性菌を含む広域の菌に有効な抗菌薬であり，カバーできる範囲が広い

### ドレナージ
体深部にある病巣部に貯留した膿や浸出物などの液体を，体表面から穿刺するなどして排出する方法．抗菌薬の投与だけでは十分な治療効果を得にくいような深部膿瘍などでは，有効性が高い治療法である．ただし，侵襲的な処置であり，出血や疼痛，感染などのリスクを伴うため，慎重に行う必要がある．

### デブリドマン（debridement）
壊死組織や異物などを物理的に取り除く方法であり，健常組織の再生を促して創傷部や感染部位の治療を早める効果がある．壊死組織やその周辺は血流が悪く，抗菌薬が投与されても感染部位において有効な濃度に達することはむずかしい．そこで，難治性感染の原因となりやすい部分の組織を外科的に切除することなどにより，病変部位の状態を改善させることができる．

表 2-A-h1-3　主な嫌気性菌感染症と代表的抗菌薬

| 疾患 | 代表的抗菌薬 | 備考 |
| --- | --- | --- |
| 膿胸 | セフトリアキソン＋メトロニダゾール | 穿刺排膿をあわせて実施 |
| 誤嚥性肺炎 | スルバクタム/アンピシリン，カルバペネム系抗菌薬 | 再発予防に口腔ケアなどが重要 |
| 肺化膿症 | カルバペネム系抗菌薬，第三世代セファロスポリン系抗菌薬＋クリンダマイシン | ドレナージあるいは病巣部位の切除を実施 |
| 腹膜炎 | タゾバクタム/ピペラシリン，カルバペネム系抗菌薬（＋メトロニダゾールの併用） | 外科的処置が優先．腹腔内膿瘍を合併しやすい |
| 骨髄炎 | スルバクタム/アンピシリン，タゾバクタム/ピペラシリン，カルバペネム系抗菌薬 | 腐骨，壊死組織のデブリドマンが必要 |
| 骨盤内炎症性疾患 | アジスロマイシン，セフトリアキソン（＋メトロニダゾールの併用） | 淋菌や *Chlamydia trachomatis* によるものが多いが，嫌気性菌の関与もありうる |

ため頻用されやすい．ただし常在細菌叢への影響も大きいため，必要な場合に限定して用いるべき抗菌薬である．タゾバクタム/ピペラシリンは緑膿菌にも有効なペニシリン系抗菌薬であり，広域抗菌薬の範疇に入る．スルバクタム/アンピシリンは嫌気性菌を含む口腔内の常在菌に強い抗菌活性を有するため，誤嚥性肺炎などでは第一選択となりやすい．メトロニダゾールの注射薬は，国内では2014年に各種の嫌気性菌感染症，クロストリジオイデス・ディフィシル腸炎などの治療薬として承認された抗菌薬である．セファマイシン系のセフメタゾールとオキサセフェム系のフロモキセフは，*Bacteroides* 属などの嫌気性菌に有効である．

## h-2　嫌気性グラム陽性球菌

*Peptostreptococcus* 属，*Finegoldia* 属，*Parvimonas* 属，*Peptoniphilus* 属が臨床的に重要である．ヒトの粘膜の常在細菌叢の構成菌で，複数菌感染症から他の菌種とともに分離される．

### 1　ペプトストレプトコッカス・アネロビウス（*Peptostreptococcus anaerobius*）

楕円形で，**連鎖状配列**のグラム陽性球菌である．2 日間培養で，他の嫌気性グラム陽性球菌群よりやや大きめの集落（3 mm 以下）をつくり，甘い不快臭がある．クリスタルバイオレット添加培地で発育せず，硫化水素を産生する．創部感染，膿瘍からの分離頻度が高い．

### 2　ファインゴルディア・マグナ（*Finegoldia magna*）

0.6 μm 以上で，**大小不同のブドウ状**グラム陽性球菌である．2 日間培養で，直径 1 mm 以下の灰色集落をつくる．クリスタルバイオレット添加培地で発育し，硫化水素を産生する．創部感染，膿瘍からの分離頻度が高い．

### 3　パルビモナス・ミクラ（*Parvimonas micra*）

0.6 μm 以下で，**均一な小さな連鎖状**のグラム陽性球菌である．2 日間培養で，直径 1 mm 以下の白色集落をつくる．クリスタルバイオレット添加培地で発育し，硫化水素を産生する．各種化膿性疾患からの分離頻度が高い．

### 4　ペプトニフィラス・アサッカロリティカス（*Peptoniphilus asaccharolyticus*）

Gram 染色で陰性球菌に染まりやすい．2 日間培養で，直径 2 mm 以下の集落をつくる．**インドールテスト陽性**である．クリスタルバイオレット添加培地で発育せず，硫化水素を産生しない．創部感染，膿瘍からの分離頻度が高い．

本菌以外に *Peptoniphilus* 属の菌として，*P. ivorii*, *P. harei*, *P. lacrimalis*, *P. indolicus*, *P. olsenii*, *P. gorbachii* などが知られている．

### 5　その他のグラム陽性球菌

その他の嫌気性グラム陽性球菌として，*Anaerococcus*（アナエロコッカス）属が重要で，*A. prevotii*, *A. tetradius*, *A. vaginalis*, *A. octavius*, *A. hydrogenalis*, *A. lactolyticus*, *A. murdochii* などがある．

---

**嫌気性グラム陽性球菌の鑑別**
sodium polyanethol sulfonate（SPS）に感性の *Peptostreptococcus* 属と，耐性を示す *Finegoldia* 属，*Parvimonas* 属，*Peptoniphilus* 属に分けられる．0.001％クリスタルバイオレット添加培地で発育可能な菌種や硫化水素を産生する菌種がある．

**Peptostreptococcus stomatis**
*P. stomatis* は *P. anaerobius* に類似しているが，Gram 染色で多形の球桿菌を示し，硫化水素非産生の点で鑑別可能である．

**微好気性グラム陽性球菌**
*Streptococcus anginosus* group, *Abiotrophia* 属, *Granulicatella* 属, *Gemella morbillorum*, *Staphylococcus saccharolyticus* は初代分離時には嫌気培養でのみ発育を認める場合が多いが，継代培養すると**微好気性環境下で発育可能**となる．また，メトロニダゾールに耐性を示す特徴があるため，嫌気性グラム陽性球菌と鑑別可能である．

## h-3　嫌気性グラム陰性球菌

臨床材料から分離される主なグラム陰性球菌は *Veillonella* 属である．しかし，*Acidaminococcus* 属，*Megasphaera* 属，*Negativicoccus* 属の分離例も報告されている．

### Ⅰ ベイヨネラ属（Genus *Veillonella*）

きわめて小さい（直径が 0.3〜0.5 μm）グラム陰性球菌である．2 日間培養で，直径 1〜3 mm の不快臭のない集落をつくる．半流動培地で発育させ，白金耳を挿入すると**ガスの発泡**が確認できる．炭水化物を発酵しない．*Veillonella* 属を推定するために，**硝酸塩還元試験陽性**はきわめて有用である．口腔内に常在するが，免疫不全宿主で感染症を起こすことがある．*Veillonella parvula* の他に *V. dispar*，*V. montpellierensis* などがある．

### Ⅱ アシダミノコッカス属（Genus *Acidaminococcus*）

小さい（直径 0.5〜1.0 μm）グラム陰性球菌である．2 日間培養で，直径 0.3〜0.5 mm の不快臭のある集落をつくる．インドールテスト陽性で，ガスを産生する．炭水化物を発酵しない．硝酸塩を還元しない．下部消化器に棲息する．臨床材料から *Acidaminococcus fermentans*，*A. intestini* が分離される．

### Ⅲ メガスフェラ属（Genus *Megasphaera*）

直径 0.4〜2 μm のグラム陰性球菌である．2 日間培養で，直径 0.5〜1.0 mm の不快臭のある集落をつくる．ガスを産生し，炭水化物を発酵する．硝酸塩を還元しない．下部消化器に棲息する．臨床材料から *Megasphaera elsdenii*，*M. micronuciformis* が分離される．

### Ⅳ ネガティビコッカス属（Genus *Negativicoccus*）

小球菌（直径 0.4 μm）のグラム陰性球菌である．**微好気性環境で発育**する．2 日間培養で，直径 0.5 mm 以下の不快臭のない集落をつくる．ガス産生はなく，硝酸塩を還元しない．臨床材料から *Negativicoccus succinicivorans* が分離される．

---

**硝酸塩還元試験**

硝酸塩を亜硝酸塩に還元する能力を調べる検査である．硝酸カリウムを添加した糖分解用半流動培地に菌を接種し，24〜72 時間培養後，試薬 A（スルファニル酸溶液）と試薬 B（α-ナフチルアミン液）を添加し，赤変すれば陽性（陰性は無変化）と判定する．嫌気性グラム陰性球菌のほとんどが陰性である．

# h-4　嫌気性グラム陽性無芽胞桿菌

ヒトや動物の粘膜・皮膚上に生息する菌群で，*Actinomyces* 属，*Propionibacterium* 属，*Cutibacterium* 属，*Eggerthella* 属，*Mobiluncus* 属，*Lactobacillus* 属，*Bifidobacterium* 属が主に臨床材料から分離される．

主な嫌気性グラム陽性無芽胞桿菌の性状を表 2-A-h4-1 に示す．

## ❶ アクチノミセス属（Genus *Actinomyces*）

**形態と染色**

短いものから長いものや分岐するなど，さまざまな形態を示すグラム陽性桿菌である．

**培　養**

炭酸ガス培養でも発育可能であるが，分離には嫌気培養を行う（*A. meyeri* は炭酸ガス環境下では発育しない）．集落は円形から臼歯状まで多種多様である．

**生化学的性状**

カタラーゼ試験，硝酸塩還元試験などで鑑別する．

**病原性**

口腔・消化管・腟の細菌叢の構成菌である．一部の菌は放線菌症（actinomycosis）の原因となる．臨床材料中に菌糸の固まりである"黄色顆粒（ドルーゼ）"が観察されることがある．

### 1　アクチノミセス・イスラエリ（*Actinomyces israelii*）

2〜3日間培養後に，弱拡大でクモに似た集落が確認できる（**マイクロスパイダー集落**，写真 2-A-h4-1）．集落形成には3〜10日間必要で，臼歯状の集落

表 2-A-h4-1　主な嫌気性グラム陽性無芽胞桿菌の主な生化学的性状

| 菌　種 | カタラーゼ | 硝酸塩還元 | インドール産生 | 集　落 |
|---|---|---|---|---|
| A. israelii | − | + | − | マイクロスパイダー集落 |
| A. odontolyticus | − | + | − | ピンク色〜赤色集落 |
| P. propionicum | − | + | − | マイクロスパイダー集落 |
| C. acnes | + | + | + | 凸状の隆起した集落 |
| E. lenta | + | + | − | 半透明の小集落 |

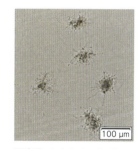

写真 2-A-h4-1　*Actinomyces israelii*（マイクロスパイダー集落）
ABCM寒天培地で2日間嫌気培養し，光学顕微鏡（×100）で観察した集落．

をつくる．扁桃腺窩や口腔内などに常在し，日和見感染症を起こす．放線菌症の原因菌の一つである．

### 2 アクチノミセス・オドントリチカス（*Actinomyces odontolyticus*）

血液寒天培地で，**ピンク色〜赤色集落**を呈する特徴がある．粘膜や口腔内の常在菌で，放線菌症，眼感染症，歯周病の原因菌の一つである．

### 3 アクチノミセス・ミエリ（*Actinomyces meyeri*）

小桿菌で，嫌気環境下でのみ発育する．膿瘍などから分離される．

*Actinomyces* 属には，上記以外に多くの菌種が存在する．

## II プロピオニバクテリウム属（Genus *Propionibacterium*）

### 1 プロピオニバクテリウム・プロピオニクム（*Propionibacterium propionicum*）

多形性のグラム陽性桿菌で，嫌気培養のみで発育する．*A. israelii* と同じく，2〜3日間培養するとクモに似た集落が確認できる．カタラーゼ陰性，インドール陰性で，硝酸塩還元試験は陽性である．ヒトの口腔内における常在細菌叢の一部である．口腔および眼感染症，ならびに放線菌症を引き起こす．

## III キューティバクテリウム属（Genus *Cutibacterium*）

### 1 キューティバクテリウム・アクネス（*Cutibacterium acnes*）

**形態と染色**

多形性のグラム陽性桿菌である．枝分かれ状を示す．

**培養**

炭酸ガス培養で発育する．

小さな，強く隆起した集落である．

**生化学的性状**

カタラーゼ，インドール，硝酸塩還元試験が陽性である．

**病原性**

ヒトの皮膚における主要構成菌である．感染性心内膜炎あるいは菌血症を起こすことがある．術後眼内炎の原因菌としても注目されている．血液培養において *Staphylococcus epidermidis* と同じく汚染菌としてしばしば分離される．感染症の原因菌と汚染菌との鑑別が必要である．

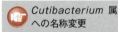

*Cutibacterium* 属への名称変更
*Propionibacterium acnes* は2016年に，*Propionibacterium avidum*，*Propionibacterium granulosum* とともに，*Cutibacterium* 属へ再分類された．

## Ⅳ エガーセラ属（Genus *Eggerthella*）

### 1 エガーセラ・レンタ（*Eggerthella lenta*）

　均一のグラム陽性短桿菌である．半透明の小集落である．カタラーゼ試験陽性，硝酸塩還元試験陽性で，炭水化物を発酵しない．ヒトの口腔内および腸管内細菌叢の主な構成菌である．創部感染や腹部膿瘍から分離される．

## Ⅴ モビルンカス属（Genus *Mobiluncus*）

　特徴的な三日月形の桿菌で，Gram 染色性は陰性または不定のグラム陽性桿菌である（**写真 2-A-h4-2**）．3～4日間の培養で微小集落を形成する．運動性がある．*Staphylococcus aureus* を使用した CAMP テスト陽性が特徴的である．健康女性の腟にごくまれにみられ，細菌性腟症の臨床的診断基準である Nugent score 算出に必要である（第2章「c-6 その他の通性嫌気性グラム陰性桿菌」p.169 参照）．乳房炎など化膿性病変からの報告例もある．*M. mulieris*, *M. curtisii* subsp. *curtisii*, *M. curtisii* subsp. *holmesii* の3菌種がある．

## Ⅵ ラクトバシラス属（Genus *Lactobacillus*）

　*Lactobacillus* 属は大きな分岐のないグラム陽性桿菌である．通性嫌気性菌で腟内に常在する．デーデルライン桿菌ともよばれ，Nugent score 算出に必要である．心内膜炎や菌血症から分離されることがある．

## Ⅶ ビフィドバクテリウム属（Genus *Bifidobacterium*）

　*Bifidobacterium* 属は先端が分岐したグラム陽性桿菌である．*Bifidobacterium* 属の一部は炭酸ガス環境下で発育する．口腔内や腸管に常在する．病原

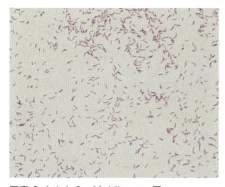

**写真 2-A-h4-2**　*Mobiluncus* 属

性はほとんどないが *B. dentium* が臨床的に重要で，重篤な肺感染症から分離される．

## VIII その他のグラム陽性無芽胞桿菌

上記以外に，*Eubacterium* 属，*Mogibacterium* 属，*Slackia* 属，*Atopobium* 属，*Collinsella* 属などがある．

# h-5　嫌気性グラム陰性桿菌

　臨床材料からの分離頻度が高いのは，*Bacteroides* 属，*Porphyromonas* 属，*Prevotella* 属，*Fusobacterium* 属である．*Bacteroides* 属，*Parabacteroides* 属，*Fusobacterium* 属の一部，*Bilophila* 属などは下部消化管に生息する．*Porphyromonas* 属と *Prevotella* 属，*Fusobacterium* 属の一部は口腔・腟，また，*Leptotrichia* 属と *Dialister* 属は主に口腔に生息する．このように，菌種により生息場所に特徴がある．

　菌の同定には，バクテロイデス・バイル・エスクリン（BBE）寒天培地，バクテロイデス寒天培地，変法 FM 寒天培地での発育性や，ウサギ（またはヒツジ）溶血血液加寒天培地上で黒色の集落形成などの確認が必要である．また，Gram 染色で特徴的な形態を示す菌が存在する．

　簡便な同定の進め方を，**図 2-A-h5-1** に示す．

## Ⅰ バクテロイデス属（Genus *Bacteroides*）

**形態と染色**
先端がやや丸みを帯びたグラム陰性桿菌である．

**培　養**
円形のやや隆起した集落をつくる．

**生化学的性状**
BBE 寒天培地，バクテロイデス寒天培地に発育する．変法 FM 寒天培地には発育しない．多くの株はカタラーゼ試験陽性である．主要な菌種の特徴を**表 2-A-h5-1** に示す．

**病原性**
下部消化管に生息し，腹腔内感染症の原因菌として分離される．この属に含まれる菌種のほとんどが構成的な β-ラクタマーゼを産生し，嫌気性菌用に使用される化学療法薬に最も耐性傾向が強い．

### 1　バクテロイデス・フラジリス（*Bacteroides fragilis*）
　BBE 寒天培地に発育しエスクリンを加水分解する．インドールテスト陰性である．

### 2　バクテロイデス・シータイオタオーミクロン（*Bacteroides thetaiotaomicron*）
　BBE 寒天培地に発育しエスクリンを加水分解する．**インドールテスト陽性**である．多くの抗菌薬に対して，*B. fragilis* よりも耐性傾向が強い．

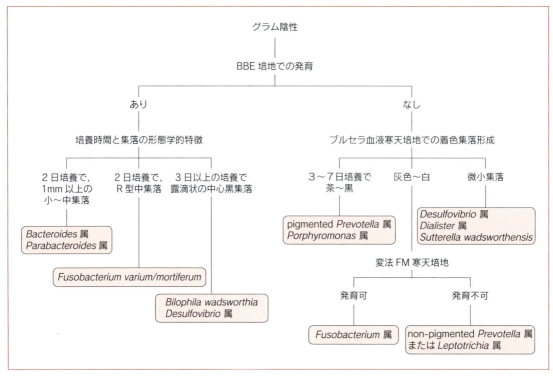

図 2-A-h5-1　嫌気性グラム陰性桿菌の同定法

表 2-A-h5-1　主な *Bacteroides* 属，*Parabacteroides* 属の主な生化学的性状

| 菌種 | 20%胆汁 | インドール産生 | カタラーゼ | エスクリン加水分解 | 糖分解 白糖 | マルトース | ラムノース | トレハロース | アラビノース | サリシン |
|---|---|---|---|---|---|---|---|---|---|---|
| B. fragilis | + | − | + | + | + | + | − | − | − | − |
| B. thetaiotaomicron | + | + | +⁻ | + | + | + | + | + | + | −⁺ |
| B. vulgatus | + | − | −⁺ | −⁺ | + | + | + | − | + | − |
| P. distasonis | + | − | +⁻ | + | + | + | V | + | −⁺ | + |

−⁺：まれに陽性になる株がある，+⁻：まれに陰性の株がある，V：菌株により異なる．

### 3　バクテロイデス・ブルガータス（*Bacteroides vulgatus*）

BBE 寒天培地に発育するが，**エスクリンを加水分解しない**．インドールテスト陰性である．

### 4　その他のバクテロイデス属

その他の菌種では *B. ovatus*（カタラーゼ試験陽性），*B. uniformis*（カタラーゼ試験陰性）の分離頻度が高い．

## II パラバクテロイデス属 (Genus *Parabacteroides*)

*Bacteroides distasonis* は 20％胆汁を含む培地に発育するが，その他の *Bacteroides* 属と系統学的に異なることから，*Parabacteroides distasonis* と属名が変更になった．その他に *P. goldsteinii*, *P. gordonii*, *P. johnsonii*, *P. merdae* がある．

BBE 寒天培地に発育し，インドールテストおよび α-フコシダーゼテストが陰性である．

## III プレボテラ属 (Genus *Prevotella*)

### 形態と染色
グラム陰性の小桿菌，または球桿菌の形態である．

### 培養
嫌気性菌用血液寒天培地で 5〜7 日以上培養すると，プロトポルフィリンを産生し **茶〜黒に着色** するグループと着色しないグループに分かれる．正円形で隆起し，光沢のある集落をつくる．

### 生化学的性状
バクテロイデス寒天培地に発育する菌種が多い．BBE 寒天培地，変法 FM 寒天培地には発育しない．カタラーゼ陰性である．**糖を分解**する点で，*Porphyromonas* 属と鑑別される．

### 病原性
主に口腔・腟内に生息し，呼吸器感染症，性器感染症などに関与する．β-ラクタマーゼ産生株がある．

> ***Prevotella* 属の分離培養**
> *Prevotella* 属は好気性菌との混合感染の場合が多い．好気性菌のなかにαレンサ球菌が存在し，その菌により培養時に発育が阻害される菌種が存在する．そのため，カナマイシンまたはパロモマイシンとバンコマイシンを適量加えた選択培地を用いると，各種臨床材料から高頻度に分離できる．

### 1 色素を産生するプレボテラ属 (pigmented *Prevotella*)

嫌気性菌用血液寒天培地で集落が茶に着色する菌は，*P. melaninogenica*, *P. denticola*, *P. loescheii*, 黒に着色するのは，*P. intermedia*, *P. corporis* である．紫外線照射によりピンク色〜橙あるいは赤色の蛍光を発する．

主要な菌種の特徴を**表 2-A-h5-2** に示す．

### 2 色素を産生しないプレボテラ属 (non-pigmented *Prevotella*)

血液平板培地に発育しても着色しない *Prevotella* 属は，*P. oralis*, *P. buccae*, *P. oris*, *P. bivia*, *P. disiens* などがある．*P. buccae*, *P. oralis*, *P. oris* は横隔膜より上部から比較的よく分離される．また，*P. bivia*, *P. disiens* は婦人科領域で重要性の高い菌種で，細菌性腟症患者の腟分泌物からの分離率が高い．β-ラクタマーゼを産生する菌株が増加している．

主要な菌種の特徴を**表 2-A-h5-3** に示す．

表 2-A-h5-2　血液寒天培地で着色集落を形成する主な Prevotella 属の主な生化学的性状

| 菌　種 | 色素 | インドール産生 | リパーゼ | エスクリン加水分解 | 糖分解 マルトース | 乳糖 | セロビオース |
|---|---|---|---|---|---|---|---|
| P. melaninogenica | 茶 | − | −⁺ | − | + | + | − |
| P. denticola | 茶 | − | − | + | + | + | − |
| P. loescheii | 茶 | − | V | V | + | + | + |
| P. corporis | 黒 | − | − | − | + | − | − |
| P. intermedia | 黒 | + | +⁻ | − | + | − | − |

−⁺：まれに陽性になる株がある，+⁻：まれに陰性の株がある，V：菌株により異なる．

表 2-A-h5-3　血液寒天培地で着色集落を形成しない主な Prevotella 属の主な生化学的性状

| 菌　種 | インドール産生 | エスクリン加水分解 | 糖分解 白糖 | 乳糖 | キシロース | サリシン | セロビオース | α-フコシダーゼ |
|---|---|---|---|---|---|---|---|---|
| P. oralis | − | + | + | + | − | + | + | − |
| P. buccae | − | + | + | + | + | + | + | − |
| P. oris | − | + | + | + | + | + | + | + |
| P. bivia | − | − | − | + | − | − | − | − |
| P. disiens | − | − | − | − | − | − | − | − |

## IV ポルフィロモナス属（Genus *Porphyromonas*）

### 形態と染色
グラム陰性の桿菌，または球桿菌である．

### 培養
嫌気性菌用血液寒天培地で5〜7日以上培養すると，プロトポルフィリンを産生し**集落全体が黒に着色**する．正円形で隆起し，光沢のある集落をつくる．

### 生化学的性状
バクテロイデス寒天培地に発育する菌種があるが，BBE 寒天培地，変法 FM 寒天培地には発育しない．インドールテスト陽性，カタラーゼ試験陰性である．**糖は非分解**である．

### 病原性
主に口腔・腟内に生息し，口腔内感染症，性器感染症などに関与する．

### 1 ポルフィロモナス・アサッカロリティカ（*Porphyromonas asaccharolytica*）

α-フコシダーゼテスト陽性である．紫外線照射で赤い蛍光を発する．**ヒトの口腔以外**に広く分布している．

### 2 ポルフィロモナス・ジンジバリス（*Porphyromonas gingivalis*）

着色集落を形成する他の菌種と異なり，**紫外線照射で赤い蛍光を発しない**．ヒトの口腔から分離され，**歯周病**と関連がある．

### 3 その他のポルフィロモナス属

ヒトの感染症との関連が深い菌種として，*P. endodontalis, P. levii, P. uenosis* などがある．

## Ⅴ フソバクテリウム属（Genus *Fusobacterium*）

### 1 フソバクテリウム・ヌクレアタム（*Fusobacterium nucleatum*）

**紡錘状**の細長いグラム陰性桿菌である．**パンくず状**の集落を呈する．変法 FM 寒天培地に発育する．BBE 寒天培地，バクテロイデス寒天培地には発育しない．インドールテスト陽性である．集落に紫外線を照射すると，黄緑色の蛍光を発する．口腔・腟に多く存在する．**ワンサンアンギナ**（Vincent's angina）を起こす．

*F. nucleatum* subsp. *nucleatum*, *F. nucleatum* subsp. *polymorphum* などの亜種が存在する．

### 2 フソバクテリウム・ネクロフォルム（*Fusobacterium necrophorum*）

多形性を示すグラム陰性桿菌である．**臍のある集落**（写真 2-A-h5-1）を呈する．変法 FM 寒天培地に発育する．BBE 寒天培地，バクテロイデス寒天培地には発育しない．**リパーゼ反応陽性**，インドールテスト陽性である．集落に紫外線を照射すると黄緑色の蛍光を発する．口腔の常在菌の一つである．**Lemierre（レミエール）症候群**の主な原因菌である．

### 3 フソバクテリウム・モルティフェラム（*Fusobacterium mortiferum*），フソバクテリウム・バリウム（*Fusobacterium varium*）

*F. mortiferum* は多形性を示し，*F. varium* は丸みのある菌端のグラム陰性桿菌である．目玉焼き状の集落を呈する．変法 FM 寒天培地，BBE 寒天培地に発育する．バクテロイデス寒天培地には発育しない．

> **ワンサンアンギナ**
> 口腔内に常在する *Fusobacterium nucleatum* とスピロヘータが過剰に増殖することによって引き起こされる扁桃の潰瘍性疾患である．粘膜の損傷，健康状態不良，口腔内不衛生などが誘引となり発症する．日和見感染症の一つである．

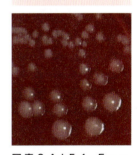

写真 2-A-h5-1 *Fusobacterium necrophorum*（臍のある集落）
ブルセラ HK 寒天培地で 3 日間嫌気培養した集落．

> **Lemierre（レミエール）症候群**
> 口腔咽頭の感染を契機に，敗血症，内頸静脈の血栓性静脈炎，全身に塞栓症，膿瘍形成をきたす症候群である．

*F. mortiferum* はインドールテスト陰性，エスクリン加水分解陽性である．*F. varium* はインドールテスト陽性，エスクリン加水分解陰性である．どちらも下部消化管に多く存在し，化膿性・壊死性感染巣から分離される．

## VI その他の菌種

### 1 バイロフィラ・ワズワーシア（*Bilophila wadsworthia*）

BBE 寒天培地で**中心部が黒色**の特徴的な集落を示す．**カタラーゼ強陽性**で，**デスルフォビリジン試験に陽性**を示す．β-ラクタム系抗菌薬に耐性を示す．虫垂炎，その他，各種化膿性疾患からも分離される．

### 2 レプトトリキア・ブッカーリス（*Leptotrichia buccalis*）

*Fusobacterium nucleatum* に似た形態をもつ，**竹のような太く長い桿菌**である．**炭酸ガス環境下でも発育**を認める．口腔内の常在菌である．血液疾患の治療時に，本菌による菌血症が報告されている．*Leptotrichia* 属は他に，*L. hofstadii*, *L. goodfellowii*, *L. trevisanii*, *L. wadei* などがある．

### 3 デスルフォビブリオ属（Genus *Desulfovibrio*）

弯曲したグラム陰性桿菌である．微小集落を形成する．硫化水素を産生し，**運動性が陽性**という特徴がある．**デスルフォビリジン試験に陽性**を示す．腹腔膿瘍から分離される．

### 4 ディアリスター属（Genus *Dialister*）

グラム陰性の短桿菌・球桿菌で，血液寒天培地で *Mycoplasma hominis* に類似した微小集落を形成する．カタラーゼ試験陰性である．微好気性で発育可能な菌種もある．

---

**デスルフォビリジン試験**
デスルフォビリジンという酵素産生の有無を調べる検査である．綿棒に菌塊をとり，2 M NaOH に浸し，紫外線（336 nm）を照射して観察する．赤色の蛍光が認められれば陽性と判定する．*B. wadsworthia*, *Desulfovibrio* 属が陽性である．

**Desulfovibrio 属の運動性**
*D. desulfuricans*, *D. fairfieldensis* は**運動性陽性**であるが，*D. piger* は例外的に陰性である．

# h-6　嫌気性グラム陽性有芽胞桿菌

## I クロストリジウム属（Genus Clostridium）

　*Clostridium* 属は芽胞を形成する嫌気性グラム陽性桿菌である．土壌・泥中，環境中やヒトおよび動物の消化管に存在し，一部の菌はボツリヌス症，破傷風，ガス壊疽の原因菌である．

　*Clostridium* 属の同定においては，芽胞の有無と位置，運動性，ブドウ糖の発酵能，レシチナーゼ，リパーゼおよびゼラチナーゼなどの確認が重要である（表 2-A-h6-1，写真 2-A-h6-1）．例外的に微好気性環境下で発育可能な菌，Gram 染色で陰性に染まりやすい菌，芽胞産生量が少ない菌も存在するため，

> **同定困難な *Clostridium* 属**
> *C. ramosum*, *C. clostridioforme* group のようにグラム陰性に染まり，芽胞の産生量が少ない菌も存在する．*Bacteroides* 属や *Fusobacterium* 属との鑑別は困難である．

表 2-A-h6-1　*Clostridium* 属の分類

| | |
|---|---|
| 微好気的発育 | *C. tertium* |
| 遊走 | *C. tetani*, *C. septicum*, *C. sporogenes* |
| 非運動性 | *C. perfringens*, *C. ramosum* |
| 先端芽胞 | *C. tetani*, *C. tertium*, *C. ramosum* |
| レシチナーゼ | *C. perfringens*, *C. sordellii*, *C. bifermentans*, *C. novyi* |
| リパーゼ | *C. botulinum*, *C. sporogenes*, *C. novyi* |
| 糖非分解 | *C. tetani* |
| ウレアーゼ | *C. sordellii* |

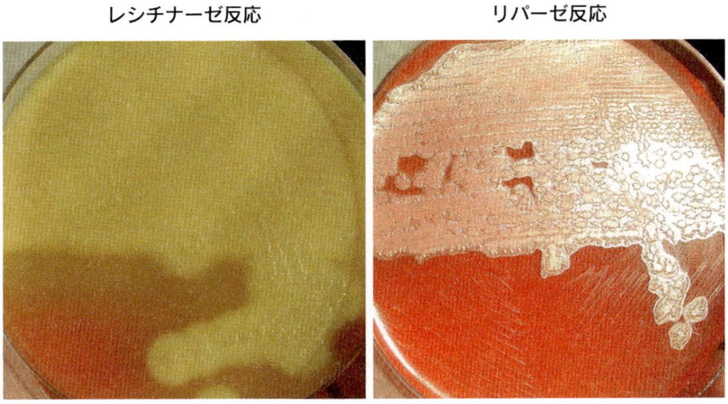

写真 2-A-h6-1　卵黄反応（卵黄加 CW 寒天培地）
左：レシチナーゼ反応（*Clostridium perfringens*）．卵黄中のレシチンは，細菌のホスホリパーゼ C（レシチナーゼ C）により分解され，遊離されたジグリセリドは不溶性蛋白と結合して，集落の周囲に幅広い混濁環を形成する．
右：リパーゼ反応（*Clostridium botulinum*）．卵黄中の脂肪酸が遊離し混濁を起こす．集落表面の真珠様光沢（pearly layer）を伴う．

> **卵黄反応**
> レシチナーゼ反応，リパーゼ反応は卵黄反応の一つで，*C. perfringens* を含む *Clostridium* 属菌や *S. aureus* の同定に使用する．

注意が必要である．

## 1　ボツリヌス菌（Clostridium botulinum）

### 形態と染色
亜端在性で，菌体より膨隆する芽胞を有するグラム陽性桿菌である．

### 培養
辺縁不整でメズサの頭様の集落をつくる．

### 生化学的性状
**リパーゼ反応陽性**である．

### 病原性
診断には，本菌の分離と本菌が産生する**神経毒素**の確認が不可欠である．ヒトの**ボツリヌス症**の原因となる毒素の型はA，B，E，F型で，日本ではE型が多い．

ボツリヌス中毒（食中毒），創傷ボツリヌス症，乳児ボツリヌス症の3疾患が知られている．ボツリヌス中毒は，缶詰などの食品中で産生された毒素の摂取により発症する．乳児ボツリヌス症は生後3〜6カ月の乳児にみられ，経口的に芽胞を摂取することにより腸管内部で発芽増殖し，毒素を産生して起こる．創傷ボツリヌス症は，創傷部に大量の菌が入った場合に起こるまれな疾患で，弛緩性麻痺を主徴とする．感染症法にて，ボツリヌス症は**四類感染症**，ボツリヌス菌は**二種病原体等**に分類されている．

## 2　破傷風菌（Clostridium tetani）

### 形態と染色
**端在性**で菌体より膨隆する，いわゆる**太鼓バチ状**の芽胞を有するグラム陽性桿菌である．

### 培養
培地平面を遊走する集落を呈する．

### 生化学的性状
ゼラチンを液化し，炭水化物の発酵は陰性である．運動性がある．

### 病原性
**破傷風**の病原体で，**神経毒**（テタノスパスミン）と**溶血毒**（テタノリジン）を産生する．この菌の確定にはテタノスパスミンを証明する必要がある．毒素の証明には，マウスを用いた毒素中和反応が行われる．

破傷風は創部から菌が侵入し，感染の進行とともに菌が増殖して毒素を産生し発症する．菌の増殖は局所であるが，産生されたテタノスパスミンが血流を介して中枢神経に作用し，顔面強直や全身性痙攣が起こる．破傷風は**五類感染症**に分類されている．

## 3 ウェルシュ菌（Clostridium perfringens）

#### 形態と染色
きわめて大型の車両型のグラム陽性桿菌である．生体内では菌体中央または一端に近く位置して，菌体より膨張しない楕円形の芽胞をつくるが，通常細菌検査で使用する培地では芽胞はみられない．

#### 培養
血液寒天培地でR型の集落としてみられ，強い溶血性（二重溶血帯）を示す．

#### 生化学的性状
**レシチナーゼ反応陽性**である．**運動性は陰性**である．乳糖などの多くの炭水化物を発酵する．牛乳培地では強いガス産生を伴った発酵がみられるが，これは**嵐の発酵**とよばれる．ゼラチン液化能は強陽性である．

#### 病原性
C. perfringens は主要な 4 つの毒素（α, β, ε, ι）の産生様式に基づき，A〜E 型の 5 型に分類される．型により動物の感受性，疾病の種類などが異なる．ヒトから分離されるのは A 型菌がほとんどである．まれに，C 型菌による壊死性腸炎がある．A 型菌はヒトや動物の腸管，土壌中に存在している．その他の型は動物の腸管に存在している．

ヒトにガス壊疽，食中毒を起こす．ガス壊疽は，土壌中の菌が体内へ侵入することにより起こる．感染により組織壊死や大量のガス産生，α 毒素により全身感染を起こす．本菌がガス壊疽の大半を占める．食中毒は経口的に摂取された本菌が腸管で増殖し，腸管毒（エンテロトキシン）を産生することにより発症する．

> **α 毒素〔ホスホリパーゼC（レシチナーゼC）〕の中和反応**
> C. perfringens の主要な毒素は α 毒素で，本態は**ホスホリパーゼC（レシチナーゼC）**である．C. bifermentans や C. sordellii もレシチナーゼを産生する．本菌との鑑別には，α 抗毒素濾紙を用いる平板培地での毒素・抗毒素中和反応を行う．C. perfringens の場合には完全な中和反応が起こるが，C. bifermentans, C. sordellii では不完全中和である．

## 4 その他のクロストリジウム属

上記以外に C. bifermentans, C. sordellii, C. novyi, C. tertium, C. septicum, C. butyricum, C. sporogenes などの菌種がある．

# II クロストリジオイデス属（Genus Clostridioides）

## 1 クロストリジオイデス（クロストリジウム）・ディフィシル〔Clostridioides（Clostridium）difficile〕

#### 形態と染色
亜端在性の楕円形芽胞を有するグラム陽性桿菌である．

#### 培養
糞便からの培養には，**CCMA**（または **CCFA**）培地を用いる．黄色い半透明な，R 型の悪臭の強い（馬小屋臭）集落を形成する．集落は，紫外線照射により黄緑色の蛍光を発する．

#### 生化学的性状
周毛性鞭毛を有し運動性がある．ブドウ糖，マンニトール，フルクトースな

> **C. difficile の名称変更**
> Clostridium difficile は 2016 年，Clostridioides difficile へ新しい属として分類された．

> **C. difficile の選択培地**
> C. difficile がセフォキシチンやサイクロセリンに耐性であることを利用し，マンニトール（またはフルクトース）を含む CCMA（または CCFA）培地を用いる．

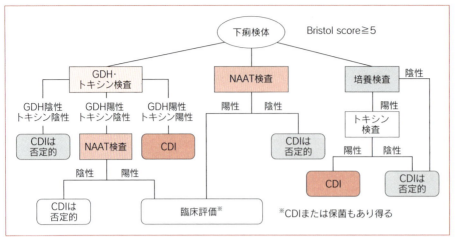

(日本化学療法学会・日本感染症学会：*Clostridioides difficile* 感染症診療ガイドライン 2022)

**図 2-A-h6-1　*C. difficile* 検査のフローチャート**

どを発酵する．ゼラチン液化能，レシチナーゼ，リパーゼ反応は陰性である．

### 他の検査法

*Clostridioides difficile* infection（CDI）診断のための検査として，イムノクロマト法を用いて糞便中の *C. difficile* 菌体抗原であるグルタミン酸脱水素酵素（glutamate dehydrogenase；GDH）とトキシンの検出を行う抗原検査が普及している．しかし，GDH 抗原の感度と比較してトキシンの検出感度が低いため，最近では感度が高い遺伝子関連検査（nucleic acid amplification test；NAAT）を積極的に取り入れる考え方も広がってきている．

「*Clostridioides difficile* 感染症診療ガイドライン 2022」では，*C. difficile* 検査のフローチャート（図 2-A-h6-1）に示すように，下痢検体（Bristol Stool Scale 5～7）を対象とし，イムノクロマト法による GDH・トキシン検査を行った場合（チャート左），GDH 陽性・トキシン陰性であれば NAAT を実施する．その結果，トキシン遺伝子陽性であれば臨床評価を含めて CDI あるいは保菌と診断する．本ガイドラインでは，抗原検査を実施せず，最初から NAAT を実施する対応も認めている（チャート中央）．また，イムノクロマト法，NAAT 以外に，検体から菌を分離培養する選択肢も残されている．

### 病原性

ヒトの消化管に生息し，保有率は新生児 30～70％，健康成人 5～10％である．

抗菌薬などの投与によって腸内細菌叢が乱れ，菌交代現象として増殖し，産生された毒素（CD トキシン）により**偽膜性大腸炎**を発症する．CD トキシンには，**トキシン A**（腸管毒）および**トキシン B**（細胞毒）がある．毒素を産生しない株も臨床材料から分離されるため，毒素の確認検査は必要である．

 **Bristol Stool Scale**

糞便の形態を 7 段階のカテゴリーに分類するツールである．タイプ 1～4 までは固い便，普通便に該当し検査対象にならない．これに対し，やわらかい便はタイプ 5，泥状便はタイプ 6，水様便はタイプ 7 に該当し，NAAT の対象になる．なお，フローチャートでは"Bristol score"と表記されているが，"Bristol Stool Scale"と同義語と考えられる．

**C. difficile の第 3 の毒素**

カナダのケベック地域において，強毒型 *C. difficile* による感染症例数の増加が報告された．通常の株に比べてトキシン A およびBの産生量が多く，さらに第 3 の毒素といわれる binary toxin を産生していた．この株は制限酵素処理解析により BI 型，パルスフィールドゲル電気泳動により North America PFGE 1 型，PCR-リボタイピングにより 027 型を示し，BI/NAP1/027 型とよばれている．

# i. スピロヘータ

スピロヘータはらせん状を呈し，活発に運動を行うグラム陰性の細菌の一群のなかで，回転数が5回以上で細長いものを指す．「コイル状の髪」を意味するギリシア語が名称の語源である．

スピロヘータ綱（*Spirochaetia*）には，スピロヘータ目（*Spirochaetales*）やレプトスピラ目（*Leptospirales*），ブラキスピラ目（*Brachyspirales*）などがある．本項では，スピロヘータ目のスピロヘータ科（*Spirochaetaceae*）→スピロヘータ属（*Spirochaeta*）と，トレポネーマ科（*Treponemataceae*）→トレポネーマ属（*Treponema*），ボレリア科（*Borreliaceae*）→ボレリア属（*Borrelia*）を中心に述べる．

## 1 スピロヘータ属（Genus *Spirochaeta*），トレポネーマ属（Genus *Treponema*）

### 形態

長さ5～20 μm，直径0.15～0.3 μmで，曲がりくねったり，回転したりする．円筒状の細胞体，細胞体を取り巻く軸糸，最外側のエンベロープを基本構造としてもち，軸糸の伸縮で運動する．粘稠な環境でも容易に移動することができる．

### 1 梅毒トレポネーマ（*Treponema pallidum*）

梅毒トレポネーマは，ヒトの**梅毒**（syphilis）の病原体であり，15世紀以降，欧州から急速に全世界に広がったとみられている．

*Treponema pallidum* には3つの亜種 subsp. *pallidum*，subsp. *pertenue*，subsp. *endemicum* が存在するとされ，このうち subsp. *pallidum* が性的接触による梅毒の原因となる（性感染症，STD）．一方，subsp. *pertenue* はフランベジア（イチゴ腫），subsp. *endemicum* はベジェルとよばれる慢性の皮膚感染症の原因となる（風土性トレポネーマ症）．以下は *Treponema pallidum* subsp. *pallidum* について述べる．

### 疫学

保菌動物や環境での存在は知られておらず，ヒトを唯一の宿主とする．感染者との粘膜の接触を伴う性行為によって感染する例がほとんどである．一方，感染した妊婦において，胎盤を通して胎児に感染が生じると，先天梅毒をきたしうる．わが国ではHIV感染者や男性同性間性的接触者（MSM）での報告が多かったが，現在，男性，女性ともに異性間性的接触による感染例が急速に増加している．

---

**染色および培養**
グラム陰性であるが，アニリン系色素（フクシン，メチレンブルー，クリスタルバイオレットなど）に染まりにくいために，Gram染色では観察がむずかしい．

**病原性**
ヒトには多数のスピロヘータ，特に嫌気性のスピロヘータが寄生している．口腔内（歯肉溝），腸管，泌尿生殖器に存在する *Treponema* 属のほとんどは非病原性である．

**梅毒トレポネーマの培養**
ウサギの睾丸内接種によって継代が可能な株もあるが，人工的な培養には成功していない．

MSM：men who have sex with men

表 2-A-i-1　梅毒の臨床病態および病期

| 潜伏期 | 約3週間（10〜90日） |
|---|---|
| I期梅毒（早期顕症梅毒I期） | 陰部・肛門の丘疹（初期硬結），無痛性の潰瘍（硬性下疳），無痛性のリンパ節腫脹（無痛性横痃）． |
| II期梅毒（早期顕症梅毒II期）（I期から4〜10週間後） | バラ疹（患者の70%に出現），扁平コンジローマ，粘膜疹，全身性リンパ節腫脹など． |
| 潜伏梅毒（I期とII期の間，およびII期症状消失後） | 無症状ではあるが，トレポネーマが播種した状態であり，潜行性に病気が進行する．献血や検診を契機に，梅毒血清反応陽性で判明する． |
| 晩期梅毒（長期間の感染で生じる） | 心血管梅毒（大動脈瘤，弁閉鎖不全），後期神経梅毒（進行麻痺，慢性髄膜炎），ゴム腫． |
| 先天梅毒 | 胎盤を通じ，母体内で胎児が感染する．早期には骨軟骨症，貧血を，その後は角膜炎，難聴，ハッチンソン歯をきたす． |

表 2-A-i-2　梅毒の血清診断

| 非トレポネーマ検査（RPR，VDRL など） | 特異的トレポネーマ検査（TPLA，FTA-ABS など） | 結果の解釈 |
|---|---|---|
| 陽性 | 陽性 | 真の陽性．非トレポネーマ検査の定量も行い，高値であれば活動性が高い．一方，治療を行うと定量値は下がる． |
| 陽性 | 陰性 | 生物学的偽陽性（膠原病，急性ウイルス性疾患，妊婦など）の可能性あり． |
| 陰性 | 陽性 | ①ごく初期の感染，②感染からかなり時間が経過した状態，③以前の感染を治療した状態． |
| 陰性 | 陰性 | ①感染なし，②感染直後の潜伏期，③HIV感染症の影響． |

形態と染色

らせん状で活発に運動し，低酸素状態でしか長く生きられない．下疳など皮膚病変部の浸出液や髄液中のスピロヘータを，ブルー・ブラックインクによる染色あるいはWright-Giemsa染色下に鏡検する．暗視野顕微鏡や蛍光顕微鏡を使用する方法もある．ただし，ほとんどの場合，診断は梅毒血清反応による．

病原性

梅毒の臨床病態および病期は，表 2-A-i-1 のように分かれる．なお，I期梅毒は自覚症状が少ない一方，無治療でも数週間で軽快してしまうので，見逃されやすい．またI期，II期の症状をきたさずに，潜伏梅毒に移行してしまうこともある．

血清診断と遺伝子関連検査

血清診断は，梅毒において広く用いられており，①非トレポネーマ検査と，②特異的トレポネーマ検査があり，両者を併用して判断する（表 2-A-i-2）．一方，性器病変や咽頭からの検体を用いて，PCR法による遺伝子関連検査を行うこともある．

非トレポネーマ検査

脂質抗原であるカルジオリピンに対する抗体検査法であり，RPR(rapid plasma reagin)法やVDRL(venereal disease research laboratory)法などがあるが，現在は自動分析器による測定（自動化法）が普及している．その定量値は疾患活動性とおおよそ相関し，治療を行うと徐々に低下する．一方で，膠原病，妊娠などでは偽陽性となるが（生物学的偽陽性，BFP），その際の定量値は低い．

### 治療

多くの抗菌薬に感性であるが，根治のために血中濃度を維持させる必要がある．わが国ではⅠ期・Ⅱ期・潜伏梅毒にはアモキシシリンやセフトリアキソンを，晩期梅毒にはペニシリンGやセフトリアキソンを使用してきたが，ベンジルペニシリンベンザチン筋注製剤が認可された．

## Ⅱ ボレリア属（Genus *Borrelia*）

直径0.2～0.3μm，長さ10～40μmであり，トレポネーマやレプトスピラと比べいくぶん幅広い．ゆるい不規則な回転をもち，運動性に富む．

### 1 回帰熱ボレリア

げっ歯類や鳥類に寄生しており，野生のダニによって媒介されるもの（*B. duttonii*など）とシラミによって媒介されるもの（*B. recurrentis*）があり，回帰熱（relapsing fever）を生じる．

#### 形態と染色，検査

3～8のゆるい回転がある．グラム陰性で，Giemsa染色でよく染まる．発熱発作時の血液を用いた塗抹検査や遺伝子関連検査が行われる．一般的に培養はむずかしい．

#### 病原性

約1週間の潜伏期ののち，悪寒を伴った突然の発熱と頭痛が出現，筋肉痛や関節痛もしばしば伴う．3～4日高熱が続き，急に解熱するが，1～2週間後に再び発熱し，これを2～10回繰り返す．回数が進むにつれて症状は軽くなる．

#### 治療

テトラサイクリンやドキシサイクリン，ペニシリンGに感性を示し，これらが治療に用いられる．

### 2 ライム病ボレリア

米国コネチカット州Lyme地方で発見されたのが**ライム病**である．北米では主に*B. burgdorferi*（ボレリア・ブルグドルフェリ）による．日本では*B. bavariensis*，*B. garinii*が主である．

野山に生息する**マダニ**（*Ixodes*）に咬着されることによって媒介，伝播される．感染にはダニが36～48時間付着していることが必要である．

#### 形態と染色

大きさは0.2～0.3×20～30μm．菌体の端に7～11本の鞭毛があり，全体がエンベロープで包まれている．グラム陰性でGiemsa染色でよく染まる．

#### 病原性

臨床病期は3期に分かれる．

---

**特異的トレポネーマ検査**
TPLA（*Treponema pallidum* latex agglutination），FTA-ABS（fluorescent treponemal antibody absorption test）などのトレポネーマ特異的抗原を用いた検査．陽性は梅毒感染を意味する．疾患活動性とは相関しにくいが，通常陽性になると生涯陽性のままであるので，過去の梅毒感染を知るには有用である．

**梅毒の予防・感染対策**
Ⅰ期，Ⅱ期梅毒において感染性が高く，適切なコンドームの使用や啓発，教育が非常に重要である．これはHIVや他の性感染症への対応にもつながる．なお，感染症法では五類感染症に定められており，接触状況に関する情報を含む，全例報告を行っている．

**日本での回帰熱**
2010年に，*B. persica*によるウズベキスタンからの輸入例が報告された．2015年には*B. miyamotoi*による国内感染例（ボレリアミヤモトイ病）が報告された（北海道）．

**ライム病の感染地域**
日本では主に北海道と，長野県以北の本州で報告がある．ただし，マダニのボレリア保有率は欧米並みである．

**B. burgdorferiの培養**
紅斑部の皮膚（生検）などを，BSK培地を用いて培養する（至適発育温度は30～37℃，微好気条件）．病初期の皮膚検体が陽性になりやすい．

① 感染初期（stage Ⅰ）（ダニ咬傷後 3〜30 日）：刺咬部を中心とする**遊走性紅斑**（60〜80％）や倦怠感，頭痛，発熱，関節痛がみられる．
② 播種期（stage Ⅱ）（数週〜数カ月後）：皮膚症状，髄膜炎，房室ブロック，眼症状，関節炎など多彩な症状がみられる．
③ 感染後期（stage Ⅲ）（数カ月〜数年後）：播種期の症状に加えて慢性関節炎や重度の皮膚症状をきたす．

診断

菌の分離には限界があり，関節液などを用いた PCR 検査や，EIA，IFA 法による血中抗体測定が有用である．ただし，抗体測定では輸入例と国内例で異なった抗原を用いる．抗体陽性例では，ウェスタンブロット法で菌体蛋白を確認する．

治療と予防

マダニの除去の際，口器（体内に刺し込んでいる部分）を残さないようにする．遊走性紅斑にはドキシサイクリンが，髄膜炎にはセフトリアキソンが第一選択薬として用いられている．

予防には，野山でマダニの刺咬を受けないような工夫が最も重要である．

 ライム病の治療

病態により投与する抗菌薬は異なる．遊走性紅斑，Bell 麻痺にはアンピシリンやドキシサイクリン，関節炎・髄膜炎にはペニシリンGやセフトリアキソンなどである．

## j. レプトスピラ

### I レプトスピラ属（Genus *Leptospira*）

スピロヘータ綱（*Spirochaetia*）→レプトスピラ目（*Leptospirales*）→レプトスピラ科（*Leptospiraceae*）に属する．レプトスピラ属では近年新たに提唱される菌種が相次ぎ，現在60菌種以上に上っているが，病原性を示すもの〔*L. interrogans*（レプトスピラ・インテロガンス）など〕，非病原性のもの〔*L. biflexa*（レプトスピラ・ビフレクサ）など〕，それらの中間の病原性を示すものに大別される．また，これらは免疫学的性状により260以上の血清型に分類される（例：*L. interrogans* では血清型 Icterohaemorrhagiae や血清型 Canicola）．病原性レプトスピラによるレプトスピラ症（leptospirosis）は，人獣共通感染症である．

#### 形態

レプトスピラは，規則正しいらせん状をし，片側または両側がかぎ状に曲がっており，その先端は尖っている．直径は 0.1 μm，長さは 6〜20 μm である．微好気もしくは好気的な環境で生育し，淡水中や湿った土壌中で長期間生存することができる．

#### 感染経路・病態

ほとんどの哺乳類に感染し，腎臓に保菌され，尿中に排泄されている．保菌動物としては**げっ歯類（ネズミ）**をはじめとする野生動物や家畜，イヌなどが知られ，ヒトはこれらの排泄物，あるいは排泄物で汚染された水や土壌に接触して経皮・経口的に感染する．レプトスピラ症は，感染症法上，全数把握の四類感染症に指定されている．

#### 検査法

発症第1週は血中に現れ，第2週以降は尿から排泄される．このため，発症初期には暗視野顕微鏡（倍率100倍）を用いて血液や尿で観察可能である．培養には発熱期に採取した血液・髄液・尿を用い，コルトフ培地や EMJH 培地に接種して行う．

血清診断法としては，血清と菌を混合し，菌の凝集を暗視野顕微鏡下で観察する顕微鏡下凝集試験法（MAT）や，ELISA 法による IgM 抗体の検出がある．血清群・型別血清を用いた血中抗体測定も行われる．この他，血液・尿・髄液を用いた PCR 法によるレプトスピラ遺伝子検出も有用であり，いずれも専門施設で実施される．

#### 治療

ドキシサイクリンやペニシリン系抗菌薬が治療に用いられている．

> **レプトスピラ症の現状**
> 国内では1970年代前半までは毎年50〜250名の死亡者が報告されていたが，その後は農作業の機械化やワクチン接種，衛生環境の向上などで死亡者は著しく減少した．ただし，以降も河川でのレジャー活動や清掃業務などをきっかけとした散発的な発生は広い範囲でみられる（2022年は全国で37例が報告された．沖縄県が最も多い）．
> 海外では全世界的に発生がみられ，アジア，中南米といった熱帯地域に多く，大雨や洪水後に集団発生を生じやすい．

MAT: microscopic agglutination test

## 1 レプトスピラ症

重症度・臨床像はさまざまである．重症のものは黄疸出血性レプトスピラ病やWeil（ワイル）病とよばれ，約10日の潜伏期ののち，38〜40℃の発熱，悪寒，頭痛，筋肉痛，結膜充血などを生じる．発症後5〜8日目に黄疸，出血が現れる．血清型はIcterohaemorrhagiaeが代表的である．

一方，夏から秋にかけて発生し，発熱，リンパ節腫脹，蛋白尿といった症状の軽いものが，地方病として秋疫（あきやみ）などとよばれていた．

抗菌薬による治療は，疑われた段階で早期に開始する．軽症例にはドキシサイクリン，アンピシリンが，中等〜重症例にはペニシリン系抗菌薬，セフトリアキソンが推奨されている．感染を予防するための対策としては，感染動物の体液および汚染された水や土壌との接触を避けることがあげられる．

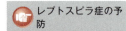

**レプトスピラ症の予防**
かつて4血清型の不活化全菌体ワクチンが使用されていたが，現在は利用できなくなっている．

## k. マイコプラズマ

マイコプラズマ科（*Mycoplasmataceae*）は，***Mycoplasma*（マイコプラズマ）属**と***Ureaplasma*（ウレアプラズマ）属**に分類される．

これらのマイコプラズマ科細菌は，人工培地で増殖できる最小クラスの細菌である．1956年にエドワードとフロイントが「マイコプラズマ」という正式名称を提唱し採用されるまでは，**pleuropneumonia-like organisms（PPLO）**とよばれていた．

二分裂で増殖するときの細胞の大きさは約300 nmである．培養・増殖の条件によっては，長さが150 μmほどの**フィラメント状**の形態を示し，この場合には**分枝分裂（数珠状の分裂）**が認められる．

**細胞壁をもたないため形態は多形性であり，ペニシリンGなどのβ-ラクタム系抗菌薬に対する感受性はない**．また，臨床材料の直接塗抹染色標本から検出することは困難である．

発育に**コレステロールまたはリポ蛋白質を要求**し，培養には**PPLO培地**などが用いられる．集落は直径100～1,000 μmと小さく，光学顕微鏡（40～100倍）で観察すると，**中心部（nipple，ニップル）**が培地中に食い込んだ「桑の実状」や「目玉焼き状」の集落が観察される（**写真2-A-k-1**）．集落の染色には**Dienes（ディーンス）法**，Giemsa（ギムザ）液またはディーンス液によるimpression（捺印）法などが用いられる．

### 1 マイコプラズマ属（Genus *Mycoplasma*）

*Mycoplasma*属細菌はブドウ糖の発酵，アルギニン加水分解産物の代謝などによってエネルギーを得ている．また，固形培地上の**集落にはモルモットやニワトリの赤血球を吸着**するものがあり，**ブドウ糖とアルギニンの分解能，血球**

> **名前の由来—PPLO**
> マイコプラズマの発見の発端となったウシの胸膜肺炎（pleuropneumonia）にちなんで名づけられた．

> **リポ蛋白質とウマ血清**
> リポ蛋白質は脂質ミセル蛋白質の複合体で，アポ蛋白質，コレステロール，トリアシルグリセロール，リン脂質などで構成されている．マイコプラズマは発育にコレステロールを必要とするが，その合成能力がないためにコレステロールを供給する必要がある．マイコプラズマの培養に用いられるPPLO培地はウマ血清を含むが，培地にウマ血清を加える目的は，ウマ血清中に多く含まれているリポ蛋白質をコレステロール源とするためである．

> **Dienes（ディーンス）法**
> 染色液を集落が形成された寒天平板に滴下し，数分後に40～100倍率で観察する．マイコプラズマの集落は青色に染まる．

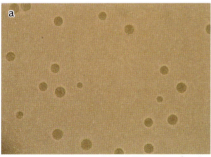
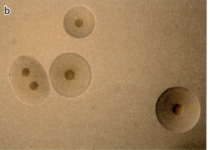

（千田俊雄：マイコプラズマ属．微生物検査学実習書．医歯薬出版，2012を改変）

**写真2-A-k-1 光学顕微鏡で直接観察したマイコプラズマのコロニー**
a：*M. pneumoniae*の集落（桑の実状），b：*M. salivarium*の集落（目玉焼き状）．

表 2-A-k-1　ヒトから分離されるマイコプラズマとウレアプラズマ

| 菌種 | 分解能 | | | 血球吸着能[*1] | 定着・検出部位 | |
|---|---|---|---|---|---|---|
|  | ブドウ糖 | アルギニン | 尿素 |  | 呼吸器 | 泌尿生殖器 |
| M. pneumoniae | + | - | - | + | + | - |
| M. genitalium | + | - | - | + | -[*2] | + |
| M. fermentans | + | + | - | - | + | + |
| M. penetrans | + | + | - | + | - | + |
| M. buccale | - | + | - | - | + | - |
| M. faucium | - | + | - | - | + | - |
| M. hominis | - | + | - | - | -[*2] | + |
| M. orale | - | + | - | + | + | - |
| M. salivarium | - | + | - | - | + | - |
| U. urealyticum | - | - | + | - | -[*2] | + |

[*1]：モルモットまたはニワトリの赤血球.
[*2]：まれに検出されることがある.

**吸着能**は菌種の同定指標となる（表 2-A-k-1）．

## 1 マイコプラズマ・ニューモニエ（*Mycoplasma pneumoniae*）

　*M. pneumoniae* は，チャノックら（1962年）が考案した特殊な培地により，**異型肺炎**の病原体として分離された．このことから，本菌による肺炎は異型肺炎とよばれてきたが，異型肺炎には *Legionella pneumophila* や *Chlamydia pneumoniae* などによるものもあるため，現在は**マイコプラズマ肺炎**とよぶのが一般的である．

　マイコプラズマ肺炎の好発年齢は 6〜12 歳の小児であるが，高齢者での感染・発症が増加傾向にある．感染経路は飛沫感染で，学校内での児童間感染から家族内感染へと拡大する場合が多い．感染から発症までの潜伏期は 2〜3 週間で，頑固な咳嗽，発熱，頭痛を主症状として発病する．

　肺炎は他の細菌との混合感染がなければ一般に症状は軽いが，中耳炎，胸膜炎，心筋炎，髄膜炎，脳炎，Guillain-Barré syndrome（ギラン・バレー症候群）などの合併症を併発する症例も報告されている．中枢神経系合併症を併発した場合は重症となることがあり，回復期以降にアレルギー性紫斑病や突発性血小板減少性紫斑病などがみられることもある．

### 検査法

マイコプラズマ肺炎の検査・診断法として次の①〜③の方法がある．

① **培養による同定法**：検査材料（喀痰，咽頭拭い液など）を直接 PPLO 培地で培養する**直接分離培養法**と，二層培地で増菌後に PPLO 培地で培養する**増菌分離培養法**がある．

② **免疫血清学的診断法**：*M. pneumoniae* の感染では，抗体価が上昇するま

---

**マイコプラズマ肺炎**
従来は，4 年ごと（オリンピック開催年）の流行周期があったが，近年ではこのような流行の傾向がなくなってきている．

**PPLO 培地での分離培養**
PPLO 培地での分離培養は，$CO_2$ インキュベータなどの炭酸ガス培養下で 36〜37℃，5〜10 日間行い，集落の観察，新たな PPLO 培地への継代培養を行う．継代培養した PPLO 培地上の集落を血球吸着試験，集落形成菌をブドウ糖とアルギニンの分解試験などに使用する．ブドウ糖とアルギニンの分解試験では，ブドウ糖添加 PPLO 液体培地とアルギニン添加 PPLO 液体培地に菌集落を接種し，37℃，好気条件で培養する．菌未接種の対照用の培地も同時に培養し，色調の変化を比較観察して分解の有無を判定する．

で発症後2週間以上を要するため，補体結合反応（CF）での早期診断は困難である．

  a．**受身凝集反応（PA）**：ペア血清で4倍以上の抗体価上昇，単一血清では320倍以上の抗体価がみられた場合．

  b．**補体結合反応（CF）**：ペア血清で4倍以上の抗体価上昇，単一血清では64倍以上の抗体価がみられた場合．

③ **遺伝子関連検査**：*M. pneumoniae* の遺伝子検出には，**PCR法**か**LAMP法**が用いられる．

④ **抗原検出**：イムノクロマト法を用いた抗原検出法は保険適用も認められ，迅速診断に活用されるようになっている．

**治 療**

*M. pneumoniae* は細胞壁をもたないので，細胞壁合成阻害を作用機序とするペニシリン系，セフェム系などの β-ラクタム系抗菌薬は無効である．通常は，クラリスロマイシン，アジスロマイシンなどのマクロライド系抗菌薬やミノサイクリンなどのテトラサイクリン系抗菌薬が治療に用いられる．ただし，近年，23S rRNA 遺伝子に点変異が生じたマクロライド系抗菌薬耐性 *M. pneumoniae* が分離されるようになった．

> **ペア血清**
> 同一患者から採取した急性期血清（感染初期の血清）および回復期血清の組み合わせ（ペア）をペア血清という．感染症の血清学的診断では，急性期と回復期の抗体価の上昇が診断の指標となる．

> **寒冷凝集反応**
> 寒冷凝集反応は，他の細菌やウイルス感染症，自己免疫疾患，血液疾患によってもみられ，マイコプラズマ肺炎に特異的ではない．現在はマイコプラズマ肺炎の検査法としては，ほとんど使用されない．

## 2 マイコプラズマ・ゲニタリウム（*Mycoplasma genitalium*）

*M. genitalium* は成人男性の尿道炎，女性の急性子宮頸管炎，骨盤内感染症の原因となり，近年は，性感染症として問題になっている．発育に4週間以上を要する**遅発育性マイコプラズマ**で，ブドウ糖分解能と血球吸着能が陽性である．

## 3 その他のマイコプラズマ属

*Mycoplasma hominis*（マイコプラズマ・ホミニス）は下部泌尿器粘膜の常在菌であるが，尿道炎，骨盤内感染症を引き起こす原因になる．

*M. fermentans*（マイコプラズマ・ファーメンタンス）は関節リウマチの発症に関連すると考えられており，リウマチ患者では，*M. fermentans* 抗体が陽性になることが多い．

*M. orale*（マイコプラズマ・オラーレ），*M. salivarium*（マイコプラズマ・サリバリウム）の菌種名は，それぞれ口腔，唾液に由来し，口腔内常在菌として分離される．

# Ⅱ ウレアプラズマ属（Genus *Ureaplasma*）

ウレアプラズマは球形状の形態をとり，PPLO 培地で形成する集落はマイコプラズマより小さく，直径 15〜30 μm ほどである．*Ureaplasma urealyticum*（ウレアプラズマ・ウレアリチカム）は，*M. genitalium*, *M. hominis* とともに

**非淋菌性尿道炎**あるいは**非淋菌性非クラミジア性尿道炎**の原因菌として重要視されるようになった．

*U. urealyticum* はウレアーゼを産生して**尿素を分解**することが特徴である．また，ブドウ糖，アルギニンのどちらも分解しない点でもマイコプラズマとは異なる．

# I. リケッチア

## 分類

**リケッチア**は，真核細胞に**偏性細胞内寄生性**を示しながら（つまり単独では増殖できない），**節足動物**内で存在する原核生物（細菌）を指す．
リケッチアとして総称される微生物は**表 2-A-I-1**のように分類される．αプロテオバクテリア綱（*Alphaproteobacteria*）→リケッチア目（*Rickettsiales*）に属する．

## 性状

0.3〜0.5×0.8〜2.0 μm*の小型のグラム陰性細菌であるが，多形性を示す．細胞壁をもち，二分裂で増殖するが，人工培地に発育しない．Giemsa染色では赤紫色の球桿菌として染まる．一方，熱や乾燥に弱く，宿主細胞外ではきわめて不安定である．ダニ，シラミ，ノミなどの節足動物（**媒介動物，ベクター**：vector）を介して，**保菌動物**（**リザーバー**：reservoir）に寄生して病原性を発揮し，人獣共通感染症を起こす．

## 検査法

① 血清学的診断（間接蛍光抗体法，間接免疫ペルオキシダーゼ法，ELISA法など）：培養したリケッチアから得たリケッチア特異抗原を用いた抗体測定法である．急性期と回復期でペア血清を採取し，抗体価の4倍以上の上昇や抗体陽転をもって判断する．急性期血清のみの場合はIgM抗体価を参考にする．

> **リケッチアの分離**
> リケッチア血症を生じている患者の血液や媒介動物の臓器を，培養細胞や，マウスやモルモットに接種して行う．しかしながら特殊な実験施設が必要であり，時間がかかるので診断には実用的ではない．

*リケッチア科の大きさを示す．

**表 2-A-I-1 リケッチアの分類**

| | 属・種 | 病名 | ベクター | 流行地 |
|---|---|---|---|---|
| リケッチア目<br>リケッチア科<br>（発疹チフス群） | *Rickettsia prowazekii* | 発疹チフス | コロモジラミ | 世界各地 |
| | *R. typhi* | 発疹熱 | ネズミノミ | 世界各地 |
| リケッチア目<br>リケッチア科<br>（紅斑熱群） | *R. japonica* | 日本紅斑熱 | マダニ | 日本，中国，韓国 |
| | *R. rickettsii* | ロッキー山紅斑熱 | マダニ | 北米，中南米 |
| | *R. conorii* | ボタン熱<br>（地中海紅斑熱） | マダニ | 地中海沿岸，アフリカ，インド |
| | *R. africae*, *R. helvetica*, *R. honei* など | African tick bite fever など | マダニ | 世界各地 |
| （ツツガ虫病群） | *Orientia tsutsugamushi* | ツツガ虫病 | ツツガムシ | 日本，東南アジア |
| リケッチア目<br>エールリキア科 | *Ehrlichia chaffeensis* | エールリキア症 | マダニ | 北米，中南米，欧州，アフリカ，韓国<br>（日本国内感染例あり） |
| | *Neorickettsia sennetsu* | 腺熱 | 不明 | 西日本（以前），東南アジア |
| | *Anaplasma phagocytophilum* | アナプラズマ症 | マダニ | 北米，中南米，欧州，韓国<br>（日本国内感染例あり） |

② **遺伝子関連検査**：急性期の血液や刺し口・発疹部の生検材料，刺し口の痂皮を用いて，PCR法などでリケッチアのDNAを検出する（シークエンス解析によりリケッチアの種も判明する）．抗体検査よりも早期に診断が可能である．特に，刺し口の痂皮は治療後でも長期にわたって陽性になる．

治療

テトラサイクリンやミノサイクリンが用いられる．$\beta$-ラクタム系抗菌薬は無効である．

## I リケッチア属（Genus *Rickettsia*）

### 1 発疹チフス群リケッチア

#### 1）発疹チフスリケッチア（*Rickettsia prowazekii*）

シラミ（主にコロモジラミ）の媒介によってヒトからヒトへ伝播し，発疹チフスを生じる．1～2週の潜伏期を経て，悪寒・高熱・筋肉痛で発症する．体幹部に発疹が出現し，出血斑に移行，中枢神経症状や低血圧をきたす．死亡率は高く，10～70％とされる．ELISA法や免疫蛍光法，遺伝子関連検査が用いられる．

#### 2）発疹熱リケッチア（*Rickettsia typhi*）

発疹熱の病原体である．全世界的に，地方病的に発生する．リザーバーはネズミで，ベクターのネズミノミによって，偶発的にヒトに伝播される．発熱・頭痛・発疹をきたすが，発疹チフスに比べ軽症で，2週間以内に治癒する．診断は特異抗体を用いた抗体検査による．近年の日本では，輸入例と国内発生例が少数報告されている．

### 2 紅斑熱群リケッチア

紅斑熱群リケッチアは世界中に分布し，国内発生のみならず輸入感染症としても重要である．

#### 1）ロッキー山紅斑熱リケッチア（*Rickettsia rickettsii*）

ロッキー山紅斑熱（Rocky Mountain spotted fever）の原因となる．ロッキー山脈のみならず太平洋沿岸や東部にもみられる．森林マダニ，イヌダニ，ウサギダニなどによって媒介される．頭痛・発熱・悪寒に発疹を伴うが，発疹が手掌や足から始まるのが特徴である．しばしば播種性血管内凝固（DIC）をきたす．血清抗体を測定するか，より早期の診断には皮膚生検での抗原検査が適している．

#### 2）日本紅斑熱リケッチア（*Rickettsia japonica*）

1984年，馬原文彦博士によって最初の日本紅斑熱の症例が報告され，後に

---

**ワイル・フェリックス反応（Weil-Felix reaction）**

血清学的診断法の一つ．*Rickettsia*属と*Proteus*（プロテウス）属のO抗原の両方に存在する共通抗原を利用した凝集反応であり，患者血清中の凝集素を測定する．すでに本法の診断的価値は低下しており，遺伝子関連検査など他法を優先する．

**リケッチア症の予防**

ベクターとの直接接触を避けることであり，①発生地域に立ち入らない，②（ダニの場合）ダニが吸着しない服装にする，作業後に入浴する，③（シラミの場合）衣服や寝具なども含め身体を清潔にし，シラミを駆除する，などである．

**発疹チフスリケッチアの現状**

発疹チフスは古来，戦争や飢饉など非衛生的な集団生活で発生しやすく，第一次・第二次世界大戦でもヨーロッパを中心に大流行を生じ，数百万人に上る死者を出した．現在はアフリカ，南米の高地でみられる．わが国では四類感染症の全数報告疾患であるが，1958年以降発生はない．

それまで未発見であった紅斑熱群リケッチアが原因であることが判明し，*R. japonica* と命名された．*R. japonica* を保有する**マダニ**に刺咬されて感染する．これらのマダニは哺乳動物を刺咬・吸血しながら大きくなるため，シカなど大型の動物がリザーバーとなっている．

### 症状

2～8日とやや短い潜伏期をおいて，発熱，発疹で発症する．39～40℃の弛張熱となる．所見はツツガ虫病と類似しているが，発疹が体幹部より四肢末端部に比較的強く出現すること，**刺し口**の中心の痂皮部分が小さいこと，リンパ節腫脹がみられにくいことが，日本紅斑熱の特徴とされる．

### 検査

白血球数の減少，血小板減少，AST・ALT・LD・CRP の上昇がみられる．間接蛍光抗体法または間接免疫ペルオキシダーゼ法によって血清抗体を測定する．ペア血清の採取が望ましい．

### 治療

ミノサイクリン，ドキシサイクリンが有効であるが，重症例には早期にニューキノロン系抗菌薬を併用した方がよい．

> **日本紅斑熱の発生状況**
> 患者の発生は幼若マダニの発生する春～秋であるが，その時期は地域によって異なっている．感染症法上，四類感染症として全数届け出対象疾患であり，発生地域は関東以西の温暖な太平洋側が主体であった．しかし，近年は年間400例以上まで増加し，感染地域も東北地方まで拡大している．

## II オリエンティア属 (Genus Orientia)

### 1 ツツガ虫病リケッチア (Orientia tsutsugamushi)

**ツツガ虫病**は，*O. tsutsugamushi* を保有する**ツツガムシ幼虫**に刺咬されることによって生じる熱性発疹性疾患である．農作業や林業，アウトドア活動などで山林に入り，ツツガムシ幼虫に刺され，本菌が体内に侵入する．

### 疫学

わが国には古くから各地に存在していたと考えられている．現在発生には3～5月と11～12月の2つのピークがある．寒冷に強いフトゲツツガムシが分布する地域では，孵化後の秋～初冬と，越冬した幼虫による春に患者届け出が多くなる．一方，寒冷に弱いタテツツガムシの幼虫は越冬できず，その生息地では孵化した後の秋～初冬に患者数が最も多くなる．全国では年間300～500例程度が報告されている．感染症法では四類感染症に指定されている．

### 症状

6～18日の潜伏期をおいて，高熱で発症し，ダニの刺し口が確認される．その後体幹部を中心に発疹が出現する．頭痛，悪寒，筋肉痛，全身倦怠感，刺し口近傍の所属リンパ節および全身のリンパ節腫脹，結膜充血，比較的徐脈もみられる．重症化すると DIC，循環不全，呼吸不全，中枢神経症状をきたす．死亡例もみられる．

### 検査

末梢血所見は日本紅斑熱と類似している．間接蛍光抗体法，間接免疫ペルオ

キシターゼ法による血清抗体測定が主体である．標準3血清型（Kato, Karp, Gilliam）の抗原を用いる間接蛍光抗体法は保険適用になっているが，Kawasaki や Kuroki などその他の血清型が原因となることもある．

治療

テトラサイクリン系抗菌薬が有効である．

## Ⅲ ネオリケッチア属（Genus *Neorickettsia*）

*N. sennetsu* が単球やマクロファージに感染すると，リンパ節腫脹や発熱，食欲不振，倦怠感，不眠などを生じ，末梢血でリンパ球増多や異形リンパ球の出現を認める（腺熱）．*N. sennetsu* を保有する吸虫が魚に寄生し，その魚を食べることで感染するとみられている．わが国ではかつてボラが有力な感染源と考えられていたが，近年は東南アジアから報告がある．

## Ⅳ エールリキア属（Genus *Ehrlichia*）

細胞質基質で増殖する *Rickettsia* 属と異なり，*Ehrlichia* 属はマクロファージや単球・顆粒球の食胞内で増殖する特徴をもつ．

1986年に米国で，ダニに刺されて熱性疾患を発症した患者から新種の *E. chaffeensis* が分離され，ヒト単球性**エールリキア（エーリキア）症**とよばれた．発熱・不快感・筋肉痛・頭痛，そして一部発疹をきたすが，あまり特徴的な臨床症状はない．なお，同じくマダニによって *Anaplasma*（アナプラズマ）属（*A. phagocytophilum*）も媒介されるが，こちらはヒト顆粒球アナプラズマ症とよばれる．

# m. クラミジア

## 概念・分類

**クラミジア**は，リケッチアと同じく，真核細胞に細胞内寄生して生きる（**偏性細胞内寄生性**）原核生物である．脊椎動物から単細胞の真核生物に至るまで，幅広い真核細胞を宿主とする．クラミジア門（*Chlamydiota*）→クラミジア綱（*Chlamydiia*）→クラミジア目（*Chlamydiales*）に属するが，クラミジア目には，クラミジア科（*Chlamydiaceae*）およびパラクラミジア科（*Parachlamydiaceae*）が存在し，クラミジア科にクラミジア属（*Chlamydia*）が属する．かつて，クラミジア科内にクラミドフィラ属（*Chlamydophila*）を設けることが提案されたが，現在ではクラミジア属として一つとする意見が支持されている．ヒトへの感染で最も重要なのは *C. trachomatis* と *C. pneumoniae* であり，*C. psittaci* は人獣共通感染症としても重要である．

## 性状

直径0.2～1.5μmの球桿菌状の微生物で，一般的な細菌，マイコプラズマ，リケッチアおよびウイルスとは**表2-A-m-1**に示す点が異なる．宿主細胞内では封入体を形成する特異な増殖環をもつ．**図2-A-m-1**に示すような**基本小体**（elementary body；EB）と**網様体**（reticulate body；RB）という2つの形態をとる．

## 診断

クラミジアの診断法には，①細胞培養を用いた菌の分離，②抗原検出，③血清抗体検出（EIA法によるIgA，IgG抗体の検出など），④核酸増幅法があるが，①は手間と時間がかかり，感度も低く一般的ではない．日常検査として用いられているのは②，③，④である．なお，感染しても終生免疫を獲得するのではなく，再感染を繰り返しうる．

> **名前の由来―クラミジア**
> トラコーマ患者の結膜材料をオランウータンの眼に接種して感染させ，その結膜上皮細胞を観察したところ，細胞質内に封入体が認められ，それを「被膜に包まれた生物（Chlamydozoa）」とよんだのが，名前の由来である．

表2-A-m-1　クラミジアの性状

|  | 一般細菌 | マイコプラズマ | リケッチア | クラミジア | ウイルス |
|---|---|---|---|---|---|
| DNAとRNA両方をもつ | + | + | + | + | - |
| 細胞壁の存在 | + | - | + | + | - |
| 蛋白合成系（リボソーム）の存在 | + | + | + | + | - |
| エネルギー産生系の存在 | + | + | + | - | - |
| 二分裂による増殖 | + | + | + | +（特異な増殖） | - |
| 宿主細胞外の増殖 | + | + | -（ほとんど） | - | - |
| 抗菌薬感受性 | + | + | + | + | - |

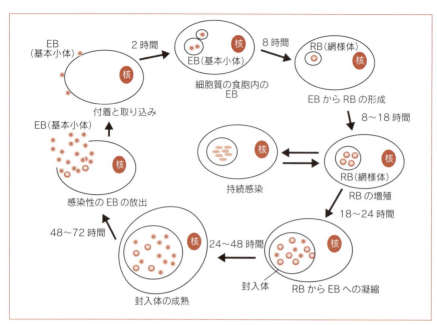

図 2-A-m-1　クラミジアの増殖様式

> **クラミジアの増殖様式**
> EB は直径 0.3 μm と小さく，強固な細胞壁に囲まれ（ペプチドグリカンは欠く），細胞に感染する．いったん感染すると，EB は細胞質内で大型の RB（直径 0.5〜2 μm）となる．RB は二分裂増殖し，食胞は封入体となる．封入体内で RB が EB に再び変わり，EB として細胞外に放出される．

# Ⅰ クラミジア属（Genus *Chlamydia*）

## 1 クラミジア・トラコマチス（*Chlamydia trachomatis*）

　ヒトを宿主とし，主に眼，泌尿生殖器，直腸の粘膜に感染する．*C. trachomatis* にはマウス型，トラコーマ型，LGV（lymphogranuloma venereum：鼠径リンパ肉芽腫）型といった生物型（biovar）がある．A〜L までの血清型に分類されており，血清型 A〜C はトラコーマ，血清型 D〜K は泌尿生殖器と新生児の感染症，L1〜L3 は**鼠径リンパ肉芽腫**と関連している．日本では血清型 D，E，F，G が主である．

　**性感染症（STD）**の最多原因とされており，女性では子宮頸管から上部生殖器まで広く生息しうる．20〜24 歳の感染率が最も高い．

　女性では，**子宮頸管炎**や卵管性不妊症，**骨盤内感染症**（8〜40％），肝臓周囲炎（**Fitz-Hugh-Curtis 症候群**），流・早産，子宮外妊娠を起こす．男性では**非淋菌性尿道炎**（症状は軽く，半数は無症状）をきたし，まれに精巣上体炎，無精子症を起こす．さらに，母子感染により新生児結膜炎（トラコーマ）・肺炎を生じる．

　核酸増幅法〔NAAT（NAT）：PCR 法や SDA 法など〕では，女性では子宮頸管検体（スワブにより採取）や尿を，男性では尿道分泌物や尿を用いる．血清抗体検査（IgA，IgG 抗体）は子宮付属器や腹腔内の感染の判断に適しているものの，感染時期を判定することはできない．

　治療としては，**マクロライド系**やテトラサイクリン系抗菌薬を用いる．妊婦

> **核酸増幅法の感度・特異度**
> 子宮頸管検体を調べた場合の感度・特異度は，それぞれ 85〜90％，97〜99％で，尿より高い．

ではマクロライド系抗菌薬がよい．不顕性感染が多く，診断率の向上，コンドームの適正使用，性教育といった予防対策が非常に重要である．感染症法上，五類感染症定点把握疾患に定められている．

## 2　オウム病クラミジア（Chlamydia psittaci）

多くのトリ，家畜が保菌しており，それらの呼吸器系分泌物や糞便に接触，あるいは空気中に浮遊しているものを吸入するなどして感染する．インコやオウムによることが多いため，一括して**オウム病**とよばれている．飼い主やペットショップの従業員，養鶏業者，食肉処理業者，獣医師に多く，集団発生を起こすこともある．特にトリが病気である場合や，トリと密接な接触をしている場合（たとえば口移しの給餌・触れ合い）にリスクが高い．

生じる**肺炎**は，全身症状が強い特徴がある．重症で，致死的になることもある（妊婦など）．

痰や胸水，血液から直接分離が可能だが，感染性が高いため，診断は血清学的に行う．抗体検査では，種の特定ができる micro-IF 法が最もよいとされるが，「IgM 抗体の検出もしくは IgG 抗体 256 倍以上，またはペア血清による抗体陽転や抗体価の上昇」（感染症法の届出基準）が判断の参考になる．呼吸器系検体を用いた PCR 法による遺伝子検出も有用である．

治療としては，テトラサイクリン系抗菌薬が第一選択である．アジスロマイシンやニューキノロン系抗菌薬も効果がある．なお，四類感染症として全数報告を行う．

## 3　肺炎クラミジア（Chlamydia pneumoniae）

世界的に分布しており，日本では4歳以降に抗体陽性率が上昇し，成人で半数以上が陽性になるという．ただし，この抗体には感染防御の機能はなく，再感染や罹患後の持続感染が起こりうる．したがって，診断に至る例よりもずっと多くの感染者がいるとみられている．

呼吸器系分泌物を介してヒトからヒトへ伝播し，家族内やナーシングホーム・軍隊内で伝播した例も報告されている．気管支炎や肺炎（異型肺炎），中耳炎，咽頭炎，副鼻腔炎を生じ，遷延する乾性咳嗽の原因ともなる．ほとんどは軽症～中等症であるが，なかには重症例もある．

さらに，慢性疾患との関連として，喘息との関係が明らかにされている．そのほか動脈硬化病変との関連も指摘されたが，これについてはまだ結論がついていない．

検査法については，抗体検査では micro-IF 法が標準法とされているが，わが国ではより簡便な EIA 法が普及している．IgM 抗体は初感染の判断に役立つが，再感染が多いため，IgG 抗体，IgA 抗体で判断することもある．一方，最も正確であり，近年使用例が増えているのは核酸検出法である．マルチプレックス PCR 法などを用い，他の呼吸器感染症の微生物と同時検出を行う検査機器

も存在している．
　治療としては，クラリスロマイシンやドキシサイクリン，レボフロキサシン，アジスロマイシンの投与が行われる．感染対策としては，飛沫感染によるヒト-ヒト感染を予防する．

# B 真菌学

## a. 総論

真菌（fungus）は**糸状菌**（mold），**酵母**（yeast），**キノコ**の総称であり，現在少なくとも10万種を超える菌種が登録されている（ただし，自然界には未分類の真菌が1千万種以上存在するものと推定されている）．これらのなかで，ヒトあるいは動物の疾患との関連性が報告されている真菌は数百程度に過ぎず，さらに，日常検査で検出される頻度の高い真菌は50菌種以下である．

### I 真菌の分類

生物は，モネラ界，原生動物界，菌界，植物界および動物界の5グループに分けられており，真菌はそのなかの一つである菌界（kingdom fungi）に属する．真菌は有性器官（有性胞子）の形態学的特徴に基づき6つの門（phylum）に分類されているが，ヒトの感染症に関連する真菌は，以下の4つ（接合菌門，

> **暗記 真菌における二重命名法**
> 真菌には無性生殖（アナモルフ：無性型）と有性生殖（テレオモルフ：有性型）の両方の生殖環を有するものがあり，それぞれにおいて異なる学名が登録されている（表2-B-1）．2013年1月1日に国際藻類・菌類・植物命名規約が施行され，二重命名法が廃止された．現在，どちらの名称を優先的に使用するか菌種ごとに検討が行われている．

表2-B-1 主な真菌のアナモルフとテレオモルフ

| アナモルフ（無性型） | テレオモルフ（有性型） |
|---|---|
| *Candida krusei* | *Pichia kudriavzevii* |
| *Candida guilliermondii* | *Meyerozyma guilliermondii* |
| *Candida albicans* | 不明 |
| *Candida glabrata* | 不明 |
| *Candida parapsilosis* | 不明 |
| *Cryptococcus neoformans* | *Filobasidiella neoformans* |
| *Cryptococcus gattii* | *Filobasidiella bacillispora* |
| *Aspergillus fumigatus* | *Neosartorya fumigata* |
| *Aspergillus flavus* | *Petromyces flavus* |
| *Aspergillus terreus* | 不明 |
| *Aspergillus niger* | 不明 |
| *Scedosporium apiospermum* | *Pseudallescheria apiosperma* |
| *Microsporum canis* | *Arthroderma otae* |
| *Trichophyton mentagrophytes* | *Arthroderma benhamiae* |
| *Histoplasma capsulatum* | *Ajellomyces capsulatus* |
| *Blastomyces dermatitidis* | *Ajellomyces dermatitidis* |
| *Sporothrix schenckii* | 不明 |

子嚢菌門，担子菌門および不完全菌類）に限定される．なお，不完全菌類は有性世代が不明な真菌の総称であり，臨床材料から分離される多くの真菌は，本分類群に含まれる．

### 1 接合菌門（Phylum Zygomycota）

菌糸に隔壁がない糸状菌群．有性世代では接合胞子を形成し，無性世代では胞子嚢胞子を形成する．病原真菌としては，*Absidia*（アブシディア）属，*Mucor*（ムーコル）属，*Rhizomucor*（リゾムーコル）属などのムーコル類があげられる．

### 2 子嚢菌門（Phylum Ascomycota）

隔壁をもつ糸状菌および一部の酵母．有性世代は袋状の子嚢を形成し，その中に通常 8 個の子嚢胞子を産生する．無性世代では種々の形の分生子を形成する．病原真菌としては，*Ajellomyces capsulatus*（*Histoplasma capsulatum* の有性世代），*Neosartorya fumigata*（*Aspergillus fumigatus* の有性世代），*Pichia kudriavzevii*（*Candida krusei* の有性世代）などが含まれる．

### 3 担子菌門（Phylum Basidiomycota）

キノコと一部の酵母．有性世代では，菌糸はかすがい連結をもち，担子胞子を形成する．病原真菌としては *Filobasidiella neoformans*（*Cryptococcus neoformans* の有性世代），*Filobasidiella bacillispora*（*Cryptococcus gattii* の有性世代）などが含まれる．

### 4 不完全菌類（Deuteromycetes）

有性世代が見出されていない真菌群．無性世代で産生される分生子により繁殖する．*Candida*（カンジダ）属，*Aspergillus*（アスペルギルス）属，*Cryptococcus*（クリプトコックス）属など，臨床材料から分離される多くの真菌が含まれる．

> **有性世代**
> 雌雄の配偶子の結合により有性胞子を形成する生活環．

> **無性世代**
> 無性的に無性胞子を形成する生活環．

## II 酵母（yeast）

酵母は，円形，卵円形，楕円形，レモン形，徳利形などさまざまな形態を示す単細胞生物であり，直径は通常，3〜5 μm である．ほとんどは単純な出芽（budding）によって増殖するが，まれに分裂により増殖する菌がある．出芽による増殖では，母細胞の一部が突出し芽細胞を生じ，やがて母細胞と同じ大きさに発育し娘細胞となる．成熟した娘細胞はまもなく母細胞から離脱して独立個体となることから，常に単細胞の状態が維持される．一部の菌種においては，特定の環境条件下では娘細胞の離脱が起こらずに付着したまま細胞が伸長する．その結果，菌糸様（ソーセージ様）の形態をとることになり，これを**仮性**

菌糸（pseudohyphae）とよぶ．仮性菌糸は，隔壁の部分にくびれを有する点，隔壁を開始点とする分岐を形成する点，および先端の細胞が他の細胞よりも小さい点で，**真正菌糸**（true hyphae）と区別される．

なお，仮性菌糸や真正菌糸をほとんど形成しない狭義の酵母を**真正酵母**とよび，仮性菌糸や真正菌糸を容易に形成する酵母を**酵母様真菌**（yeast-like organism）とよぶ．

酵母を固形培地上で培養すると，数日以内に細菌と同様の湿った輪郭明瞭なコロニーを形成する．このコロニーは後述する糸状菌のコロニー形状とは大きく異なることから，肉眼による観察で酵母と糸状菌の鑑別が可能である．

## III 糸状菌（mold）

糸状菌は，分岐を有するフィラメント上の菌糸（真正菌糸）を形成する真菌であり，菌糸形成および分生子（conidium，あるいは胞子：spore）形成により増殖する．菌糸の幅は菌種によりさまざま（3〜7μm）であるが，ほぼ一定の幅で伸長する．菌糸には，**隔壁**のないタイプ（aseptate hyphae）と隔壁のあるタイプ（septate hyphae）があり，前者は接合菌門に，後者は接合菌門以外の真菌にみられる．一方，糸状菌の形成する分生子は多種多様であり，分生子のサイズ，形，色，構造，形成様式などをもとに真菌の鑑別・同定が行われる．

糸状菌の多くは固形培地上で，ゆっくりと乾いた不規則なマット状のコロニーを形成する．培養を続けるとコロニー表面は毛羽立ってみえるようになり，綿毛状，ビロード状あるいは絨毛状となる．*Coccidioides immitis* などの一部の病原真菌は，自然界や通常の培養条件下（25〜30℃）では菌糸状に発育するが，感染病巣内や特殊な培養条件下（血液含有培地，37℃）では酵母形として発育する（**二形性真菌**）．

## IV 真菌の理解に必要となる関連用語

① **真正菌糸**（true hyphae）（図 2-B-1）：菌糸幅が一定の菌糸．
② **仮性菌糸**（pseudohyphae）（図 2-B-2）：出芽により形成される細胞であるが，伸長すると真正菌糸のようにみえる細胞連鎖．真正菌糸とは隔壁の部分にくびれを有する点，隔壁を開始点とする分岐を形成する点，および先端の細胞が他の細胞よりも小さい点が異なる．
③ **分生子**（conidium）：無性生殖によって形成される無性胞子のなかで，外生的につくられたもの（胞子嚢のような袋状の構造物内で形成される無性胞子は，胞子に分類される）．1つの真菌で2つのタイプの分生子を形成する場合は，大きい方を大分生子（macroconidium），小さい方を小分生子（microconidium）とよぶ．大分生子は通常，多細胞性である．

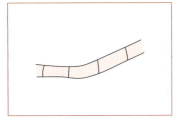
図 2-B-1 真正菌糸
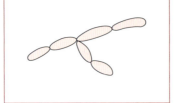
図 2-B-2 仮性菌糸
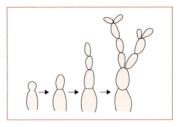
図 2-B-3 出芽型分生子

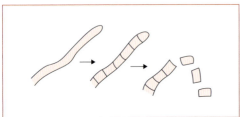
図 2-B-4 分節型分生子
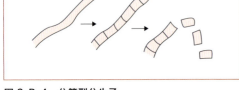
図 2-B-5 シンポジオ型分生子

④ 分生子柄（conidiophore）：分生子が形成される柄の部分．
⑤ 出芽型分生子（blastoconidium）（図 2-B-3）：出芽によって形成される分生子．
⑥ 分節型分生子（arthroconidium）（図 2-B-4）：菌糸に多数の隔壁を生じ，この隔壁区分点で切断されて生じる分生子．*Coccidioides immitis* や *Geotrichum candidum* などにみられる．
⑦ シンポジオ型分生子（symposioconidium）（図 2-B-5）：新しく分生子が形成されるとその直下に新しい成長点（小歯とよばれる）をつくり，ジグザグ状に発生する分生子．*Fonsecaea*（フォンセカエア）属や *Sporothrix schenckii* などにみられる．
⑧ アネロ型分生子（annelloconidium）（図 2-B-6）：分生子形成細胞の一種であるアネライド（annelide）から生じる分生子．アネライドは分生子を放出するたびに先端が先細りに細く伸び，細胞壁成分のリング（環紋）が形成される．*Exophiala*（エクソフィアラ）属や *Scopulariopsis*（スコプラリオプシス）属などにみられる．
⑨ フィアロ型分生子（phialoconidium）（図 2-B-7）：分生子形成細胞の一種であるフィアライド（phialide）の先端開口部から生じる分生子．一部の菌種ではフィアライドの開口部にえり状の構造物（カラレット：collarette）を認めることがある．*Phialophora*（フィアロフォラ）属や *Aspergillus* 属，*Paecilomyces*（ペシロマイセス）属などにみられる．
⑩ ポロ型分生子（poroconidium）（図 2-B-8）：分生子柄あるいは分生子形成細胞の壁に小孔が生じ，その孔から出芽的に生じる分生子．*Alternaria*（アルテルナリア）属や *Curvularia*（カーブラリア）属などにみられる．

図 2-B-6 アネロ型分生子

図 2-B-7 フィアロ型分生子

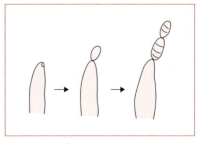
図 2-B-8 ポロ型分生子

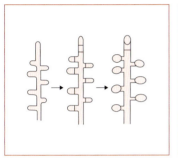
図 2-B-9 アレウリオ型分生子

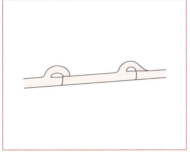
図 2-B-10 かすがい連結

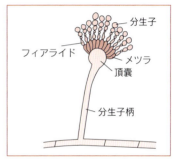
図 2-B-11 頂嚢

⑪ アレウリオ型分生子（aleurioconidium）（図 2-B-9）：菌糸の先端あるいは短い側枝が球形・円筒形に肥大して生じる分生子．*Trichophyton*（トリコフィトン）属などにみられる．

⑫ 胞子（spore）：有性生殖によって形成される有性胞子，または胞子嚢内に形成された無性胞子（胞子嚢胞子：sporangiospore ともよばれる）．

⑬ かすがい連結（clamp connection）（図 2-B-10）：担子菌門が有性世代に形成する菌糸隔壁をまたぐ架橋状構造物．

⑭ 気中菌糸（aerial hyphae）：培地上などの空気中に形成される菌糸．繁殖を目的とする菌糸であり，胞子あるいは分生子が産生される．

⑮ 栄養菌糸（vegetative hyphae）：培地内部または寄生組織内で形成される菌糸．栄養の吸収・消化を目的とする菌糸であり，胞子や分生子は産生されない．

⑯ 頂嚢（vesicle）（図 2-B-11）：分生子柄の頂端にみられるラケット状の膨化構造物．*Aspergillus* 属にみられる．

## b. 各論

真菌が原因となる疾患には，①真菌の侵入・増殖により生じる**真菌症**（mycosis）と②真菌が産生する有毒物質（マイコトキシン）による**中毒症**（mycotoxicosis），および③真菌成分が抗原となって引き起こされる**過敏症**（アレルギー：気管支喘息など）の3つのカテゴリーがある．

一般的に，真菌症は深在組織に感染をきたす**深在性真菌症**（内臓真菌症）（deep mycosis あるいは systemic mycosis）と，皮膚あるいは粘膜に感染を生じる**表在性真菌症**（superficial mycosis）に大別されるが，皮下組織に限局した感染巣を形成するものを**深部皮膚真菌症**（subcutaneous mycosis，菌腫など）として細分することもある．

真菌の多くは弱病原性であり，深在性真菌症のほとんどは感染防御能の低下した宿主における日和見感染症として発症する．終末感染としてみられることも多く，剖検例を対象にした深在性真菌症原因菌としては *Aspergillus* 属が第一位を占め，次いで *Candida* 属によるものが多い．一方，真菌のなかにも比較的病原性の強い菌種がいくつか存在し，*Coccidioides immitis* や *Histoplasma capsulatum* などの二形性真菌がこれに該当する．これらの菌は日本には定着していない菌であり，国内ではきわめてまれに輸入感染症として見出されるのみであるが，疑い例を含め，このような二形成真菌の取り扱いは，厳重な予防対策（**バイオセーフティレベル3**）のもとで実施する必要がある．**表2-B-2**に，主な真菌症とその原因菌を示す．

## 🅘 酵母および酵母様真菌

### 1 カンジダ属 (Genus *Candida*)

*Candida* 属は種々の植物や動物から分離される普遍性真菌であり，ヒトの皮膚，口腔，腟，腸管などにも常在菌として生息している．現在，*Candida* 属は数百菌種もの菌名が登録されているが，臨床材料より分離される頻度の高い *Candida* 属は10菌種程度にすぎない（隠蔽種を除く）．最も分離頻度が高い菌種は *C. albicans* であり，*C. parapsilosis*, *C. glabrata*, *C. tropicalis*, *C. guilliermondii*, *C. krusei* などが続く．*Candida* 属は菌種により有効な抗真菌薬が異なることから，迅速な菌種同定は抗真菌薬選択にきわめて有用である（**表2-B-3**）．*Candida* 属による感染症には表在性カンジダ症（皮膚炎，腟炎，口内炎など）と深在性カンジダ症（菌血症，心内膜炎，肺炎，肝膿瘍，脾膿瘍，腎膿瘍，眼内炎など）があり，深在性カンジダ症は抗悪性腫瘍薬治療，免疫抑制薬治療，糖尿病，人工カテーテル留置などにより感染防御能の低下した患者にみられる．

---

**隠蔽種（cryptic species）**

従来の形態学的性状による分類では同一菌種として認識されていたが，遺伝子学的分類により，異なる菌種として再分類された菌グループ．*Candida dubliniensis*（*C. albicans* の隠蔽種）や *Cryptococcus gattii*（*C. neoformans*），*Aspergillus lentulus*（*A. fumigatus*）などがある．これらは従来法では鑑別できない場合が多いことから，ひとまとめとして○○ complex または *sensu lato* と記載されることがある（例：*Aspergillus fumigatus* complex または *A. fumigatus sensu lato*）．

---

***Candida auris***

米国CDCは2019年に，*Candida auris* を差し迫った脅威（urgent threat）として報告した．本菌は他の *Candida* 属菌同様，日和見感染症の病原体に位置づけられるが，アゾール系抗真菌薬の耐性率が高いこと，諸外国において多剤耐性株による医療関連感染が報告されていることから重要視されることとなった．本菌は2009年に日本から報告された新しい菌種であり，菌種同定には遺伝子学的検査や質量分析装置による解析が必要である．

表 2-B-2 主な真菌症とその原因菌

| 疾患名 | 代表的な原因菌 | 感染臓器 | 備考 |
|---|---|---|---|
| カンジダ症<br>(candidiasis) | Candida albicans<br>C. parapsilosis<br>C. glabrata<br>C. guilliermondii | 皮膚, 粘膜, 各種臓器, 人工留置物 | 深在性カンジダ症は感染防御能低下患者にみられる |
| クリプトコックス症<br>(cryptococcosis) | Cryptococcus neoformans<br>C. gattii | 脳・脳脊髄膜, 肺, 各種臓器 | C. gattii は C. neoformans よりも病原性が強い. 検査室での C. gattii と C. neoformans の鑑別は困難 |
| アスペルギルス症<br>(aspergillosis) | Aspergillus fumigatus<br>A. flavus<br>A. niger<br>A. terreus | 肺, 各種臓器, 外耳道 | 深在性アスペルギルス症は国内の真菌症による死亡原因の第一位 |
| ムーコル症<br>(mucormycosis) | Mucor 属, Rhizomucor 属, Rhizopus 属, Lichtheimia 属 | 肺, 副鼻腔, 各種臓器 | 治療困難な深在性真菌症の一つ |
| 黒色真菌感染症<br>(dematiaceous fungus infection) | Fonsecaea pedrosoi<br>Exophiala dermatitidis<br>Phialophora verrucosa<br>Cladophialophora trichoides | 皮膚, 皮下組織, まれに各種臓器 | クロモミコーシス (chromomycosis) など |
| コクシジオイデス症<br>(coccidioidomycosis) | Coccidioides immitis | 肺, 各種臓器 | 輸入感染症（北米・中南米が主な流行地）<br>危険度クラス*3b（バイオセーフティレベル 3 での取り扱いが必要） |
| パラコクシジオイデス症<br>(paracoccidioidomycosis) | Paracoccidioides brasiliensis | 肺, 各種臓器 | 輸入感染症（中南米が主な流行地）<br>危険度クラス*3a（バイオセーフティレベル 3 での取り扱いが必要） |
| ヒストプラズマ症<br>(histoplasmosis) | Histoplasma capsulatum | 肺, 骨髄, 各種臓器 | 輸入感染症（北米・東南アジア・中央アフリカが主な流行地）<br>危険度クラス*3a（バイオセーフティレベル 3 での取り扱いが必要） |
| ブラストミセス症<br>(blastomycosis) | Blastomyces dermatitidis | 肺, 皮膚, 骨, 各種臓器 | 輸入感染症（北米・中近東が主な流行地）<br>危険度クラス*3a（バイオセーフティレベル 3 での取り扱いが必要） |
| マルネッフェイ型ペニシリウム症<br>(human penicilliosis marneffei) | Talaromyces marneffei<br>(旧名 Penicillium marneffei) | 肺, 骨髄, リンパ節, 各種臓器 | 輸入感染症（中国南部・東南アジアが主な流行地）<br>危険度クラス*3a（バイオセーフティレベル 3 での取り扱いが必要） |
| スポロトリコーシス<br>(sporotrichosis) | Sporothrix schenckii | 皮膚, 皮下組織, リンパ節, まれに各種臓器 | 二形性真菌の一種（世界中でみられる） |
| 菌腫<br>(mycetoma) | Phialophora jeanselmei<br>Pseudallescheria boydii<br>(Scedosporium apiospermum) | 皮膚組織, 皮下組織 | 皮膚組織あるいは皮下組織に形成された限局性の病変で, 膿汁中には顆粒状の菌塊を多数認める |
| 角膜真菌症<br>(mycotic keratitis) | Candida 属, Fusarium 属, Paecilomyces 属, Alternaria 属 | 角膜 | 汚染したコンタクトレンズの使用や外傷（木片など）により生じる |
| ニューモシスチス肺炎<br>(Pneumocystis pneumonia) | Pneumocystis jirovecii | 肺 | 人工培養不可能 |
| 皮膚糸状菌症：白癬<br>(dermatophytosis) | Trichophyton rubrum<br>Microsporum canis<br>Epidermophyton floccosum | 皮膚, 毛髪, 爪 | 表在性真菌症 |
| 癜風<br>(pityriasis versicolor) | Malassezia furfur | 皮膚の角質層 | 表在性真菌症 |
| 黒癬<br>(tinea nigra) | Hortaea werneckii | 皮膚の角質層（主に手掌と足蹠） | 表在性真菌症 |

*：日本医真菌学会（試案）による危険度分類. 病原性が低い方から, 1, 2a, 2b, 3a, 3b の 5 段階に分類（Candida albicans は 2a に分類される）.

表2-B-3 主な酵母の薬剤感受性パターン

|  | アムホテリシンB | フルコナゾール | イトラコナゾール | ボリコナゾール | キャンディン系薬 |
|---|---|---|---|---|---|
| Candida albicans | +++ | +++ | +++ | +++ | +++ |
| Candida dubliniensis | +++ | +++ | +++ | +++ | +++ |
| Candida tropicalis | +++ | +++ | +++ | +++ | +++ |
| Candida parapsilosis | +++ | +++ | +++ | +++ | + |
| Candida guilliermondii | ++ | ++ | ++ | +++ | ++ |
| Candida glabrata | ++ | + | + | ++ | +++ |
| Candida krusei | ++ | − | + | ++ | +++ |
| Cryptococcus neoformans | +++ | +++ | + | +++ | − |
| Trichosporon asahii | ++ | + | ++ | +++ | − |

＋＋＋：通常は感性，＋＋：耐性株が存在する，＋：耐性株が多い，−：通常は耐性.

（済生会宇都宮病院，帝京大学大学院医療技術学研究科・萩原繁広氏）

写真2-B-1 クロモアガー・カンジダ培地上のコロニー（Candida属）

### 主なCandida属の鑑別性状

Candida属は，ポテトデキストロース寒天（PDA）培地およびサブローデキストロース寒天（SDA）培地上では，白色クリーム状の独特な発酵臭を有するコロニーを形成する．SDA培地上のコロニー性状のみでは菌種の推定は困難であるが，発色合成基質を用いたクロモアガー™・カンジダなどを用いれば，主要なCandida属については大まかな菌種推定が可能である（**写真2-B-1，-2**）．

Candida属の菌種同定は，ダルモ法での顕微鏡観察性状や発芽管形成試験（後述「c．（真菌の）検査法」参照），および糖利用能により行われる（**表2-**

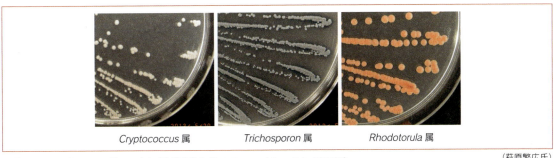

| | Cryptococcus 属 | Trichosporon 属 | Rhodotorula 属 |

写真 2-B-2　クロモアガー・カンジダ培地上のコロニー（Candida 属以外）

（萩原繁広氏）

### 表 2-B-4　主な酵母および酵母様真菌の形態学的特徴および生化学的性状

| 菌種 | ダルモ法での顕微鏡観察 | | | | 発芽管形成 | 莢膜形成 | 37℃での発育 | サブローブロスでの菌膜形成 | クロモアガー・カンジダ培地上のコロニー（37℃, 48時間） | 糖利用能 | | | | | | | | | | | | ウレアーゼ | フェノールオキシダーゼ |
|---|---|---|---|---|---|---|---|---|---|---|---|---|---|---|---|---|---|---|---|---|---|---|---|
| | 仮性菌糸形成 | 真正菌糸形成 | 厚膜胞子形成 | 分節型分生子形成 | | | | | | ブドウ糖 | マルトース | 白糖 | 乳糖 | ガラクトース | メリビオース | セロビオース | イノシトール | キシロース | ラフィノース | トレハロース | ズルシトール | | |
| *Candida albicans* | + | − | + | − | + | − | + | − | 緑色 | + | + | V | − | + | − | − | − | + | − | + | − | − | − |
| *Candida dubliniensis* | + | − | + | − | + | − | + | − | 濃緑色 | + | + | V | − | + | − | − | − | + | − | + | − | − | − |
| *Candida tropicalis* | + | − | − | − | − | + | + | − | 青色 | + | + | + | − | + | − | + | − | + | − | + | − | − | − |
| *Candida parapsilosis* | + | − | − | − | − | − | + | − | 白色 | + | + | + | − | + | − | − | − | + | − | + | − | − | − |
| *Candida guilliermondii* | + | − | − | − | − | − | + | − | 薄桃色 | + | + | + | − | + | + | + | − | + | + | + | + | − | − |
| *Candida glabrata* | − | − | − | − | − | − | + | − | 紫色 | + | + | − | − | − | − | − | − | − | − | + | − | − | − |
| *Candida krusei* | + | − | − | − | − | + | + | + | 桃色（ラフ型） | + | − | − | − | − | − | − | − | − | − | − | − | V | − |
| *Cryptococcus neoformans/ C. gattii* | − | − | − | − | + | + | − | − | 白～薄桃色 | + | + | + | + | + | + | + | − | + | V | + | + | + | + |
| 他の *Cryptococcus* 属 | V | − | − | − | + | V | − | − | | + | V | V | V | + | V | + | V | + | V | + | − | V | − |
| *Trichosporon asahii* | + | + | − | + | − | − | + | − | 緑色 | + | V | + | − | + | V | V | − | V | − | V | − | + | − |
| *Geotrichum candidum* | − | − | − | + | − | − | V | + | | + | − | − | − | − | − | − | − | − | − | − | − | − | − |
| *Rhodotorula mucilaginosa* | − | − | − | − | − | − | + | − | 橙色 | + | + | − | V | − | + | + | − | + | − | − | − | − | − |

V：菌株により異なる.

B-4）．なお，*C. dubliniensis* は *C. albicans* と同様の性状を示すことから，形態学的・生化学的性状のみでは鑑別困難である．

## 2　クリプトコックス属（Genus *Cryptococcus*）

　*Cryptococcus* 属は土壌中に生息する自然環境菌であり，数百菌種が登録されているが，いわゆるクリプトコックス症の原因菌となるのは *C. neoformans*

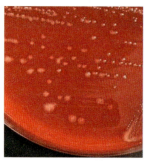

写真 2-B-3　*Cryptococcus* 属
（血液寒天培地）
5%ヒツジ血液寒天培地に発育したムコイド状の *C. neoformans*.

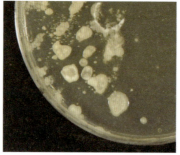

写真 2-B-4　*Malassezia furfur*
（オリーブ油重層法）
SDA 培地.

> ***Malassezia* 属の培養**
> *Malassezia* 属は，*M. pachydermatis* を除き，発育に脂質成分を必要とすることから，人工培地を用いて培養する場合には，脂質成分の添加が必須となる〔オリーブ油重層法など，ただしオリーブオイルの発育支持能は限られている（写真 2-B-4）〕.

と *C. gattii* のみである．そのほかの菌種は，通常は非病原性と考えられているが，まれに重度の免疫不全患者における真菌血症の原因菌として検出されることがある．

*C. neoformans* は鳥類（特にハト）の堆積糞中などに好んで生息する自然環境菌であり，糞で汚染された土壌（塵埃）の吸入によりヒトへの感染（肺）を引き起こす．本菌は，わが国における病原真菌のなかでは最も病原性が高く健康人にも発症がみられるが，造血器腫瘍患者や AIDS 患者などの細胞性免疫能の低下した患者ではよりリスクが高く，肺内病変を経て中枢神経系への血行性播種をきたす．クリプトコックス症は慢性的経過をたどる疾患であることから，初発病巣（肺）は気づかれず，髄膜炎や脳炎を発症して初めて診断に至ることが多い．

*C. gattii* は朽木に好んで生息する自然環境菌であり，亜熱帯地域や温帯地域（パプアニューギニア，オーストラリア，ニュージーランド，カナダ南部，米国の北西部など）に多くみられる．*C. gattii* は免疫能の低下のないヒトにも感染症を引き起こすことが知られており，*C. neoformans* よりも病原性が強いと考えられている．*C. gattii* 感染症も初発病巣の多くは肺であり，髄膜炎や脳炎，時に深部臓器感染症を引き起こす．

### 主な *Cryptococcus* 属の鑑別性状

*Cryptococcus* 属は，PDA 培地および SDA 培地や血液寒天培地上ではクリーム色の光沢のある湿潤なコロニーを形成する〔多くの株は，莢膜を産生するためムコイド状となる（写真 2-B-3）〕．

*Cryptococcus* 属の菌種同定は，主に糖利用能により行われるが，*C. neoformans* および *C. gattii* と，その他の *Cryptococcus* 属との鑑別には，フェノールオキシダーゼ産生試験が有用である（表 2-B-4）．

> **C. neoformans と C. gattii との鑑別**
> *C. neoformans* と *C. gattii* との鑑別にはカナバニン・グリシン・ブロモチモールブルー（CGB）寒天培地を用いた性状試験あるいは遺伝子同定が必要となるが，これらはいずれも日本国内の検査室では実施していない．

## 3　癜風菌（Genus *Malassezia*）

　*Malassezia*（マラセチア）属はヒトを含む恒温動物の皮膚に生息する常在菌であるが，時に**癜風**（pityriasis versicolor）や脂漏性皮膚炎などの表在性感染症を引き起こす．また，まれではあるが，脂質製剤を経静脈投与している患者において，カテーテル関連菌血症を引き起こすことがある．

　*Malassezia* 属は現在数十菌種が登録されているが，ヒトの感染症に関連性の高い菌種としては，*M. restricta*，*M. globosa*，*M. sympodialis*，*M. furfur* などが報告されている．なお，*Malassezia* 属は通常の生化学的性状検査が実施できないことから，菌種レベルの同定は分子生物学的同定法（遺伝子関連検査）によらなければ困難である．

> **癜風（pityriasis versicolor）**
> 癜風の診断は一般的には臨床診断（病変部の観察）により行われるが，必要に応じて，鱗屑の顕微鏡検査（KOH法，生標本中の特徴的な非分岐性の短い菌糸と大型の酵母細胞を観察する）が行われる．

# II　糸状菌

## 1　アスペルギルス属（Genus *Aspergillus*）

　*Aspergillus* 属は自然環境中に普遍的に生息する腐生菌であり，土壌，水，植物，空気中などから検出される．病院の空調やシャワー吹き出し口などにも定着しており，時に潜在的な集団伝播を引き起こす．特に，病院の改修工事や空調清掃時には大量の分生子が飛散することから，病院内に拡散しないよう，厳重な対策が必要である．健康人が *Aspergillus* 属の分生子を吸入したとしても，通常は，線毛や粘液物質によるクリアランスおよび肺胞マクロファージによる貪食により排除される．しかしながら，結核既往などにより肺内空洞を有する患者や，慢性閉塞性肺疾患などでクリアランス機能の低下した患者では *Aspergillus* 属の定着をきたし，肺アスペルギルス症へと進展することがある．

　現在，*Aspergillus* 属は数百菌種が登録されているが，臨床材料より分離される頻度の高い *Aspergillus* 属は 5 菌種程度にすぎない（隠蔽種を除く）．最も分離頻度の高い菌種は *A. fumigatus* であり，本菌種は侵襲性肺アスペルギルス症（IPA）の原因菌のなかの半数程度を占める．次いで，*A. niger*，*A. flavus*，*A. terreus*，*A. nidulans* などが続く．*A. niger* は，耳真菌症（otomycosis）や鼻副鼻腔炎（rhinosinusitis）などからも分離される．

> **腐生菌**
> 植物の枯れ葉や動物の排泄物などの有機物を栄養源として生活する菌．

> **肺アスペルギルス症の病型**
> 肺アスペルギルス症は，病型の違いにより，①単純性肺アスペルギローマ，②慢性進行性肺アスペルギルス症，③侵襲性肺アスペルギルス症，④アレルギー性気管支肺アスペルギルス症の 4 つに分類される．

### 主な *Aspergillus* 属の鑑別性状

　*Aspergillus* 属の多くは寒天培地上で 3 日以内に成熟するが，一部の菌種は発育に日数を要するものがある．PDA 培地および SDA 培地上では，はじめは白色綿毛状のコロニーを形成し，その後は菌種によって緑色や黄褐色，黒色などの色調に変化する．

　表 2-B-5 に主な *Aspergillus* 属の鑑別点を示す．

> ***Aspergillus* 属の菌糸**
> *Aspergillus* 属の菌糸は隔壁を有し，分生子柄の先端が肥大化した「頂囊」を形成する．頂囊の周囲にはフィアライドおよびメツラ（フィアライドを支える細胞）が形成される（写真 2-B-5）が，これらの形成様式は菌種により異なることから，菌種鑑別の際に利用される．

## 2　ムーコル類

　ムーコル類は自然環境に生息する腐生菌であり，土壌や植物，腐敗物質などより広く検出される．ムーコル類の一部は強い血管侵襲性を有しており，糖尿

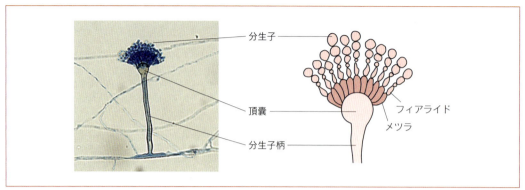

**写真 2-B-5** *Aspergillus* 属の顕微鏡所見

（萩原繁広氏）

**表 2-B-5** 主な *Aspergillus* 属の鑑別性状

| 菌種 | 形態学的特徴 | コロニー性状 | 分生子頭の形状 | フィアライドの特徴 |
|---|---|---|---|---|
| *Aspergillus fumigatus* | ①コロニー性状：緑灰色，48℃で発育する<br>②フィアライド：単列性で頂囊の 2/3 に形成<br>③分生子：2～3.5 µm | | | |
| *A. flavus* | ①コロニー性状：黄緑～緑色<br>②フィアライド：頂囊の大部分にメツラとフィアライドを形成<br>③分生子：3～6.0 µm | | | |
| *A. terreus* | ①コロニー性状：黄褐色<br>②フィアライド：頂囊の 2/3 にメツラとフィアライドを形成<br>③分生子：2～2.5 µm | | | |
| *A. niger* | ①コロニー性状：黒色<br>②フィアライド：頂囊全面にメツラとフィアライドを形成<br>③分生子：3.5～4.5 µm | | | |
| *A. nidulans* | ①コロニー性状：緑～濃緑色<br>②フィアライド：頂囊の 1/2 のみにメツラとフィアライドを形成<br>③分生子：3～3.5 µm | | | |

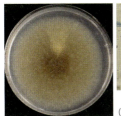
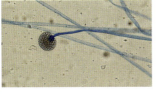

写真 2-B-6　*Mucor circinelloides*
（萩原繁広氏）

写真 2-B-7　*Rhizopus microsporus*
（萩原繁広氏）

表 2-B-6　主なムーコル類の鑑別性状

| 属 | 仮根 | 胞子嚢柄 | 胞子嚢 | 発育温度の上限 |
|---|---|---|---|---|
| *Rhizopus* | ある | 単生または叢生：分岐はない<br>淡褐色 | 円形<br>50～275 μm | 40～50℃<br>菌種により異なる |
| *Rhizomucor* | 少ない | 分岐あり<br>暗褐色 | 円形<br>40～100 μm | 38～58℃<br>菌種により異なる |
| *Lichtheimia*<br>（*Absidia*） | 不明確 | 細かく分岐あり<br>無色透明 | 西洋梨型<br>20～90 μm | 45～50℃ |
| *Mucor* | ない | 分岐ありも，なしもある<br>無色透明 | 円形<br>50～100 μm | 37℃ |
| *Cunninghamella* | ない | 分岐あり<br>無色透明 | 小胞子嚢が多数<br>5～8×6～14 μm | 40～45℃ |

（D. H. ラローン著，山口英世監修：医真菌同定の手引き．第5版，栄研化学株式会社，2013）

病や免疫抑制薬投与患者などの感染防御能低下患者に重篤な侵襲性感染症を引き起こす．ムーコル症（mucormycosis）は急激な進行をきたすことが知られており，早期診断・治療の可否が予後に大きく影響する．感染部位としては肺，副鼻腔，脳（鼻脳部），皮膚などがあり，全身性の播種性感染症を引き起こすこともある．

臨床的に重要なムーコル類としては，*Rhizopus*（リゾプス）属，*Cunninghamella*（カニングハメラ）属，*Rhizomucor*（リゾムーコル）属，*Mucor*（ムーコル）属，*Lichtheimia*（リクテイミア）属〔*Absidia*（アブシディア）属〕があり，*Rhizopus* 属または *Cunninghamella* 属によるものが最も多いとされている．

### 主なムーコル類の鑑別性状

ムーコル類は発育の速い真菌であり，2日程度で PDA 培地および SDA 培地上にふわっとした白色あるいは灰白色の羊毛状コロニーを形成し，4日後にはシャーレ全面にまで成長する．ムーコル類は**隔壁を形成しない**（ごくまれに形成する）ことから，菌糸を顕微鏡で観察することにより，ムーコル類か否かは容易に鑑別できる．一方，ムーコル類の同定（菌属レベル）は，仮根の有無，胞子嚢柄および胞子嚢の特徴，発育温度の上限などをもとに行われる（**写真 2-B-6，-7**）．**表 2-B-6** に，主なムーコル類の鑑別点を示す．

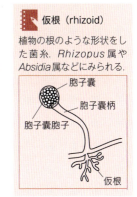

**仮根（rhizoid）**

植物の根のような形状をした菌糸．*Rhizopus* 属や *Absidia* 属などにみられる．

## 3 黒色真菌 (dematiaceous fungus) (写真2-B-8〜10)

細胞壁にメラニン色素を保有するため菌糸や分生子が褐色を呈し，褐色〜黒色のコロニーを形成する真菌群を**黒色真菌** (dematiaceous fungi) とよぶ．黒色真菌の多く（*Alternaria* 属など）は自然環境生息菌であり，通常は汚染菌として検出されるが，一部の菌種〔*Fonsecaea*（フォンセカエア）属，*Exophiala*（エクソフィアラ）属，*Phialophora*（フィアロフォラ）属，*Cladophialophora*（クラドフィアロフォラ）属〕は感染症原因菌として見出されることが多い．クロモミコーシス（chromomycosis）は黒色真菌感染症（dematiaceous fungus infection）の代表的な疾患の一つであり，通常，皮膚あるいは皮下組織に結節や皮下腫瘤を形成する慢性肉芽腫性疾患であるが，まれに脳などの深在臓器に感染を引き起こすことがある．

黒色真菌感染症の診断は，特徴的な臨床所見（皮膚に紅色の疣状病変あるいは扁平隆起性病変）に加え，組織内菌要素の顕微鏡検査（褐色の菌糸の塊，あるいは硬壁細胞の観察）によって行われる．さらに，培養にて黒色真菌が分離されれば，診断が確実となる．

### 主な黒色真菌の鑑別性状

黒色真菌の多くは，SDA培地上に，25〜30℃培養で，1〜2週間以内にビロード状の黒色コロニーを形成する．ただし，発育の遅い菌種も存在するので，4週間は培養を続けることが望ましい．菌種同定は，コロニー性状やスライド培養による形態学的所見にて行うが，詳細な同定には専門的知識が必要である．

## 4 二形性真菌

**二形性真菌**は，自然界や通常の培養条件下（25〜30℃）では菌糸状に発育するが，感染病巣内や特殊な培養条件下（血液含有培地，37℃）では酵母形とし

> **黒色真菌感染症**
> 黒色真菌感染症は外傷を契機に発症することが多く，農家や園芸業などの土壌に触れる機会の多い人に多くみられる．病原性黒色真菌は熱帯や亜熱帯に多くみられるが，日本を含め，広く世界中に分布している．

> **硬壁細胞** (sclerotic cell)
> 直径5〜12μm，厚い壁でおおわれた，褐色の，縦および（または）横方向に区切られた隔壁をもつ球形細胞群．

> **黒色真菌感染症の原因菌**
> 原因菌としては，*Fonsecaea pedrosoi*（complex または，*sensu lato*）が大部分を占め，その他の菌種としては，国内では*Exophiala dermatitidis*，*E. jeanselmei*，*Phialophora verrucosa* が，南米や南アフリカでは*Cladophialophora carrionii* によるものが多い．

フォンセカエア型　リノクラディエラ型　フィアロフォラ型

***Fonsecaea pedrosoi*（隠蔽種：*F. monophora*）の鑑別性状**
①コロニー性状：14日以内に成熟する．表面は暗緑色，灰色または黒色で銀色のビロード状の菌糸帯におおわれる．
②菌糸：褐色の有隔菌糸．
③分生子：フォンセカエア型，リノクラディエラ型（シンポジオ型），フィアロフォラ型（フィアロ型）およびクラドスポリウム型（出芽型）の4つの分生子形成がみられる．

（萩原繁広氏）

**写真2-B-8** *Fonsecaea monophora*

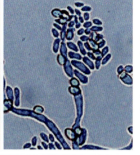

**Exophiala dermatitidis の鑑別性状**
①コロニー性状：PDA 培地上では 10 日以内は酵母様コロニー（黒色，湿潤，光沢あり）を形成し，25 日程度で成熟し菌糸状（オリーブ灰色）となる．
②菌糸：褐色の有隔菌糸．
③分生子：アネロ型分生子形成のみ，みられる．

写真 2-B-9　*Exophiala dermatitidis*　　　　　　　　　　　　（萩原繁広氏）

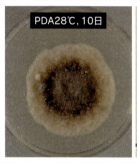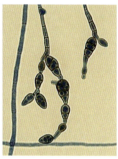

**Alternaria alternata の鑑別性状**
①コロニー性状：5 日以内に成熟する．表面は灰白色〜黄褐色〜黒褐色の羊毛状，裏面は褐色〜黒褐色．
②菌糸：褐色の有隔菌糸．
③分生子：ポロ型分生子形成のみ，みられる．分生子は大きく（8〜16×23〜50 μm），内部に隔壁（縦横の区切り）があり，頂端が細くなった棍棒状（あるいは洋梨状）で連鎖形成を認める．

写真 2-B-10　*Alternaria alternata*　　　　　　　　　　　　（萩原繁広氏）

て発育する真菌の総称である．二形性真菌には，**輸入真菌症**（imported mycosis）または**地域流行性真菌症**（endemic mycosis）として重要な次に述べる 5 菌種と，国内を含め広く世界的に分布する *Sporothrix schenckii*（complex または *sensu lato*）がある．

### 1）輸入真菌

輸入真菌症原因菌には，*Coccidioides immitis*（コクシジオイデス症），*Paracoccidioides brasiliensis*（パラコクシジオイデス症），*Histoplasma capsulatum*（ヒストプラズマ症），*Blastomyces dermatitidis*（ブラストミセス症），および *Talaromyces marneffei*（マルネッフェイ型タラロミセス症）（旧名 *Penicillium marneffei*：マルネッフェイ型ペニシリウム症）がある．いずれの真菌も感染力が高く，特に，*C. immitis* は重篤な感染症をきたしやすいことから，その取り扱いには厳重な注意が必要である．これらの真菌はいずれも土壌中（それぞれの特定地域に限定，**表 2-B-2** 参照）に生息する真菌であり，分生子の吸入により肺に初発病巣を形成する．多くの場合，無症候性あるいは軽度の呼吸器症状のみで治癒するが，一部は慢性の肉芽腫病変形成や血行性播種をきたす．特に，細胞性免疫能低下患者では中枢神経系への播種をきたしやすく，その場合の死亡率はきわめて高い．

写真 2-B-11 に *T. marneffei* のコロニーと血液培養陽性例の Gram 染色所

> **黒色真菌の遺伝子解析**
> 日本で *F. pedrosoi* として保存されていた菌株の遺伝子解析を行ったところ，すべて *F. monophora*（隠蔽種）と同定されたとの報告がある．

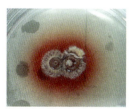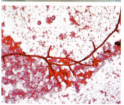

写真 2-B-11　（萩原繁広氏）
*Talaromyces marneffei*

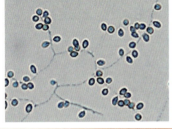

***Sporothrix schenckii* の鑑別性状**
①コロニー性状：7日以内に成熟する．25〜30℃では，はじめは白色〜淡いオレンジ色のコロニーを形成し，その後，黒ずんだ褐色または黒色になる．コロニーは，なめし革状あるいはビロード状を呈する．35〜37℃では，クリーム色または黄褐色の酵母形に発育するが，酵母形の形成には真菌用培地ではなく，ブレインハートインフュージョン寒天培地の使用が望ましい．また，数回継代培養すると酵母形への変換が起こりやすい．
②菌糸：きわめて細い（直径1〜2μm），有隔性の，直角に分岐する分生子柄を形成する．
③分生子：小さな（2〜3×2〜6μm），涙滴形の無色の分生子で，しばしば花びら状の小群を形成する．35〜37℃では，円形〜卵円形あるいは葉巻型の酵母細胞を形成する．

**写真 2-B-12** *Sporothrix schenckii*

（萩原繁広氏）

見を示す．*T. marneffei* は発育が早く，25〜30℃培養では3日以内に菌糸状で発育する（扁平，黄褐色，ビロード状）．3〜7日程度培養すると深紅色の可溶性色素が培地中に溶け出し，コロニー周囲が紅色を呈する（コロニー裏面は褐色がかった紅色）．一方，35〜37℃培養ではゆっくりと酵母形で発育する．このような特徴的な真菌が分離された場合や，輸入真菌症が疑われる場合には，スライド培養は絶対に行ってはならない（分生子の飛散による実験室感染を引き起こしてしまうため）．

## 2）スポロトリックス・シェンキー〔*Sporothrix schenckii*（complex または *sensu lato*）〕（写真 2-B-12）

*S. schenckii* は二形性真菌の一種であり，スポロトリコーシス（sporotrichosis）とよばれる深部皮膚真菌症を引き起こすが，輸入真菌ほど危険性は高くない．本菌は土壌や植物，材木などに生息する自然環境菌であり，世界中に広く分布する．本菌の感染は外傷を介して引き起こされることが多く，受傷2週〜数カ月後に感染局所に皮下結節（あるいは皮下膿瘍）を生じる．その後，リンパ管を経て支配域のリンパ節に連続的に転移し，慢性の結節性病変を形成することがある．血行性に各種臓器に播種する例もみられるが，きわめてまれである．

## 5  皮膚糸状菌（dermatophytes）

**皮膚糸状菌**はケラチンを好む真菌群であり，ケラチン含有組織（皮膚，毛髪，爪など）に侵入寄生する．通常は角化した組織にのみ侵入し，真皮や皮下組織には侵入しない．皮膚糸状菌はその生息環境の違いにより，①ヒト好生性

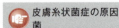

**皮膚糸状菌症の原因菌**
皮膚糸状菌症における分離頻度の高い菌種としては，*T. rubrum*, *T. mentagrophytes*, *T. tonsurans*, *M. canis* があり，*T. rubrum* および *T. mentagrophytes* で全体の70〜80％を占める．

表 2-B-7　主な皮膚糸状菌の鑑別性状

| 菌種 | 発育速度 | コロニー性状 | 顕微鏡的形態 | | ウレアーゼ（ブロス法，7日） | 毛髪穿孔試験 |
|---|---|---|---|---|---|---|
| | | | 大分生子 | 小分生子，その他 | | |
| *Trichophyton rubrum* | やや遅い（14日程度で成熟） | 表面は顆粒状または綿毛状（白色～淡黄色），裏面は深紅色 | 比較的少ない，鉛筆状 | 多数，棍棒状～洋梨状，菌糸に沿って単生 | − | − |
| *Trichophyton mentagrophytes* | やや速い（6～10日で成熟） | 表面は粉状または顆粒状（淡黄色），裏面は通常は黄褐色 | 比較的少ない，葉巻状 | 多数，球形．分岐した分生子柄に群生．螺旋体を形成することがある | ＋ | ＋ |
| *Trichophyton tonsurans* | やや遅い（12日程度で成熟） | 多彩，表面はなめし革状（白色，灰色，黄色，紅褐色など），裏面は紅褐色，黄色など | まれ，若干変形した棍棒状 | 多数，涙滴様，棍棒状，時に肥大した風船状，菌糸に沿って単生，あるいは短い分生子柄の先に生じる（マッチ棒状） | ＋ | ＋ |
| *Microsporum canis* | 速い（4～8日で成熟） | 表面は綿毛状（白色～帯黄色），裏面は深黄色 | 多数，先端の細い紡錘状（6個以上の区画を有する） | 少数，棍棒状，菌糸に沿って単生 | ＋ | ＋ |
| *Microsporum gypseum* | 速い（6日以内に成熟） | 表面は粉状～顆粒状（黄褐色～シナモン褐色），裏面は黄色 | 豊富，先端の丸い紡錘状（6個以下の区画） | 少数，棍棒状，菌糸に沿って単生 | ＋ | ＋ |
| *Epidermophyton floccosum* | やや速い（10日程度で成熟） | 表面は放射状の溝を有するビロード状（褐色がかった黄色～オリーブ色），裏面はオレンジ色～褐色 | 多数，先端の丸い棍棒状（6個以下の区画），単生または房状に群生する | 形成しない | ＋ | ＋ |

(anthropophilic：*Trichophyton rubrum* など)，②動物好生性（zoophilic：*Microsporum canis* など）および③土壌好生性（geophilic：*Microsporum gypseum* など）の3グループに分類されている．②および③に属する菌種であってもヒトへの感染を引き起こすことがあり，この場合，菌種同定結果は感染源の特定に有用な情報となる（たとえば，*M. canis* による感染の場合，ペットが原因など）．

### 主な皮膚糸状菌の鑑別性状

皮膚糸状菌は，分生子形成様式の違いにより以下の3つの属に分類されている．詳細な菌種同定は，これら分生子形成様式の違いに加え，コロニー性状（表面と裏面の色調）や特徴的な構造体（*T. mentagrophytes* の螺旋体）の観察により行われており，必要に応じて，ウレアーゼ試験や毛髪穿孔試験の実施が考慮される（**表 2-B-7**）．**写真 2-B-13～15** に主要な皮膚糸状菌の特徴を示した．

① *Trichophyton*（トリコフィトン）属：通常は多数の小分生子を形成する．大分生子の形成はまれであるが，細胞壁が薄く，表面が平滑な大分生子を形成する．

② *Microsporum*（ミクロスポルム）属：少数の小分生子を形成する．大分

**螺旋体（spiral body）**

コイルのような渦巻の形をした菌糸．*Trichophyton mentagrophytes* にみられる．その他，皮膚糸状菌に特徴的な構造物としては，ラケット菌糸，結節器官，黄癬シャンデリア，厚膜胞子などがある．

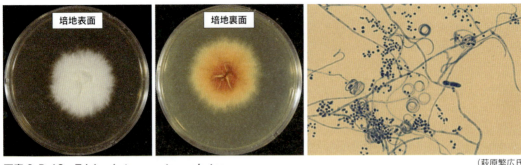

写真 2-B-13 *Trichophyton mentagrophytes*　　　　　　　　　　　　（萩原繁広氏）

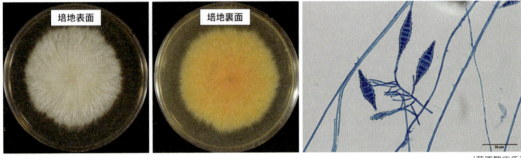

写真 2-B-14 *Microsporum canis*　　　　　　　　　　　　（萩原繁広氏）

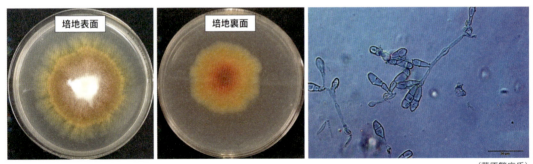

写真 2-B-15 *Epidermophyton floccosum*　　　　　　　　　　　　（萩原繁広氏）

生子の形成は豊富であり，細胞壁が厚く，表面が粗い大分生子を形成する．

③ *Epidermophyton*（エピデルモフィトン）属：小分生子を形成しない．大分生子は多数形成され，細胞壁が薄く，表面が平滑な大分生子を形成する．

## III ニューモシスチス・イロベチ（*Pneumocystis jirovecii*）

*Pneumocystis jirovecii* は，ヒトのニューモシスチス肺炎（Pneumocystis pneumonia；PCP）の原因菌であり，AIDS 患者や免疫抑制薬投与患者などの細胞性免疫能の低下した患者に重篤な肺炎を引き起こす．近年，抗 TNFα 抗体

>  **P. jirovecii**
> 
> 現在，*Pneumocystis* 属には5つの菌種（*P. carinii*，*P. wakefieldiae*，*P. murina*，*P. oryctolagi* および *P. jirovecii*）が登録されているが，ヒトに肺炎を引き起こすのは *P. jirovecii* のみである（種特異性が高い）．

などの生物学的製剤が使用されるようになったことを受けて，リウマチ科など，さまざまな領域でPCPが増加傾向にある．*P. jirovecii*の自然環境における分布は不明であるが，空気中からも検出される．*P. jirovecii*の囊子を吸入することにより肺への感染または一時的定着を引き起こすが，健康人では通常，発症することはない．AIDSは最もPCP罹患率の高い疾患であり，AIDS患者の約40％はPCPで発症するとされている．一方，AIDS患者におけるPCPは比較的緩徐に進行するが，非AIDS患者（免疫抑制薬投与患者など）におけるPCPは急速に進展し，重症の呼吸不全をきたしやすいことが知られている．

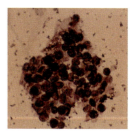

**写真 2-B-16**
*Pneumocystis jirovecii*
（Grocott染色）

### ニューモシスチス肺炎の検査

PCPの診断は，画像所見に加え，呼吸器材料（気管支肺胞洗浄液，深部痰，肺組織など）中の*P. jirovecii*を検出することにより行われる．しかしながら，*Pneumocystis*属は人工培地での培養は困難であることから，一般的には，染色標本の顕微鏡鏡検が行われる．染色法としてはGrocott（グロコット）染色（**写真 2-B-16**），toluidine blue（トルイジンブルー）O染色，蛍光抗体染色（**写真 2-B-17**），Diff-Quik（ディフ・クイック）染色などがあり，これらは基本的に*P. jirovecii*の囊子を検出するための染色法である（Diff-Quik染色は栄養型も染め出されるが，判読には熟練が必要）．なお，PCP患者では血液中のβ-D-グルカン値が上昇することから，β-D-グルカン検査はPCPのスクリーニング検査として頻用されている．

**写真 2-B-17**
*Pneumocystis jirovecii*
（蛍光抗体染色）

## c. 検査法

### 1 真菌感染症検査法の特徴と留意点

真菌感染症の検査には，①**塗抹鏡検検査**，②**分離培養検査**（同定・薬剤感受性検査）および③**血清学的検査**がある（図 2-B-12）．近年では，**核酸増幅検査**も真菌感染症診断に応用されてきている．真菌は細菌とは異なる性質を有することから，以下の点に留意し培養検査を行う必要がある．

① **至適発育温度**が低いものがある（25〜30℃）：必要に応じて 25〜30℃ 培養の実施．
② **発育速度**が遅いものがある：培養期間の延長（培地の乾燥防止が必要）．
③ **分生子の飛散**をきたしやすい：飛散防止対策が必要（安全キャビネット使用など）．
④ **輸入真菌症**が疑われる場合は，培養検査は行わない：バイオセーフティ対策が実施可能な施設（国立感染症研究所など）に相談．

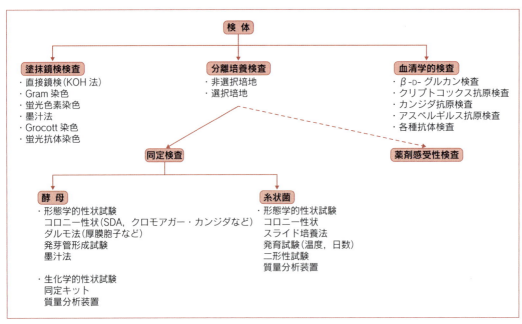

図 2-B-12　真菌感染症検査の流れ

表 2-B-8 臨床材料から検出される主な真菌

| | 原因真菌*1 | 鱗屑,爪,毛髪 | 皮膚組織 | 血液 | 骨,骨髄 | 脳,髄液 | 血管内カテーテル | 呼吸器系材料 | 口腔 | 角膜,硝子体 | 鼻a,上顎洞b,耳c | 尿d,腟e |
|---|---|---|---|---|---|---|---|---|---|---|---|---|
| 酵母 | *Candida* 属 | ○ | ○ | ○ | ○ | ○ | ○ | ○ | ○ | ○ | ○a,b,c | ○d,e |
| | *Cryptococcus neoformans* / *Cryptococcus gattii* | | ○ | ○ | ○ | ○ | | ○ | | | | ○d |
| | *Malassezia* 属 | ○ | | ○ | | | ○ | ○ | | | ○a,c | |
| | *Trichosporon* 属 | ○ | ○ | ○ | | | ○ | ○ | | | | ○d |
| 糸状菌 | *Aspergillus* 属 | | | | ○ | ○ | ○ | ○ | | ○ | ○a,b,c | |
| | 黒色真菌*2 | | ○ | | | ○ | | ○ | | ○ | ○a,b | |
| | 皮膚糸状菌*3 | ○ | ○ | | | | | ○ | | | | |
| | *Fusarium* 属 | | ○ | ○ | | | | ○ | | | ○a,b | |
| | *Paecilomyces* 属 | | ○ | | | | | ○ | | | | |
| | *Scedosporium* 属 | | ○ | ○ | | ○ | | ○ | | | ○a,b | |
| | ムーコル類*4 | ○ | ○ | | | ○ | | ○ | | | ○a,b | |
| | *Schizophyllum commune* | | | | | | | ○ | | | ○a,b | |
| 二形性真菌 | *Blastomyces dermatitidis* | | ○ | | ○ | | | ○ | | | | |
| | *Coccidioides immitis* | | ○ | ○ | ○ | | | ○ | | | | ○d |
| | *Histoplasma capsulatum* | | ○ | ○ | | | | ○ | | | | ○d |
| | *Paracoccidioides brasiliensis* | | ○ | | | | | ○ | ○ | | ○a,b | |
| | *Talaromyces marneffei* | | ○ | ○ | | | | ○ | ○ | | | |
| | *Sporothrix schenckii* | | ○ | | | | | | | | | |
| その他 | *Pneumocystis jirovecii* | | | | | | | ○ | | | | |

(日本医真菌学会標準化委員会報告:日常微生物検査における標準的真菌検査マニュアル(2013). *Med Mycol J*, 54:345〜360, 2013)

*1:主要菌種のみを示した.易感染患者に併発する真菌症においては,原因菌種が限定されず多様であることを念頭に検査する必要がある.
*2:*Fonsecaea* 属,*Exophiala* 属,*Phialophora* 属,*Cladophialophora* 属など.
*3:*Trichophyton* 属,*Microsporum* 属,*Epidermophyton floccosum*.
*4:*Mucor* 属,*Rhizopus* 属,*Lichtheimia*(*Absidia*)属,*Rhizomucor* 属など.

## II 臨床材料別の病原真菌

表 2-B-8 に臨床材料から検出される主な真菌を示す.真菌検査に提出される臨床材料は細菌検査と共用のことが多く,通常,その処理は細菌検査に準じて行われる.しかしながら,皮膚糸状菌検査や *Pneumocystis jirovecii* 検査などのように,特別な前処理が必要なものも存在することから,検査依頼時の情報入手(目的真菌)が必要不可欠である.表 2-B-9 に,主な臨床材料の目的真菌別検査法を示す.

表 2-B-9　主な臨床材料の目的真菌別検査法

| 臨床材料 | 検出目的真菌 | 前処理 | 塗抹鏡検 | 分離培養検査 |
|---|---|---|---|---|
| 表皮，爪，毛髪 | 皮膚糸状菌 | 滅菌メス等で細断 | 20%KOH（生標本），蛍光色素染色 | ・培地：細片数個を，斜面培地に埋め込むように接種する<br>・培養温度：25〜30℃<br>・培養期間：3〜4週間 |
| 組織 | 黒色真菌，Sporothrix schenckii | 滅菌メス等で細断（滅菌すり鉢等でホモジナイズ） | Gram 染色，生標本，蛍光色素染色 | ・培地：斜面培地に細片（あるいはホモジナイズ組織）を接種する<br>・培養温度：25〜30℃<br>・培養期間：3〜4週間 |
| 髄液 | Cryptococcus 属 | 3,000 rpm，10〜15 分遠心分離 | Gram 染色，墨汁法 | ・培地：平板培地に沈渣を接種し画線分離し，増菌培地にも接種<br>・培養温度：35〜37℃<br>・培養期間：1週間（増菌培地は2週間） |
| 呼吸器材料（喀痰，気管支肺胞洗浄液など） | Pneumocystis jirovecii | | Grocott 染色，蛍光抗体染色など | — |
| | Aspergillus 属，ムーコル類，糸状菌 | 喀痰溶解剤で溶解後，3,000 rpm，10〜15 分遠心分離 | Gram 染色，蛍光色素染色 | ・培地：平板培地（可能であれば斜面培地追加）に沈渣を接種し画線分離<br>・培養温度：25〜30℃（初日は35℃）<br>・培養期間：1〜2週間 |

# Ⅲ 真菌の検査法

## 1 塗抹鏡検検査

塗抹鏡検検査は，臨床材料中の真菌の迅速検出にきわめて有用な検査法である．塗抹鏡検検査は，①迅速・簡便に**感染症原因菌の推定**が可能，②**感染病巣部の病態把握**が可能（細胞成分の観察），③**培養検出菌の臨床的意義づけ**に役立つ（原因菌か・常在菌か・汚染菌かの判断），④**培養検査の欠点を補完**（培養条件の変更，培養期間延長を考慮），などのメリットがある．

主な真菌の染色法を以下に示す．

### (1) 直接鏡検（KOH 法）

10〜40％ KOH 溶液（通常は 20％）で角質を軟化，透徹することで，病巣の中の真菌を無染色のまま観察する方法（ラクトフェノールコットンブルー染色液などで染色すると観察しやすくなる）．爪，皮膚，毛髪などの皮膚糸状菌検査に用いられる．スライドガラスに KOH 溶液（必要に応じて染色液を混合）を滴下し，臨床材料を浸漬する．カバーガラスをかぶせ，15 分程度放置後，顕微鏡のコンデンサを下げて観察する．十分に軟化できていない場合には再度放置する（孵卵器内で温めると軟化が早くなる）．

### (2) Gram（グラム）染色

細菌検査に準ずる．通常，真菌はグラム陽性に染色されるが，臨床材料中ではグラム陰性として認められることもある（**写真 2-B-18**）．

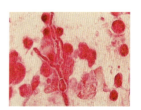

写真 2-B-18
喀痰中の Aspergillus 属
（Gram 染色）

### (3) 蛍光色素染色

β構造をもつ多糖体（真菌の細胞壁構成成分）に結合する蛍光色素を用いて染色する染色法．蛍光顕微鏡が必要であるが，真菌成分が明瞭に染め出されるので判定がきわめて容易である．

### (4) 墨汁法

*Cryptococcus*属の莢膜を観察するための染色法．莢膜は，菌体の周りが白く抜けたハローとして観察される（**写真 2-B-20**）．髄液中の*Cryptococcus*属の直接検出の際にも用いられる．

### (5) Grocott（グロコット）染色

組織内の真菌や放線菌を染色する方法．主に病理検査室で利用されている．本法は*Pneumocystis jirovecii*の嚢子も染め出されることから，PCPの検査としても利用される（「b．各論」の**写真 2-B-16** 参照）．

### (6) 蛍光抗体染色（*Pneumocystis jirovecii*）

目的の抗原に結合する一次抗体と，一次抗体に結合する蛍光標識二次抗体（通常はfluorescein isothiocyanate；FITC標識）を用いて蛍光染色する方法．特異抗体を用いるので特異性が高い．*P. jirovecii*の検出に有用（「b．各論」の**写真 2-B-17** 参照）．

**蛍光色素染色**

KOH法と組み合わせれば，組織中の真菌の観察が容易となる．蛍光色素としては，ファンギフローラY染色液（**写真 2-B-19**）とカルコフルオロ・ホワイト染色液があり，国内では主にファンギフローラY染色液が用いられている．

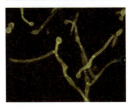

写真 2-B-19
前房水中の*Candida*属
（ファンギフローラY染色）

写真 2-B-20
*Cryptococcus*属（墨汁法）
（済生会宇都宮病院，帝京大学
大学院医療技術研究科・
萩原繁広氏）

## 2 分離培養検査

深在性真菌症の原因菌として高頻度に分離される*Candida*属，*Aspergillus*属，*Cryptococcus*属の多くは35〜37℃でよく発育する．しかしながら，皮膚糸状菌などの他の真菌のほとんどは至適発育温度が25〜30℃である．したがって，分離培養検査を行う際には，目的真菌に応じて，**35〜37℃と25〜30℃**（30℃が望ましいが，孵卵器がない場合は室温で培養する）を併用することが望ましい．

以下に，真菌の初代分離に用いられる主な培地を示す．

### (1) サブローデキストロース寒天（SDA）培地

皮膚糸状菌用に開発された培地だが，真菌全般の培養に汎用される．寒天培地や斜面培地（長期培養用）として使用する．クロラムフェニコールやシクロヘキシミドを添加すると，雑菌抑制効果が高い（ただし，シクロヘキシミドは皮膚糸状菌以外の多くの病原真菌の発育も抑制する）．

### (2) ポテトデキストロース寒天（PDA）培地

真菌全般の培養に使用される．寒天培地や斜面培地（長期培養用）として使用する．PDA培地はSDA培地よりも色素産生能が良好で，分生子形成が早く特徴的な形態が形成されやすい．

### (3) マイコセル寒天培地

主に皮膚糸状菌の初代分離に用いられる．クロラムフェニコールとシクロヘキシミドが添加された培地．汚染の強い検体に適している（ただし，シクロヘキシミドは皮膚糸状菌以外の多くの病原真菌の発育も抑制する）．

### (4) 発色酵素基質培地

培地に発色酵素基質を添加し，菌が産生する酵素をコロニーの色調変化（基質の発色）としてとらえる培地．菌種に特異的な酵素基質を複数添加することにより，菌種の推定や複数菌種混在の判定が容易となる（「b．各論」の**写真 2-B-1，-2 参照**）．

### (5) TME-SH™培地

皮膚糸状菌の選択分離培地．TME は Trichophyton Microsporum Epidermophyton の略語．皮膚糸状菌は発育によりアルカリ性代謝産物を生じ培地が赤変するので，他の真菌（無変化）との鑑別が可能である．

### (6) その他の培地

① コーンミール寒天培地：酵母の形態学的観察（厚膜胞子，仮性菌糸，分生子形成）に用いられる培地．一般的に，ダルモ法（**図 2-B-13**）が用いられている．

② バードシード寒天培地：*C. neoformans* および *C. gattii* と，その他の *Cryptococcus* 属との鑑別に用いる培地．フェノールオキシダーゼ産生菌（*C. neoformans* および *C. gattii*）は茶褐色のコロニーを，非産生菌（その他の *Cryptococcus* 属）はクリーム色～ベージュ色のコロニーを形成する．クロラムフェニコールが添加されているので，臨床材料中の *C. neoformans* および *C. gattii* の直接分離にも使用できる．

③ ブレインハートインフュージョン寒天培地：*Histoplasma capsulatum* や *Blastomyces dermatitidis* などの栄養要求性の高い真菌の分離に用いる．二形性真菌の酵母形成試験の際にも用いられる．

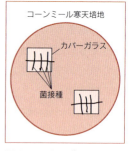

**図 2-B-13 ダルモ法**
①コーンミール寒天培地（あるいは Tween 80 加コーンミール寒天培地）に若い（24〜48 時間）培養の酵母を画線接種する．
②最初の画線を横切るように3 回程度画線する．
③滅菌したカバーガラスをかぶせる．
④室温（25〜30℃）で2〜4日間培養し，毎日，シャーレのまま顕微鏡で観察する．シャーレの上蓋をはずし顕微鏡のステージにのせ，低倍率（×10 の対物レンズ）および高倍率（×40）で観察する．

## 3 同定検査

### 1) 酵母

酵母の同定は，形態学的観察および生化学的性状試験により行われる（「b．各論」の**表 2-B-4 参照**）．形態学的観察には，ダルモ法および発芽管形成試験（**図 2-B-14**）が用いられ，生化学的性状試験には同定用検査キットが利用され

 **真菌の同定**

真菌の同定には知識と経験が必要であり，知識と経験を積まなければ菌種レベルまで正確に同定するのは困難なことが多い（特に糸状菌）．現在，真菌に対しても質量分析装置を用いた迅速かつ正確な菌種同定法の確立が行われている．

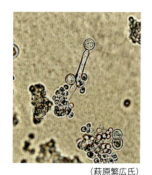
（萩原繁広氏）
**写真 2-B-21 厚膜胞子**

 **厚膜胞子（chlamydospore）**

*Candida albicans* および *C. dubliniensis* によって形成される壁の厚い嚢状構造物（**写真 2-B-21**）．*Candida albicans* および *C. dubliniensis* の同定に利用される．

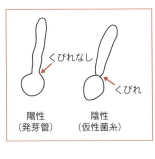 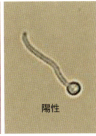

①滅菌試験管に無菌血清(ヒト,ウシ胎児,ウサギなど)を 1 mL 程度入れ,若い(24〜48 時間培養)酵母様真菌をごく薄く懸濁する($10^5$〜$10^6$/mL 程度が望ましい).
②35〜37℃で 2〜3 時間培養する(3 時間を超えないこと).
③懸濁液を 1 滴スライドガラスにとり,カバーガラスをかぶせ,顕微鏡で観察する.

**陽性(発芽管)**:くびれのないフィラメントが親細胞より発芽.
**陰性(仮性菌糸)**:発芽開始点にくびれおよび隔壁を認める.

**図 2-B-14 発芽管形成試験**

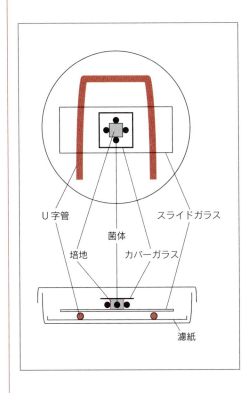

① ガラス製のシャーレに濾紙を敷き,その上に U 字管,スライドガラス,カバーガラスを入れて乾熱滅菌*する.
  *すべての機材について無菌操作(火炎滅菌)を行いながら作製するのであれば,乾熱滅菌は省略可能.プラスチックシャーレも使用可能(この場合,濾紙は使用せず,少量の滅菌水をシャーレ内に滴下する).
② 火炎滅菌したピンセットを用いて,U 字管の上にスライドガラスをのせる.
③ 滅菌メスなどで培地を約 1 cm 角に切り出し,スライドガラスの中央にのせる.
④ 培地の側面中央部に真菌を少量ずつ接種する.
⑤ 培地上に滅菌したカバーガラスをかぶせ,軽く圧着する.
⑥ シャーレの底に敷いた濾紙に,軽く湿る程度に滅菌水を滴下し,シャーレの上蓋を置く.
⑦ 菌の発育に適した温度(通常は 25〜30℃)で培養する.
⑧ 数日間培養後,シャーレの上蓋を閉めたまま顕微鏡のステージにのせ,低倍率(×10 の対物レンズ)で観察する(分生子などの真菌の特徴が観察できるまで培養を延長する).
⑨ おおよその特徴が観察できたら,ピンセットを使って丁寧にカバーガラスを取り外し,ラクトフェノールコットンブルー液 1 滴を滴下した新しいスライドガラスにのせ,はみ出た液を拭き取る.
⑩ ピンセットなどで元のスライドガラスから培地片をそっとはがし,廃棄する(ガラスシャーレの蓋をし,そのまま滅菌する).このスライドガラスにラクトフェノールコットンブルー液 1 滴を滴下し,新しいカバーガラスをかぶせれば 2 枚目の標本が作製できる.
⑪ 必要に応じて,スライド標本はマニキュアなどを用いて封入する.
⑫ 標本は,まずは低倍率で観察し,特徴的な分生子を確認したら高倍率で確認する.

**図 2-B-15 スライド培養法**

る.
　一方,臨床材料から検出される頻度の高い酵母は,*C. albicans*, *C. parapsilosis*, *C. glabrata*, *C. tropicalis*, *C. guilliermondii*, *C. krusei*, *Cryptococcus neoformans* などの一部の菌種に限定される.これらの菌種は,発色酵素基質

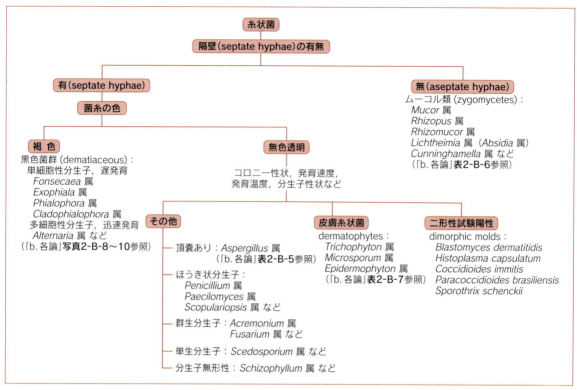

図 2-B-16 臨床的に重要な糸状菌の簡易同定の流れ

培地を用いれば迅速鑑別（推定同定）が可能であることから，微生物検査室の多くは酵母の鑑別に発色酵素基質培地を広く利用している．

### 2）糸状菌

糸状菌の同定は，形態学的観察（コロニー性状およびスライド培養法）により行われる．スライド培養法（**図 2-B-15**）では，菌糸（色，隔壁の有無など），分生子（形，大きさ，単細胞性/多細胞性，単生/群生など）および，その他の特徴的構造物（頂嚢，螺旋体，仮根など）を観察する（個々の菌種の特徴については「b. 各論」を参照）．

**図 2-B-16** に，臨床的に重要な（あるいはよく分離される）糸状菌の簡易同定の流れを示す．

## 4　血清学的検査

深在性真菌症の血清学的検査としては，①血液（あるいは髄液）中の真菌成分を検出する検査と，②血液中の抗体を検出する検査がある．①は主に急性感染症における補助診断検査として，②は慢性感染症の補助診断検査として用いられる．**表 2-B-10** に，真菌症の主要病型における血清学的検査の反応性を示す．

表2-B-10 真菌症の主要病型における血清学的検査の反応性

| 検査項目 | 各血清学的検査の反応性 | | | | | | |
|---|---|---|---|---|---|---|---|
| | β-D-グルカン | カンジダ抗原 | クリプトコックス抗原 | アスペルギルス抗原 | アスペルギルス抗体 | ヒストプラズマ抗体 | コクシジオイデス抗体 |
| カンジダ血流感染 | ◎ | ○ | | | | | |
| 慢性肺アスペルギルス症（アスペルギローマ含む） | ○ | | | | ◎ | | |
| 侵襲性肺アスペルギルス症 | ◎ | | | ◎ | | | |
| アレルギー性気管支肺アスペルギルス症 | | | | | ○ | | |
| 肺クリプトコックス症 | | | ◎ | | | | |
| 中枢神経系クリプトコックス症 | | | ◎ | | | | |
| 播種性クリプトコックス症 | | | ◎ | | | | |
| トリコスポロン血流感染症 | ◎ | | ○* | | | | |
| ニューモシスチス肺炎 | ◎ | | | | | | |
| ヒストプラズマ症 | ◎ | | | | | ◎ | |
| コクシジオイデス症 | ◎ | | | | | | ◎ |
| パラコクシジオイデス症 | ◎ | | | | | | |

(日本医真菌学会標準化委員会報告：日常微生物検査における標準的真菌検査マニュアル（2013）.
Med Mycol J, 54：345～360, 2013)

◎：陽性率高い，○：陽性率やや高い．
＊：クリプトコックスと部分的共通抗原を有するための交差反応で，参考程度に用いる．

## (1) β-D-グルカン

(1→3)-β-D-グルカンは，真菌の細胞壁を構成する多糖体の一種であり，ムーコル類を除く主要な真菌細胞壁に存在する（Cryptococcus属の細胞壁にも存在するが，臨床検体からの検出は不良である）．測定法としては，比濁時間分析法と発色合成基質法があり，それぞれ異なる基準範囲が設定されているので，利用する際には注意が必要である．β-D-グルカンは，セルロース系透析膜やガーゼ，真菌製剤〔レンチナン（シイタケから抽出された多糖体）など〕にも含まれることから，これらを使用している患者では測定値が高値を示すことがある．

## (2) カンジダ抗原検査

カンジダの細胞壁構成多糖体であるマンナン抗原を免疫学的に測定する検査．いくつかの検査キットが市販されているが，それぞれで感度・特異度が異なる．

## (3) クリプトコックス抗原検査

Cryptococcus属の莢膜構成多糖体であるグルクロノキシロマンナン抗原を免疫学的に測定する検査．中枢神経系感染症の診断には髄液検体が用いられる．本法は感度・特異度に優れることから，肺クリプトコックス症を含む深在性クリプトコックス症の補助診断検査として頻用されている．

> **クリプトコックス抗原検査**
> Trichosporon属もガラクトマンナン抗原を保有していることから，Trichosporon属による全身性感染症でも高値を示す．

## (4) アスペルギルス抗原検査

*Aspergillus* 属の細胞壁構成多糖体であるガラクトマンナン抗原を免疫学的に測定する検査．侵襲性肺アスペルギルス症の補助診断検査として用いられる（慢性肺アスペルギルス症やアレルギー性気管支肺アスペルギルス症では有用性が低い）．

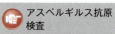

アスペルギルス抗原検査
ヨーグルト摂取や抗菌薬（タゾバクタム/ピペラシリン）投与による偽陽性の報告がある．

## d. 治療

### I 表在性真菌症の治療（表2-B-11）

#### 1 皮膚糸状菌症〔dermatophytosis（白癬：tinea）〕

　ケラチンを栄養源とする真菌である皮膚糸状菌（dermatophytes）による感染症である．浅在性白癬は，皮膚糸状菌が発育する部位により，頭部白癬，体部白癬，足白癬，爪白癬などとよばれる．外用抗真菌薬（イミダゾール系，モルフォリン系など）が第一選択となる．難治性病態では内服の抗真菌薬を用いる場合もある．また，角質増殖型足白癬や爪白癬は，外用薬のみでは治療困難であり，内服薬（テルビナフィン，イトラコナゾール）が必要である．

#### 2 カンジダ症

　皮膚カンジダ症は，病変部の乾燥と外用抗真菌薬を用いる．ただし，爪や毛に生じたカンジダ症や角質増殖病変では，イトラコナゾールが適応となる．口腔内カンジダ症は，ミコナゾールゲルの塗布，アムホテリシンBシロップのうがいなどで治療を行う．外陰・腟カンジダ症は，クロトリマゾール腟錠あるい

表2-B-11　表在性真菌症の治療

| 感染症 | 原因菌 | 病名 | 治療 |
|---|---|---|---|
| 皮膚糸状菌症（白癬） | 皮膚糸状菌 | 頭部白癬<br>体部白癬<br>足白癬<br>爪白癬 | ・外用抗真菌薬（イミダゾール系，モルフォリン系）<br>・経口抗真菌薬（テルビナフィン，イトラコナゾール）：角質増殖型足白癬，爪白癬 |
| カンジダ症 | Candida 属菌 | 皮膚カンジダ症 | ・外用抗真菌薬（イミダゾール系，モルフォリン系）<br>・経口抗真菌薬：アゾール系抗真菌薬（イトラコナゾール） |
| | | 口腔内カンジダ症（鵞口瘡） | ・抗真菌薬シロップ製剤（アムホテリシンB），アゾール系（ミコナゾール）ゲル |
| | | 外陰・腟カンジダ症 | ・イミダゾール系（クロトリマゾール）腟錠，アゾール系（ミコナゾール）腟坐剤 |
| マラセチア感染症 | Malassezia 属菌 | 癜風<br>マラセチア毛包炎 | ・外用抗真菌薬（イミダゾール系，モルフォリン系）<br>・経口抗真菌薬（アゾール系抗真菌薬）：範囲が広い場合 |
| スポロトリコーシス | Sporothrix schenckii | | ・ヨウ化カリウム内服<br>・経口抗真菌薬：アゾール系抗真菌薬（イトラコナゾール）<br>・局所温熱療法 |
| 黒色真菌感染症（クロモミコーシス） | 黒色真菌 | | ・外科的切除<br>・経口抗真菌薬：アゾール系抗真菌薬（イトラコナゾール）<br>・注射用抗真菌薬：アムホテリシンBなど |

はミコナゾール腟坐剤の挿入が有効である．

### 3　マラセチア感染症

*Malassezia* 属菌による皮膚感染症であり，癜風やマラセチア毛包炎などがある．外用抗真菌薬が第一選択となるが，病変が広範囲に及ぶ場合などは，アゾール系抗真菌薬の内服が推奨される．

### 4　スポロトリコーシス

土壌中などの環境に存在する *Sporothrix schenckii* による皮膚感染症である．ヨウ化カリウムの内服が第一選択となる．イトラコナゾールも有効である．局所温熱療法も補助療法として有効である．

### 5　黒色真菌感染症（クロモミコーシス）

外科的な切除が最も効果的であるが，切除が困難な例などではイトラコナゾールの内服を行う．経口薬でも効果が不十分な場合には，アムホテリシンBなどの注射用抗真菌薬の投与を考慮する．

## II　深在性真菌症の治療（表2-B-12）

### 1　カンジダ症

*Candida* 属菌による代表的な深在性真菌症として，カンジダ血症，カンジダ眼内炎，食道カンジダ症などがあげられる．*C. glabrata* や *C. krusei* はアゾール系抗真菌薬低感受性である．それ以外の *Candida* 属はおおむねアゾール系に感性である．キャンディン系抗真菌薬は，*Candida* 属に対して感受性が良好であるが，*C. parapsilosis* に対しては感受性は低い．

**カンジダ血症**では，菌のアゾール系感受性が判明するまでは，初期治療薬として，キャンディン系抗真菌薬（ミカファンギン，カスポファンギン）あるいはアムホテリシンBリポソーム製剤（アムビゾーム）が推奨される．アゾール感性カンジダによる感染症であり，全身状態が安定した場合にはフルコナゾールへ変更する．ボリコナゾールもフルコナゾール同様の有効性が期待されるが，フルコナゾールに対する優位性は低い．

**食道カンジダ症**では，フルコナゾールあるいはイトラコナゾール内用液が第一選択となる．その他の深在性カンジダ症では，比較的軽症例であればフルコナゾールが，また重症例であればキャンディン系やアムホテリシンBリポソーム製剤が第一選択となる．

### 2　アスペルギルス症

*Aspergillus* 属菌による代表的な深在性真菌症として，**侵襲性肺アスペルギルス症（IPA），慢性肺アスペルギルス症（CPA），アレルギー性気管支肺アス**

---

**抗真菌薬の薬物相互作用**

抗真菌薬にはさまざまな薬物相互作用が知られている．アゾール系抗真菌薬は薬物代謝酵素であるシトクロムP450（特にCPY3A4）を阻害し，免疫抑制薬やHIV治療薬であるプロテアーゼ阻害剤の濃度を上げるため注意が必要である．

**アムホテリシンBリポソーム製剤**

アムホテリシンB（AMPH-B）は腎毒性などの副作用が強い抗真菌薬であるが，本剤はAMPH-Bを脂質二重膜中に封入することにより，AMPH-Bの真菌に対する作用を維持しながら副作用を軽減したDDS（ドラッグデリバリーシステム）製剤である．

**カンジダ血症時の血管内カテーテル**

血管内カテーテルが留置されている場合には，可能なかぎり抜去し，中心静脈カテーテルの再挿入は，カンジダ血症が改善した後が望ましい．

**カンジダ眼内炎**

カンジダ血症などの内因性要因（血行性転移）により，カンジダ眼内炎を発症することがある．眼内への抗真菌薬の移行も考慮し，アムホテリシンBリポソーム製剤やアゾール系抗真菌薬（ボリコナゾール）が第一選択となる．アゾール感性カンジダであれば，フルコナゾールへの変更を考慮する．また，重篤な視力障害の可能性のある重症例においては，抗真菌薬の硝子体内投与や硝子体手術が考慮される．

表 2-B-12 深在性真菌症の治療

| 感染症 | 原因菌 | 病名 | 治療 |
|---|---|---|---|
| カンジダ症 | Candida 属菌 (Candida albicans, 他) | カンジダ血症 | キャンディン系, アゾール系(フルコナゾール, ボリコナゾール), アムホテリシン B リポソーム製剤 |
| | | カンジダ眼内炎 | アムホテリシン B リポソーム製剤, アゾール系(フルコナゾール, ボリコナゾール), 硝子体内抗真菌薬投与, 硝子体手術 |
| | | 食道カンジダ症 | アゾール系内服, またはキャンディン系 |
| | | その他 | キャンディン系, アゾール系, アムホテリシン B リポソーム製剤 |
| アスペルギルス症 | Aspergillus 属菌 (Aspergillus fumigatus, 他) | 侵襲性肺アスペルギルス症(IPA) | アゾール系(イサブコナゾール, ボリコナゾール), アムホテリシン B リポソーム製剤, キャンディン系 |
| | | 慢性肺アスペルギルス症(CPA)<br>・単純性肺アスペルギローマ(SPA)<br>・慢性進行性肺アスペルギルス症(CPPA) | SPA：根治のためには肺切除, アゾール系(イサブコナゾール, ボリコナゾール, イトラコナゾール), キャンディン系, アムホテリシン B リポソーム製剤 |
| | | アレルギー性気管支肺アスペルギルス症(ABPA) | ステロイド薬治療, 培養陽性例ではアゾール系(イトラコナゾール) |
| ムーコル症(接合菌症) | ムーコル目菌 (Rhizops 属菌, Mucor 属菌, Rhizomucor 属菌, 他) | ムーコル症 | アムホテリシン B リポソーム製剤, アゾール系(イサブコナゾール, ポサコナゾール), デブリドマン |
| クリプトコックス症 | Cryptococcus 属菌 (Cryptococcus neoformans, 他) | 脳髄膜炎 | アムホテリシン B リポソーム製剤＋フルシトシン, フルコナゾール, イサブコナゾール |
| | | 脳髄膜炎以外(肺感染症など) | アゾール系(フルコナゾール, イトラコナゾール, イサブコナゾール) |
| ニューモシスチス肺炎 | Pneumocystis jirovecii | 肺炎 | ST 合剤(低酸素血症例ではステロイド薬併用) |

ペルギルス症（ABPA）があげられる．有効な抗真菌薬として，アゾール系ではボリコナゾール，アムホテリシン B リポソーム製剤，キャンディン系が用いられる．

　IPA は，好中球減少，免疫抑制薬の使用，造血幹細胞あるいは臓器移植後などの免疫抑制状態において発症する，重篤な病態である．アゾール系（イサブコナゾール，ボリコナゾール）が第一選択薬であり，代替薬としてアムホテリシン B リポソーム製剤が用いられる．キャンディン系も効果が期待される薬剤であるが，二次治療薬として，初期治療薬不応時に併用薬剤として考慮される．

　CPA には，単純性肺アスペルギローマ（SPA）と慢性進行性肺アスペルギルス症（CPPA）がある．SPA の根治のためには肺切除が必要である．手術困難例では，キャンディン系あるいはアゾール系（イサブコナゾール，ボリコナゾール）による治療が考慮される．CPPA では，キャンディン系あるいはボリコナゾールが第一選択となる．維持療法としては，ボリコナゾールあるいはイトラ

コナゾールの内服が適応となる．ABPA 治療の基本はステロイド薬投与であるが，アスペルギルスが気道系検体から検出された場合には，アゾール系抗真菌薬（イトラコナゾール）の内服治療を併用する．

### 3　ムーコル症（接合菌症）

血液疾患など重篤な免疫不全状態で発症する深在性真菌症である．経気道的に感染し，鼻脳型の病型が多い．診断は困難であり，予後不良である．治療は，抗真菌薬投与と病巣のデブリドマンが行われる．治療薬として，アムホテリシンＢリポソーム製剤，アゾール系抗真菌薬（イサブコナゾール，ポサコナゾール）が用いられる．

### 4　クリプトコックス症

*Cryptococcus* 属菌による深在性真菌症としては，**髄膜炎**の他，肺クリプトコックス症などがある．脳髄膜炎の第一選択としては，アムホテリシンＢリポソーム製剤とフルシトシンの併用治療が行われる．最低２週間以上および菌無菌化を確認後，フルコナゾールによる地固め治療を 10 週間行う．肺感染症では，フルコナゾールが第一選択となるが，重症例ではアムホテリシンＢリポソーム製剤による治療後，フルコナゾールへの変更を行う．

### 5　ニューモシスチス肺炎（PCP）

ニューモシスチス肺炎（**PCP**）の原因真菌は *Pneumocystis jirovecii* である．PCP の治療の第一選択として ST 合剤が有効であるが，ペンタミジンの吸入やアトバコンの内服を行う場合がある．低酸素血症がある場合（$Pa_{O_2}<70$ mmHg）にはステロイド薬の併用を行う．

*Pneumocystis* 属菌

*Pneumocystis* 属菌は分類学上子嚢菌門に位置づけられ，ヒト由来株には *P. jirovecii* という名称が与えられ，従来用いられていた *P. carinii* はラット由来株となった．感染症名として PCP（*Pneumocystis carinii* pneumonia，日本語ではカリニ肺炎）が広く用いられてきたが，*Pneumocystis pneumonia* として PCP という略語がそのまま用いられることとなった．

# C ウイルス学

## a. 総論

　一般細菌とは異なる，**ウイルスが保有する特徴的な性状**を示す（**表2-C-1**）．このウイルスのなかには，細菌を宿主細胞とする**バクテリオファージ**（bacteriophage）が含まれる．

### I ウイルスの構造と形態

　ウイルス感受性細胞からウイルスの複製として放出される，感染能を保有する完全型ウイルス粒子が**ビリオン**（virion）である．このビリオンに共通した基本構造として，①**核酸**（DNAまたはRNAのいずれか）と②それを包む蛋白質の殻（**カプシド**, capsid）があり，この核酸とカプシドによって**ヌクレオカプシド**（nucleocapsid）が構成される．また，③ヌクレオカプシドを包む脂質二重膜（**エンベロープ**, envelope）をもっているウイルスも存在する（**図2-C-1**）．感染細胞からウイルスが放出される際，このエンベロープは同細胞膜由来物の一部を保有することとなる．

　ビリオンの形態には球状，ひも状（**フィロウイルス科**），砲弾状（**ラブドウイルス科**）があり，その直径は約20 nm（**ピコルナウイルス科**）～約30 nm（**カリシウイルス科**）～約100 nm（**レトロウイルス科**）とさまざまである．

> **ウイルスと消毒薬**
> ウイルスに有効な消毒薬として，**次亜塩素酸ナトリウム**，**グルタルアルデヒド**，**ホルムアルデヒド**がある．通常，エンベロープを保有しないウイルス（アデノウイルス科，パルボウイルス科，ピコルナウイルス科，レオウイルス科，カリシウイルス科など）に対しては，**消毒用エタノール**（濃度70～80％）の効果は弱い．（第1章のB 総論「Ⅷ 滅菌および消毒／2 殺菌法／2) 消毒法／(2) 化学的方法」を参照）

表2-C-1 ウイルスが有する特徴的な性状

|  | ウイルス | 一般細菌 |
| --- | --- | --- |
| 光学顕微鏡による観察 | 不可 | 可能 |
| 細菌濾過器の通過能 | あり | なし |
| 無細胞培地上での増殖 | なし | あり |
| 構成する核酸 | DNAまたはRNAのいずれか | DNAとRNAの両者 |
| 細胞壁 | なし | あり |
| リボソーム（自己の蛋白質合成能） | なし | あり |
| 自己のエネルギー産生能・代謝能 | なし | あり |
| 抗菌薬に対する感受性 | なし | あり |
| インターフェロンに対する感受性 | あり | なし |
| 特異抗体による中和性 | あり | なし |

> **インターフェロン**（interferon；IFN）
> **抗ウイルス作用を有するサイトカイン**（ウイルスが感染した宿主免疫応答細胞より産生・分泌される生理活性物質）である．感染細胞におけるすべてのウイルス増殖を抑制する．

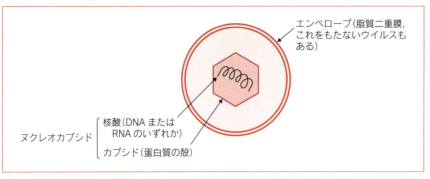

図 2-C-1 ビリオンに共通した基本構造

表 2-C-2 ウイルスの構造・性状に基づく分類

| 核酸の構造・性状や保有酵素 | ウイルス |
| --- | --- |
| 二本鎖 DNA ウイルス | ポックスウイルス科,ヘルペスウイルス科,アデノウイルス科,パピローマウイルス科,ポリオーマウイルス科,ヘパドナウイルス科 |
| 一本鎖 DNA ウイルス | パルボウイルス科など |
| プラス鎖一本鎖 RNA ウイルス | トガウイルス科,フラビウイルス科,コロナウイルス科,ピコルナウイルス科,カリシウイルス科,アストロウイルス科など |
| マイナス鎖一本鎖 RNA ウイルス | オルトミクソウイルス科,パラミクソウイルス科,アレナウイルス科,ブニヤウイルス科,ラブドウイルス科,フィロウイルス科など |
| プラス鎖一本鎖 RNA＋逆転写酵素をもつウイルス | レトロウイルス科 |
| 二本鎖 RNA＋RNA 転写酵素をもつウイルス | レオウイルス科など |

## Ⅱ ウイルスの分類

ウイルスの**科名**を-*viridae*,**亜科名**を-*virinae*,**属名**を-virus と表記する.また,感染する宿主の種類により,**動物ウイルス**,**植物ウイルス**,**細菌ウイルス**に分けられる.以下に,さまざまな視点からのウイルスの分類を述べる.

### 1 ウイルスの構造・性状に基づく分類

核酸の構造や性状（DNA/RNA,一本鎖/二本鎖,極性）や保有する酵素に基づいて,①二本鎖 DNA ウイルス,②一本鎖 DNA ウイルス,③プラス鎖一本鎖 RNA ウイルス,④マイナス鎖一本鎖 RNA ウイルス,⑤プラス鎖一本鎖 RNA＋逆転写酵素をもつウイルス,⑥二本鎖 RNA＋RNA 転写酵素をもつウイルスに分類される（**表 2-C-2**）.

**ヌクレオカプシドの対称性**に基づく分類としては,らせん対称（中心軸の周囲をらせん状に配列する）と立方対称（20 個の正三角形の面からつくられる正二十面体）があり,**エンベロープの有無**（エンベロープをもたないウイルス：**アデノウイルス科,パルボウイルス科,ピコルナウイルス科,レオウイルス科,カリシウイルス科**など）によっても分類される.

表 2-C-3 ウイルスの侵入門戸・感染経路に基づく分類

| 侵入門戸・感染経路 | ウイルス |
| --- | --- |
| 口腔粘膜（水平感染，経口感染） | ヒトサイトメガロウイルス，EB ウイルスなど |
| 気道粘膜（水平感染，飛沫感染，空気感染*） | インフルエンザウイルス，ヒト RS ウイルス，麻疹ウイルス*，水痘-帯状疱疹ウイルス*など |
| 腸管粘膜（水平感染，経口感染） | エンテロウイルス，ロタウイルス，ノロウイルス，サポウイルス，A 型肝炎ウイルスなど |
| 皮膚（水平感染，接触感染） | 伝染性軟属腫ウイルス，単純ヘルペスウイルスなど |
| 泌尿生殖器（水平感染，接触感染） | B 型肝炎ウイルス，ヒト免疫不全ウイルス，ヒト T 細胞白血病ウイルス，単純ヘルペスウイルスなど |
| 眼粘膜（水平感染，接触感染） | アデノウイルス，エンテロウイルス 70 型など |
| 輸血・針刺し（水平感染，血液感染） | B 型肝炎ウイルス，C 型肝炎ウイルス，ヒト免疫不全ウイルス，ヒト T 細胞白血病ウイルス，ヒトサイトメガロウイルスなど |
| 咬傷（水平感染，接触感染） | 狂犬病ウイルス，デングウイルス，日本脳炎ウイルスなど |
| 胎盤（垂直感染） | 風疹ウイルス，ヒトサイトメガロウイルスなど |
| 産道（垂直感染） | B 型肝炎ウイルス，ヒト免疫不全ウイルス，単純ヘルペスウイルス，ヒトサイトメガロウイルスなど |
| 母乳（垂直感染） | ヒト T 細胞白血病ウイルス，ヒト免疫不全ウイルス，ヒトサイトメガロウイルスなど |
| 唾液（垂直感染） | EB ウイルス，ヒトサイトメガロウイルスなど |

*：空気感染するウイルスは，麻疹ウイルス，水痘-帯状疱疹ウイルスである．

## 2 ウイルスの侵入門戸に基づく分類

ウイルスの侵入門戸・感染経路に基づく分類（**表 2-C-3**）は，感染予防の観点から重要である．

## 3 ウイルスの臓器・組織・細胞親和性に基づく分類

ウイルスの臓器・組織・細胞親和性に基づく分類（**表 2-C-4**）は，感染症の部位からその原因ウイルスを推定するうえで重要である．

## 4 ウイルスの基本再生産数に基づく分類

ウイルスの基本再生産数に基づく分類（**表 2-C-5**）は，ウイルスが保有する感染性の強度を推定するうえで重要である．この指標上，インフルエンザウイルスの感染性と比較して，麻疹ウイルスの感染性は強力である．

### 水平感染と垂直感染

水平感染とは同世代における個体間でウイルスが感染・伝播することであり，垂直感染とは母親から胎児または新生児へウイルスが感染・伝播することである．

### 基本再生産数 (basic reproduction number, $R_0$)

1人の感染発端者が周囲の感受性者に感染させる（＝再生産する）2次感染者の数を指す．$R_0<1$ の場合疾患の流行は自然に消滅し，$R_0>1$ の場合，流行は拡大すると推定される．

## III ウイルス感染の病態

ウイルスを分離培養するために動物，鶏卵（孵化），培養細胞が用いられる．ウイルスの種類ごとに増殖可能な培養細胞（**ウイルス感受性細胞**）が特定されている．

表2-C-4 ウイルスの臓器・組織・細胞親和性に基づく分類

| 感染症の部位（ウイルス名称） | ウイルス |
|---|---|
| 全身（向汎性ウイルス） | 麻疹ウイルス，風疹ウイルス，水痘-帯状疱疹ウイルスなど |
| 気道（向気道性ウイルス） | インフルエンザウイルス，パラインフルエンザウイルス，ヒトRSウイルス，コロナウイルス，ライノウイルスなど |
| 腸管（向腸管性ウイルス） | エンテロウイルス，ロタウイルス，ノロウイルス，サポウイルス，アデノウイルスなど |
| 神経（向神経性ウイルス） | 狂犬病ウイルス，ポリオウイルス，日本脳炎ウイルス，麻疹ウイルス，単純ヘルペスウイルスなど |
| 皮膚・粘膜（向皮膚性ウイルス） | 伝染性軟属腫ウイルス，単純ヘルペスウイルス，水痘-帯状疱疹ウイルス，エンテロウイルス71型など |
| リンパ球（向リンパ球性ウイルス） | Tリンパ球親和性：ヒト免疫不全ウイルス，ヒトT細胞白血病ウイルスなど<br>Bリンパ球親和性：EBウイルスなど |
| 肝臓（向肝臓性ウイルス） | A型肝炎ウイルス，B型肝炎ウイルス，C型肝炎ウイルス，D型肝炎ウイルス，E型肝炎ウイルスなど |

表2-C-5 ウイルスの基本再生産数に基づく分類

| ウイルス | 基本再生産数 |
|---|---|
| 麻疹ウイルス | 16〜21 |
| ムンプスウイルス | 11〜14 |
| 水痘-帯状疱疹ウイルス | 8〜10 |
| 風疹ウイルス | 7〜9 |
| ポリオウイルス | 5〜7 |
| 天然痘ウイルス | 5〜7 |
| インフルエンザウイルス | 2〜3 |

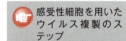

**百日咳菌の基本再生産数**

百日咳菌の基本再生産数は16〜21であり，麻疹ウイルスの基本再生産数と同等である．

## 1 細胞レベルでのウイルス感染

細胞レベルでのウイルス感染が成立した場合，その感染細胞に変化が起きる．**細胞破壊型**（cytocidal）と**細胞非破壊型**（noncytocidal）の変化である．細胞破壊型変化としてみられるのは**細胞変性効果**（cytopathic effect，CPE）であり，同細胞の変性・壊死→細胞の円形化，融合，巨細胞の形成へと進展する（図2-C-2）．一方，細胞非破壊型変化では細胞への影響はなく，CPEは認められない．同細胞内でのウイルスによる**持続感染**（persistent infection）が成立し，細胞分裂とともにウイルスが共生していく．この細胞非破壊型変化のなかには，形質転換を伴った細胞ががん細胞を呈することもある．

その他，感染細胞に生じる変化として，**核内封入体**，**細胞質内封入体**（ともにH-E染色上異染性構造物）や同細胞表面における**血球吸着**（血球凝集能をもつウイルスが感染した細胞表面にウイルス蛋白質が発現→血球吸着）が観察される．

**感受性細胞を用いたウイルス複製のステップ**

感受性細胞でのウイルス複製は，次の5つのステップで構成される．①細胞へのビリオン吸着，②細胞内へのビリオン侵入，③細胞内でのビリオン脱殻，④細胞内でのビリオン形成，⑤細胞からのビリオン放出．①では，ビリオンの表面分子（ligand）と同細胞の細胞膜表面分子（receptor）との特異的な結合が必須である．

**H-E染色：**
hematoxylin-eosin染色

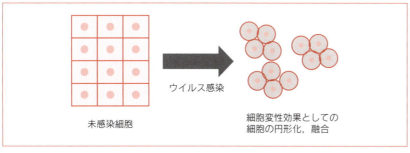

図 2-C-2　細胞変性効果

## 2　個体レベルでのウイルス感染

個体レベルでのウイルス感染が成立した場合，**顕性感染**（apparent infection，感染宿主が発症．麻疹ウイルス，天然痘ウイルスなどによる）と**不顕性感染**（inapparent infection，感染宿主が未発症．日本脳炎ウイルス，単純ヘルペスウイルスなどによる）の場合がある．ただし，不顕性感染の場合であっても宿主免疫応答の低下に伴い，**潜伏感染**（latent infection）していたウイルス（水痘-帯状疱疹ウイルス，ヒトサイトメガロウイルスなどによる）が再活性化して疾患を発症することもある．

また，感染個体レベルでの経過として**急性感染**（acute infection，感染宿主が発症→生体防御反応によりウイルス排除→病態の回復）と**持続感染**（同宿主内でウイルスが存続）がある．持続感染は①**潜伏感染**（初感染後無症状であるが，間欠的に発症），②**慢性感染**（chronic infection，進行性の慢性経過），③**遅発性感染**（slow infection，長い潜伏期を経て発症→徐々に進行して死亡）に分けられる．

 症状と感染性
潜伏期間内に他者への感染性獲得が生じるウイルス性疾患（麻疹など）では，感染防止が困難となる．

## 3　ウイルス感染に伴う免疫反応

ウイルス感染に伴う免疫反応として，①**液性免疫**（humoral immunity）と②**細胞性免疫**（cellular immunity）に大別される．液性免疫として，感染初期にウイルス特異的IgMが産生され短期間で消失，その後ウイルス特異的IgGが出現して長期間持続する．気道粘膜，腸管粘膜でのウイルス感染では，**局所免疫**（local immunity）となる分泌型IgAが産生される．細胞性免疫の場合，感染初期にナチュラルキラー細胞が応答し，その後細胞傷害性Tリンパ球→活性化マクロファージが誘導される（**図 2-C-3**）．

## Ⅳ ウイルス感染症の治療

ウイルスは自己のエネルギー産生能・代謝能を保有しない．そのため，ウイルス自身は感染細胞におけるエネルギー産生能・代謝能によって生存している．それゆえ，**抗ウイルス効果**を有する薬剤は，**同細胞への毒性**（宿主個体へ

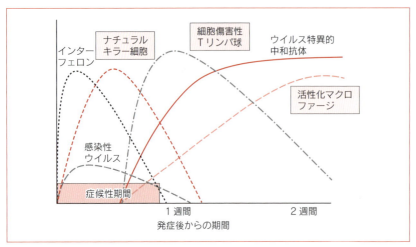

図 2-C-3　ウイルス感染に伴う一般的な免疫反応（細胞性免疫）

の毒性）も保有している可能性を考慮する必要がある．

　代表的な抗ウイルス薬である①**抗ヘルペスウイルス薬**，②**抗インフルエンザウイルス薬**，③**抗ヒト免疫不全ウイルス薬**，④**抗C型肝炎ウイルス薬**，⑤**抗新型コロナウイルス薬**について**表 2-C-6**に示す．通常，①や②の場合は**単剤療法**が主体であるが，③ではウイルス複製における複数のステップを阻害できるよう**多剤併用療法**が標準的となる．たとえば，ウイルス複製の抑制効果が強力な薬剤（**キードラッグ**）1剤（非核酸系逆転写酵素阻害薬，プロテアーゼ阻害薬，インテグラーゼ阻害薬のいずれか）と，キードラッグを補足して抗ウイルス効果を高める薬剤（**バックボーン**）2剤（核酸系逆転写酵素阻害薬）の併用療法が初回治療として推奨されている．また，想定される臨床効果が得られない場合は，**薬剤耐性ウイルス**の出現を常に念頭におかねばならない．④抗C型肝炎ウイルス薬ではインターフェロン（IFN）ベースの治療が実施されていたが，この治療を用いた場合のウイルスに対する治療効果は，宿主におけるIFN応答性を規定する遺伝子などの因子に影響を受ける．そのため現在は，直接型抗ウイルス薬（プロテアーゼ阻害薬，複製複合体阻害薬，NS5Bポリメラーゼ阻害薬）が開発され，第一選択（慢性肝炎初回治療例に対して）となる．⑤としてRNA依存性RNAポリメラーゼ阻害薬・リボヌクレオシドアナログ・メインプロテアーゼ阻害薬が開発され，発症早期に投与する．さらに，スパイク蛋白質への抗体薬も開発されている．

> **インフルエンザと漢方薬**
> 悪寒や高熱はあるが，自然の発汗を伴わないインフルエンザ（成人・小児）に対しては，麻黄湯を中心とした漢方療法が実施されることがある．

表 2-C-6 ウイルス感染症への代表的な薬剤

| 治療対象となるウイルス | 作用機序 | 代表的な薬剤一般名（投与経路） |
|---|---|---|
| 単純ヘルペスウイルス，水痘-帯状疱疹ウイルス | ウイルス DNA 複製での基質取り込みの競合的阻害 | アシクロビル（点滴，内服，角膜塗布，外用），バラシクロビル（内服） |
| | ウイルス DNA ポリメラーゼの阻害 | ビダラビン（点滴，皮膚塗布） |
| ヒトサイトメガロウイルス | ウイルス DNA 複製での基質取り込みの競合的阻害 | ガンシクロビル（点滴），バルガンシクロビル（内服） |
| | ウイルス DNA ポリメラーゼの阻害 | ホスカルネット（点滴） |
| A 型・B 型インフルエンザウイルス[*1] | 細胞からのビリオン放出時の酵素（ノイラミニダーゼ）阻害 | オセルタミビル（内服），ザナミビル（吸入），ペラミビル（点滴），ラニナミビル（吸入） |
| | ウイルス RNA ポリメラーゼの阻害 | ファビピラビル（点滴） |
| ヒト免疫不全ウイルス[*2] | 非核酸系逆転写酵素の競合的阻害 | 推奨薬剤：エファビレンツ，リルピビリン |
| | 核酸系逆転写酵素の競合的阻害 | 推奨薬剤の併用：テノホビル＋エムトリシタビン，アバカビル＋ラミブジン |
| | 細胞からのビリオン放出時の酵素（プロテアーゼ）阻害 | 推奨薬剤：ダルナビル，アタザナビル（共に少量のリトナビルと併用） |
| | ウイルス DNA の核内取り込み酵素（インテグラーゼ）の阻害 | 推奨薬剤：ラルテグラビル，エルビテグラビル，ドルテグラビル |
| | ビリオン侵入時の分子阻害 | マラビロク |
| C 型肝炎ウイルス[*3] | 宿主における IFN 誘導遺伝子群の増強 | ペグインターフェロンアルファ-2a<br>ペグインターフェロンアルファ-2b（ともに皮下注）<br>インターフェロンベータ（静注または点滴） |
| | プリンヌクレオシドアナログ | リバビリン |
| | NS3/NS4A プロテアーゼの阻害 | 推奨薬剤：パリタプレビル，アスナプレビル，シメプレビル，バニプレビル |
| | NS5A ウイルス RNA 複製での複合体形成の阻害 | レジパスビル，オムビタスビル，ダクラタスビル |
| | NS5B ポリメラーゼの核酸アナログによる阻害 | ソホスブビル |
| 新型コロナウイルス | RNA 依存性 RNA ポリメラーゼの阻害 | レムデシビル（点滴） |
| | リボヌクレオシドアナログ | モルヌピラビル（内服，発症 5 日以内） |
| | メインプロテアーゼの阻害 | ニルマトレルビル/リトナビル合剤（内服，発症 5 日以内），エンシトレルビルフマル酸（内服，発症 3 日以内） |

[*1]：アマンタジン耐性 A 型インフルエンザウイルスがあるため，アマンタジンは投与されない．
[*2]：抗ヒト免疫不全ウイルス薬の投与経路は内服であり，各種合剤が利用できる．
[*3]：IFN を除く抗 C 型肝炎ウイルス薬の投与経路は内服である．

## b. 各論

## b-1 DNA ウイルス

### I ポックスウイルス科 (Poxviridae)

#### 一般的性状

本科（長さ 300〜450 nm，幅 170〜260 nm，レンガ状または卵型）は動物ウイルスのなかで最大かつ複雑な構造をもち，コア（線状二本鎖 DNA を含む），1〜2 個の側体，エンベロープ（突起あり）からなる．ヌクレオカプシドの対称性はみられない．**細胞質内で複製**され，封入体（ビリオンの集まり）が観察される．細胞の破壊によりビリオンが放出される．本科の多くは脊椎動物や昆虫を宿主とするが，脊椎動物を宿主とする場合，**向皮膚性ウイルス**となる．ヒトへの病原性を有する属として，**オルトポックスウイルス属**（痘瘡ウイルス），**モルスキポックスウイルス属**（伝染性軟属腫ウイルス），パラポックスウイルス属，ヤタポックスウイルス属がある．

> **名前の由来—ポックスウイルス科**
> ポックス（「膿疱」の意味）ウイルス科の名称は，痘瘡（天然痘）の発疹に由来する．

#### 1 痘瘡ウイルス (Variola virus)

##### 性状

本種の宿主はヒトのみであり，生体内で持続感染を呈さず，その抗原性が不変という特徴を有する．

##### 病原性・疫学

本種が惹起する痘瘡（**一類感染症**）は急性発疹性疾患であり，1980 年に地球上での根絶宣言がなされた．主な伝播経路は飛沫感染や接触感染（患者，汚染物）となる．気道へ侵入した病原体は局所リンパ節で増殖して一次ウイルス血症→網内系で増殖して二次ウイルス血症→全身性に皮膚，粘膜へ播種する．皮膚の剥離標本では**グアルニエリ小体**（封入体）がみられる．

##### 診断検査法

水疱，膿疱，痂皮，咽頭拭い液，血液を用いた病原体の直接観察（電子顕微鏡），病原体分離同定，病原体抗原（FA 法）や病原体遺伝子（PCR 法）の検出を行う．

##### 予防法・治療法

**種痘**を徹底することは疾患根絶の一因となった．
感染性ウイルスが痂皮中に長期間存在するため，滅菌消毒処理を行う．対症療法となる．

> **痘瘡の病態**
> 潜伏期（約 12 日）の後，発症して前駆期（高熱・疼痛→解熱傾向）➡発疹期（紅斑→丘疹→水疱→膿疱→結痂→落屑と移行，膿疱期に再度高熱や疼痛）➡回復期（脱色の瘢痕を残す）へ進む．感染性は発症前にはなく，病初期〜すべての痂皮の完全脱落までとなる．出血（臓器など）を伴う重症型では，発症後 1 週間以内に死亡する．

## 2 伝染性軟属腫ウイルス (Molluscum contagiosum virus)

#### 性状
本種もヒトを唯一の宿主としているが，抗原性は痘瘡ウイルス，ワクチニアウイルスとは異なる．

#### 病原性
伝染性軟属腫（みずいぼ，軟疣，皮膚に軟らかい無痛性白色性小結節の形成）を惹起する．皮膚→皮膚へと接触感染し，感染細胞内で特徴的な封入体がみられる．

#### 診断検査法
病原体の分離培養は確立していない．血清抗体診断も有用性が低い．

#### 予防法・治療法
特異的予防法，治療法はない．

> **ワクチニアウイルス**
> ワクチニアウイルスは種痘（弱毒生ワクチン）用のウイルス株である．接種により局所の発痘がみられるが，免疫不全者へ接種した場合，種痘後脳炎，進行性種痘疹，種痘性湿疹といった合併症を呈することがある．

## II ヘルペスウイルス科 (Herpesviridae)

#### 一般的性状
本科（120～200 nm径で球状）は，エンベロープ（糖蛋白質に抗原性あり），**テグメント**（蛋白質），立方対称ヌクレオカプシド（線状二本鎖DNAを含む）からなる．特定の宿主に**潜伏感染**（免疫低下時に再活性化し間欠的に発症）しており，感染細胞の**核内で複製増殖**する．共通する生物学的性状により，**アルファヘルペスウイルス亜科**〔ヒトを宿主とする種名human herpesvirus (HHV) -1, -2, -3〕，**ベータヘルペスウイルス亜科**（HHV-5, -6, -7），**ガンマヘルペスウイルス亜科**（HHV-4, -8）に分けられる．

## 1 単純ヘルペスウイルス (Herpes simplex virus ; HSV)

#### 性状
HSVは型特異性中和抗体との結合性（血清型）に基づいて**HSV-1**および**HSV-2**に区別され，各々HHV-1，HHV-2に該当する．初感染後神経節に潜伏感染する．

#### 病原性
HSVが惹起する病変は，皮膚，粘膜にて有痛性の小水疱→浅い潰瘍の形成である．①小児では単純疱疹，アフタ性口内炎，**新生児ヘルペス感染症**（垂直感染），②眼病変として**角膜ヘルペス**，虹彩毛様体炎，ブドウ膜炎，③泌尿器科・婦人科・皮膚科領域では**性器ヘルペス**（**五類感染症，性感染症定点把握**），口唇ヘルペス，ヘルペス性瘭疽，④重症型として髄膜炎，**脳炎**がある．疾患重症化の危険因子は，新生児，栄養不良な小児，麻疹・水痘に罹患中，免疫不全，妊婦である．

#### 診断検査法
皮膚・粘膜病変の観察が診断の基本となる．水疱内容液，同拭い液，病巣と

**HSV-1とHSV-2との比較**

| HSV-1 | HSV-2 |
|---|---|
| 感染部位 ||
| 口腔，口唇，顔面 | 陰唇，腟，子宮頸部，陰茎，包皮 |
| 初感染 ||
| 乳児期 | 思春期，周産期 |
| 感染経路 ||
| 飛沫感染，接触感染 | 接触感染（性行為，分娩） |
| HSV 潜伏部位 ||
| 三叉神経節 | 仙骨神経節 |
| 初感染の病態 ||
| 口内炎，角膜炎，咽頭炎 | 腟炎 |
| 回帰発症 ||
| 口唇ヘルペス，角膜ヘルペス | 性器ヘルペス |
| 日和見疾患 ||
| 新生児感染症，脳炎，全身播種症 | 新生児感染症 |

なる皮膚や粘膜の剥離細胞や組織を用いてHSV分離同定，HSV抗原（FA法）や病原体遺伝子（PCR法）の検出を行う．

> 予防法・治療法

骨髄移植後の成人，小児における単純疱疹の発症抑制として**アシクロビル**（内服）が投与される（治療法に関しては「a．総論/IV ウイルス感染症の治療」を参照）．角膜ヘルペスには**イドクスウリジン**（IDU，点眼）が用いられる．小児，成人での性器ヘルペスの再発抑制として，各々アシクロビル（内服），**バラシクロビル**（内服）が選択される．

## 2　水痘-帯状疱疹ウイルス（Varicella-zoster virus；VZV）

> 性状

VZVはHHV-3に該当する．HSVと同様に，初感染後，脊髄後根神経節に潜伏感染する．VZVは感受性者への感染性が強い．

> 病原性・疫学

本種は**水痘，帯状疱疹**を惹起する．感受性小児（新生児も罹患）に伝播した場合，水痘〔五類感染症，小児科定点把握，潜伏期2～3週間，全身性の丘疹・水疱の突然の出現＋種々の段階の発疹（紅斑→丘疹→水疱→痂皮）の同時混在，通年発生〕を発症し，不顕性感染はまれである．水痘の合併症として肺炎，脳炎，脊髄炎，血小板減少性紫斑病などがある．細胞性免疫不全（HIV感染症，免疫抑制療法など）を有する成人では帯状疱疹を示す．同疾患では知覚障害，髄膜脳炎を伴うことがある．主な伝播形式は**空気感染**であり，感受性者間での医療関連感染，家族内感染に注意する．

> 診断検査法

皮膚病変の観察が診断の基本となるが，単純ヘルペスとの鑑別上検査を要することがある．水疱内容液，同拭い液を用いてVZV分離同定，VZV抗原（FA法）や病原体遺伝子（PCR法）の検出を行う．血清診断（IgMの検出，IgGの陽転や有意な上昇）も可能である．

> 予防法・治療法

**水痘生ワクチン**が有効である．水痘重症例，帯状疱疹の治療法に関しては「a．総論/IV ウイルス感染症の治療」を参照のこと．

## 3　ヒトサイトメガロウイルス（Human cytomegalovirus；HCMV）

> 性状

HCMVはHHV-5に該当する．複雑な遺伝子構造，宿主（ヒト）特異性，単純ヘルペスウイルスと比較して遅い増殖速度を有する．

> 病原性

生体内で各種臓器（外分泌腺）や細胞（白血球）に潜伏感染し，免疫健常下ではほぼ病原性を発揮しない．咽頭（唾液），泌尿生殖器（尿，腟粘液，精

👉 名前の由来—水痘-帯状疱疹ウイルス
本種の名称は惹起される病名（水痘，帯状疱疹）に由来する．

👉 水痘と帯状疱疹との相違点

| | 水痘 | 帯状疱疹 |
|---|---|---|
| 発症年齢 | 小児 | 成人 |
| 発症型 | 外来性初感染 | 内在性再活性化 |
| 水痘既往歴 | なし | あり |
| VZV抗体 | 陰性（急性期） | 陽性 |
| 流行性 | あり | なし |
| 体内での伝播経路 | 血行性 | 経神経性 |
| 病変細胞 | 上皮細胞 | 上皮細胞＋神経細胞 |
| 臨床所見 | 全身性水疱形成（ほぼ両側性） | 神経支配領域に一致した水疱形成＋疼痛（ほぼ片側性） |

👉 名前の由来—サイトメガロウイルス
サイト（細胞）メガロ（巨大な）ウイルスの名称は，惹起される病理像（**核内封入体を有する巨細胞**）に由来する．

液）より HCMV が長期間排出される．臨床では**先天性垂直感染**（母→児）と**後天性水平感染，後天性再活性化**に注意する．母児間では経胎盤，経産道，経母乳により伝播する．妊婦初感染の場合，ウイルス血症→経胎盤感染→胎児感染により種々の後遺症（肝脾腫，黄疸，貧血，小頭症→精神遅滞，聴力障害など）を呈する．HCMV 抗体陰性のレシピエントが同抗体陽性ドナーからの提供（血液，骨髄，臓器）を受けた場合，**医原性感染**が問題となる．後天性水平感染の場合，伝染性単核球症様の病態を示す．免疫不全（臓器移植後，骨髄移植後，後天性免疫不全症候群）下では，全身性に日和見感染症（肺炎，肝炎，腸炎，網膜炎など）を惹起する．

> **先天性胎内感染症と TORCH 病原体，TORCH 症候群**
> 胎内感染（経胎盤感染）により胎児および新生児に先天異常（奇形），低出生体重，肝脾腫，黄疸，脈絡網膜炎，脳内石灰化等を惹起する想定病原体を TORCH 病原体（toxoplasma, other agents, rubella virus, cytomegalovirus, herpes simplex virus）と呼称し，共通の症候を TORCH 症候群とよぶ．

### 診断検査法

病巣の病理組織診断（核内封入体と巨細胞）が重要である．病巣からの HCMV 分離同定，HCMV 抗原（FA 法）や病原体遺伝子（PCR 法）の検出も可能である．血漿検体では抗原血症，DNA 血症を定量的（リアルタイム PCR 法）に判断する．

### 予防法・治療法

HCMV 抗体陰性のレシピエントでは，同抗体陰性ドナーからの提供（血液，骨髄，臓器）を受けて医原性感染を防ぐ．臓器や骨髄の移植後抗ウイルス薬を予防投与することがある．治療法に関しては「a．総論/IV ウイルス感染症の治療」を参照のこと．

## 4 EB ウイルス（Epstein-Barr virus；EBV）

### 性状

EBV は HHV-4 に該当する．B リンパ球を標的としてリンパ組織に潜伏感染し，**悪性腫瘍**（リンパ腫，上咽頭がん）誘導の側面をもつ．

> **名前の由来—EB ウイルス**
> 本種の名称はその発見者名（Epstein）に由来する．

### 病原性・疫学

EBV は主に唾液を介して伝播され，乳幼児期までに初感染を受け潜伏感染の状態となる．思春期以降での初感染では**伝染性単核球症**（kissing disease，発熱，咽頭炎，全身性リンパ節腫脹，肝脾腫，異型リンパ球増加，西欧諸国に多い）を呈する．**異型リンパ球**とは免疫応答により幼若化した T リンパ球であり，ヒツジ赤血球を凝集する**異好抗体**〔IgM 抗体として，EBV 感染細胞とヒツジ赤血球に反応する（共通抗原性），ポール・バンネル試験で証明〕も現れる．

> **EBV 感染症**
> EBV キャリアのなかからまれに**バーキットリンパ腫**（赤道地帯に多い），**上咽頭がん**（東南アジア，中国南部，台湾に多い）が生じる．他の EBV 感染症として，血球貪食症候群，慢性活動性 EBV 感染症，NK 細胞リンパ腫，膿胸関連リンパ腫などがある．特に，免疫不全（HIV 感染症，臓器移植後など）下では**日和見腫瘍**（B 細胞リンパ腫）を伴う．

### 診断検査法

伝染性単核球症では血清抗体診断（FA 法，EIA 法）が一般的である．Burkitt（バーキット）リンパ腫，上咽頭がんでは腫瘍組織診断が確定した検体を用いて EBV 遺伝子または EBNA（EBV 関連核抗原，感染細胞核内に存在する）の存在を証明する．他の腫瘍においても組織，細胞中の同遺伝子，同抗原を検出することがある．血漿，髄液検体では DNA レベルを定量的（リアルタイム PCR 法）に判断する．

> **EBV に関する血清抗体診断**
> IgG-EBNA は既感染を示す．EA-D（早期抗原，感染細胞の核と細胞質にあり）と EA-R（早期抗原，同細胞の細胞質にのみあり）がある．VCA（カプシド抗原，EBV 産生細胞の核と細胞質にあり）は伝染性単核球症の急性期にのみ IgM-VCA が（+）となり，IgG-VCA（+）と IgG-EA-D/R（+）は慢性活動性 EBV 感染症の指標となる．

**予防法・治療法**

悪性腫瘍への治療として，抗がん療法，切除が選択される．特異的予防法はない．

## 5　ヒトヘルペスウイルス6 (Human herpesvirus 6；HHV-6)

**性状**

後天性免疫不全症候群を有する患者より採取された血液より発見され，CD4陽性Tリンパ球が本種の宿主となる．

**病原性**

乳幼児期（好発時期は生後6～18カ月）に唾液を介して感染し，発症した場合**突発性発疹（五類感染症，小児科定点把握）**を惹起する．同疾患では突然の高熱（3～4日持続）➡解熱前後の発疹（紅斑，紅色丘疹が体幹→上肢→頸部へ拡大）を呈する．予後良好であるが，脳炎を伴うことがある．

**診断検査法**

血液を用いたHHV-6分離同定，HHV-6遺伝子（PCR法）の検出を行う．中和法による血清抗体診断（有意な上昇）も可能である．

**予防法・治療法**

特異的予防法はなく，対症療法となる．

## 6　ヒトヘルペスウイルス7 (Human herpesvirus 7；HHV-7)

**性状**

HHV-7は，CD4陽性Tリンパ球の活性化時にのみ，潜伏感染から増殖を開始する．

**病原性**

HHV-6と同様である．

**診断検査法**

血液を用いたHHV-7遺伝子（PCR法）の検出を行う．中和法による血清抗体診断（有意な上昇）も可能である．

**予防法・治療法**

HHV-6と同様である．

## 7　ヒトヘルペスウイルス8 (Human herpesvirus 8；HHV-8)

**性状**

後天性免疫不全症候群患者のカポジ肉腫（血管内皮細胞の悪性腫瘍）より発見されたことから，**カポジ肉腫関連ヘルペスウイルス**（発がん性ヘルペスウイルス）ともいわれる．本種はサイトカイン関連，細胞増殖関連の遺伝子ホモログを有している．潜伏感染部位としてBリンパ球，前立腺組織が想定される．

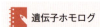

**遺伝子ホモログ**

ある遺伝子の塩基配列が他の遺伝子の塩基配列と類似していることから，同遺伝子と他の遺伝子が共通の祖先に由来していることを意味する．

#### 病原性・疫学

免疫不全下でカポジ肉腫，**原発性滲出性リンパ腫**を惹起し，multicentric Castleman's disease（特発性多中心性キャッスルマン病）との関連性もある．わが国での感染率は約 1.5% と推定される．カポジ肉腫患者の血清，唾液，精液中で病原体遺伝子が増幅され，性行為（男性同性愛者間），唾液，血液を介した伝播の可能性がある．

#### 診断検査法

病巣組織，血液から HHV-8 遺伝子（PCR 法）を検出する．

#### 予防法・治療法

EBV と同様である．

## III アデノウイルス科（*Adenoviridae*）

#### 一般的性状

本科（70～90 nm 径）は，エンベロープをもたない立方対称ヌクレオカプシド（線状二本鎖 DNA を含む）からなる．正二十面体の頂点（ペントン基粒，**群特異抗原β**）からファイバー蛋白質（**型特異抗原γ**）がアンテナのように突出しており，ビリオン表面にはさらにヘキソン（**型特異抗原ε**）が存在する．本科は酸（pH3～9），胃酸，胆汁酸，蛋白質分解酵素への安定性を有し，生体（ヒトを宿主）内の**腸管で増殖**できる．**亜群，血清型**に関しては「b-2 RNA ウイルス/XIII 下痢症をきたすウイルス/3 腸アデノウイルス」を参照のこと．

#### 病原性・疫学

主な感染経路は飛沫感染（**気道**），接触感染（**眼**），糞口感染（**胃腸管**）であり，病原体は便中へ排出される．多くは不顕性感染であるが，急性気道疾患（咽頭炎，咽頭結膜熱，気管支炎，肺炎），急性眼疾患（流行性角結膜炎，濾胞性結膜炎），急性胃腸炎や腸重積症，急性出血性膀胱炎を示すことがある．免疫不全下では髄膜脳炎に注意する．咽頭結膜熱は**五類感染症，小児科定点把握**であり，流行性角結膜炎は**五類感染症，眼科定点把握**となる．

#### 診断検査法

鼻腔咽頭拭い液・結膜拭い液・便を用いた病原体分離同定，病原体抗原（IC 法）や病原体遺伝子（PCR 法）の検出を行う．血清抗体診断（有意な上昇）も可能であり，補体結合法は群特異的，中和法および赤血球凝集抑制法は型特異的である．

#### 予防法・治療法

特異的予防法，治療法はない．

---

**各種疾患（胃腸炎を除く）とアデノウイルス血清型との関連性**

①急性熱性咽頭炎：血清型 1, 2, 3, 5, 7
②咽頭結膜熱：血清型 3, 4, 7
③気管支炎，肺炎：血清型 3, 4, 7, 21
④流行性角結膜炎：血清型 8, 37, 53, 54, 56, 64/19a
⑤濾胞性結膜炎：血清型 3, 7
⑥急性出血性膀胱炎：血清型 11
⑦髄膜脳炎：血清型 7

## IV パピローマウイルス科（*Papillomaviridae*），ポリオーマウイルス科（*Polyomaviridae*）

### 一般的性状

両科とも，エンベロープのない立方対称ヌクレオカプシド（環状二本鎖DNAを含む）からなる小型（パピローマウイルス科52〜55 nm径，ポリオーマウイルス科40〜45 nm径）ウイルスである．両科間ではゲノムの大きさ，遺伝子構造が異なる．パピローマウイルス科は宿主特異性を有し，宿主内の表皮組織で増殖して皮膚，粘膜で**疣贅様病変**（乳頭腫を含む）をつくる．ポリオーマウイルス科では**JCウイルス**，**BKウイルス**がヒトへの病原性を有す．

### 病原性・疫学

ヒトパピローマウイルス（human papillomavirus；HPV）の同定はDNA塩基配列の解析により行われ，本種名としての登録名称と同種名に含まれる遺伝子型（株名に該当）が多数ある．JCウイルス，BKウイルスともヒトでの腫瘍発生は示されていない．両者は免疫健常下では持続感染を示すが，免疫不全下で再活性化されて，前者は**進行性多巣性白質脳症**，後者は**出血性膀胱炎・出血性尿道炎**を惹起する．

### 診断検査法

HPVの分離培養系は確立しておらず，腫瘍性病変の病理組織診断が必要である．HPVでの遺伝子型（PCR法）の決定は，悪性化の危険性を評価するうえで重要となる．JCウイルスでは髄液，BKウイルスでは尿から各遺伝子を検出する．血清抗体診断は有用性が低い．

### 予防法・治療法

特異的予防として**HPVワクチン**（多価不活化）がある．尖圭コンジローマへの外用薬としてイミキモドクリーム（toll-like receptor 7の活性化作用）がある．

---

> **名前の由来―パピローマウイルス科，ポリオーマウイルス科**
> パピローマはラテン語で「乳頭腫」を意味し，**ポリオーマ**はギリシャ語で「多数の腫瘍」を意味する．

> **パピローマウイルスとポリオーマウイルス**
> ポリオーマウイルス科は自然宿主（サル，マウス，ハムスター，ウサギなど）内では細胞溶解感染を示すが，非自然宿主に感染した場合，多数の**悪性腫瘍**を形成する．ヒトへの病原性をもつパピローマウイルス科として**アルファ・ベータ・ガンマ・ミュー・ニューパピローマウイルス属**がある．

---

## V パルボウイルス科（*Parvoviridae*）

### 一般的性状

一本鎖DNAウイルス（18〜26 nm径の小型）はエンベロープをもたず，立方対称ヌクレオカプシドからなる．pH 3〜9にて失活せず，耐熱性であり，脊椎動物ウイルス中最も安定性を示すウイルスの一つである．分裂増殖中細胞の核内で増殖する．本科のなかでヒトへの病原性があるのは**エリスロウイルス属**（Erythrovirus，命名は骨髄赤血球前駆細胞および赤芽球に感染することに由来）の**ヒトパルボウイルスB19**（human parvovirus B19）である．

### 病原性・疫学

ヒトパルボウイルスB19は，**伝染性紅斑**（erythema infectiosum，りんご

---

> **名前の由来―パルボウイルス科**
> パルボウイルス科の名称はparvus（ラテン語で「小さい」の意味）に由来する．

> **ヒトパルボウイルスB19**
> 血清型は1種，遺伝子型（genotype）は3種（遺伝子型1の検出が多い）ある．わが国では約5年の周期で流行する．パルボウイルスは骨髄にてCD36陽性の赤血球前駆細胞および赤芽球に感染して，**溶血性貧血**，**骨髄無形成クリーゼ**を生じる．

病．**五類感染症，小児科定点把握**，潜伏期4〜15日）を惹起し，両頬の紅斑（平手で頬を打ったような境界明瞭な紅斑）→四肢の網状〜レース状の紅斑，関節炎を呈する．妊婦では**胎児水腫・流産**，免疫不全患者では**慢性骨髄不全**の原因ともなる．主な伝播は飛沫感染，接触感染であるが，時に輸血を介した感染が悪性腫瘍患者で問題となる．

> 診断検査法

血清診断（IgM の検出，IgG の陽転や有意な上昇）や血液からの病原体遺伝子（PCR 法）の検出が可能である．ただし，IgM の検出で偽陽性を認めることがある．

> 予防法・治療法

特異的予防法・治療法はない．

# Ⅵ ヘパドナウイルス科 (*Hepadnaviridae*)

> 一般的性状

本科ウイルスは肝臓を標的臓器として肝細胞内で複製する DNA ウイルスである．ヒトへの病原性を示すものとして，**オルトヘパドナウイルス属**に属する **B 型肝炎ウイルス**（hepatitis B virus；HBV）が重要である．HBV の特徴は，その**ゲノム複製段階に逆転写**が介在することである．すなわち，感染した肝細胞内において親 DNA→RNA 中間体（宿主由来 RNA ポリメラーゼによる転写産物）→子孫 DNA（ウイルス由来 DNA ポリメラーゼによる逆転写産物）へと複製が進展する．このような逆転写の特性はレトロウイルス科にも存在し，両科は**逆転写ウイルス**として総括されている．

HBV の性状，病原性・疫学，診断検査法，予防法・治療法に関しては「b-2 RNA ウイルス/Ⅻ 肝炎ウイルス/2 B 型肝炎ウイルス」を参照のこと．

## b-2　RNAウイルス

### Ⅰ オルトミクソウイルス科（Orthomyxoviridae）

#### 一般的性状
オルト（ギリシャ語で「正しい」の意味）ミクソ（同語で「粘液」の意味）ウイルス科は，ニワトリ赤血球表面のムコ蛋白質と結合して同赤血球を凝集させる．本科は分節性のマイナス鎖一本鎖RNAウイルスであり，ヒトへの感染性をもつ属として**インフルエンザウイルスA属・B属・C属**がある．

#### 1　インフルエンザウイルス（Influenza virus）

##### 性状
**A型・B型・C型インフルエンザウイルス**があり，ヌクレオ蛋白質とマトリックス蛋白質1の抗原性の違いにより分かれる．本ウイルス（80〜120 nm径で球状）は分節RNA（A型，B型は8種，C型は7種），RNAポリメラーゼ，ヌクレオ蛋白質と突起（A型，B型は2種，C型は1種）を有するエンベロープからなる．2種の突起とは赤血球凝集素（HA），ノイラミニダーゼ（NA）であり，HAとNAの抗原性相違（1〜16，1〜9）により，Aの亜型が表記される．

##### 病原性・疫学
A型，B型の場合，飛沫感染，接触感染により**気道伝播**（上気道感染症，時に下気道感染症），**糞口感染**（胃腸炎）が成立（潜伏期1〜4日）する．A型は人獣共通感染症（ヒト，ブタ，トリなど）を示す．そのRNAの変異，異宿主からのRNA分節の再交雑により感染性が増強，強毒化することがあり，世界規模での流行（1997年から発生している**高病原性鳥インフルエンザ**）が懸念される．病原性および流行規模は**超過死亡率**より判断される．C型の場合，通常その病態は軽症で流行の規模は小さい．

##### 診断検査法
鼻腔咽頭拭い液・鼻腔吸引液を用いて病原体抗原（迅速診断キット）を検出する．同様の検体からの病原体遺伝子（PCR法），病原体分離同定も可能である．ワクチン免疫原性の評価では，血清抗体（HI抗体価）の変動を確認する．

##### 予防法・治療法
A型，B型の冬季流行性を考慮して，事前の予防接種（2015年より**4価不活化ワクチン**）が勧められる．主たる目的は高齢者での重症化予防となる．代替予防（患者との同居，共同生活＋高齢者，慢性呼吸器疾患や心疾患，糖尿病等，腎機能障害の場合）として，オセルタミビル内服，ザナミビル吸入を行う．治療法に関しては「a．総論/Ⅳ ウイルス感染症の治療」を参照のこ

---

**インフルエンザウイルス株の命名記載法**
インフルエンザウイルス株の命名記載法として，**ウイルス型**（A，B，C），**分離宿主**（ヒトの場合は省略可能），**分離場所**，**分離番号**，**分離年**（西暦年の下二桁）が用いられる．A型の場合，分離年に続いてカッコ内に**HAとNAの抗原性**も記載できる．

**インフルエンザの病態**
主たる症候は突然の発熱，関節痛，気道症状，胃腸症状などとなる．**細菌性二次感染症**（肺炎，中耳炎，副鼻腔炎など）を伴うことがあり，小児では脳症の合併に注意する．発症の1日前より感染性がある．

人獣共通感染症：zoonosis

## II パラミクソウイルス科（*Paramyxoviridae*）

**一般的性状**

本科（150～250 nm 径で球状）はらせん対称ヌクレオカプシド（マイナス鎖一本鎖 RNA を含む）とエンベロープ（2種の突起あり）からなり，**パラミクソウイルス亜科**（レスピロウイルス属，モルビリウイルス属，ルブラウイルス属など）と**ニューモウイルス亜科**（ニューモウイルス属など）に分かれる．ヌクレオカプシドには N, P, L 蛋白質，突起として HN（H）およびF 蛋白質がある．

### 1 ヒトパラインフルエンザウイルス（Human parainfluenza viruses）

**性状**

本種はその抗原性に基づいて**4種の型**に分類される．1型および3型は**レスピロウイルス属**に属し，2型および4型は**ルブラウイルス属**に属する．HN 突起は赤血球凝集能（H）およびノイラミニダーゼ活性（N），F 突起は宿主細胞膜融合能を有する．

**病原性・疫学**

上気道炎を惹起し，軽症で終息する．乳幼児に感染（飛沫感染，潜伏期2～8日）した場合，重症の**クループ**（本種1型，2型による），**細気管支炎**や**肺炎**（3型による）が生じることがある．乳幼児期での感染免疫は未熟であり，再感染の可能性がある．

**診断検査法**

鼻腔吸引液・鼻咽頭拭い液を用いた病原体分離同定や病原体抗原（免疫蛍光染色，酵素抗体法），病原体遺伝子（PCR 法）を検出する．血清学的検査では 4 型間で交差反応を示す．

**予防法・治療法**

特異的予防法，治療法はない．

> **クループ**
> ウイルス感染症によって発症する喉頭～気管の炎症である．吸気困難を呈する．

### 2 ムンプスウイルス（Mumps virus）

**性状**

**ルブラウイルス属**に属す．特徴的な SH 蛋白質（膜蛋白質）をもつ．

**病原性・疫学**

**流行性耳下腺炎**（両側性や片側性唾液腺の腫脹圧痛，潜伏期2～3週）を呈すが，不顕性感染もある．本種を含む唾液（感染源）への接触，飛沫感染により経気道的に侵入し，所属リンパ節で増殖→ウイルス血症→全身へ播種する．

> **ムンプスウイルスによる合併症**
> 膵炎，精巣炎（成人男性），卵巣炎（成人女性），**髄膜炎**，難聴を伴うことがある．予後は良好である．

> 診断検査法

唾液・髄液・尿を用いた病原体分離同定や，唾液・咽頭拭い液・髄液を用いて病原体遺伝子（PCR法）を検出する．血清診断（IgMの検出，IgGの陽転や有意な上昇）も可能である．

> 予防法・治療法

**ムンプス生ワクチン**が有効である．対症療法となる．

## 3　麻疹ウイルス（Measles virus）

> 性状

**モルビリウイルス属**に属す．N活性をもたず，HおよびF突起（麻疹ウイルス抗体は中和活性あり）を有する．

> 病原性・疫学

主な伝播様式は**空気感染**で，カタル期に唾液より病原体が排出されて感染が広がる．気道に侵入した病原体は所属リンパ節で増殖した後，感染リンパ球が全身へ播種し各リンパ系組織で増殖（**多核巨細胞形成**）する．世界的に麻疹の排除が目指されたが，2023年に国内感染例が確認された．

> 診断検査法

咽頭拭い液・血液・髄液・尿を用いた病原体分離同定，病原体遺伝子（PCR法）の検出，血清診断（IgMの検出，IgGの陽転や有意な上昇）を行う．

> 予防法・治療法

**麻疹生ワクチン**（2回接種）が有効である．対症療法となる．

---

**麻疹の病期・病態**

麻疹（潜伏期10〜12日，**五類感染症，全数届け出疾患**）は急性熱性発疹性疾患であり，カタル期（発熱，上気道炎，結膜炎，頰粘膜のコプリック斑出現）➡発疹期（解熱後に再発熱，特有な発疹が頸部→顔→体幹→上下肢へ拡大）➡回復期（発疹消退，色素沈着）を呈する．肺炎，中耳炎，クループ，脳炎（**亜急性硬化性全脳炎**は感染後数年〜十数年経過後に発症）を伴うことがある．

---

## 4　ヒトRSウイルス（Human respiratory syncytial virus）

> 性状

**ニューモウイルス属**に属す．G，F蛋白質（膜蛋白質）を有し，G蛋白質の抗原性によりA，Bサブグループへ分類される．

> 病原性・疫学

乳幼児（特に生後6カ月未満，低出生体重児，心肺疾患保有者）に伝播（接触感染，飛沫感染，潜伏期2〜8日）した場合，**細気管支炎**や**肺炎**を惹起することがある．感染免疫が未熟なため再感染を繰り返し，学童や成人では上気道炎を示す．

> 診断検査法

鼻腔吸引液・咽頭拭い液を用いた病原体分離同定や，病原体抗原（EIA法），病原体遺伝子（PCR法）の検出を行う．

> 予防法・治療法

低出生体重児，心肺基礎疾患をもつ乳幼児への受動免疫として，**抗RSウイルスヒト化モノクローナル抗体**が下気道感染症予防として利用される．対症療法となる．

---

**新たなパラミクソウイルス科**

新興感染症を惹起するパラミクソウイルス科として，新たに**ヘンドラウイルス**（出血性肺炎のウマ→急性呼吸器症状や脳炎のヒトより分離，ヘニパウイルス属），**ニパウイルス**（肺炎のブタ→脳炎のヒトより分離，ヘニパウイルス属），**ヒトメタニューモウイルス**（細気管支炎や肺炎の小児より分離，メタニューモウイルス属）が知られるようになった．

## III トガウイルス科（*Togaviridae*），マトナウイルス科（*Matonaviridae*），フラビウイルス科（*Flaviviridae*）

### 一般的性状

トガ（ラテン語で「外套（がいとう）」の意味）ウイルス科の**アルファウイルス属**，マトナウイルス科の**ルビウイルス属**（2018年に新たに分離）があり，フラビ（ラテン語で「黄色」の意味）ウイルス科は，**フラビウイルス属，ペスチウイルス属，ヘパシウイルス属**（HCVを含む）からなる．トガウイルス科・フラビウイルス科には吸血性**節足動物**（蚊，ダニ）**媒介性ウイルス**（arthropod-borne virus, arbovirus）が存在する．

### 1 トガウイルス科（*Togaviridae*），マトナウイルス科（*Matonaviridae*）

#### 性状

両科（60〜70 nm径）は立方対称ヌクレオカプシド（感染性プラス鎖一本鎖RNAを含む）とエンベロープ（突起あり）からなる．細胞質内で増殖する．トガウイルス科アルファウイルス属は鳥類，げっ歯類（**自然宿主**）↔蚊との感染環を介してウマ，ヒト（**終宿主**）へ感染が及ぶ．マトナウイルス科ルビウイルス属では節足動物は媒介せず，ヒトのみが自然宿主となる．

#### 病原性・疫学

風疹（三日はしか，発熱・発疹・リンパ節腫脹，脳炎・血小板減少性紫斑病などの合併，**五類感染症，全数届け出疾患**）は，小児を中心に経気道飛沫感染→所属リンパ節での増殖→ウイルス血症→全身散布により発症する．不顕性感染もあるが，潜伏期は2〜3週間（ウイルス排出期は発疹出現前後1週間）となる．

#### 診断検査法

**風疹**では咽頭拭い液・血液・髄液・尿からの病原体分離同定，病原体遺伝子（PCR法）の検出，血清抗体診断を行う．

#### 予防法・治療法

トガウイルス科アルファウイルス属では，媒介蚊の駆除，忌避剤の露出部位への塗布が予防となる．マトナウイルス科ルビウイルス属では**風疹生ワクチン**（2回接種）が有効である．共に対症療法となる．

### 2 フラビウイルス科（*Flaviviridae*）

#### 性状

本科（40〜60 nm径で球状）も，立方対称ヌクレオカプシド（感染性プラス鎖一本鎖RNAを含む）とエンベロープ（突起あり）からなる．

#### 病原性・疫学

**日本脳炎ウイルス**に感染してもほぼ不顕性感染となるが，髄膜脳炎を発症

---

**トガウイルス科アルファウイルス属とマトナウイルス科ルビウイルス属**
アルファウイルス属は球状，ルビ（「赤み」の意味）ウイルス属は多形性を示す．前者はarbovirus A群に該当するためアルファと命名され，後者には**風疹ウイルス**が含まれる．

**アルファウイルス属**
アルファウイルス属には**ウマ脳炎ウイルス**（東部・西部・ベネズエラウマ脳炎ウイルス）と関節炎を惹起する**チクングニアウイルス**などがあり，ウマ脳炎（北米，中米，南米などで発生），チクングニア熱（アフリカ，東南アジア，南アジア等で発生）は**四類感染症**となる．

**先天性風疹症候群**
先天性風疹症候群（児の死産・流産，白内障，先天性心疾患，難聴など）は12週までの妊婦の罹患・再感染→ウイルス血症→胎児への経胎盤感染により生じる．

**ウマ脳炎，チクングニア熱の診断検査法**
ウマ脳炎では血液・髄液を用いた病原体分離同定，病原体遺伝子（PCR法）の検出，血清抗体（IgMの検出，IgGの陽転や有意な上昇）診断となる．チクングニア熱では血液からの病原体分離同定，病原体遺伝子の検出，血清抗体診断となる．

(潜伏期1〜2週)し重症化した場合，精神神経障害を残すことがある．発生地域は日本，中国，東南アジア，南アジアである．**デングウイルス**が惹起する疾患として，デング熱（発熱，疼痛，発疹）や重症型デング熱（重症の血漿漏出，重症の出血，重症の臓器障害）がある（いずれも潜伏期3〜14日）．発生地域は東南アジア，南アジア，中南米，カリブ海諸国となり，わが国でも渡航歴のない国内発生例が確認された．**黄熱ウイルス**が惹起する疾患が黄熱（発熱，疼痛，嘔吐，重症例では臓器出血，乏尿，黄疸）である（潜伏期3〜6日）．発生地域は南米，アフリカ（北緯15度〜南緯15度）における熱帯地方となる．本科の疾患は**四類感染症**である．C型肝炎ウイルス（「XII 肝炎ウイルス」を参照）もフラビウイルス科に属する．

### 診断検査法

**日本脳炎**，**ウエストナイル熱**では，血液・髄液を用いた病原体分離同定，病原体遺伝子（PCR法）の検出，抗体（血清・髄液からのIgMの検出，血清でのIgGの陽転や有意な上昇）診断となる．**デング熱**では血液を用いた病原体分離同定，病原体遺伝子の検出，血清を用いた抗原（NS1）の検出，IgMやIgGの検出（陽転や有意な上昇）が可能である．**黄熱**では血液を用いた病原体分離同定，病原体遺伝子の検出，血清抗体（IgMの検出，IgGの陽転や有意な上昇）診断を行う．

### 予防法・治療法

蚊への対策と**日本脳炎不活化ワクチン**，**黄熱生ワクチン**が有効である．対症療法となる．

> **フラビウイルス科とその感染環**
> 日本脳炎ウイルスでは，**ブタ⟷蚊**（コガタアカイエカ）との感染環を形成してヒト，ウマが終宿主となる．デングウイルスでは**ヒト⟷蚊**（ネッタイシマカ，ヒトスジシマカ）との感染環をつくっている．ウエストナイルウイルスでは**トリ⟷蚊**（アカイエカ，チカイエカ，他）との感染環を形成してヒト，ウマが終宿主となる．黄熱ウイルスでは都市でヒト⟷蚊（ネッタイシマカ，ヤブカ）との感染環および森林で**サル⟷蚊**との感染環をつくっている．

> **ウエストナイルウイルス**
> ウエストナイルウイルスも日本脳炎ウイルスと同じく不顕性感染が多いが，発症（潜伏期2〜14日）した場合には急性熱性疾患（ウエストナイル熱）を呈し，一部髄膜脳炎（ウエストナイル脳炎）を示すことがある．発生地域はアフリカ，欧州，中東，中央アジア，西アジア，米国等である．

## IV アレナウイルス科 (Arenaviridae)

### 一般的性状

エンベロープをもつ一本鎖RNAウイルス（50〜300 nm径の球状）のゲノムは，各々が環状構造を呈する2分節（L分節，S分節）からなる．同ゲノムの多くはマイナス鎖RNAであるが，一部の配列はプラス鎖RNAとして働く（両極性）．本科のウイルスは，その種ごとに特定のげっ歯類を自然宿主として持続感染（慢性ウイルス血症，ウイルス尿症）しているが，まれに体液の直接接触やげっ歯類による咬傷を介してヒトへ感染する．

> **名前の由来―アレナウイルス科**
> アレナ（ラテン語で「砂」の意味）ウイルス科の名称は，電子顕微鏡で観察されるビリオン内に取り込まれた細胞由来リボソームが，砂粒のようにみえることに由来する．

### 1 ラッサウイルス (Lassa virus)

#### 性状

ラッサウイルスの自然宿主は多乳房ネズミであり，西アフリカ（ナイジェリア，リベリア，シエラレオネ，セネガル，ギニアなど）に分布する．

#### 病原性・疫学

同ウイルスにより惹起されるラッサ熱（**一類感染症**．1969年ナイジェリアのラッサ地方で初めて発生，潜伏期5〜21日）は，発病期にインフルエンザ

様症状（高熱，倦怠感，関節痛，筋肉痛など）を呈する．重症例では結膜炎，消化管出血，心膜炎，胸膜炎，ショック，難聴などを伴い，致死率は5〜15%である．わが国では1987年シエラレオネからの帰国者での発症例がある．

#### 診断検査法

ラッサウイルスは一種病原体等であり，BSL4施設でのみ取り扱いが許可されている．

BSL：バイオセーフティレベル

#### 予防法・治療法

ラッサ熱は発症早期（6日以内）であればリバビリンが有効であり，発症予防効果も期待できる．

## V ブニヤウイルス科（Bunyaviridae）

#### 一般的性状

本科（80〜120 nm径の球状）はエンベロープを有するマイナス鎖一本鎖RNAウイルスであり，そのゲノムの3分節（L分節，M分節，S分節）と各分節の環状構造が特徴である．L分節はL蛋白質，M分節はGn・Gcエンベロープ蛋白質，S分節はN蛋白質をコードする．本科には**ハンタウイルス属**（Hantavirus），**ナイロウイルス属**（Nairovirus），**フレボウイルス属**（Phlebovirus）などがある．家畜，野生哺乳動物を自然宿主とし，**人獣共通感染症**（脳炎，出血熱など）の原因微生物となる．ハンタウイルス属以外は，**節足動物**（蚊，ダニ，ハエなど）をベクターとする感染環を形成する．

**重症熱性血小板減少症候群（SFTS）**
SFTSは2013年より感染症法上の届け出疾患となった．同ウイルスを保有するマダニに刺されることで感染する．潜伏期は6〜14日で，発熱や消化器症状（嘔気，嘔吐，腹痛，下痢，下血）が主たる症状である．血小板減少（<10万/μL），白血球減少（<4,000/μL），血清酵素（AST, ALT, LD）上昇を認め，致死率は10〜30%である．

#### 病原性

ハンタウイルス属は**腎症候性出血熱**および**ハンタウイルス肺症候群**（共に四類感染症），ナイロウイルス属は**クリミア・コンゴ出血熱**（一類感染症），フレボウイルス属は**重症熱性血小板減少症候群**（severe fever with thrombocytopenia syndrome；SFTS．四類感染症），**リフトバレー熱**（四類感染症）を惹起する．

**名前の由来―コロナウイルス科**
コロナ（ラテン語で「王冠」の意味）ウイルス科の名称は，ビリオン（120〜160 nm径の球状）のエンベロープ表面にある突起（spike）が太陽のコロナ（または王冠）に類似していることに由来する．

#### 診断検査法

SFTSでは血液・咽頭拭い液・尿を用いた病原体分離同定や病原体遺伝子（PCR法）を検出するか，血清IgMの検出，IgGの陽転や有意な上昇（ELISA法または蛍光抗体法），中和抗体を検出する．

#### 予防法・治療法

特異的予防法，治療法はない．自然宿主（げっ歯類など）からの体液（排泄物など）の曝露予防や，節足動物による感染環の遮断が対策となる．

**コロナウイルスに対する宿主細胞受容体**
SARSコロナウイルスおよび新型コロナウイルスに対する宿主細胞受容体はangiotensin converting enzyme-2（ACE-2）であり，ACE-2は舌・気道・血管に分布している．MERSコロナウイルスへの同受容体はdipeptidyl peptidase 4（DPP4）=CD26であり，CD26は気道，腎臓に分布している．

## VI コロナウイルス科（Coronaviridae）

#### 一般的性状

プラス鎖一本鎖RNAウイルスの構成として，エンベロープ上のS（spike），

M（membrane），E（envelope）3種の蛋白質とらせん対称ヌクレオカプシドを形成するN蛋白質がある．本科は**コロナウイルス属**（Coronavirus）とトロウイルス属（Torovirus）に分けられ，ヒトに病原性を示すのはコロナウイルス属である．

### 病原性・疫学

コロナウイルス属にはヒトコロナウイルス（上気道炎や下気道炎を惹起），**重症急性呼吸器症候群**（severe acute respiratory syndrome；SARS．二類感染症）コロナウイルス，**中東呼吸器症候群**（middle east respiratory syndrome；MERS．二類感染症）コロナウイルス（両者ともベータコロナウイルス属）などが含まれる．2019年に発生した**新型コロナウイルス**も該当する．主な感染経路は飛沫感染・接触感染である．

### 診断検査法

SARSでは鼻咽頭拭い液・喀痰・尿・便を用いた病原体分離同定や病原体遺伝子（PCR法）を検出するか，血清IgM，IgGの検出（ELISA法または蛍光抗体法），中和抗体を検出する．MERSでは鼻腔吸引液・鼻咽頭拭い液・喀痰・気道吸引液・肺胞洗浄液を用いた病原体分離同定や病原体遺伝子（PCR法）を検出する．**新型コロナウイルス**では鼻腔拭い液・鼻咽頭拭い液・唾液などを用いた病原体分離同定や病原体遺伝子（PCR法），あるいは鼻腔拭い液・鼻咽頭拭い液・唾液を用いた病原体抗原（定性法・定量法）を検出する．

### 予防法・治療法

発症予防・重症化予防として，新型コロナウイルス感染症への**核酸（mRNA）・不活化ワクチン**がある．SARS・MERSへのワクチンはない．治療法に関しては「a．総論/IV ウイルス感染症の治療」を参照のこと．**飛沫感染予防策，接触感染予防策**が重要である．また，新型コロナウイルスではエアロゾル対策も重要と考えられている．

> **SARS・MERS・新型コロナウイルス感染症（COVID-19）**
> SARS（2002年に中国広東省で発生．潜伏期2～10日），MERS（2012年にサウジアラビアで発生し，2015年に韓国でも発生．潜伏期2～14日）共にびまん性肺胞障害・腸管障害（下痢）を呈し，MERSの場合透析を要する腎障害を示す点が特徴的である．両疾患は高齢者や合併症を有する者で重症化し，致死率が高い（約10～35％）．COVID-19（2019年に中国武漢市で発生．潜伏期1～14日）の重症例は，肺炎と共に全身性炎症・血栓症を示し，味覚障害も示す．若年者では無症状者が多い．日本における起源株による致死率は約2％である．以降，起源株より生じた変異株は感染力が増強するも，致死率は減少する．

## VII ピコルナウイルス科（Picornaviridae）

### 一般的性状

本科（約20 nm径）はエンベロープのない立方対称ヌクレオカプシド（感染性をもつプラス鎖一本鎖RNA）からなる．ヒトへ感染する属として**エンテロウイルス属**（ライノウイルス属を包含），ヘパトウイルス属（A型肝炎ウイルスを含む），パレコウイルス属，コブウイルス属がある．

### 1 エンテロウイルス属（Enterovirus）

#### 性状

本属の名はenteron（ギリシャ語で「腸管」の意味）に由来し，①**ポリオウイルス**〔**急性灰白髄炎**（ポリオ，二類感染症）の惹起〕，②**コクサッキーウイルス**（ポリオ疑似患者から初めて分離，乳のみマウスへの病原性あり．**A群**

> **名前の由来—ピコルナウイルス**
> ピコルナ（pico-rna）は「小さい（pico）-RNA」を意味する．

> **各種疾患，症候とその起因エンテロウイルス属**
> ①ポリオウイルス，②コクサッキーウイルス，③エコーウイルス，④エンテロウイルス68～71が惹起する各種疾患，症候については以下のとおりである．
> ・麻痺，髄膜炎：①，②，③，④
> ・脳炎：②，③，④
> ・ヘルパンギーナ：②のA群
> ・手足口病：②，④
> ・発疹：②，③
> ・急性出血性結膜炎：②のA群，④
> ・流行性筋痛症：②のB群
> ・心疾患：②，③
> ・下痢：①，③
> ・上気道炎：①，②，③，④

は広範な筋病変，**B 群**は限局的筋病変と神経・肝臓・膵臓の病変），③**エコーウイルス**〔無症候のヒトの便より分離，名称は enteric cytopathogenic human orphan virus（腸管系細胞病原性孤児ウイルス）に由来〕，④**エンテロウイルス 68〜71**（1968 年以降新たに分離，番号による登録）が含まれる．酸に安定で，感受性がある小児の咽頭・腸管で増殖し，咽頭・腸管より排出される．ピコルナウイルス科に属する A 型肝炎ウイルス（「XII 肝炎ウイルス」を参照）は，エンテロウイルス属よりヘパトウイルス属に分類変更された．

> **ポリオの病型**
> ①不顕性（感染者の 90〜95%），②不全型（感染者の 5〜10%．上気道炎，軽症），③非麻痺型（感染者の 1%．髄膜炎），④麻痺型（感染者の 0.1%．急性弛緩性，重症）．

### 病原性・疫学

**不顕性感染**が多いが，発症した際の**症候は多彩**（軽症〜致死的，潜伏期約 3〜14 日）である．同一種同一血清型のウイルス感染で異なる症候を示し，異なる種のウイルス感染で同一疾患を惹起するのが本属の特徴である．**糞口感染**，飛沫感染（咽頭分泌物），接触感染（眼分泌物）により伝播する．

> **エンテロウイルス属の疫学**
> 世界的にポリオウイルスの根絶計画が行われている．生ワクチンに関連するポリオの伝播があり，西太平洋地域ではエンテロウイルス 71 による感染症が流行している．

### 診断検査法

便（24 時間以上あけて 2 回以上採取），直腸拭い液・咽頭拭い液・髄液を用いた分離同定によりポリオウイルスを検出する．ポリオウイルスが分離された際，野生株ポリオウイルス，ワクチン由来ポリオウイルス，ワクチン株ポリオウイルスの鑑別が必要となる．ポリオウイルス以外の場合，各種培養細胞および乳のみマウスによる病原体の分離や血清抗体診断を行う．

### 予防法・治療法

生ワクチンに関連する麻痺の事例があり，2012 年より**不活化ポリオワクチン**（単独および四種混合）が導入されている．特異的治療法はない．

## 2 ライノウイルス属（Rhinovirus）

### 性状

本属の名は rhinos（ギリシャ語で「鼻」の意味）に由来し，エンテロウイルス属に属する．酸（<pH6）に不安定，熱には比較的安定である．同病原体には 100 種以上の血清型がある．

### 病原性・疫学

潜伏期（1〜2 日）の後，鼻症状を伴う感冒を呈し，数日で治癒へ向かう．飛沫感染，接触感染にて伝播し，乳幼児および学童を主とした施設内や家庭内感染が多い．流行季節性（初秋・晩春）がある．異なる血清型のウイルスによる重感染例もある．

### 診断検査法

鼻腔吸引液，鼻咽頭拭い液などを用いた病原体の分離同定を行う．分離培養温度は 33°C（鼻腔温度に該当）と低い．同様の検体を用いた病原体遺伝子の検出や血清抗体診断も可能である．

### 予防法・治療法

特異的予防法，治療法はない．

## VIII レオウイルス科 (Reoviridae)

### 一般的性状

本科（60〜100 nm 径）はエンベロープのない立方対称ヌクレオカプシドからなり，3層（コア，内殻，外殻）からなる二重殻構造を呈する．ゲノムは分節性二本鎖 RNA で構成され，RNA 依存性 RNA 転写酵素をもつ．ヒトへ感染する属として，**ロタウイルス属，オルトレオウイルス属，オルビウイルス属，コルチウイルス属**がある．

> **名前の由来―レオウイルス科**
> respiratory enteric orphan virus（呼吸器，腸管より分離されたが，ヒトへの病原性が不明確な孤児ウイルス）に由来する．

### 1 ロタウイルス (Rotavirus)

#### 性状

11本〔コードする蛋白質：VP（構造蛋白質）1〜4，6，7＋NSP（非構造蛋白質）1〜6〕の分節性 RNA を有する．**RNA パターン**（ポリアクリルアミドゲル電気泳動）により A〜F 群が存在する．VP7 における中和抗原で規定される 15 種の血清型（**G 血清型**）があり，ヒトからは主に G1〜G4 血清型が検出される．

> **名前の由来―ロタウイルス属**
> rota（ラテン語で「車輪」の意味）に由来し，電子顕微鏡上のビリオンの形態が車輪状を示す．

#### 病原性・疫学

本属は小腸絨毛上皮細胞内で増殖し，**冬季乳幼児嘔吐下痢症**（小児仮性コレラ，白痢，基幹定点報告）を惹起する．**A 群**ウイルスの分布頻度や疾患の重症度は高い．下痢便を介した**糞口感染**により主に伝播する．家族内感染，院内感染が発生する．

> **冬季乳幼児嘔吐下痢症**
> 潜伏期（約2日）の後，発熱，嘔吐，白色水様下痢（3回以上の下痢または1回以上の嘔吐/24時間）を呈して通常 3〜7 日で回復する．重度の脱水や合併症（腸重積，脳炎，肝炎，腎炎など）を伴うことがある．

#### 診断検査法

便を用いた病原体抗原（イムノクロマト法）または病原体遺伝子（PCR 法）の検出や，病原体の分離同定を行う．

#### 予防法・治療法

特異的予防法として**経口生ワクチン**（1価による2回接種および5価による3回接種）があり，乳児に推奨される．脱水などへの対症療法となる．

## IX ラブドウイルス科 (Rhabdoviridae)

### 一般的性状

マイナス鎖一本鎖 RNA ウイルスは，らせん対称ヌクレオカプシド（電子顕微鏡上縞模様）とエンベロープ（突起あり）からなり，同ゲノムは N 蛋白質，P 蛋白質，M 蛋白質，G 蛋白質，L 蛋白質をコードする．ヒトへ感染しうるのは**リッサウイルス属**（Lyssavirus），ベジクロウイルス属（Vesiculovirus）であり，狂犬病ウイルスはリッサ（ラテン語で「狂犬」の意味）ウイルス属の代表となる．四類感染症として**狂犬病，リッサウイルス感染症**（狂犬病ウイルス以外のリッサウイルス属による）があり，狂犬病予防法では罹患動物について獣医師が届け出る．

> **名前の由来―ラブドウイルス科**
> ラブド（ラテン語で「棒」の意味）ウイルス科の名称は，特徴的なビリオンの形態（一端がとがり他端が平坦な砲弾状，75〜80 nm 径で長さ約 180 nm）に由来する．

# 1 狂犬病ウイルス（Rabies virus）

### 性状
すべての恒温動物（イヌ，キツネ，アライグマ，ネコ，コウモリなど）が宿主となる．狂犬病ウイルスに感染した動物の唾液中にウイルスが含まれ，多くは**咬傷により感染**し，発症する．

### 病原性・疫学
潜伏期（1～3ヵ月，1年以上の場合あり）を経て，咬傷部位の知覚異常，筋肉反射の亢進→**致死的な脳炎**（発熱，頭痛，不穏，痙攣や恐水発作，麻痺，幻覚や錯乱，意識障害など）を呈する．

### 診断検査法
PCR法による病原体遺伝子の検出（唾液など），蛍光抗体法による病原体抗原の検出（皮膚，角膜など），間接蛍光抗体法またはELISA法による特異抗体の検出（髄液），病原体の分離同定（唾液）がある．

### 予防法・治療法
海外などで動物に咬まれた場合には，**不活化狂犬病ワクチン**接種（曝露後予防）を行う．咬傷部位の消毒→免疫グロブリン製剤（高力価中和抗体を含有）の注射→受傷後0，3，7，14，30，90日に同ワクチンを接種する．狂犬病発生国で頻繁に動物と接触する場合は，渡航前に同ワクチンを接種（曝露前予防）しておく．

> **狂犬病ウイルスに対する宿主細胞受容体**
> 狂犬病ウイルスに対する宿主細胞受容体は，神経細胞上のアセチルコリン受容体である．咬傷部位から侵入したウイルスは局所の筋肉・結合組織内で増殖した後，末梢神経から上行性に脊髄→脳へと到達する．脳組織を用いた病理組織学的解析では，感染細胞にて細胞質内封入体（ネグリ小体，Negri body）がみられる．

# X フィロウイルス科（Filoviridae）

### 一般的性状
マイナス鎖一本鎖RNAウイルスは，らせん対称ヌクレオカプシドとエンベロープ（突起あり）からなる．同ゲノムは7種の構成蛋白質をコードする．**マールブルグウイルス属**，**エボラウイルス属**に分けられ，マールブルグ病，エボラ出血熱（共に**一類感染症**）を惹起する．ヒトへの病原性をもつエボラウイルス属は，ザイール型，スーダン型，ブンディブギョ型，コートジボワール型，レストン型，タイフォレスト型を含む．

### 病原性・疫学
**血液，臓器，精液，房水**などに病原体が存在し，血液，体液，排泄物との濃厚接触や性的接触により伝播しうる．アフリカ（東・中央・西）を主とした散発例，流行例があるが，2014年に西アフリカ諸国で大規模発生したエボラ出血熱事例は世界的脅威である．**輸入したサル**（ヒトと同様に終宿主と推定）からヒトへの感染例，および感染患者から**医療従事者への伝播例**もある．

### 診断検査法
血液・咽頭拭い液・尿を用いた病原体の分離同定，病原体抗原（ELISA法），病原体遺伝子（PCR法），血清IgMまたはIgG抗体（ELISA法または蛍光抗体法）の検出を行う．ただし，一種病原体等であり，検査や確定症例を扱う

> **名前の由来—フィロウイルス科**
> ビリオンの特徴的な形態（ひも状，80 nm径で長さ700～1,000 nm）に由来する．

> **2014年ギニアで発生したエボラウイルス流行株**
> 2014年3月，ギニアにおいて発生したエボラ出血熱の集団発生の患者より分離されたウイルス株は**ザイール型ウイルスに類似した新株**で，ギニア株と命名された．

> **マールブルグ病とエボラ出血熱**
> 両疾患は臨床像が類似する．潜伏期（マールブルグ病：3～10日，エボラ出血熱：2～21日）の後，突発的に発症（発熱，疼痛など）し，重症化した場合には出血，臓器不全を伴う．

施設は限定される．

### 予防法・治療法

特異的予防法，治療法はないが，臨床試験中のエボラワクチンがある．院内では標準予防策，飛沫感染予防策，接触感染予防策が重要であり，患者家族，医療従事者への二次感染を防ぐ．

> **臨床試験中のエボラワクチン**
> エボラワクチン（rVSV-ZEBOV）が2015年ギニアでの感染事例および2018～2019年コンゴ民主共和国での感染事例で投与され，その有効性が示されている．

## XI レトロウイルス科（*Retroviridae*）

### 一般的性状

本科（80～100 nm 径で球状）は，エンベロープ（糖蛋白質を含む）と立方対称ヌクレオカプシド（RNA2分子＋逆転写酵素あり）からなる．**オルトレトロウイルス亜科**に属するヒトT細胞白血病ウイルス（**ヒトTリンパ球向性ウイルス**，電子顕微鏡上ヌクレオカプシドの形態が円形で中心性）とヒト免疫不全ウイルス（電子顕微鏡上ヌクレオカプシドの形態が棍棒状）がヒトへの病原性上重要となる．

> **名前の由来―レトロウイルス科**
> retro（ラテン語で「逆方向」の意）に由来し，このプラス鎖一本鎖RNAがビリオン内の**RNA逆転写酵素**によりRNA→DNAへ逆転写される特徴を有する．

### 1 ヒトT細胞白血病ウイルス（Human T-cell leukemia virus；HTLV）

#### 性状

HTLVは**成人T細胞白血病**（adult T-cell leukemia；ATL．40歳以上の成人に多い）患者より分離された．その後，ヘアリー細胞白血病患者からも同様のレトロウイルス科が分離されたことから，前者を**HTLV-1**（ヒトT細胞白血病ウイルス1型），後者を**HTLV-2**（同2型）として区別している．

#### 病原性・疫学

HTLV-1が宿主細胞となる**CD4陽性Tリンパ球**に感染し，逆転写されたウイルスDNAが同染色体DNA中に組み込まれるが，ほぼウイルス増殖は起こさない．個体内の感染様式として細胞↔細胞間接触が必要である．キャリアからのATL発症率は約2～6％となる．ATL患者の分布は西南日本（沖縄，南九州，南四国，紀伊半島など）に集中し，海外ではカリブ海，ニューギニア島，アフリカなどとなる．他者への主な伝播は血液，母乳，精液中に含まれる感染細胞の輸血，授乳，性交を介した移入となる．

> **レトロウイルス科の宿主細胞内増殖プロセス**
> ウイルスが宿主細胞へ吸着→侵入→脱殻した後，RNAが自身の逆転写酵素により二本鎖DNAへ変換されて細胞内の染色体DNAへ組み込まれる（プロウイルス）のが特徴である．転写→ビリオンの形成（ゲノムRNAとウイルス蛋白質の合成）→細胞からビリオンの出芽放出へと進む．

#### 診断検査法

血清診断〔スクリーニング法（PA法，CLEIA法など）→確認法（ウェスタンブロット法）〕を実施する．病原体の分離同定，病原体遺伝子（PCR法）の検出も可能である．

#### 予防法・治療法

ATL感染予防として，キャリアの母親からの児への授乳を停止するケースがある．ATLには抗がん療法，脊髄症にはステロイド療法などを行う．

> **ATLの病態**
> ATL細胞は，特徴的な形態を呈する花細胞（切れ込みの深い花びら状の核を有する）とよばれ，高頻度に皮膚浸潤を示す．免疫能低下，日和見感染症，日和見腫瘍，高カルシウム血症を伴い，予後不良である．**HTLV-1関連疾患として脊髄症，間質性肺炎，関節症などがある．**

## 2 ヒト免疫不全ウイルス（Human immunodeficiency virus；HIV）

### 性状

レンチ（「遅い」という意味）ウイルス属に属するHIVは，**HIV-1**（1983年に分離）と**HIV-2**（1986年に分離）に分けられ，共に**後天性免疫不全症候群**（acquired immunodeficiency syndrome；AIDS）を惹起する．後者は前者と比べてAIDS発症までの無症候期が長い．増殖上重要な4種の構造蛋白質（コア，プロテアーゼ，逆転写酵素，エンベロープ）を有しており，**変異株**の発生が特徴である．

### 病原性・疫学

HIVの主な標的細胞は**CD4陽性Tリンパ球**，**マクロファージ**となり，HTLV-1と比較してその増殖速度が速く，産生量も多い．感染細胞，非感染細胞（CD8陽性Tリンパ球など）の破壊，細胞死により細胞性免疫能（末梢血CD4陽性Tリンパ球数が指標）が破綻する．

### 診断検査法

血清診断〔スクリーニング法（ELISA法，PA法など）→確認法（ウェスタンブロット法，蛍光抗体法）〕を実施する．病原体の分離同定，病原体遺伝子（PCR法），病原体抗原の検出も可能である．ただし，感染初期の数週間（**ウインドウ期**）では，体内に病原体が存在するが抗体陰性を示すことがあるので注意する．

### 予防法・治療法

性交時のコンドーム使用といった啓発が重要である．垂直感染（母子感染）へつながる子宮内感染，産道感染，授乳感染の遮断法として妊婦への抗HIV療法，帝王切開，人工栄養がある．治療法に関しては「a．総論/IV ウイルス感染症の治療」を参照のこと．

> **HIVの臨床経過**
> 通常，HIV臨床経過は**急性期**（感染後約3カ月以内），**無症候期**（同約10年以内），**AIDS期**（同約10年以降，AIDS指標疾患の発症）に分かれる．末梢血CD4陽性Tリンパ球数の減少（<500/μL）とともに各種日和見感染症，日和見腫瘍を惹起する．

> **HIVの感染経路**
> 他者への主な伝播は感染細胞，遊離ウイルスを含む血液，血液製剤，精液，腟分泌物，母乳などを介したものとなり，輸血，汚染注射器の使用，汚染された血液製剤の投与（血友病治療），性交，経腟分娩，授乳などが問題となる．特に，性交を介した世界的感染の蔓延が社会問題となっている．

## XII 肝炎ウイルス（Hepatitis viruses）

B型肝炎ウイルスのみDNAウイルスとなる．その他の肝炎ウイルスはRNAウイルスである．

### 一般的性状

肝臓への親和性を有し，感染を生じる一連のウイルスを**肝炎ウイルス**と総称し，同ウイルスによって発生する肝炎を**ウイルス性肝炎**（viral hepatitis）という．主たる肝炎ウイルスとその肝炎の特徴を**表2-C-7**に示す．

## 1 A型肝炎ウイルス（Hepatitis A virus；HAV）

### 性状

HAVは**ピコルナウイルス科**ヘパトウイルス属に属し，ビリオン（27 nm径）は，エンベロープを欠く立方対称ヌクレオカプシド（プラス鎖一本鎖RNA）

> **A型肝炎の臨床経過**
> A型肝炎の臨床経過は潜伏期（約4週間）の後，急性肝炎（**四類感染症**）を呈する．約1カ月で回復する．劇症化率は全感染例の約0.1%である．**ウイルスの排泄（便中，血中）**は潜伏期後期〜発症直後までと短く，黄疸期にはウイルス排泄は終わる．ウイルス排泄終了直後にIgM抗体（3〜6カ月持続）が現れ，やや遅れてIgG抗体（終生持続）が出現する．

表 2-C-7　肝炎ウイルスとその肝炎の特徴

| | HAV | HBV | HCV | HDV | HEV |
|---|---|---|---|---|---|
| 核酸 | 一本鎖 RNA | 二本鎖 DNA | 一本鎖 RNA | 一本鎖 RNA | 一本鎖 RNA |
| 主な感染経路 | 経口 | 血液および性行為 | 血液 | 血液および性行為 | 経口 |
| 肝炎の慢性化の有無 | なし | あり | あり | あり | なし |
| わが国での感染例 | 多い | 多い | 多い | まれ | まれ |

で構成される．pH（3～10），熱（60℃・1～2時間），エーテルに安定であるが，100℃・5分および塩素消毒（10～15 ppm・30分）により失活する．HAV血清型は1種であり，同IgG抗体（既感染を示す）には**中和活性**（終生免疫）がある．

> 病原性・疫学

伝播様式は，汚染食物（貝類や生野菜）および汚染水を介する経口感染やヒトからヒトへの**糞口感染**である．肝障害は主に細胞傷害性T細胞による**免疫応答**によるものである．

> 診断検査法

血清を用いてIgM抗体，または血液や便を用いて病原体遺伝子を検出する．

> 予防法・治療法

**HAV不活化ワクチン**および同抗体を含む**ヒト免疫グロブリン**は特異的予防となり，流行地域への渡航や集団発生での拡大防止に有効となる．急性肝炎は対症療法となる．

## 2　B型肝炎ウイルス（Hepatitis B virus；HBV）

> 性状

HBV（42 nm径で球状）は**ヘパドナウイルス科**オルトヘパドナウイルス属に属し，エンベロープをもつ不完全な環状**二本鎖DNAウイルス**である．エンベロープにはHBs抗原（Ag）があり，同抗原への抗HBs抗体（Ab）が**中和抗体**となる．同抗原は感染細胞からも大量に産生され，その集合体となる小型球形粒子や管状粒子が血中に存在する．ビリオン内部にDNA，DNAポリメラーゼ，HBcAgなどを含む．HBeAgは，分泌蛋白質として感染細胞より血中に放出される．

> 病原性・疫学

体液（血液，精液，唾液など）を介してHBVは伝播し，**垂直感染**（母子感染）と**水平感染**がある．免疫能健常な成人が感染した場合，急性肝炎を呈するが，その後治癒（ウイルスの排除）して**一過性感染**となる．抗原領域の点突然変異株では**劇症肝炎**を発症（致死率70～80％）することがある．一方，免疫不全者（および垂直感染した新生児を含む）が感染した場合，**持続感染**（キャリア）となる．同キャリアが高頻度に存在するのは，アフリカおよび東

> 免疫健常者の急性肝炎と免疫不全者の持続感染の経過
>
> HBVによる急性肝炎の場合，HBsAgは発症1カ月前より血中に現れ，約2～4カ月持続した後に消失し，その後HBsAbが出現する．HBeAgは発症直前～黄疸期に現れ，その後HBeAbが出現する．**持続感染**の場合，**免疫寛容の解消**に伴って急性発症および慢性肝炎に至ることがあり，その後肝硬変，肝がんへと進む．

南アジア（肝がんの好発地域）である．わが国では，垂直感染予防法，血液製剤のスクリーニング，注射器の単回使用によりキャリアは減少している．性行為を介した伝播および医療関連感染，医療従事者の針刺し事故に注意する．

### 診断検査法

血中 HBV 抗原・抗体の測定や，血中 HBV DNA 量，DNA ポリメラーゼ量の測定を組み合わせて行う．

### 予防法・治療法

垂直感染および医療従事者の針刺し事故などには，HBsAb 力価の高い**免疫グロブリン**や不活化 **HBV ワクチン**の投与が推奨される．世界では **universal vaccination** が勧められている．急性肝炎では対症療法となり，劇症肝炎では血液浄化療法とエンテカビル＋IFN（インターフェロン）投与となる．慢性肝炎でも IFN またはエンテカビルが適応となる．

## 3 C 型肝炎ウイルス（Hepatitis C virus；HCV）

### 性状

HCV（55〜65 nm 径で球状）は**フラビウイルス科**へパシウイルス属に属し，エンベロープをもつプラス鎖一本鎖 RNA ウイルスである．同ゲノムは 3 種の構造蛋白質および 6 種の非構造蛋白質をコードしている．構造蛋白質であるコア蛋白質は免疫原性（コア抗原）があり，感染により同抗体が産生される．

### 病原性・疫学

主に血液を介して伝播（HBV と比べて感染性は弱く母子感染，性行為感染はまれ）し，潜伏期（平均約 6〜8 週間）の後に発症（軽症例），または無症候性感染を示す．細胞傷害性 T 細胞などによる**免疫応答**により肝障害が出現するが，感染細胞の排除につながらず（**持続感染**），多くが**慢性肝炎**を示す．C 型肝炎は**肝硬変**，**肝がん**へ進展する．わが国には約 150〜200 万人の感染者がいると推定される．

### 診断検査法

ペア血清により特異抗体陽転または抗体価の有意な上昇を確認するか，血清を用いて HCV RNA または HCV コア抗原を検出する．

### 予防法・治療法

有効なワクチンはない．**慢性肝炎の治療目標**は HCV の排除，ALT の正常化，肝硬変・肝がんへの進展予防である．HCV 遺伝子型およびウイルス量により抗 HCV 薬を使い分ける（「a．総論」の**表 2-C-6** を参照）．

## 4 D 型肝炎ウイルス（Hepatitis delta virus；HDV）

### 性状

表層は HBs 抗原のエンベロープでおおわれ，内部に δ 抗原とマイナス鎖環状

---

 **HBV の遺伝子型**

HBV には 8 種の**遺伝子型**があり，分布には地理的特徴（日本を含むアジアでは遺伝子型 B，C）がある．

 **血中 HBV 抗原・抗体結果に関する臨床的判断**

以下のように判断する．
- HBsAg（＋）：HBV 感染中
- HBsAb（＋）：既感染またはワクチンの既往
- HBsAg 陰転化＋HBsAb 陽転化：ウイルスの排除（疾患終息）
- HBeAg（＋）：感染性が高いこと
- HBeAg 陰転化＋HBeAb 陽転化：感染性の減弱
- IgM-HBcAb 高抗体価ならびに IgG-HBcAb 低抗体価および陰性：初感染および急性肝炎発症
- IgG-HBcAb 高抗体価ならびに IgM-HBcAb 低抗体価および陰性：キャリアからの急性発症，増悪

**universal vaccination**

HBV 感染予防を目的として，乳児期に全員が HBV ワクチンを受けることを意味する．

 **HCV**

HCV は**遺伝子型**および**サブタイプ**（subtype）に分けられ，**IFN に対する感受性**と関連する．1b（約 65%）に属する HCV は IFN に抵抗性であり，2a（約 30%）および 2b（約 5%）は IFN に感受性がある．

 **名前の由来—HDV**

HDV（36 nm 径で球状）の名称は，HBV 感染患者における肝細胞核内で発見された抗原（δ，デルタ）名に由来する．

一本鎖 RNA を有する．本ウイルスの増殖には，HBV を**ヘルパーウイルス**として必要とする．

> 病原性・疫学

HDV と HBV とは**重複感染**しており，両者の同時感染または HBV キャリアに HDV が感染するケースがあり，急性肝炎が重症化する．伝播様式は性行為，医療行為，輸血などである．

> 診断検査法

血液を用いた δ 抗原への抗体または病原体遺伝子の検出を行う．

> 予防法・治療法

予防は HBV の場合と同様である．急性肝炎は対症療法となる．

> ☞ HDV
> HDV 感染者は欧米，中東，南米などに多く，わが国ではまれである．**遺伝子型**は 5 種あり，日本では弱毒性の遺伝子型 4 がみられる．

## 5　E 型肝炎ウイルス（Hepatitis E virus；HEV）

> 性　状

HEV は（約 30 nm 径で球状）はエンベロープを欠くプラス鎖一本鎖 RNA ウイルスである．不安定で失活しやすいウイルスである．ゲノム上 ORF2 がカプシド蛋白質をコードする．HEV はヒトや動物（イノシシ，シカ，ブタなど）より分離され，**人獣共通感染症**にかかわる．

> 病原性・疫学

伝播様式は汚染された食物や飲料水を介した経口感染である．感染者は熱帯，亜熱帯地域に多く，わが国でも汚染食物や動物の臓器，肉の生食による感染例がある．

> 診断検査法

血液を用いた IgM，IgG，IgA 抗体，または病原体遺伝子の検出や電子顕微鏡法による病原体の観察となる．

> 予防法・治療法

流行地では生水の飲水や生食を避け，国内でもイノシシやシカ肉の生食を避けることが予防となる．急性肝炎に対しては対症療法となる．

> ☞ E 型肝炎の病態
> 潜伏期（約 5～6 週間）の後，急性肝炎（**四類感染症**）を呈する．約 1 カ月で軽快する．A 型肝炎と比較してその劇症化率が高く，妊婦（妊娠後期）が E 型肝炎を発症した場合には死亡率が高い（10～20％）．

> ☞ HEV の遺伝子型
> 遺伝子型は 4 種あり，わが国では遺伝子型 3 や遺伝子型 4（肝炎重症化と関連性あり）が主体となる．

## XIII　下痢症をきたすウイルス（Enteric viruses）

下痢症をきたすウイルスには，RNA ウイルスおよび DNA ウイルスが含まれる．

> 一般的性状

ヒトにおける**ウイルス性胃腸炎**（嘔気，嘔吐，下痢，発熱）は，**乳幼児胃腸炎**（ロタウイルス A 群，腸アデノウイルス，アストロウイルス，サポウイルス）と**感染性胃腸炎**（学童や成人でも発症，ノロウイルスおよびロタウイルス C 群）に分類される．

## 1 カリシウイルス科 (Caliciviridae)

### 1) ノロウイルス属 (Norovirus)

#### 性状

ノロウイルス属 (Norovirus) とサポウイルス属は**カリシウイルス科**に属する．本科のプラス鎖一本鎖 RNA ウイルス（約 30 nm 径で球状）はエンベロープをもたず，立方対称ヌクレオカプシドからなる．同ゲノムは非分節，線状である．本科では培養系が確立しておらず，その遺伝子多様性に基づいてノロウイルス属は**遺伝子群** (genogroup) と**遺伝子型** (genotype, 遺伝子群と遺伝子型を組み合わせて GII.4 のように提示)，サポウイルス属は**遺伝子群**の型別が用いられる．本科の感染性は酸性〜塩基性，低濃度塩素，加温でも安定し，85℃・1分以上の加熱で失活する．

#### 病原性・疫学

汚染食物による経口感染（食中毒）や，患者排泄物による汚染環境の表面→他者または患者の手指→他者といった接触感染の経路がある．口より侵入した病原体が胃，十二指腸，空腸の粘膜上皮細胞に感染し，同細胞の剥離・脱落により嘔気，嘔吐，下痢を惹起する．

#### 診断検査法

便を用いた病原体抗原の検出，便・吐物中の病原体遺伝子の検出や電子顕微鏡法による病原体の観察を行う．

#### 予防法・治療法

脱水などへの対症療法となる．予防として厨房での**食中毒予防**（食材の加熱，調理器具の消毒，徹底した手洗いなど）や**施設内集団発生対策**（患者隔離，排泄物の徹底処理，環境消毒，有症状者の就業制限など）が必要となる．

### 2) サポウイルス属 (Sapovirus)

#### 病原性・疫学

本属に属する**サッポロウイルス**（Sapporo virus, 札幌の児童福祉施設で胃腸炎の集団発生として初めて報告）もノロウイルス属と同様な胃腸炎を惹起するが，乳幼児〜学童での発症が主であり，成人での発症はまれである．潜伏期は 12〜48 時間，ノロウイルス胃腸炎と比べてその症状は軽微である．

#### 診断検査法

便を用いた病原体遺伝子の検出や，電子顕微鏡法による病原体の観察を行う．

#### 予防法・治療法

ノロウイルス胃腸炎と同様である．

## 2 アストロウイルス科 (Astroviridae)

#### 性状

ヒトに病原性を示すのは**マムアストロウイルス属** (Mamastrovirus) のヒト**アストロウイルス** (human astrovirus) であり，**血清型**（または遺伝子型）

---

**名前の由来—カリシウイルス科**
カリシ（ラテン語で「盃」の意味）**ウイルス科**の名称は，ビリオン表面にくぼみがみられることに由来する．

**ノロウイルス胃腸炎**
ノロウイルス胃腸炎（**冬季嘔吐症**, stomach flu）の潜伏期は 12〜72 時間，症状の持続は 1〜3 日である．わが国では従来 GII.4 が流行型であったが，2014 年より GII.17 という新たな型がみられる．

**サポウイルス属の遺伝子群**
わが国で検出される遺伝子群としては GI が最も多く，次いで GII が多い．

**名前の由来—アストロウイルス科**
アストロ（ギリシャ語で「星」の意味）ウイルス科の名称は，ビリオンの顕微鏡像として 5〜6 個の突起のある星形がみえることに由来する．

として1〜8型がある．このプラス鎖一本鎖RNAウイルス（28〜30 nm径で球状）もエンベロープはなく，同ゲノムは非分節である．pH3の強酸性下でもその感染性を保持するが，60℃・10分以上の加熱で失活する．ヒト腸管上皮株化細胞（Caco-2）により**ウイルス分離**ができる．

### 病原性・疫学

主に乳幼児において胃腸炎を呈するが，まれながら学童や高齢者での事例もある．潜伏期は1〜5日で，発症後4〜5日で症状は緩和する．ロタウイルス・ノロウイルス胃腸炎と比較してその症状は軽いが，血清型3型（便中のウイルス量が多い）では症状の重症化がみられる．わが国では1，4，5型ウイルスによる胃腸炎集団発生がある．

### 診断検査法

便を用いた病原体抗原または病原体遺伝子の検出や，病原体の分離同定または電子顕微鏡法による病原体の観察を行う．

### 予防法・治療法

ノロウイルス胃腸炎と同様である．

## 3 腸アデノウイルス（Enteric adenoviruses）

### 性状

「b-1 DNAウイルス／Ⅲ アデノウイルス科」を参照のこと．アデノウイルス科で胃腸炎を惹起するものを，**腸アデノウイルス**（これらは既存のアデノウイルスとは電子顕微鏡像が異なるため）とよぶ．

> **アデノウイルスにおける血清型と亜群**
> ヒトへ感染するアデノウイルスには51種の**血清型**および52型以降の遺伝型があり，7種の**亜群**（subgenera, A〜G）で大別する．

### 病原性・疫学

主に乳幼児（特に3歳以下）の腸管組織へ感染し，その増殖に伴って水様性下痢を呈する．潜伏期は3〜10日で，下痢が主症状となり嘔吐，発熱は軽微である．下痢の持続期間は他のウイルス性下痢症より長く，1週間以上に及ぶことが多い．

### 診断検査法

アストロウイルス科と同様である．

> **腸アデノウイルス**
> 亜群および血清型の分類上ではF亜群の40型，41型が該当する．56℃・30分以上の加熱で失活する．Graham293細胞などでウイルスが分離されるが，難増殖性である．

### 予防法・治療法

ノロウイルス胃腸炎と同様である．

## XIV プリオン（Prion）

### 一般的性状

**プリオン蛋白質**（多様な分子形態をとる膜糖蛋白質）は**正常型**（健康な人の脳に発現，蛋白分解酵素による消化容易，αヘリックス構造）と**異常型**（**プリオン病**の脳内に蓄積，蛋白分解酵素による消化困難，βシート構造による不溶性，凝集性や代謝抵抗性あり）に分けられる．感染因子は異常プリオン蛋白質であり，ウイルスとは異なり核酸遺伝子を有していない．

>  **ヒトプリオン病**
> ヒトプリオン病（五類感染症）は孤発性クロイツフェルト・ヤコブ病（Creutzfeldt-Jakob disease；CJD），遺伝性CJD，感染性CJDに分類される．

### 病原性・疫学
体内に生じた異常プリオンが，正常プリオンを感染性の異常プリオンへと変化させ，それが細胞内に蓄積されて疾患を呈する．異常プリオンは抗原性をもたず，炎症反応も伴わない．推定有病率は100万人に1人で，50〜70歳代の発病が多い．長い潜伏期を有するなどの共通性があるが，臨床像は多彩となる．

### 診断検査法
孤発性クロイツフェルト・ヤコブ病（CJD）では，特徴的な病理所見またはウェスタンブロット法，免疫染色法により，脳での異常プリオンを検出する．脳波上，**周期性同期性放電所見**も有用となる．

### 予防法・治療法
特異的治療法はない．非侵襲的医療行為，看護や介護スタッフの日常的な接触では感染の危険性はなく，隔離は不要である．標準予防策をとる．

## c. 検査法

### I ウイルス検査法の概要

　ウイルス感染症に用いられる検査法は，①培養・同定，②抗体価測定（血清学的診断），③抗原検出，④遺伝子学的検査，⑤病理学的検査の5種類に大別される．ウイルスは，細菌と異なり培養には細胞が必要であり，一般的には抗体価の測定による血清診断が広く用いられてきた．ただし，抗体価測定は迅速性に劣り，判断基準が曖昧な点があるため他の検査法の開発が望まれていた．イムノクロマトグラフィ（ICT）法に代表される抗原検出法は操作が簡便で迅速性に優れており，外来やベッドサイドでの検査も可能となっている．インフルエンザなどを対象とした抗原検出法は多くのキットが開発され，広く利用されている．PCRなどに代表される遺伝子学的検査は高い感度と優れた迅速性を有しているが，コストや設備，保険適用などの課題があり，限定的に使用されている．病理学的検査は生検組織などを用いる必要があるため，まれに行われる方法である．

　ウイルス感染症の病原体は多岐にわたり，使用可能な検査法も限定されている．そのため，まずは臨床的な診断を行って病原体を推定し，その病原体の種類に応じた検査法を用いるのが一般的である．

> **イムノクロマトグラフィ（ICT）法**
> 抗原抗体反応とクロマトグラフィを組み合わせることで，検体中の抗原を検出する検査法．たとえば，特定の病原体の抗原と金粒子を標識した抗体が反応して免疫複合体が形成される．免疫複合体はセルロース膜上を移動し，さらに膜上のキャプチャー抗体と反応してトラップされる．集積した免疫複合体の部位には金粒子のラインが形成され，そのラインを肉眼的に確認することで判定が可能である．なお，検査が正しく行われたかどうかは，コントロールラインの確認をもって行われる．

### II ウイルス感染症の検査法

#### 1　培養・同定

　ウイルス感染症の病原体を確定するうえで，細胞培養を用いた検出法は従来から標準的方法と考えられてきた．対象とするウイルスに適した細胞を用いてウイルスを培養すると，ウイルスの増殖に伴って細胞変性などの形態変化が観察される．そのウイルスに対する抗体を用いて中和作用の有無などを確認できれば，同定が可能となる．ただし，細胞培養は技術や設備，コストなどの面で問題があり，一般の検査室での実施は困難な方法である．そのため，実際に培養・同定によって診断されるのはごく一部の症例にとどまっている．

#### 2　血清学的診断

　血清学的診断はウイルス粒子やその一部を抗原として，補体結合反応（CF），赤血球凝集抑制試験（HI），中和試験（NT），粒子凝集反応（PA），蛍光抗体法（FA），酵素抗体法（EIA，ELISA）などの方法を用いて抗体価を測定する方法である．主に血清が検体として用いられるが，髄液を用いることもある．

　通常，抗体価の測定に用いられる抗体の種類はIgMとIgGである．IgM抗体

> **血清学的診断**
> 血清学的診断は抗原が準備できれば各種のウイルス感染症に対応できるが，判定基準が時に曖昧であったり，既往の感染との鑑別が問題となる例もある．また，ペア血清での検査は診断までに時間を要するため，感染早期での診断には不向きである．

価は通常，初感染の場合のみ上昇を認め，感染後，抗体価の上がり方が早い．そのため，IgM抗体は，1回の測定でも抗体価が上がっていればそれだけで急性感染を示唆する．一方，IgG抗体価は過去の感染の既往によって抗体価が上昇している場合もあり，抗体価の上昇に時間を要する．それゆえ，IgG抗体価は1回の測定だけで現在の感染の有無を判定することはむずかしく，通常はペア血清で測定する．

### 3 抗原検出

抗原検出法は抗体などを用いてウイルス抗原を検出する方法であり，イムノクロマトグラフィ（ICT）法などが代表的である．本法の多くは迅速性に優れ，操作が簡便である．また，専用の設備は不要であり，検査室のみならず外来やベッドサイドでの実施が可能である．すでに多くの検査キットが開発されており，特にインフルエンザ抗原の迅速診断法は，臨床の現場で最も多く用いられている抗原検出法である．

> **抗原検出法**
> 抗原検出法は一般的に感度の面でも優れているが，キットによっては偽陰性や偽陽性が出てしまう点が課題である．また，複数の病原体を1つのキットで同時に検出できるものもあるが，基本的には1つのキットで対応できる病原体は1種類のみであり，疑われる病原体の種類が増えた場合には，それぞれ対応できるキットを用いなければならない．

### 4 遺伝子学的検査

遺伝子学的検査法は，その病原体に固有の遺伝子をPCR法やLAMP法などの方法で増幅させて検出する方法である．感度は非常に高く，迅速性においても優れている．結核菌，非結核性抗酸菌，B型肝炎ウイルス（HBV），C型肝炎ウイルス（HCV），HIV，肺炎マイコプラズマ，百日咳菌，*Legionella*属，*Chlamydia trachomatis*，淋菌などの遺伝子学的検査法が実用化されている．

遺伝子学的検査法はあくまでも病原体の遺伝子の存在を証明する方法であり，病原体が生きているかどうかを判別することはできない．そのため，たとえば結核の治療後にPCRを用いて陽性であっても，死菌のDNAを検出している可能性があり，遺伝子学的検査を治療効果の判定に用いることはできない．ただし，ウイルス感染においては病原体の存在やその量が病勢や治療効果の判定に有効であり，HBVやHCV，HIVなどのウイルス核酸の定量的測定はしばしば用いられている．

> **遺伝子学的検査**
> 遺伝子学的検査法は，その病原体に固有の遺伝子が明確になっていれば，特異的プライマーを設計して用いることでどの病原体に対しても応用が可能である．ただし，保険適用が認められている遺伝子学的検査法は限られており，実際にこの方法を用いて検査が行われる病原体の種類は限られているのが現状である．

### 5 病理学的検査

病理学的検査法は，ウイルス感染部位の組織を検体として用いて，感染に伴う特徴的な所見を確認したり，病原体に特異的な抗体を用いた免疫染色や *in situ* hybridizationの手法で病原体を検出する方法である．他の検査を実施しても診断が困難な症例や剖検例などで実施されることが多く，実施対象は限定されている．

# 第3章 微生物検査法

## A 基本操作

### I 実験室（基準および封じ込め）と無菌操作

#### 1 基準実験室および封じ込め実験室

　医療関連施設および外部検査センターにおける微生物検査室や医学教育施設における実習室は，WHO の指針であるところのバイオセーフティレベル（BSL）別施設基準要約（WHO：実験室バイオセーフティ指針）の BSL 2（基準実験室）あるいは BSL 3（封じ込め実験室）の構造で設計されている．実験室における施設基準や所持基準が厚生労働省により制定されており，三種病原体等や四種病原体等を取り扱う施設は，前室や滅菌場所の確保，生物学的安全キャビネットおよび強毒菌株や劇毒物の施錠付き保管庫の設置などが義務づけられている．

前室
奥の実験室への出入口に設けられる隔離された空間．

#### 2 開放型実験台

　培養した病原体をこの実験台で取り扱う場合は，**作業や実習の最初と最後に消毒薬を実験台の卓上に噴霧し，環境汚染菌を含めたほとんどの微生物を死滅させる必要がある．**作業や実習中に微生物で汚染されることがあるため，ただちに消毒ができるよう実験台の卓上に消毒薬を常備しておく．多くの場合，実験台の消毒薬には消毒用エタノールが使用されるが，取り扱う病原体によって適正と考えられる消毒薬を用いる．常に作業環境からの菌の汚染を考えつつ，実験台は整理整頓を心がけ，清潔に保つことが重要である．

#### 3 生物学的安全キャビネット（BSC）とクリーンベンチの違い

　生物学的安全キャビネットとクリーンベンチの機内における空気の流れの違いを図 3-A-1 に示す．BSC は，環境からの汚染菌の混入および病原体の漏洩を防止するためのヘパ（HEPA）フィルター（直径 0.3 μm 以上の微粒子を 99.97% 除去可能な高性能フィルター）が設置され，臨床材料を清浄空間で扱うことが可能である．BSC の使用に関しては，使用手順に沿って多くの注意を払わなければならない（表 3-A-1，-2）．一方，クリーンベンチは機内が陽圧に保たれているものが多く，機内の空気が作業者に向って吹き出す構造になっているため，病原体および臨床材料の取り扱いは厳禁である．BSC とクリーン

HEPA フィルター：high-efficiency particulate air filter

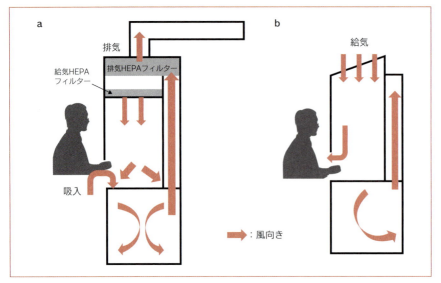

**図 3-A-1 生物学的安全キャビネット クラスⅡB（a）とクリーンベンチ（b）の機内における風向き**
生物学的安全キャビネットは，病原体を空気の流れによってキャビネット内に封じ込め，フィルターで除去してから外部に放出し，作業者への病原体による曝露を回避している．クリーンベンチの風向きは作業者に向かっており，検査材料や試薬を清浄空間で取り扱うことを目的としている．

**表 3-A-1 通常の生物学的安全キャビネットの使用手順**

①事前性能評価（UVランプ）
②作業台事前消毒
③事前運転
④事前性能評価（気流チェック）
⑤ゾーニングおよび器材配置
⑥作業
⑦作業終了
⑧消毒
⑨終了運転

**表 3-A-2 生物学的安全キャビネットの使用上の主な注意**

・始業点検を行う
・サッシ開口の高さはメーカー指定値とする
・腕の出し入れを少なくする
・作業者の近辺を通過しない
・腕の高さを上げすぎないようにする
・ガスバーナーの使用は避ける
・キャビネット内を物置にしない
・事前運転，終了運転を行う
・適切な検査，メンテナンスを行う

ベンチの使用時における事故として，機内に設置してある紫外線灯（UVランプ）を点灯したままで作業を行った場合，眼障害や皮膚障害を起こす危険性があるため，必ず消灯する．

## Ⅱ 微生物検査の基本的手技

微生物検査は，他の臨床検査に比べて病原体が存在する可能性が高い検体を取り扱う．患者検体から分離された種々の細菌（菌株）は，菌量が非常に多く感染性も高い．

微生物検査においては，検体や菌株を安全かつ正しく取り扱うための基本的

図 3-A-2　ガスバーナーの外観

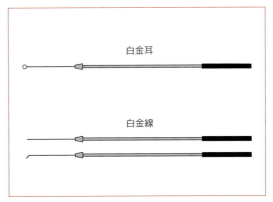

図 3-A-3　白金線と白金耳

手技があり，無菌操作（aseptic technique）ともよばれる．この手技によって，病原体による感染から検査者を守り，検体，分離菌，および培地を他の汚染から避けて取り扱うことができる．したがって，臨床検査技師は基本的手技を完全に身に付けておかなければならない．

## 1　基本的手技

微生物検査における基本的手技には，①ガスバーナーの使用法，②白金線（耳）の使用法，③シャーレや試験管の持ち方，がある．

### 1）ガスバーナーの使用法

ガスバーナーは，検体や菌が付着した白金線（耳）を灼熱することによって炭化処理したり，試験管の蓋を取り外した際に起こる試験管の管口部の落下細菌による汚染を除去するために使用する．

ガスバーナーの外観を**図 3-A-2**に示す．ブンゼンバーナーはガスバーナーとは構造が異なり，空気調節ネジがなく円筒部分を回転させて穴の大きさを変えることで空気の流入量を調節する．

#### (1) ガスバーナーの操作手順

① 使用時
 a. 空気調節ネジとガス調節ネジが閉まっていることを確認する．
 b. 元栓→活栓の順に開ける．（活栓がないガスバーナーもある）
 c. ガス調節ネジを少しずつゆるめて開きながら，ガスまたは電子ライターで点火する．
 d. ガス調節ネジを回して炎の大きさを調整する．炎はこの時点ではオレンジ〜赤色を呈する．
 e. 空気調節ネジをゆるめて空気を流入させ，青色を呈する還元炎である内

炎と，透明に近い酸化炎である外炎の2重になるように調節する（**図3-A-2**）．

② 使用中断時および終了時

　a．使用を一時中断する場合は，原則ガスを止める（「b．終了時」と同様の手順）．やむを得ずガスを止めずに中断する場合は，オレンジ～赤色の炎に調節し，炎の大きさも小さくしておく．

　b．終了時は，空気調節ネジ→ガス調節ネジ→活栓→元栓の順で閉じる．
　　ガスの点火時間を秒単位で設定でき，一定時間後に電磁弁が閉じてガスの供給が止まるバーナーも市販されている．

**(2) 電気式滅菌装置（電気バーナー）**

ガスを使用せず電気によって燃焼管内を高温に加熱し，挿入した白金線（耳）を滅菌する器具がある．

① 長所：炎が出ないのでHEPAフィルターへの引火の危険性が低く，生物学的安全キャビネット内で使用できる．検査室内の空気汚染や室温上昇がないことから，室内環境を良好に維持できる．燃焼管内で滅菌することから，灼熱時に生じやすい検体や菌の飛散を防ぐことができる．

② 短所：ガスバーナーに比べて滅菌に時間を要する．試験管の管口を滅菌しにくい．

## 2）白金線（耳）の使用法

白金線と白金耳は，検体や菌を培地へ接種する場合や，スライドガラス上に塗抹する場合に使用する．両者の外観を**図3-A-3**に示す．

白金線は，真っすぐなものは，TSI寒天培地などの試験管確認培地へ菌を接種する場合に使用する．先端の2～5 mmを約120°曲げた白金線は，集落からの釣菌や純培養から菌苔をとる場合に使用する．

白金耳は，ドイツ語であるエーゼ（Öse）ともよばれる．白金耳は検体や菌液を分離培地へ塗布し，画線塗抹して孤立集落を形成させる場合に使用する．白金耳の輪の大きさを変えることで，この部分に満たされた量を調節でき，1 μLや10 μLなど一定量となるように作製された定量用白金耳が市販されている．プラスチック製のディスポーザブル製品も市販されている．

**(1) ガスバーナーによる火炎滅菌の手順**

① 使用前

　a．白金線（耳）の先端を，外炎（酸化炎）で赤くなるまで焼く．

　b．白金線（耳）の全体を，外炎に通過させて焼く．

② 使用後（検体や集落に触れた後）（**図3-A-4**）

　a．検体や集落に触れた白金線（耳）の先端部分を直接炎で焼かず，中央部分を温度が低い内炎に入れ，先端部分に熱が伝わって検体や菌が炭化するのを待つ．

　b．先端部分を内炎（還元炎）へ移して焼く．

---

> **白金線と白金耳**
> 以前は反応性が低い白金が使用されたが，高価なため，現在は安価なニクロム線が使用されている．白金線や白金耳を取り付ける柄は，アルミニウム製が多く，持ち手部分は合成樹脂で包まれている．ニクロム線の太さはワット数で異なるが，一般には300 Wのものが使用される．喀痰などの粘稠性がある検体を扱う場合には，500 Wの太いものの方が作業しやすい．ニクロム線を用いて作製する場合は，白金線（耳）の長さは5～7 cmが適当であり，柄の先端部分の切れ込みに差し込み，ネジで閉めて固定する．

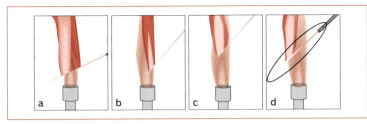

**図 3-A-4　白金線（耳）の火炎滅菌法（使用後）**
a：検体や集落に触れた白金線（耳）の先端部分を直接炎で焼かず，中央部分を温度が低い内炎に入れ，先端部分に熱が伝わって検体や菌が炭化するのを待つ．
b：先端部分を内炎（還元炎）へ移して焼く．
c：先端部分を温度が高い外炎へ移して赤くなるまで焼く．
d：白金線（耳）全体を外炎に通過させて焼く（丸で囲んだ部分）．

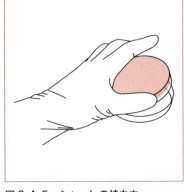

**図 3-A-5　シャーレの持ち方**

 c．先端部分を温度が高い外炎へ移して赤くなるまで焼く．
 d．白金線（耳）全体を外炎に通過させて焼く（図 3-A-4 の d の丸で囲んだ部分）．
 b の先端部分を内炎で焼く手順から始め，c→d の順で滅菌する方法もある．

**(2) 電気バーナーによる火炎滅菌の手順**
① 白金線（耳）を燃焼管内へ入れ，赤くなるまで焼く．
 電気バーナーは，検体や菌が付着した白金線（耳）は燃焼管内で炭化，焼却されるので，火炎滅菌時の飛散の危険がない．
② 白金線（耳）を火炎滅菌した後は，空中で数回振って冷ましてから検体や培地に触れる．未使用の寒天培地の表面に白金線の先端を接触させて冷やす場合でも，空中で冷却後に行う．この場合に用いるのは非選択培地である．

### 3）シャーレの持ち方

　シャーレには，分離培地である寒天培地が分注され固められている．シャーレは，通常蓋を下にして実験台上に置く．シャーレを持つ際は，片手（左手または右手）で寒天培地が入っている方を持ち（図 3-A-5），手掌にのせるように手を返して培地表面がみえるように保持する．培地表面を観察する際は，長時間表面を上向きにしない．培地表面を上向きにすると，落下細菌など環境からの汚染を受けるためである．集落の観察，釣菌，純培養などの培地表面を露出する作業はできるだけ短時間にし，落下細菌の混入を避ける．

### 4）分離培養のための画線塗抹方法

　検体や増菌培地の菌液から同一クローンの集団である孤立集落を得ることを分離といい，白金耳を用いて検体や菌液を寒天培地上に塗り広げることを画線塗抹という．分離培地に画線塗抹し培養すると，検体や菌液を最初に塗抹した部分は，集落が密集または融合して発育するが，希釈されるにしたがって孤立集落が現れる．
　画線塗抹の方法にはさまざまな方法があるが，国内で最も多く行われている

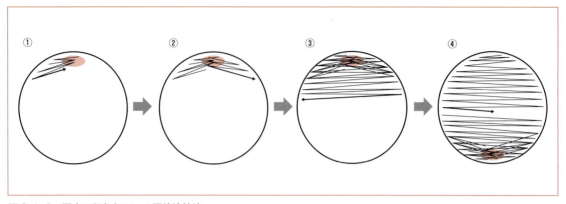

**図 3-A-6　国内で行われている画線塗抹法**
ピンク色の部分に検体や菌液を接種する.

方法を示す（第 1 章「B 総論/V 細菌培養法」も参照）.

### (1) 国内で行われている画線塗抹法（図 3-A-6）

分離培地を 3 つの領域に分けて塗抹する方法（**図 1-B-10** の中央と同一の方法）である.

① 分離培地を持ち，火炎滅菌した白金耳で検体または菌液をとり，上部 1/3 の部分に触れる（**図 3-A-6 の①**）.
② 次いで，寒天培地上で白金耳を左右に揺り動かしながら塗り広げて希釈する（**図 3-A-6 の②**）.
③ 分離培地の上半分，1/2 まで塗り広げながら希釈する（**図 3-A-6 の③**）.
④ 培地を上下反転させ，連続して残り半分も塗り広げながら希釈する（**図 3-A-6 の④**）.

注意点：
・白金耳は黒い合成樹脂（エボナイト）の部分を持つ.
・①〜④までの操作は，白金耳を途中で火炎滅菌せず連続して行う.
・白金耳を左右に往復する際，一度画線した部分と重ならないよう少しずつ移動しながら行う.
・白金耳は強く握らず軽く持ち，寒天培地上で震わせるように画線する.
・白金耳を動かすスピードは，検体や菌液に含まれる菌数が多いほど速く動かすことで孤立集落が得やすくなるが，実際には訓練と経験によって身に付ける.
・シャーレの縁に白金耳を激しくぶつけない.

### (2) 分離培地上の菌の発育状態による菌量の表記方法（表 3-A-3）

培養後，分離培地上に発育した集落を観察し，菌量を 1+〜3+ の 3 段階で判定する．使用した白金耳の 1 白金耳量が 5〜10 μL の場合，菌量から元の検体や菌液中の大まかな菌数を知ることができる.

表 3-A-3　分離培地上の発育菌量の表記

| 分離培地上の発育状態 | 表記 | 検体または菌液 1 mL 中の大まかな菌数* |
|---|---|---|
| 塗り始めの培地 1/3 に発育 | 1+ | $10^3$ CFU 以下 |
| 塗り始め〜培地 1/2 まで発育 | 2+ | $10^4$〜$10^5$ CFU |
| 反転して塗抹した部分まで発育 | 3+ | $10^6$ CFU 以上 |

＊：1 白金耳量が 5〜10 μL の場合の経験的な菌数．

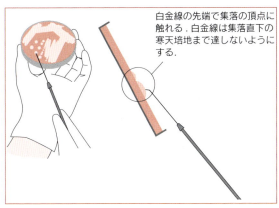

白金線の先端で集落の頂点に触れる．白金線は集落直下の寒天培地まで達しないようにする．

図 3-A-7　集落の釣菌方法

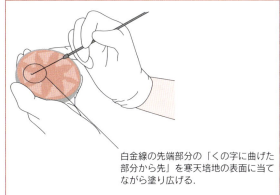

白金線の先端部分の「くの字に曲げた部分から先」を寒天培地の表面に当てながら塗り広げる．

図 3-A-8　純培養の方法

## 5）分離培養上の集落の釣菌と純培養の方法

### (1) 釣菌方法（図 3-A-7）

① 集落の釣菌は白金線を使用し，金属性のものは先端 2〜5 mm を約 120°に曲げたものがよい．

② 黒い合成樹脂の部分を持つと手が震え，小さな集落に触れるのがむずかしい．白金線の取り付け部分に近い部分を持ち，分離培地を持つ方の手首や小指をシャーレの縁に添えて固定する（図 3-A-8）．

③ 白金線を火炎滅菌し，少し冷ましてから集落の頂点を垂直に触れる．白金線は集落直下の寒天培地まで届かないように触れる．集落直下に肉眼では分からない別の菌の集落が混在する可能性があるからである．特に選択培地上の集落の釣菌は，発育が抑制された菌が寒天培地の表面に存在しているため，集落をすくい取る，またはかき取るように釣菌しない．

注意点：火炎滅菌直後の白金線が熱いうちに集落に触れると，集落がはじけて飛び散るので危険である．火炎滅菌後は，白金線を空中で数回振って冷却してから釣菌する．

### (2) 純培養方法（図 3-A-8）

① 純培養は，釣菌と同様に先端部分を曲げた白金線を使用する．

② 白金線を火炎滅菌し，少し冷ましてから釣菌し，純培養する寒天培地の 1 カ

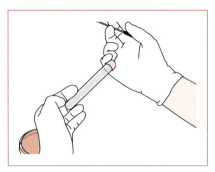
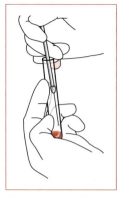

図 3-A-9　試験管の蓋のはずし方　　図 3-A-10　試験管の持ち方

所に触れて接種し，白金線の曲げた「くの字」の部分で塗り広げる．
プラスチック製のディスポーザブル白金線では，先端の丸い部分を使って塗り広げる．

> **ディスポーザブル白金線・白金耳**
> 材質はポリスチレンやABS樹脂などである．

### 6）試験管の持ち方

　試験管は，液状検体の採取や輸送に用いたり，増菌培地や確認培地（TSI寒天培地など）が分注されている．試験管を持つ手順は以下のとおりである．

① 試験管の蓋を事前にゆるめておく．
② 片方の手の人差し指と中指に試験管をのせ，親指で押さえる．
③ もう一方の手で白金線（耳）やピペットなどを持ちながら，小指で蓋をとる．蓋は実験台上に置かない（**図 3-A-9**）．
④ 試験管は斜めに保持した状態で管口を火炎滅菌する．以後④〜⑤の作業も斜めにした状態で行う．試験管を垂直にすると落下細菌による汚染を受けやすいので避ける．（プラスチック製の試験管は火炎滅菌しない．）
⑤ 白金耳（線）を火炎滅菌して検体または培養液をとる（**図 3-A-10**）．
⑥ 管口を火炎滅菌して蓋を閉じる．蓋を完全に閉じるのは，白金耳（線）の火炎滅菌後でよい．
⑦ 白金耳（線）を火炎滅菌する．

# B 顕微鏡による観察

　微生物のなかでも，細菌や真菌，抗酸菌，原虫は生物用光学顕微鏡と蛍光顕微鏡を用いて観察を行うが，ウイルスは電子顕微鏡を用いる．真菌や原虫を観察する場合は無染色標本もしくは染色標本を用いるが，細菌や抗酸菌は菌体が小さいため，染色標本を中心とした観察を行う．原虫については，本書では解説はしない．

> **原虫の観察**
> 原虫については最新臨床検査学講座「医動物学」を参照のこと．

　細菌の顕微鏡検査は，Gram 染色のように染色による染め分けを行うことによる菌種鑑別を目的とするものから，鞭毛や莢膜，異染小体，芽胞など菌の特殊構造を確認する目的で行うものまである．また，一般細菌や抗酸菌で材料中の菌数が少ない場合や菌の特性を確認するには，蛍光染色を用いて観察を行う．

　微生物検査では，培養菌の性状確認のためコロニーなどから直接顕微鏡下で菌体を確認し，培養検査の手順を決定する作業が多いが，検査材料から直接顕微鏡下で微生物の確認と上皮や白血球の観察を行い，検査材料の品質評価を行う作業もある．これにより，感染症の診断や治療方針の確認，さらには医療関連感染対策に必要な情報を提供できる．

## I 各種検査材料からのGram染色所見（特殊染色を含む）

### 1 グラム陽性菌の染色所見

| グラム陽性 | 主な性状 | 菌の属または種 | 形態 | 典型像 |
|---|---|---|---|---|
| 1）球菌 | | | | |
| | 集塊状 | *Staphylococcus* 属 | 単一，2〜4つ，集塊状を形成する． | |
| | 連鎖状 | *Streptococcus* 属，*Enterococcus* 属 | 単一，2〜数連鎖（*Enterococcus* 属は連鎖が短いものが多い）．（写真：*Streptococcus* 属） | |

| グラム陽性 | 主な性状 | 菌の属または種 | 形態 | 典型像 |
|---|---|---|---|---|
| 2）桿菌 | 大型 | *Bacillus* 属, *Clostridium* 属 | 芽胞が確認できることがある.（写真：*Bacillus cereus*） | |
| | 小型 | *Corynebacterium* 属, *Listeria* 属 | 無芽胞. *Corynebacterium* 属は棍棒状，V字もしくはY字のものが多い．*Listeria* 属は直線状，連鎖状になるものが多い．（写真：*Corynebacterium* 属） | |
| | 放射状 | *Nocardia* 属, *Actinomyces* 属 | *Nocardia* 属は Kinyoun（キニヨン）変法で赤く染まる（p.334）．*Actinomyces* 属と *Nocardia* 属は類似しているが鑑別できる．（写真：*Nocardia* 属） | |

## 2 グラム陰性菌の染色所見

| グラム陰性 | 主な性状 | 菌の属または種 | 形態 | 典型像 |
|---|---|---|---|---|
| 1）球菌 | 双球状 | *Neisseria* 属, *Moraxella catarrhalis* | 双球菌状に確認されることが多い．白血球内に捕食されているものが多く確認される．（写真：*M. catarrhalis*） | |
| 2）桿菌 | 桿菌状 | 腸内細菌目細菌, *Pseudomonas* 属, *Vibrio* 属, *Aeromonas* 属 | 中型の桿菌．直線状から弯曲状の桿菌．（写真：*Escherichia coli*） | |
| | 球菌または短桿菌 | *Acinetobacter* 属 | *Neisseria* 属と似た球菌状で確認されるが，一部で桿菌状のものが確認される． | |

## 3　上皮および血球成分

| | 検査材料の評価 |
|---|---|
| 喀痰 Gram 染色所見では，材料採取の信頼性を評価するために多核白血球と扁平上皮の観察を行う．写真は左：Geckler 分類グループ 1，中：グループ 3，右：グループ 5．グループ 5 が適した材料である． | |

## 4　各種 Gram 染色像からの菌種推定

| | 菌種 | 形態 | 典型像 | 対象となる検査材料 |
|---|---|---|---|---|
| 1）グラム陽性球菌 | *Streptococcus pneumoniae* | 双球状や短連鎖として確認される．莢膜形成菌であるので喀痰では周囲が抜けてみえたり，ムコイド様菌は菌体周囲が赤くみえる．（写真：喀痰） | | 喀痰，血液，髄液，関節液，耳漏，結膜分泌物など |
| | *Streptococcus* 属　菌種が多く，菌種により球形から卵円形，楕円形までさまざまである．また，連鎖の長さも短連鎖から長連鎖までさまざまである．さらに，菌種によりグラム不定となるものもある． | ①*S. pyogenes, S. dysgalactiae* subsp. *equisimilis*：球形．一部グラム不定もしくは陰性として確認される．（写真：膿汁） | | 血液，耳漏，膿汁 |
| | | ②viridans group streptococci：球形から楕円形のものまである．長い連鎖状に確認されることが多い．（写真：血液培養） | | 血液，膿汁（特に上気道） |
| | *Enterococcus* 属 | 双球菌や短連鎖として確認される．*S. pneumoniae* と類似した形態をとるが，泌尿器材料から分離されることが多く推定できることが多い．（写真：血液） | | 尿，血液，膿汁，腹腔内膿瘍など |
| | *Staphylococcus aureus* | ブドウ状に大小の集塊を形成する．（写真：膿汁） | | 喀痰，血液，膿汁，ドレーン排液，カテーテル尿など |

| | 菌種 | 形態 | 典型像 | 対象となる検査材料 |
|---|---|---|---|---|
| 2) グラム陰性桿菌 | *Haemophilus influenzae* | 短桿菌や細い桿菌状．一部フィラメント状のものも確認される．（写真：喀痰） | | 喀痰，血液，髄液，関節液，耳漏，結膜分泌物など |
| | *Klebsiella pneumoniae* | 短桿菌や太い桿菌．莢膜産生菌であり周囲が抜けてみえることがあり，菌体周囲が赤くみえる．（写真左：喀痰，右：膿汁，莢膜産生） | | 喀痰，尿，腹腔内膿瘍など |
| | *Pseudomonas aeruginosa* | 中型から長い桿菌．やや弯曲するものがある．バイオフィルム形成菌は，菌体周囲に桃色のムコイド様物質が確認される．〔写真左：喀痰，右：喀痰（ムコイド株）〕 | | 喀痰，血液，尿，膿汁など |
| | *Acinetobacter* 属 | グラム陰性桿菌に属しているが，グラム陰性球菌として確認されることがあり，*Neisseria* 属や *Moraxella catarrhalis* と類似している．（写真：膿汁） | | 喀痰（特に人工呼吸器装着者），カテーテル尿，膿汁など |
| | *Fusobacterium nucleatum* | 細く紡錘状の長短の桿菌．（写真：膿汁） | | 血液，膿汁，喀痰など |
| | *Campylobacter* 属，*Helicobacter* 属 | 2〜4回の螺旋状をしている．（写真：*C jejuni*，糞便） | | 糞便，血液，胃粘膜 |
| 3) グラム陽性桿菌 | *Bacillus* 属，*Clostridium* 属 | 直線状で大型の有芽胞菌．双方の菌種を区別することは困難である．グラム陰性として確認されることが多い．（写真左：*Bacillus* 属，右：*Clostridium* 属） | | *Bacillus* 属：血液，膿汁など．*Clostridium* 属：血液，膿汁，胆汁，腹腔内膿瘍など |

| | 菌種 | 形態 | 典型像 | 対象となる検査材料 |
|---|---|---|---|---|
| 3) グラム陽性桿菌（つづき） | *Lactobacillus* 属 | 直線状の無芽胞の大型桿菌．腟や消化管の常在細菌叢を形成しているため，泌尿器材料や糞便でよく観察される． | | 腹腔内膿瘍，腟分泌物 |
| | *Listeria* 属 | 細く直線状の桿菌，一部連鎖状になる．（写真：血液培養） | | 血液，髄液 |
| | *Corynebacterium* 属 | 棍棒状の桿菌でY字やV字になる．連鎖状になることはない．（写真：喀痰） | | 膿汁，カテーテル類，喀痰 |
| | *Cutibacterium* 属 | 分岐状からY字になる．皮膚常在菌で，血液培養の汚染菌として分離される機会が多い．人工関節や血管内留置カテーテルなど人工物関連の感染症を起こす．（写真：*C. acnes*，血液培養） | | 血液培養，膿汁 |
| 4) グラム陰性球菌 | *Moraxella catarrhalis* | | | 喀痰，鼻腔分泌物，耳漏，結膜分泌物など |
| | *Neisseria gonorrhoeae* | 双球菌として確認され，多くが細胞質内に取り込まれた像として確認される．（写真：*M. catarrhalis* は喀痰，*N. gonorrhoeae* は尿道分泌物，*N. meningitidis* は髄液） | | 尿，尿道分泌物，関節液など |
| | *Neisseria meningitidis* | | | 血液，髄液など |

| | 菌種 | 形態 | 典型像 | 対象となる検査材料 |
|---|---|---|---|---|
| 5) グラム不定細菌 | Gardnerella vaginalis | グラム陰性桿菌に属するが，グラム陽性桿菌とグラム陰性桿菌とまばらに確認されることが多い．（写真：腟分泌物） | | 腟分泌物 |
| 6) 酵母様真菌 | Candida 属 | グラム陽性に染まる．細菌に比べてやや大型で，酵母は楕円から正円形のものが多い．C. albicans では仮性菌糸がよくみられる．（写真：仮性菌糸） | | 喀痰，尿，膿汁，血液，糞便，腟分泌物 |
| | Cryptococcus 属 | グラム陽性に染まる．Candida 属と類似の形態を示すが，菌体周囲に赤い莢膜が観察され区別ができる．仮性菌糸はみられないことが多い．（写真：髄液） | | 血液，髄液 |
| | Malassezia 属 | グラム陽性に染まるが，一部陰性に染まるものも確認できる．出芽したものもあり，仮性菌糸を伴うこともある．（写真：皮膚） | | 血液，皮膚 |
| 7) その他 | Mycobacterium 属 | 本来はグラム陽性桿菌であるが，染色性が悪くグラム不定性．多くは染色されずガラス状に菌体を確認することができる．Ziehl-Neelsen（チール・ネールゼン）染色陽性になる．（写真：M. tuberculosis，喀痰） | | 喀痰，膿汁，血液など |

## 5 特殊染色の染色像

| 染色法 | 染色像 |
|---|---|
| 抗酸菌染色（Ziehl-Neelsen 法，Kinyoun 変法） | 抗酸菌は赤色，抗酸菌以外の菌や生体成分は青色に染色される．（写真左：Ziehl-Neelsen 法，Mycobacterium 属，右：Kinyoun 変法，Nocardia 属．ともに喀痰） |

| 染色法 | 染色像 | | |
|---|---|---|---|
| 抗酸菌染色：auramine（オーラミン）法 | 抗酸菌はアップルグリーンに染色される. | | |
| Neisser（ナイセル）染色 | 異染小体は黒色，菌体は黄色に染色される. | | |
| *Legionella* 属の染色法 | Giménez（ヒメネス）染色 | 細菌は赤色，細菌以外の生体成分は青色に染色される.（矢印：*Legionella* 属） | |
| | アクリジン・オレンジ染色 | 細菌と核はオレンジ色，白血球と上皮細胞は黄緑色に染色される. | |
| 芽胞染色 | Wirtz（ウィルツ）法 | 芽胞は緑色，菌体は赤色に染色される.（写真：*C. difficile*） | |
| | Möller（メラー）法 | 芽胞は赤色，菌体は淡青色に染色される.（写真：*B. cereus*） | |
| 莢膜染色 | 莢膜は多糖体で形成されており，菌体に比べて脱色しやすい性質を利用した染色法である．Hiss（ヒス）染色が一般的に使用されている．莢膜は淡紫色，菌体は濃紫色に染色される．（写真左：Hiss 法，*S. pneumoniae*，右：Hiss 法，*K. pneumoniae*） | | |

| 染色法 | 染色像 | |
|---|---|---|
| 鞭毛染色 | 鞭毛，菌体ともに濃赤色になる．<br>(写真：山中喜代治編：新・カラーアトラス微生物検査．p51, 医歯薬出版，2009) | |
| 墨汁法 | 菌体は酵母様真菌として確認され，莢膜は菌体周囲が抜けて確認される． | |
| ファンギフローラY法 | キチン層をもつ Candida 属，Cryptococcus 属，Aspergillus 属，Pneumocystis jirovecii はアップルグリーンに染まる．接合菌群はキチン層をもたないため染色されない． | |
| ラクトフェノールコットンブルー法 | スライドカルチャー後の真菌の菌糸を確認するために用いる方法．真菌は青に染まる． | |

# C 培養と培地

## I 微生物検査に用いる培地の種類と選択

微生物検査において,細菌や真菌の培養は最も重要な検査工程である.培養に用いる培地は,検査目的とする細菌や真菌によって非常に多くの種類がある.微生物検査では,検体の種類や検査目的に応じて選択して使用されている.

### 1 分離培地 (isolation medium)

分離培地には寒天培地である平板培地が用いられ,患者検体中に存在するすべての菌を培地上に孤立集落として形成させるために用いる.

分離培地には選択成分を含まない非選択分離培地と,目的の菌以外の菌の発育を抑制する選択成分を添加し,目的の菌のみを発育させる選択分離培地がある.

#### 1) 非選択分離培地 (non-selective medium)

非選択分離培地には,血液寒天培地やチョコレート寒天培地,BTB 乳糖寒天培地などがあり,検体の種類によって選択して用いられる.また,非選択分離培地は菌の純培養にも使用される.

#### 2) 選択分離培地 (selective medium)

選択分離培地は,目的とする菌以外の菌の発育を抑制する選択成分が含まれる.選択成分には,胆汁(胆汁酸塩)や塩化ナトリウムのような自然物質や抗菌物質が用いられる.

#### 3) 鑑別培地 (differential medium)

鑑別培地は寒天培地である平板培地であり,分離培地上の集落から菌種の推定または同定ができるように考案された培地である.

### 2 増菌培地 (enrichment medium)

増菌培地は患者検体中に存在する菌を確実に検出するために用いる.好気性菌から嫌気性菌まで幅広い菌の発育が可能なものと,特定の菌のみを増菌する選択増菌培地がある.

### 3 確認培地 (identification medium)

確認培地には,液体培地,高層培地,半流動高層培地,斜面培地,半斜面培地があり,分離菌の生化学的性状を調べるために用いる.複数の確認培地を用い,多数の生化学的性状を調べて菌種を同定する.腸内細菌目細菌の同定にお

---

**自家製培地と市販培地**

培地は,以前は粉末の製品から検査室で作製していた.現在では,市販されている調製済み培地(生培地)が使用され,検査室で作製する機会は減少している.

**新しい鑑別培地**

選択成分と発色基質複合物を添加し,集落の色調から菌種を同定できる培地が普及している.菌が産生する酵素や代謝産物と発色基質が反応することで集落が着色する.MRSA,ESBL 産生菌,MDRP のような薬剤耐性菌,腸管出血性大腸菌,腸内細菌目細菌,Candida 属用の培地が使用されている.

**増菌培地の種類**

選択成分を含まない培地には,臨床用チオグリコレート培地や HK 半流動培地,トリプチケースソイブロス,ブレインハートインフュージョンブロスなどがある.選択増菌培地には,Salmonella 属の増菌培地であるセレナイト培地,Vibrio 属の増菌培地であるアルカリペプトン水などがある.

いては，TSI 寒天培地，SIM 培地，VP 半流動培地，シモンズのクエン酸塩培地，リジンなどのアミノ酸脱炭酸試験用培地などに菌を接種する．

## 4 保存・輸送培地（storage and transport medium）

保存・輸送培地には液体培地，高層または半流動高層培地があり，検体をただちに検査できない状況において，検体を一時的に保存，または外部の検査機関へ輸送する場合に用いる．

# II 培地の種類と特徴

微生物検査に用いる培地の特徴を表 3-C-1 に示す．

表 3-C-1 微生物検査に用いられる培地の組成と特徴
**非選択分離培地**

| 培地名 | 目的・重要な成分・特徴 |
|---|---|
| ハートインフュージョン寒天培地 | 発育に血液の添加を必要としない Staphylococcus 属，Enterococcus 属，腸内細菌目細菌，ブドウ糖非発酵グラム陰性桿菌の培養に用いられる．血液寒天培地やチョコレート寒天培地の基礎培地として用いられる． |
| ブレインハートインフュージョン寒天培地 | 培地に脳浸出液を含み発育支持力が高い．血液を添加しないと発育できない Streptococcus 属や他の栄養要求性の厳しい菌の培養に用いられる． |
| トリプチケースソイ寒天培地 | 発育に血液の添加を必要としない Staphylococcus 属，Enterococcus 属，腸内細菌目細菌，ブドウ糖非発酵グラム陰性桿菌の培養に用いられる．血液寒天培地やチョコレート寒天培地の基礎培地として用いられる． |
| 血液寒天培地 | 患者検体からの好気性および通性嫌気性菌の分離に用い，日常検査において最も頻用される．発育に血液の添加が必要な Streptococcus 属の培養に用い，溶血性（α，β，γ）による菌種の鑑別にも用いられる． |
| チョコレート寒天培地 | 血液に含まれる易熱性の発育阻害物質を加熱によって破壊し，血液寒天培地に発育できない Haemophilus 属や Neisseria gonorrhoeae の培養に用いる． |
| チョコレート寒天培地（ヘモグロビン使用） | 血液の代わりにヘモグロビンを用いたチョコレート寒天培地．ヘモグロビン単独では血液に比べて発育支持力が劣ることから，発育増強剤が添加されている． |
| BTB 乳糖寒天培地〔Drigalski（ドリガルスキー）改良培地〕 | 患者検体からの腸内細菌目細菌やブドウ糖非発酵グラム陰性桿菌の分離に用いる．乳糖を含み，乳糖分解菌は添加されている指示薬（ブロムチモールブルー）によって培地の色調が黄色，非分解菌は青色となる．Staphylococcus 属，Enterococcus 属，Listeria 属が発育するので，Streptococcus 属との鑑別に有用である． |
| Bordet-Gengou（ボルデー・ジャング）培地 | Bordetella pertussis の分離培地．B. pertussis は培地中に含まれる発育阻害物質の影響を受けやすいため，ジャガイモ浸出液中のデンプンや高濃度に添加される血液中の赤血球が発育阻害物質を吸着する．B. pertussis は本培地上で真珠様光沢のある S 型集落を形成し，集落周囲に弱い β 溶血を示す．本培地以外に，活性炭（チャコール寒天培地）やシクロデキストリン（CSM 培地）を用いた培地がある． |
| B-CYEα 寒天培地（buffered-charcoal yeast extract α-ketoglutarate agar） | Legionella 属の分離培地．必須栄養源として L-システイン，可溶性ピロリン酸鉄，発育促進剤として α-ケトグルタル酸を含む．発育至適 pH が 6.9 前後の狭い範囲であり，培地の緩衝性を高めるため ACES（N-2-acetamido-2-aminoethane sulfonic acid）が添加されている． |
| Löffler 培地〔Löffler（レフレル）の凝固血清培地〕 | Corynebacterium diphtheriae の培養に用いる培地であり，異染小体の形成性に優れる．寒天の代わりにウマ血清が用いられる．C. diphtheriae が疑われる株や偽膜を接種して培養する． |

**非選択分離培地（つづき）**

| 培地名 | 目的・重要な成分・特徴 |
|---|---|
| 変法 GAM 寒天培地<br>(Gifu anaerobic medium, modified) | 嫌気性菌全般の非選択分離培地である GAM 寒天培地を改良した培地．血液の添加を必要とせず多くの嫌気性菌が発育するが，*Prevotella* 属や *Porphyromonas* 属の発育は劣る． |
| ABCM 寒天培地<br>(anaerobic bacterial culture medium) | 嫌気性菌全般の非選択分離培地である GAM 寒天培地を改良した培地．血液の添加を必要とせず多くの嫌気性菌が発育するが，*Prevotella* 属や *Porphyromonas* 属の発育は劣る． |
| ブルセラ血液（RS）寒天培地 | 嫌気性菌全般の非選択分離培地．ブルセラ寒天を基礎培地とし，ビタミン $K_1$ とヘミンが含まれ *Prevotella* 属や *Porphyromonas* 属も発育し，ウサギ血液によって褐色〜黒色の集落が形成される． |
| アネロコロンビアウサギ血液寒天培地 | 嫌気性菌全般の非選択分離培地．コロンビア寒天を基礎培地とし，ビタミン $K_1$ とヘミンが含まれ *Prevotella* 属や *Porphyromonas* 属も発育し，ウサギ血液によって褐色〜黒色の集落が形成される． |
| 卵黄加 CW 寒天培地 | *Clostridium perfringens* の分離培地．*C. perfringens* はレシチナーゼを産生して集落周囲が白濁する． |

**選択分離培地・鑑別培地**

| 培地名 | 目的・重要な成分・特徴 |
|---|---|
| マンニット食塩培地 | 食塩耐性の性質を有する *Staphylococcus* 属の選択培地である．高濃度の食塩とマンニットを含み，*S. aureus* はマンニットを分解し，指示薬であるフェノールレッドによって集落周囲が黄変するが，*S. epidermidis* などのマンニット非分解菌の集落周囲は赤色となる． |
| MacConkey（マッコンキー）寒天培地 | 患者検体からの腸内細菌目細菌やブドウ糖非発酵グラム陰性桿菌の分離に用いる．乳糖分解菌は乳糖が分解されて生じた酸によって析出した胆汁酸とニュートラルレッドが結合し集落が赤色に着色するが，乳糖非分解菌は透明な集落となる．*Proteus* 属は胆汁酸によって遊走が阻止される．胆汁酸とクリスタルバイオレットによってグラム陽性菌は発育しない． |
| フェニルエチルアルコール（PEA）血液寒天培地 | グラム陽性球菌や嫌気性菌の選択分離培地．選択剤として含まれるフェニルエチルアルコールは，好気性グラム陰性桿菌の発育を抑制する．多種類の細菌が混在する検体からの分離に使用する． |
| NGKG 培地 | *Bacillus cereus* の選択分離培地．環境からの菌分離に用いる．*B. cereus* は本培地上で指示薬であるフェノールレッドによって黄色集落を形成し，レシチナーゼを産生し培地中の卵黄が分解され集落周囲が白濁する． |
| Thayer-Martin（サイアー・マーチン）培地 | *Neisseria gonorrhoeae* と *Neisseria meningitidis* の選択分離培地．選択剤として抗菌薬 3 種（コリスチン，バンコマイシン，ナイスタチン）が含まれ，他菌の発育が抑制される． |
| ソルビトール MacConkey 寒天培地 | *Escherichia coli* O157 の選択分離培地．MacConkey 培地に含まれる乳糖をソルビトールに替えたものである．一般的な *E. coli* はソルビトールを分解しピンク〜赤色集落を形成するが，*E. coli* O157 はソルビトールを分解しないことから無色透明な集落を形成する． |
| DHL 寒天培地<br>(deoxycholate hydrogen sulfide lactose agar) | 複数のペプトンを含み，発育不良な *Salmonella* 属や *Shigella* 属なども良好に発育する．選択成分である胆汁酸塩，チオ硫酸塩，クエン酸塩は SS 寒天培地より低濃度であるが，硫化水素の産生が良好であり *Salmonella* 属や *Citrobacter* 属は明瞭な黒色集落を形成する．乳糖と白糖を含むことで，*Enterobacter* 属などは白糖分解によって生じた酸によって析出した胆汁酸とニュートラルレッドが結合し集落が赤色に着色，*Shigella* 属などの非分解菌は透明な集落となり，少数であっても存在が観察できる．*Proteus* 属などの IPA 反応陽性菌は，集落周囲が PPA 反応によって暗褐色となり区別できる． |
| SS 寒天培地<br>(Salmonella-Shigella agar) | 胆汁酸塩がクエン酸ナトリウムやチオ硫酸ナトリウムと相乗的に作用し，*Salmonella* 属や *Shigella* 属よりも他の菌の発育を抑制することを利用した選択分離培地．*Salmonella* 属や *Shigella* 属の糞便からの分離に用いられる．乳糖分解菌は乳糖が分解されて生じた酸によって析出した胆汁酸とニュートラルレッドが結合し集落が赤色に着色するが，乳糖非分解菌は透明な集落となるので，少数の乳糖非分解菌の存在が容易に観察できる．ブリリアントグリーンは胆汁酸と協力し，グラム陽性菌の発育を阻止する．（培地の高圧蒸気滅菌は不要．） |

**選択分離培地・鑑別培地（つづき）**

| 培地名 | 目的・重要な成分・特徴 |
|---|---|
| XLD 寒天培地<br>(xylose lysine deoxycholate agar) | 乳糖と白糖の分解性に加え，キシロース分解性とリジン脱炭酸反応を利用した培地．乳糖，白糖非分解，キシロース分解の *Salmonella* 属はリジン脱炭酸によるアルカリ化によって中和され，硫化水素産生によって中心部黒色の透明な集落を形成する．*Shigella* 属は乳糖，白糖，キシロースを分解せず，リジン脱炭酸反応陰性なので透明な集落を形成する．グラム陽性菌は胆汁酸によって発育しない． |
| CIN 寒天培地<br>(cefsulodin irgasan novobiocin agar) | *Yersinia* 属の選択分離培地．選択剤として含まれるセフスロジン，ノボビオシン，イルガサンによって他菌の発育は抑制される．*Y. enterocolitica* は本培地上で，周囲が白色，中心部赤色の集落を形成する． |
| TCBS 寒天培地<br>(thiosulfate-citrate-bile salts sucrose agar) | *Vibrio* 属の選択分離培地．高い培地の pH（8.8）とチオ硫酸ナトリウムやクエン酸ナトリウムにより，*Vibrio* 属以外の腸内細菌目細菌はほとんど発育しない．胆汁酸塩によってグラム陽性菌の発育も抑制される．*V. cholerae* は白糖を分解し，指示薬であるブロムチモールブルーによって黄色集落を形成し，*V. parahaemolyticus* は白糖を分解せず，ブロムチモールブルーとチモールブルーによって緑色集落を形成する．（培地の高圧蒸気滅菌は不要．） |
| Skirrow（スキロー）寒天培地 | *Campylobacter jejuni* や *Campylobacter coli* の選択分離培地．糞便からの分離に用いるため，抗菌薬3種（バンコマイシン，ポリミキシン B，トリメトプリム）が選択剤として含まれている． |
| NAC 寒天培地<br>(nalidixic acid cetrimide agar) | *Pseudomonas aeruginosa* の選択分離培地．選択剤としてセトリマイドとナリジクス酸を含む．*P. aeruginosa* は色素を産生し，黄緑色〜青色または褐色の集落を形成する．（培地の高圧蒸気滅菌は不要．） |
| WYOα 寒天培地<br>(Wadowsky Yee Okuda α-keto-glutarate agar) | *Legionella* 属の選択分離培地．必須栄養源として L-システイン，可溶性ピロリン酸鉄，発育促進剤として α-ケトグルタル酸を含む．選択剤としてグリシン，バンコマイシン，ポリミキシン B，アムホテリシン B を含み，患者検体や環境水からの分離に用いられる．<br>発育至適 pH が 6.9 前後の狭い範囲であり，培地の緩衝性を高めるため ACES（N-2-acetamido-2-aminoethane sulfonic acid）が添加されている． |
| BBE 寒天培地<br>(*Bacteroides* bile esculin agar) | *Bacteroides fragilis* group の選択分離培地．本菌は胆汁によって発育が促進され，他菌の発育は抑制される．*B. fragilis* group の多くの菌種はエスクリンを加水分解するので，本培地上で鉄イオンと結合して褐色集落を形成する．また，*Bilophila wadsworthia* も本培地に発育し，中心部黒色の特徴ある集落を形成する． |
| CCFA 培地<br>(cycloserine cefoxitin fructose agar) | *Clostridioides difficile* の選択分離培地．選択剤であるサイクロセリンとセフォキシチンにより，糞便中の他の細菌の発育が抑制される．*C. difficile* によってペプトンが分解され培地がアルカリ性に傾き，集落および周囲がニュートラルレッドによって黄変する．フルクトースは本培種以外に発酵できる *Clostridium* 属菌種が少なく分離がより容易となる．フルクトースをマンニトールに替えた培地として，CCMA 培地がある． |
| PPLO 寒天培地 | *Mycoplasma* 属の選択分離培地．本菌属は発育に高濃度のステロールを要求するので，本培地には多量のウマ血清が含まれる．選択剤として含まれる酢酸タリウムは真菌や細菌，ペニシリンはグラム陽性菌の発育を抑制する． |
| CHROMagar MRSA | MRSA の選択分離培地．選択剤としてセフォキシチンを含み，MRSA は本培地に 24 時間で発育して発色基質混合物によって藤色集落を形成する．コアグラーゼ陰性ブドウ球菌（CNS）や *Corynebacterium* 属も本培地に 48 時間以降に発育するが，集落が微小であり容易に区別できる． |
| CHROMagar Orientation | 腸内細菌目細菌，一部のブドウ糖非発酵グラム陰性桿菌，および一部のグラム陽性球菌の分離および鑑別培地．培地に含まれる発色基質混合物により，菌種によって集落の色調が異なる．*E. coli* は赤色，*Klebsiella* 属は淡青色ムコイド集落，*Enterobacter* 属や *Serratia* 属は淡青色集落，*Proteus* 属や *Morganella* 属は集落周囲が褐色となる．グラム陽性球菌は，*Staphylococcus saprophyticus* は淡いピンク色集落，*Enterococcus* 属は青色集落を形成する． |
| CHROMagar Candida | 酵母である *Candida* 属の選択分離培地．培地に含まれる発色基質混合物により，菌種によって集落の色調が異なるので菌種の推定または同定が可能である．*C. albicans* は緑色，*C. tropicalis* は青色，*C. krusei* はピンク色の R 型集落となる． |

## 増菌培地

| 培地名 | 目的・重要な成分・特徴 |
|---|---|
| ハートインフュージョンブロス | 発育に血液の添加を必要としない *Staphylococcus* 属, *Enterococcus* 属, 腸内細菌目細菌, ブドウ糖非発酵グラム陰性桿菌の培養に用いられる. |
| ブレインハートインフュージョンブロス | 培地に脳浸出液を含み発育支持力が高い. 血液を添加しないと発育できない *Streptococcus* 属や他の栄養要求性の厳しい菌の培養に用いられる. |
| トリプチケースソイブロス | 発育に血液の添加を必要としない *Staphylococcus* 属, *Enterococcus* 属, 腸内細菌目細菌, ブドウ糖非発酵グラム陰性桿菌の培養に用いられる. |
| 臨床用チオグリコレート培地 | 細菌全般の増菌に用いる培地. 本来無菌の患者検体や微量な検体中から少数の細菌を検出する. 還元剤であるチオグリコール酸ナトリウムによって培地中の酸化還元電位が低く保たれるので, 好気性菌は培地の上部, 嫌気性菌は培地の深部に発育する. 低濃度の寒天は大気中からの酸素の溶存を防ぐ. |
| GAM 半流動培地 | 細菌全般の増菌に用いる培地. 本来無菌の患者検体や微量な検体中から少数の細菌を検出する. 還元剤である L-システインとチオグリコール酸ナトリウムによって培地中の酸化還元電位が低く保たれるので, 好気性菌は培地の上部, 嫌気性菌は培地の深部に発育する. 低濃度の寒天は大気中からの酸素の溶存を防ぐ. 嫌気性菌の保存培地としても使用できる. |
| HK 半流動培地 | 細菌全般の増菌に用いる培地. 本来無菌の患者検体や微量な検体中から少数の細菌を検出する. 還元剤である L-システインとチオグリコール酸ナトリウムによって培地中の酸化還元電位が低く保たれるので, 好気性菌は培地の上部, 嫌気性菌は培地の深部に発育する. 低濃度の寒天は大気中からの酸素の溶存を防ぐ. 本培地は, アルギニン, ヘミン, ピルビン酸ナトリウム, ギ酸ナトリウム, フマル酸ナトリウム, ビタミン $K_1$ を含み嫌気性菌の発育に優れるので, 増菌や菌株保存にも使用できる. |

## 選択増菌培地

| 培地名 | 目的・重要な成分・特徴 |
|---|---|
| Pike（パイク）培地 | β溶血性レンサ球菌の増菌培地. *Streptococcus pyogenes* の保菌検査に用いられる. 窒化ナトリウムとクリスタルバイオレットにより他のグラム陽性菌や陰性菌の発育が抑制される. 本培地に検体を接種し, 24 時間培養後に培養液を 5%ヒツジ血液寒天培地へ再分離する. |
| セレナイト培地 | 亜セレン酸ナトリウムは *E. coli* などの発育を阻止するが, *Salmonella* 属は発育を阻止されない. 本培地は *Salmonella* 属（特に *S. Typhi*）の胆汁や糞便からの増菌に用いる. |
| アルカリペプトン水 | *Vibrio* 属の選択増菌培地であり, pH が高い (8.3). 糞便を接種し, 35℃, 6〜15 時間培養後, 培地の上層部を TCBS 寒天培地へ接種し, 培養する.<br>塩化ナトリウム（食塩）を 4%に添加した培地も用いられる. |

## 確認培地

| 培地名 | 目的・重要な成分・特徴 |
|---|---|
| 胆汁エスクリン寒天培地 | *Enterococcus* 属の鑑別用斜面培地. *Enterococcus* 属は本培地に含まれる胆汁で発育を阻害されず, エスクリンを加水分解し, 鉄イオンと結合して黒色集落を形成する. |
| CTA 培地<br>(cystine trypticase agar) | 栄養要求性が厳しく, OF 培地では発育しにくい細菌の糖分解試験用培地. *Enterococcus* 属, *Neisseria* 属, *Moraxella catarrhalis*, *Corynebacterium* 属の同定に用いられる. 糖は 1%に添加し, 糖が分解されたことによって生じた酸が培地の pH を低下させ, 指示薬であるフェノールレッドによって培地が黄変する. 糖を添加せず, 運動性試験や保存培地として使用することも可能である. |
| Kligler（クリグラー）寒天培地<br>(Kligler iron agar) | 腸内細菌目細菌や一部のブドウ糖非発酵グラム陰性桿菌のブドウ糖発酵およびガス産生性, 乳糖分解性, 硫化水素産生性を調べる半斜面培地. ブドウ糖が 0.1%, 乳糖が 1%の濃度であり, ブドウ糖の発酵とガスの産生は高層部の黄変と亀裂や気泡の有無, 乳糖の分解は斜面部の黄変, 硫化水素の産生は培地の黒変によって判定する.<br>糖の分解による培地の黄変は指示薬であるフェノールレッドにより, 硫化水素産生による黒変は鉄イオンと結合した硫化鉄による. |

## 確認培地（つづき）

| 培地名 | 目的・重要な成分・特徴 |
|---|---|
| TSI 寒天培地<br>(triple sugar iron agar) | Kligler 寒天培地に白糖を加えた半斜面培地．白糖が1%追加されたことで，*Salmonella* 属や *Shigella* 属の区別がさらに容易である．白糖の分解性は斜面部で判定する． |
| SIM 培地<br>(sulfide indole motility medium) | 腸内細菌目細菌のインドール産生性，IPA 反応，硫化水素産生性，運動性を調べる半流動培地．インドールは多量に含まれるペプトン中のトリプトファンから産生され，培養後に添加するインドール試薬中のパラジメチルアミノベンズアルデヒドと反応し試薬層が赤変する．IPA 反応は，生成されたインドールピルビン酸が培地中の鉄イオンと結合し培地上層部が褐色となる．硫化水素は硫化鉄による培地の黒変によって判定する．運動性は菌を接種した穿刺部のみ発育した場合は陰性，穿刺部周囲または培地全体が混濁した場合は陽性と判定される． |
| LIM 培地<br>(lysine indole motility medium) | リジン脱炭酸反応，インドール産生性，運動性を調べる半流動培地．*Salmonella* 属や *Shigella* 属を他の腸内細菌目細菌と区別するために用いる．リジン脱炭酸反応の原理は Møller 培地と同じである． |
| VP 半流動培地<br>(Voges-Proskauer semisolid medium) | ブドウ糖を分解し，アセチルメチルカルビノール（アセトイン）を産生できるかを調べる半流動培地．培養後にアルカリ性のVP試薬を添加し，アセトインが空気中の酸素によって酸化され赤色のジアセチルが生成されると試薬層が赤変する． |
| シモンズのクエン酸塩培地<br>(Simmons citrate agar) | クエン酸ナトリウムを炭素源として利用できるかを調べる斜面培地．合成培地であり，窒素源としてリン酸アンモニウムを含む．クエン酸塩とアンモニウム塩の両者を利用すると培地はアルカリ化し青変し，炭素源として利用できない場合は発育しない．*E. coli* はアンモニウム塩を利用できるがクエン酸塩を利用できないので発育せず，*S.* Typhi はアンモニウム塩を利用できないので発育しない． |
| Møller（メラー）培地 | 腸内細菌目細菌やブドウ糖非発酵グラム陰性桿菌のアミノ酸（リジン，オルニチン，アルギニン）脱炭酸反応（アルギニンは加水分解）を調べる液体培地．アミノ酸が脱炭酸されて生じるアミンによって培地がアルカリ化し，指示薬であるブロムクレゾールパープルによって紫色となる． |
| DNA 寒天培地 | 核酸分解酵素（DNase）の産生性を調べる培地．核酸はトルイジンブルーと結合し青色であるが，DNase によって核酸が分解されると培地中のトルイジンブルーが遊離し赤紫色となる．腸内細菌目細菌やブドウ糖非発酵菌はトルイジンブルーが添加された斜面培地で検査するが，*Staphylococcus* 属や *Moraxella catarrhalis* は色素が毒性に作用するので，色素を含まない平板培地で培養後にトルイジンブルーか 1.5M 塩酸を滴下して判定する．塩酸を用いた場合は，培地が白濁せず透明帯が観察された場合に陽性と判定する． |
| 尿素培地 | ウレアーゼ産生性を調べる液体培地．尿素がウレアーゼによって分解されることで生じるアンモニアによって培地がアルカリ化し，指示薬であるフェノールレッドによって赤変する．ウレアーゼ産生性は *Yersinia* 属の同定に重要である． |
| ペプトン水 | *Vibrio* 属の同定法である好塩性試験に用いる．塩化ナトリウムの最終濃度を3%，5%，7%，10%に添加して用いる． |
| OF 基礎培地<br>(oxidative-fermentative medium)<br>〔Hugh-Leifson（ヒュー・レイフソン）培地〕 | 腸内細菌目細菌やブドウ糖非発酵グラム陰性桿菌の糖の代謝形式を調べる半流動培地．ブドウ糖を添加した2本の培地に菌を接種し，一方に流動パラフィンを重層して培養する．腸内細菌目細菌はブドウ糖を発酵し両方の培地が黄変する．ブドウ糖非発酵グラム陰性桿菌はブドウ糖を酸化形式でのみ分解し，流動パラフィンを重層しない培地のみが黄変する．<br>また，他の糖を1%に添加して用いることで糖の分解性を調べることができ，指示薬であるブロムチモールブルーの黄変によって判定する．<br>ブドウ糖を添加した培地は，Hugh-Leifson 培地とよばれる． |
| アセトアミド培地 | アセトアミド分解酵素であるアシルアミダーゼの産生性を調べる斜面培地．アシルアミダーゼによってアセトアミドが分解されるとアンモニアが生成され培地がアルカリ化し，指示薬であるフェノールレッドによって赤変する．ブドウ糖非発酵グラム陰性桿菌の同定に用いられ，*Pseudomonas aeruginosa*，*Burkholderia cepacia*，*Achromobacter xylosoxidans*，*Alcaligenes faecalis* などが陽性となる． |
| King A 培地 | *Pseudomonas aeruginosa* の色素産生性を調べる斜面培地．King A 培地はピオシアニンとピオルビンの産生に適する．色素産生性は室温の方が適するので，35℃，24時間培養後は室温で観察する． |

## 確認培地（つづき）

| 培地名 | 目的・重要な成分・特徴 |
| --- | --- |
| King B 培地 | *Pseudomonas aeruginosa* の色素産生性を調べる斜面培地．King B 培地はピオベルジンの産生に適する．色素産生性は室温の方が適するので，35℃，24 時間培養後は室温で観察する． |

## 抗酸菌用培地

| 培地名 | 目的・重要な成分・特徴 |
| --- | --- |
| 小川培地（1%，3%） | *Mycobacterium* 属の分離に用いる斜面培地．培地名の 1% と 3% は原液中のリン酸 2 水素カリウムの濃度を指し，検体の雑菌処理に使用する水酸化ナトリウムによるアルカリ化を中和するために含まれる．本培地における炭素源はグリセリン，窒素源はグルタミン酸ナトリウムである．マラカイトグリーンは喀痰中のグラム陽性菌の発育を抑制する．培地の固形化に全卵が用いられるが，これは寒天中に発育阻害物質が含まれているためである． |
| 小川培地（2%），工藤 PD 培地 | *Mycobacterium* 属の分離に用いる小川培地を改良した斜面培地．原液中のリン酸 2 水素カリウムの濃度が 2% であり，分離と保存の両方に使用できる．デンプンとピルビン酸の添加により，発育が劣勢な菌の発育性が改良されている． |
| Middlebrook（ミドルブルック）7H9 培地 | *Mycobacterium* 属の分離に用いる液体培地で，合成培地である．自動機器による培養に用いられている．発育支持力が小川培地より優れ，培養期間を短縮できる． |

## 真菌用培地

| 培地名 | 目的・重要な成分・特徴 |
| --- | --- |
| サブローデキストロース寒天培地（Sabouraud dextrose agar） | 真菌の培養に用いる一般的な培地．細菌汚染が濃厚な検体からの分離には，クロラムフェニコール添加の培地が使用される． |
| ポテトデキストロース寒天培地 | 真菌の培養に用いる一般的な培地．色素産生を調べるのに適する．細菌汚染が濃厚な検体からの分離には，クロラムフェニコール添加の培地が使用される． |
| Czapek-Dox（ツァペック・ドックス）寒天培地 | 糸状菌の培養に用いる培地であり，合成培地である．*Aspergillus* 属や *Penicillium* 属の分離に用いられる． |
| コーンミール寒天培地 | 酵母の形態観察に用いる培地．Tween 80 を添加することで，*C. albicans* の厚膜胞子の形成が促進される． |

## 薬剤感受性検査用培地

| 培地名 | 目的・重要な成分・特徴 |
| --- | --- |
| Mueller-Hinton（ミューラー・ヒントン）ブイヨン | ペプトンの代わりにカザミノ酸を用い，*Neisseria* 属の培地として考案された．現在は希釈法による薬剤感受性検査用培地として用いられる． |
| Mueller-Hinton（ミューラー・ヒントン）寒天培地 | ペプトンの代わりにカザミノ酸を用い，*Neisseria* 属の培地として考案された．現在はディスク拡散法による薬剤感受性検査用培地として用いられる． |

## 保存・輸送用培地

| 培地名 | 目的・重要な成分・特徴 |
| --- | --- |
| Cary-Blair（キャリー・ブレア）培地 | 糞便などの患者検体の輸送・保存用の半流動培地．チオグリコール酸ナトリウムが酸化還元電位を低く保ち，リン酸塩が緩衝作用を有する．検体を培地中に接種し，冷蔵保存または輸送する． |
| Stuart（スチュアート）培地 | 糞便以外の患者検体の保存，輸送用の半流動培地．L-システインとチオグリコール酸ナトリウムを含み，酸化還元電位が低く保たれる． |
| チャコール加 Amies（アミーズ）培地 | 糞便以外の上気道や呼吸器系検体の保存，輸送用の半流動培地．チオグリコール酸ナトリウムが酸化還元電位を低く保ち，リン酸塩が緩衝作用を有する．活性炭が添加され，有害物質が吸着される． |

## III 菌株保存の種類と方法

菌株の保存方法において，微生物の種類により適用できるものとできないものがあるため，保存方法について十分に考慮すべきとともに，以下のことについて注意を払う．①保存菌株は新鮮な培養菌を使用する，②保存菌株のもつ性状を一定に保つ（特に薬剤耐性プラスミドの脱落や突然変異の出現などを抑える），③ほかの菌種や同一菌種の異なる菌株による汚染を防止する（純培養後の菌株），④ほかの菌株との取り違え防止，などである．また，感染症法に基づく特定病原体等を保存する場合の取り扱いについて，法令遵守を徹底しなければならない（第1章「B 総論/XVI 感染症関連法規」を参照）．

### 1 継代培養法

菌種および菌株に適した保存期間があり，それに基づいて定期的に菌株を新たな培地に植え継いで保存する方法である．ただし，継代するたびに遺伝子の変異や脱落が生じる可能性が高くなる．いずれの保存培地を使用しても，菌種や菌株によって生存期間（数カ月～1，2年未満）に差があることを知っておかなければならない．カジトン培地での保存方法は，菌株を穿刺培養し発育を確認した後，しっかり密栓する．また，保存培地からの継代は，直接新たな培地に植え継ぐのではなく，いったん平板培地上で形成させた独立集落を釣菌接種する．発育不良の場合は，適当な液体培地を少量（1～2 mL程度）保存培地に注ぎ，増菌培養後，平板培地に再分離を行う．継代培養法は操作が簡便で，特別な装置を必要とせず費用も安価であるが，長期保存が困難である．

### 2 凍結保存法

長期保存が可能で，遺伝子変異が少なく，ほとんどの細菌，真菌，ウイルスおよび原虫に適用できる．ただし，フリーザー（通常，-80℃）や液体窒素タンク（-196～-150℃）などの装置が必要である．

**(1) 液体培地を用いた凍結保存法**

ハートインフュージョンブロスを用い，増殖させた培養菌液を，-80～-20℃のフリーザー中で保存する．凍結防止剤としてグリセリン（5～20％，要滅菌）やジメチルスルホキシド（DMSO，5～10％）を添加する．凍結と融解を繰り返すと死滅しやすい．菌種や菌株により，数十年にわたり保存可能である．

**(2) スキムミルク法**

10～20％スキムミルク水溶液に濃厚菌を懸濁し，ただちに冷凍する．数年間以上の保存が可能である．

**(3) 液体窒素法**

5～20％グリセロール加保存培地に濃厚菌を懸濁し，これを専用アンプルに入れ，液体窒素タンクで保管する．最も死滅が少なく，10年間以上の保存が可能である．

---

**運用にあたって**

実際の運用については，個々の菌株に菌株番号，菌株由来（分離年月日，分離材料名，菌株性状，菌種名および継代培養日などの情報）などを記載した菌株リストを作成し，使用記録などを記載して保管する．可能であれば1菌株複数容器の保存とし，1度限りの使い捨てにする．

**継代培養法の培地**

ブドウ球菌，グラム陰性の腸内細菌目細菌や緑膿菌などは栄養に乏しい環境が適しており（保存中における細胞分裂を抑える），普通寒天斜面培地やカジトン培地などを用いる．*Vibrio*属では2～3％の食塩添加が必要である．発育に血液成分が必要なレンサ球菌，*Haemophilus*属および*Neisseria*属ではチョコレート寒天斜面培地，抗酸菌は小川培地や工藤培地などを用いる．これらの試験管はスクリューキャップ式の密栓試験管を使用し，冷暗所（4℃～室温）で保管する（*N. gonorrhoeae*や*V. parahaemolyticus*などは冷蔵で死滅しやすい）．

## 3 凍結乾燥保存法

ほとんどの細菌，ウイルスに適用できるが，スピロヘータや原虫には適用できない．菌種や菌株により，数十年にわたり保存可能である．

## 4 ゼラチンディスク法

本法の原理は，ゼラチンなどを添加した濃厚菌液を作製，これをパラフィン濾紙に滴下（ゼラチンディスク）し，真空乾燥後，密閉容器に収め低温で保存する．多くの細菌に適応しており，菌の遺伝子の変異や脱落の可能性がきわめて小さく，長期間の保存（4年以上）が可能である．

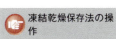

**凍結乾燥保存法の操作**

ハートインフュージョン培地などの液体培地を用いて増殖させた培養菌液を20％スキムミルクなどに等量加え懸濁液とする．−80℃で凍結させ，凍結乾燥器でアンプルが真空状態になるよう処理（凍結乾燥）した後，4〜25℃で保存する．

# D 検査材料別検査法

感染症が疑われた場合，専用のシステムを用いて微生物検査の依頼がなされる場合が多い．微生物検査依頼画面の一例を図 3-D-1 に示す．臨床検査技師は患者情報や検体の種類，目的とする病原体などをもとに，適切に微生物検査を進めていく．

## I 微生物検査法の概要

### 1 検体採取と輸送

臨床微生物検査は近年，検査精度の向上と検査時間（turn around time；TAT）の短縮がもたらされ，感染症治療に大きく貢献している．検査の前段階ともいえる適正な検体採取と輸送は，信頼性の高い検査ができるかどうかを左右する重要なステップといえる．

検体採取と輸送の基本事項として共通する推奨法を表 3-D-1 に示す．

## II 血液の検査法

### 1 血液から検出される原因菌

敗血症（sepsis）とは，感染症（infection）に対する全身性の反応で，感染

> **臨床検査技師による検体採取**
> 2015 年，臨床検査技師等に関する法律の一部改正され，臨床検査技師が診療の補助として，医師または歯科医師の具体的指示を受けて，次の 5 つの検体採取行為ができることが定められた．
> ① 鼻腔拭い液，鼻腔吸引液，咽頭拭い液その他これらに類するもの
> ② 表皮並びに体表及び口腔の粘膜（生検のための採取を除く）
> ③ 皮膚並びに体表及び口腔の粘膜の病変部位の膿
> ④ 鱗屑，痂皮その他の体表の付着物
> ⑤ 綿棒を用いた肛門からの糞便
> さらに，2021 年に，医療用吸引器を用いた鼻腔，口腔または気管カニューレからの喀痰採取，内視鏡用生検鉗子を用いた消化管の病変部位の組織の一部の採取が追加された．
> 詳細は最新臨床検査学講座「医療安全管理学」を参照のこと．

図 3-D-1　電子カルテシステムによる臨床微生物検査依頼画面の例

表 3-D-1　検体採取と輸送の基本事項

| 項目 | 推奨 |
|---|---|
| 採取の時期 | ・病勢の急性期<br>・抗菌薬投与前（抗菌薬投与中の場合は，次回投与の直前） |
| 採取時の注意点 | ・常在菌の混入をできるだけ避ける<br>・採取部位の消毒に用いた消毒薬を混入させない |
| 採取器具 | ・安全に採取できる器具<br>・検査のために十分量採取できる器具<br>・目的の微生物検出に適した器具<br>・採取操作が簡便なもの<br>・安価であること |
| 輸送容器 | ・密閉でき，乾燥を防ぎ，液体の漏れや雑菌混入がないもの<br>・輸送培地入りの場合は，培地の種類も選択する<br>・嫌気性菌検査には専用の嫌気性菌用輸送容器とする |
| 輸送時間 | ・輸送時間を厳守（通常 2 時間） |
| 輸送温度 | ・低温で死滅しやすい微生物あり |

（西山宏幸：検体採取容器と検体の保存（特殊微生物検査の保存を含む）．臨床と微生物，27（3），2000 を一部改変）

症あるいは感染症の可能性が強く疑われる状況に起因する全身性炎症反応症候群（SIRS）と定義されている．菌血症（bacteremia）は，血液中に細菌が存在する状態を指す．

感染性心内膜炎（infective endocarditis）は，心内膜または弁膜に細菌，真菌が感染し疣贅（ゆうぜい）を生じ，弁の機能不全や閉塞，破壊を起こし，持続的に細菌，真菌が血液中に放出されるようになる．また，血管内留置カテーテルなどのカテーテル関連血流感染（CRBSI）も近年増加し，カテーテル局所の感染にとどまらず，敗血症に進展したり，カンジダ眼内炎に至り失明することもあるため，特に注意が必要である．

SIRS：systemic inflammatory response syndrome

CRBSI：catheter related blood stream infection

## 2　検査手順

検査手順を図 3-D-2 に示す．

菌血症は通常，急性の経過をとり，重篤な全身性感染症となりうる．したがって，血液培養検査が陽性になった場合には，可及的すみやかに鏡検や分離培養（サブカルチャー）を行い，得られた成績を随時担当医に中間報告するなどの措置が必要である．

### 1）血液培養のための採血

血液培養のための皮膚消毒は厳重に行う必要がある．消毒薬はアルコール類，ヨード剤，クロルヘキシジングルコン酸塩が用いられる．

採血の時期は，抗菌薬の影響を避けるため，抗菌薬投与前に行うのが原則である．やむなく抗菌薬投与中の患者で行う場合は，投与一時中止後または次回投与直前（血液中の抗菌薬濃度が最も低い時期）に採血する．

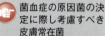
**菌血症の原因菌の決定に際し考慮すべき皮膚常在菌**

以下に示す皮膚常在菌や一過性に皮膚に定着する Bacillus 属などが分離された場合には，汚染菌の可能性を考慮すべきである．
・コアグラーゼ陰性ブドウ球菌（CNS）
・Corynebacterium 属
・Cutibacterium acnes
・Bacillus 属

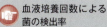
**血液培養回数による菌の検出率**

血液培養回数による菌の検出率は，1 回の血液培養では 80％，2 回の血液培養では 88％であるが，血液培養を 3 回行うことで，99％が検出可能となる．

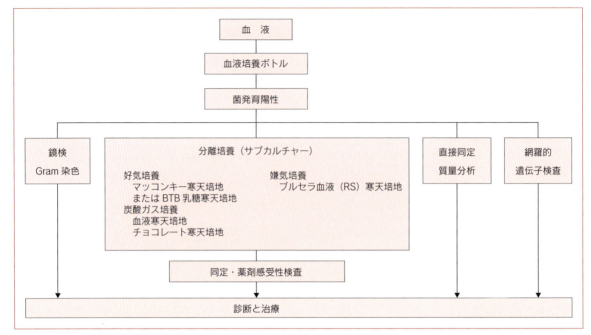

図 3-D-2　血液の臨床微生物検査手順

採血のタイミングは，血液中の菌数が最も多いとされる発熱前の悪寒戦慄が出現しはじめたときや，発熱初期が最適である．

採血の部位は通常，左右の正肘静脈の2ヵ所である．すなわち，好気用ボトル・嫌気用ボトルのセットを合計2セット〔ボトル4本（1本あたり10 mLが目安），総採血量は約40 mL（20 mL×2セット）〕となる．複数回採血を行う理由は，より多くの血液を培養することで検出感度が上がること，検出菌が原因菌か皮膚常在菌による汚染かの判断に役立てられることである．

### 2）自動血液培養検査装置と血液培養ボトル

採取した血液はただちに血液培養ボトルに接種し，自動血液培養検査装置に装填する．わが国で用いられている主な自動血液培養検査装置と血液培養ボトルを**写真 3-D-1** に示す．

写真3-D-1　自動血液培養検査装置と血液培養ボトル

いずれの血液培養ボトルを用いる場合も，血液は培地量の1/10～1/5量（約10 mL）が最適である．血液中の補体，抗体，リゾチームなどの種々の発育抑制因子，抗菌薬を希釈するためである．

検出原理は，微生物の増殖により発生した$CO_2$をボトル底部のセンサーで感知し，自動的に発育の有無をモニターし，陽性と判定されればアラートが出る．

### 3）鏡検と分離培養（サブカルチャー）

血液培養ボトルの陽性サインが認められた場合は，ボトル培養液をシリンジなどで採取し，Gram染色を行い，検査結果をただちに担当医に報告する．さ

> **血液培養ボトル**
> 血液培養ボトル内の液体培地にはトリプチケースソイブロス，ブレインハートインフュージョンブロスなどが用いられ，抗凝固剤のポリアネトールスルホン酸ナトリウム（SPS），抗菌薬吸着物質のレジンやポリマービーズが添加されている．

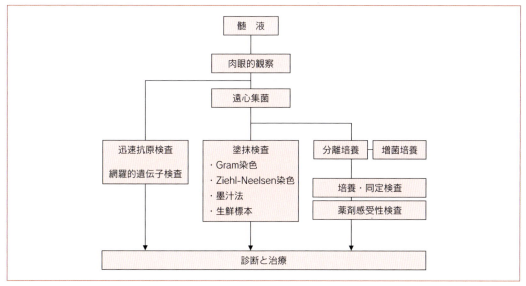

図 3-D-3　髄液の臨床微生物検査手順

らに培養液のサブカルチャーを行い，発育した菌の同定検査，薬剤感受性検査を行う．短時間で測定できる，専用機器を用いた網羅的遺伝子検査もある．

## III 髄液の検査法

### 1　髄液から検出される原因菌

　急性化膿性髄膜炎は原因菌別に好発年齢がみられるため，患者の年齢が原因菌の推定に役立つ．新生児の急性化膿性髄膜炎は産道感染による Streptococcus agalactiae（B群溶血性レンサ球菌）や Escherichia coli が原因菌であることが多い．Listeria monocytogenes（リステリア菌）は，新生児〜生後3カ月の乳児と高齢者の髄膜炎の原因菌となり，特に細胞性免疫が低下した個体に重篤な感染を引き起こす．小児では咽頭・鼻咽腔に常在する Haemophilus influenzae b 型（Hib）や Streptococcus pneumoniae が原因菌であることが多かったが，最近ではワクチンの影響を受けてかなり減少してきている．S. pneumoniae は高齢者の髄膜炎の原因菌でもある．Neisseria meningitidis による髄膜炎は，わが国では発生数が少ないが，侵襲性髄膜炎菌感染症（五類感染症）の原因菌として重要である．

### 2　検査手順

　検査手順を図 3-D-3 に示す．
　髄膜炎（脳脊髄膜炎）はきわめて重篤な疾患であり，特に細菌性髄膜炎は早期診断による適切な抗菌薬治療が患者の予後と後遺症の有無を左右するため，塗抹鏡検所見や分離培養所見，薬剤感受性検査の成績が得られ次第，随時担当

医に報告する．患者の年齢，基礎疾患の有無（脳外科手術，シャント），髄液の細胞数と分画，糖や蛋白の濃度などが参考になる．

短時間で測定できる，専用機器を用いた網羅的遺伝子検査もある．

### 1）採取

髄液の採取
採取は医師により行われる．

原則として，抗菌薬治療開始前に採取する．できるだけすみやかに微生物検査を施行することが望ましいが，ただちに検査できない場合には冷蔵保存をする．例外として，*N. meningitidis* 髄膜炎を疑う場合には，30〜35℃（室温または孵卵器）に保温する．

### 2）肉眼的観察

正常な髄液は無色透明であるが，化膿性髄膜炎患者の髄液には好中球（多形核球）の増多による混濁が認められ（**写真 3-D-2**），膿性を呈する場合もある．結核性，真菌性，ウイルス性髄膜炎では細胞数の著増はまれで，無色透明またはわずかな混濁（日光微塵）を示す程度のことが多い（**表 3-D-2,-3**）．

### 3）塗抹検査

髄液を遠心集菌した後，沈渣について Gram 染色，必要に応じて抗酸菌染色および墨汁法を行う．菌が認められた場合には，Gram 染色形態と患者年齢，基礎疾患の有無（脳外科手術，シャントなど）から推定される菌種をただちに担当医に報告する．また，鏡検では好中球，リンパ球など背景の観察も行う．細菌性髄膜炎では通常，好中球が認められる．

生鮮標本は，*Leptospira* 属やアメーバ（*Naegleria fowleri* など）の有無を観察する．

### 4）迅速抗原検査

遠心後の上清を迅速抗原検査に用いる．迅速に原因菌を特定することができ，診断に対する意義が高い．*S. pneumoniae*, *S. agalactiae*, *N. meningitidis*, *H. influenzae* b 型，*E. coli* の主要 5 菌種を検出できるキット，および *C. neoformans* を検出できるキットがある．

### 5）培養検査

分離培養には血液寒天培地，チョコレート寒天培地（炭酸ガス培養），および Gram 染色の結果から必要な培地を追加する．増菌培養には臨床用チオグリコレート培地，GAM 半流動培地，HK 半流動培地のいずれか 1 種を用いる．また，目的微生物がある場合は，その微生物に応じた培地を追加する．分離培養・増菌培養ともに菌の発育が認められない場合，増菌培養は 1 週間継続する．

写真 3-D-2 髄液の肉眼的観察
左：正常な場合，右：化膿性髄膜炎患者の髄液．

表 3-D-2 髄液の肉眼的性状

| 肉眼的性状，色調 | 髄液の状態（考えられる病態） |
|---|---|
| 無色透明 | 正常，髄膜炎の治療中～治療後，軽度の細胞増多（ウイルス性，真菌性，結核性髄膜炎） |
| 微細粒子（日光微塵） | 軽度～中等度の細胞増多（ウイルス性，真菌性，結核性髄膜炎） |
| 白濁 | 高度の細胞増多（細菌性髄膜炎の急性期） |
| 黄色透明（キサントクロミー） | 3時間以上経過した頭蓋内出血（くも膜下出血） |
| 血性 | 新鮮な出血（頭蓋内出血，穿刺時の血管損傷など） |

表 3-D-3 髄膜炎の髄液所見

| 種類 | 肉眼所見 | 髄液圧 (mmH$_2$O) | 蛋白 (mg/dL) | 糖 (mg/dL) | 細胞数 (/mm$^3$) |
|---|---|---|---|---|---|
| 成人（正常値） | 透明 | 70～180 | 15～45 | 50～75 | 0～5 リンパ球 |
| 細菌性髄膜炎 | 微濁～膿状 | 220～1,000 | 100～1,000 | 40以下，または血糖の40%以下 | 500～20,000 多核球 |
| ウイルス性髄膜炎 | 透明～微濁 | <220 | 50～100 | 50～75 | <1,000 リンパ球（初期は多核球） |
| 結核性髄膜炎 | 透明～微濁 | 200～500 | 50～100 | 20～50 | 25～500 リンパ球 |
| 真菌性髄膜炎 | 透明～微濁 | 200～500 | 25～500 | 20～40 | 25～500 リンパ球 |

# IV 尿の検査法

## 1 尿から検出される原因菌

　陰部の常在菌や腸管由来菌が尿道から上行性に膀胱内に侵入し，炎症が起こることによって生じるのが膀胱炎である．感染がさらに尿管を経て腎盂に及んだ場合，感染による炎症が腎実質にも波及するので，腎盂腎炎とよばれる．尿路系に基礎疾患がない急性単純性尿路感染では，*E.coli* が原因菌の約80%を占める．一方，尿路系に基礎疾患を有する慢性複雑性尿路感染でも *E.coli* は多く分離されるが，他の菌も原因になりやすい（**表 3-D-4**）

## 2 検査手順

### 1）採尿

　原則として中間尿またはカテーテル尿を滅菌容器にとる．尿は細菌が増殖しやすいため，ただちに検査できない場合は冷蔵保存する．*Neisseria gonor-*

表 3-D-4　主な尿路感染原因菌

|  | 主な原因菌 |
|---|---|
| 急性単純性尿路感染 | Escherichia coli（約 80％）<br>Proteus mirabilis<br>Klebsiella pneumoniae<br>Enterococcus 属<br>コアグラーゼ陰性ブドウ球菌（CNS） |
| 慢性複雑性尿路感染 | Escherichia coli<br>Klebsiella pneumoniae<br>その他の腸内細菌目細菌<br>Pseudomonas aeruginosa<br>その他のブドウ糖非発酵グラム陰性桿菌（NFGNR）<br>Staphylococcus aureus<br>コアグラーゼ陰性ブドウ球菌（CNS）<br>Enterococcus 属<br>Candida albicans |

rhoeae や腟トリコモナス原虫の検索には初尿を採取し，遠心後の沈渣を目的とする培地にただちに接種する．クラミジアの検索の場合も初尿を採取し，遠心後の沈渣を輸送培地に接種して検査開始まで凍結保存する．

### 2）肉眼的観察

混濁の有無と色調を観察する．細菌が存在する尿はスリガラス様の淡い混濁を呈することが多く，これは静置しても沈殿せず，塩類による混濁とは異なる．時に著しい白血球の増多により，膿尿の場合もある（**写真 3-D-3**）．

### 3）塗抹検査

生鮮標本（尿を 500 G，5 分間遠心した沈渣）は白血球数，生体細胞の有無と種類，腟トリコモナスなどを観察する．その後沈渣から塗抹標本を作製し観察する．細菌の概数の計数，菌種の推定の場合には原尿を Gram 染色する．

### 4）尿中抗原検査

男性の初尿を用いた Chlamydia trachomatis 抗原の検出キットがあり，非淋菌性尿道炎，精巣上体炎の診断に有用である．

### 5）尿中菌数定量培養

採取時に尿道や外陰部付近からの常在菌の混入が避けられないため，真の原因菌と混入した常在菌の鑑別には尿中菌数の定量を行う．通常 $10^4 \sim 10^5$ CFU/mL 以上が有意な細菌尿とされ，かつ尿路感染症の代表的な菌種の場合に原因菌と解釈される．

写真 3-D-3　膿尿（白血球の著しい増多による膿汁様外観）

**検出菌の解釈**

採尿方法または患者状態，尿中菌数，尿中白血球エステラーゼ検査，検出菌の種類により，$10^3$ CFU/mL 以下でも原因菌と解釈する場合がある．

### 6) 培養検査

　尿の培養には，血液寒天培地とマッコンキー寒天培地（またはBTB乳糖寒天培地）を用いる．塗抹検査でグラム陽性球菌，グラム陰性桿菌の混在が認められた場合には，グラム陽性球菌の選択培地としてPEA血液寒天培地や血液加CNA寒天培地（コリスチン，ナリジクス酸添加）を追加する．酵母様真菌が認められた場合には真菌用分離培地を追加する．

　*N. gonorrhoeae* の検査が依頼された場合には，遠心後の尿沈渣をサイアー・マーチン（Thayer-Martin）培地やGC寒天培地に接種し，5％炭酸ガス培養で48時間後に判定する．

## Ⅴ 下気道検体（喀痰など）の検査法

### 1　下気道感染症の種類と原因微生物の疫学

　下気道感染症の感染臓器または部位は，気管または気管支，肺，および胸腔である．主な感染症の種類は，気管支炎，肺炎（肺臓炎），肺膿瘍，および膿胸がある．また，慢性呼吸器感染症として気管支拡張症や慢性気管支炎がある．

　感染症の種類と原因微生物，および検査について**表3-D-5**に示す．

　肺炎は，感染症発症の背景から，市中肺炎，院内肺炎，誤嚥性肺炎，人工呼吸器関連肺炎，医療・介護関連肺炎に分類され，原因微生物に相違がある．

### 2　下気道感染症の検査に用いる検体，検体採取および保存

　下気道感染症の検査に用いる検体には，痰，気管支肺胞洗浄液，肺穿刺液，肺生検組織，肺膿瘍穿刺液，胸水などがある．痰は患者自身が喀出する喀痰（喀出痰）と吸引操作によって採取した吸引痰がある．その他，経気管吸引法（TTA），気管支鏡下採痰法，気管支肺胞洗浄法（BAL），経気管支肺生検法（TBLB）がある．これらは，口腔や上気道の常在菌の混入を避けた侵襲的な採取法である．検体採取後は，すみやかに検査を開始する（室温では2時間以内）のが望ましい．保存する場合には乾燥を避け，冷蔵（4℃）するが，24時間以内には検査を開始する．

### 3　検査法

　呼吸器感染症の検査に最も多く用いられる喀痰の検査法を示す．喀痰の検査手順を**図3-D-4**に示す．

#### 1）喀痰の肉眼的外観の観察による品質評価法

　喀痰の検査において，外観の肉眼的観察は検査前の重要な工程である．

　喀痰の外観は，大きく唾液性，粘液性，膿性，血性（血痰）の4種に分けられる．外観の分類法は，**表3-D-6**に示すMiller & Jonesの分類が広く用いられている．Miller & Jonesの分類は，喀痰が膿性（白血球を多く含む）かどう

**表 3-D-5　感染臓器と感染症，検査対象微生物および検査項目**

| 感染臓器 | 主要な感染症 | 検体 | 一般の微生物検査室で検査対象とすべき微生物 | 血液寒天培地 | チョコレート寒天培地 | MacConkey寒天培地またはBTB乳糖寒天培地 | 真菌用培地 | 嫌気性菌用培地 |
|---|---|---|---|---|---|---|---|---|
| 中枢神経系 | 髄膜炎 | 髄液（腰椎穿刺） | *H. influenzae*, *S. pneumoniae*, *S. agalactiae*, 腸内細菌目細菌, *N. meningitidis*, *L. monocytogenes*, *C. fetus*, *C. neoformans* | ○ | ○ |  | ○ | △ |
| | 脳外科手術後髄膜炎，脳室シャント感染症 | 髄液（脳室） | *S. aureus*, CNS, *Corynebacterium*属, 腸内細菌目細菌, *P. aeruginosa*, *Acinetobacter*属, *Candida*属 | ○ |  | ○ | △ |  |
| | 脳膿瘍，硬膜下膿瘍，硬膜外膿瘍 | 膿瘍 | *Streptococcus*属, *Enterococcus*属, 腸内細菌目細菌, *P. aeruginosa*, 嫌気性菌 | ○ | ○ |  |  | ○ |
| 眼・耳・鼻 | 麦粒腫，涙囊炎，涙小管炎，結膜炎，角膜炎，眼内炎 | 眼脂，結膜擦過物，角膜擦過物 | *Staphylococcus*属, *Corynebacterium*属, *S. pneumoniae*, *H. influenzae*, *P. aeruginosa*, 腸内細菌目細菌, アデノウイルス | ○ | ○ |  |  | △ |
| | 中耳炎，外耳道炎 | 耳漏，外耳道擦過物 | *S. pneumoniae*, *H. influenzae*, *M. catarrhalis*, *S. aureus*, *P. aeruginosa* | ○ | ○ | ○ |  | △ |
| | 鼻副鼻腔炎 | 鼻漏，副鼻腔貯留液 | *S. pneumoniae*, *H. influenzae*, *M. catarrhalis*, *S. aureus* | ○ | ○ |  |  | △ |
| 上気道・口腔 | 咽頭炎，扁桃炎 | 咽頭粘液 | *S. pyogenes*, C群およびG群β-streptococci, *S. aureus* | ○ |  |  |  |  |
| | 扁桃周囲炎，扁桃周囲膿瘍，咽頭後部膿瘍 | 扁桃周囲膿瘍，吸引物 | *S. pyogenes*, *S. anginosus* group, *S. aureus*, 嫌気性菌 | ○ |  |  |  | ○ |
| 下気道・胸腔 | 急性気管支炎，細気管支炎 | 喀痰，鼻咽腔粘液（拭い液，吸引物，擦過物） | *S. pneumoniae*, *H. influenzae*, *M. catarrhalis*, *M. pneumoniae*, 呼吸器ウイルス | ○ | ○ |  |  |  |
| | 慢性呼吸器感染症（気管支拡張症，び慢性汎細気管支炎） | 喀痰 | *H. influenzae*, *S. pneumoniae*, *M. catarrhalis*, *P. aeruginosa* | ○ | ○ |  |  |  |
| | 肺炎（市中肺炎，院内肺炎，人工呼吸器関連肺炎，医療・介護関連肺炎），結核，非結核性抗酸菌症 | 痰（喀痰・吸引痰），気管支鏡採痰，気管支肺胞洗浄，肺生検，鼻咽腔粘液（拭い液，吸引物，擦過物） | *S. pneumoniae*, *H. influenzae*, 腸内細菌目細菌, *P. aeruginosa*, *Acinetobacter*属, *S. aureus*, *M. catarrhalis*, *M. pneumoniae*, *Legionella*属, 呼吸器ウイルス, *Mycobacterium*属 | ○ | ○ | ○ | △ | △ |
| | 肺膿瘍，膿胸 | 肺膿瘍，胸水，肺穿刺液 | *S. aureus*, *Streptococcus*属, *H. influenzae*, 腸内細菌目細菌, *P. aeruginosa*, *Acinetobacter*属, 嫌気性菌 | ○ | ○ |  | △ | ○ |
| 心・血管系 | 感染性心内膜炎（自然弁） | 心臓弁 | *S. aureus*, *Streptococcus*属, *Abiotrophia*属, *Granulicatella*属, *Enterococcus*属, HACEK群 | ○ | ○ |  |  |  |
| | 感染性心内膜炎（人工弁） | 人工弁 | *Staphylococcus*属, *Enterococcus*属, *Corynebacterium*属 | ○ | ○ |  |  |  |

表 3-D-5　感染臓器と感染症，検査対象微生物および検査項目（つづき）

| 感染臓器 | 主要な感染症 | 検体 | 一般の微生物検査室で検査対象とすべき微生物 | 血液寒天培地 | チョコレート寒天培地 | MacConkey寒天培地またはBTB乳糖寒天培地 | 真菌用培地 | 嫌気性菌用培地 |
|---|---|---|---|---|---|---|---|---|
| 腎・泌尿器 | 膀胱炎，腎盂炎 | 尿，カテーテル尿 | E. coli, 他の腸内細菌目細菌, Enterococcus 属, S. saprophyticus, 他の Staphylococcus 属, S. agalactiae, P. aeruginosa | ○ | | ○ | | |
| 生殖器 | 腟症，腟炎，子宮頸管炎，尿道炎 | 腟・頸管分泌物，尿道分泌物 | S. agalactiae, Candida 属, N. gonorrhoeae, 嫌気性菌 | ○ | ○ | ○ | △ | △ |
| | 内性器感染症 | 子宮内容物，ダグラス窩穿刺液 | 腸内細菌目細菌, Staphylococcus 属, Enterococcus 属, Streptococcus 属, 嫌気性菌, M. hominis | ○ | ○ | | | ○ |
| 腸管・肝胆道・腹部 | 腸管感染症（下痢症，胃腸炎） | 糞便（市中感染症疑い） | 腸管出血性大腸菌（O157, O111, O26 など）, Salmonella 属, Shigella 属, V. parahaemolyticus, V. cholerae, P. shigelloides, ウイルス（ノロウイルス，ロタウイルス，腸管アデノウイルス） | | | ○ | | |
| | | 糞便（抗菌薬関連下痢症疑い） | C. difficile, S. aureus | | | ○ | | △ |
| | 急性胆囊炎，急性胆管炎 | 胆汁（ドレナージ胆汁を含む） | 腸内細菌目細菌, Enterococcus 属, 嫌気性菌 | ○ | | ○ | | ○ |
| | 肝膿瘍 | 肝膿瘍 | 腸内細菌目細菌, Staphylococcus 属, Enterococcus 属, Streptococcus 属, 嫌気性菌 | ○ | | ○ | | ○ |
| | 腹腔内感染症 | 腹水，腹腔膿瘍，腹腔ドレーン | 腸内細菌目細菌, Enterococcus 属, Staphylococcus 属, 嫌気性菌 | ○ | | ○ | | ○ |
| 皮膚・軟部組織 | 表在性皮膚感染症（伝染性膿痂疹など） | 皮膚膿 | S. aureus, S. pyogenes | ○ | ○ | | | |
| | 深在性皮膚感染症（せつ，よう，丹毒，蜂窩織炎） | 皮膚膿，組織 | S. aureus, S. pyogenes | ○ | | | | |
| | 熱傷 | 熱傷組織，浸出物 | Staphylococcus 属, Enterococcus 属, Streptococcus 属, P. aeruginosa, 腸内細菌目細菌, 嫌気性菌 | ○ | | ○ | △ | ○ |
| | 外傷性皮膚感染症，壊死性軟部組織感染症（ガス壊疽，壊死性筋膜炎） | 組織，浸出物 | 腸内細菌目細菌, S. pyogenes, S. dysgalactiae, V. vulnificus, Aeromonas 属, S. aureus, 嫌気性菌（Clostridium 属など） | ○ | | ○ | △ | ○ |
| | 手術部位感染症 | 創部組織，浸出物 | S. aureus, Streptococcus 属, Enterococcus 属, P. aeruginosa, 腸内細菌目細菌 | ○ | | ○ | | |
| | 皮膚真菌症 | 落屑，痂皮，爪，毛髪，皮膚組織 | Candida 属, C. neoformans | ○ | | | ○ | |
| | 皮膚抗酸菌症 | 組織，潰瘍部浸出液 | Mycobacterium 属 | | | | | |

表 3-D-5　感染臓器と感染症，検査対象微生物および検査項目（つづき）

| 感染臓器 | 主要な感染症 | 検体 | 一般の微生物検査室で検査対象とすべき微生物 | 血液寒天培地 | チョコレート寒天培地 | MacConkey寒天培地またはBTB乳糖寒天培地 | 真菌用培地 | 嫌気性菌用培地 |
|---|---|---|---|---|---|---|---|---|
| 血流（一次病巣である感染臓器からの波及，または原発性） | 菌血症 | 静脈血，動脈血，CVカテーテル逆流血 | Staphylococcus 属, Streptococcus 属, Abiotrophia 属, Granulicatella 属, Enterococcus 属, Neisseria 属, Haemophilus 属, HACEK 群，腸内細菌目細菌, Aeromonas 属, P. aeruginosa, Acinetobacter 属，嫌気性菌, Candida 属 | ○血液培養ボトルからの分離培養 | ○血液培養ボトルからの分離培養 | ○血液培養ボトルからの分離培養 | △血液培養ボトルからの分離培養 | △血液培養ボトルからの分離培養 |
| 骨・関節 | 骨髄炎 | 骨組織，骨髄 | S. aureus, Streptococcus 属 | ○ | ○ | | | △ |
| 骨・関節 | 化膿性関節炎 | 関節液，関節滑膜 | Staphylococcus 属, Streptococcus 属，腸内細菌目細菌, P. aeruginosa | ○ | ○ | | | △ |
| 移植・人工物 | 中心静脈カテーテル関連血流感染症 | CVカテーテル | Staphylococcus 属, Enterococcus 属，腸内細菌目細菌, P. aeruginosa, Candida 属 | ○ | | | ○ | |
| 移植・人工物 | 人工血管感染症 | 人工血管 | Staphylococcus 属, Corynebacterium 属 | ○ | | | | △ |

○：常時検査，△：医師からの依頼または追加的に検査.
菌名の略称とフルスペル：H. influenzae（Haemophilus influenzae），S. pneumoniae（Streptococcus pneumoniae），S. agalactiae（Streptococcus agalactiae），N. meningitidis（Neisseria meningitidis），L. monocytogenes（Listeria monocytogenes），C. fetus（Campylobacter fetus），C. neoformans（Cryptococcus neoformans），S. aureus（Staphylococcus aureus），P. aeruginosa（Pseudomonas aeruginosa），M. catarrhalis（Moraxella catarrhalis），S. pyogenes（Streptococcus pyogenes），S. anginosus group（Streptococcus anginosus group），M. pneumoniae（Mycoplasma pneumoniae），呼吸器ウイルス（RSウイルス，アデノウイルス，ヒトメタニューモウイルス，インフルエンザウイルス，SARS-CoV-2 など），E. coli（Escherichia coli），S. saprophyticus（Staphylococcus saprophyticus），N. gonorrhoeae（Neisseria gonorrhoeae），M. hominis（Mycoplasma hominis），V. parahaemolyticus（Vibrio parahaemolyticus），V. cholerae（Vibrio cholerae），P. shigelloides（Plesiomonas shigelloides），C. difficile（Clostridioides difficile），S. dysgalactiae（Streptococcus dysgalactiae），V. vulnificus（Vibrio vulnificus）.

かをみて，病巣由来かどうかを評価する方法である．市中肺炎などの患者喀痰は白血球を多く含み，黄色または緑黄色を呈する膿性 P1～P3 痰が，微生物検査に適する良質な検体であると評価することができる．

## 2）塗抹検査

喀痰の塗抹検査では，Gram 染色による検体の顕微鏡的評価と下気道感染症の原因菌を検索する．

顕微鏡的評価法は，表 3-D-7 に示す Geckler の分類が広く用いられている．喀痰の Gram 染色標本を観察し，白血球が多数かつ扁平上皮細胞が少ないグループ 4 と 5 は感染病巣由来かつ唾液による汚染が少ないと解釈され，市中肺炎などの下気道感染症の微生物検査に適する良質な検体であると評価することができる．

原因菌検索は，主に市中肺炎の原因菌（表 3-D-5）を対象に観察する．Miller & Jones の分類や Geckler の分類で良質と評価された喀痰からは，高率に原因菌が見つかる．

**原因菌が見つからない場合**
膿性痰であるにもかかわらず原因菌と思われる細菌が見つからない場合は，低倍率にて真菌（Aspergillus 属，接合菌など）や Nocardia 属の検索のほか Mycobacterium 属も疑う．

**喀痰の前処理—洗浄培養法**
喀痰に含まれる口腔内常在菌を除去し，原因菌を効率よく検出する目的で，滅菌生理食塩液中で洗った後に培養する方法もある．

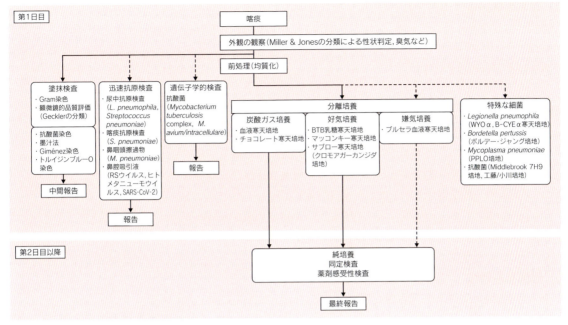

**図 3-D-4　喀痰の臨床微生物検査手順**
矢印：実線は日常的に実施，破線は必要に応じてまたは医師の依頼により実施.

### 表 3-D-6　喀痰の肉眼的性状による分類（Miller & Jones の分類）

| 分類 | 喀痰の肉眼的性状 |
| --- | --- |
| M1 痰 | 唾液，完全な粘性痰 |
| M2 痰 | 粘性痰の中に少量の膿性痰を含む |
| 膿性 P1 痰 | 膿性部分が 1/3 以下 |
| 膿性 P2 痰 | 膿性部分が 1/3〜2/3 |
| 膿性 P3 痰 | 膿性部分が 2/3 以上 |

市中肺炎の場合，膿性痰（P1〜P3）から高率に原因菌が検出される．

### 表 3-D-7　Gram 染色による喀痰の顕微鏡的な品質評価（Geckler の分類）

| グループ | 細胞数/1 視野（100 倍） | |
| --- | --- | --- |
| | 白血球（好中球） | 扁平上皮細胞 |
| 1 | <10 | >25 |
| 2 | 10〜25 | >25 |
| 3 | >25 | >25 |
| 4 | >25 | 10〜25 |
| 5 | >25 | <10 |
| 6 | <25 | <25 |

グループ 4，5 が，一般に検査に適する．
（グループ 3 は病巣由来であるが，唾液の混入が多いと解釈．）

> **Geckler の分類による喀痰の品質評価**
> 倍率 100 倍で観察し，1 視野あたりの白血球数と扁平上皮細胞数の組み合わせからグループ 1〜6 のどれに該当するかを判定する．グループ 1〜3 は扁平上皮細胞が多いことから，唾液による濃厚な汚染を受けていると解釈される．

### 3) 喀痰の前処理（均質化）

喀痰は粘稠性があるので，均一にする必要がある．喀痰の均質化には，喀痰溶解剤〔プロテアーゼや N-アセチル-L-システイン（NALC）〕を用いる化学的な方法が広く行われている．

### 4) 分離培養

喀痰の分離培養は，ヒツジ血液寒天培地，チョコレート寒天培地，BTB 乳糖寒天培地が常用される．培養はヒツジ血液寒天培地とチョコレート寒天培地は炭酸ガス（5％）培養，その他は好気培養する．培養は通常 2 日間行うが，培養 24 時間目で一度観察し，さらにもう 1 日培養する．

*Legionella* 属や *Nocardia* 属は 3～4 日以上，*Cryptococcus neoformans* や糸状菌（*Aspergillus* 属など）は，最低 1 週間は観察する．

### 5) 迅速抗原検査

下気道感染症の診断に利用可能な迅速抗原検査は図 3-D-4 に示したものが一般的に行われる．

### 6) 特殊な微生物の検査

#### (1) *Legionella* 属

*Legionella* による肺炎検体の塗抹検査は，Gram 染色では染まりにくいため Giménez 染色が併用される．培養は，検体を熱処理と酸処理の両者を行い，雑菌処理後に WYOα寒天培地や B-CYEα寒天培地へ接種する．

日常検査においては，尿中抗原検査や遺伝子学的検査が併用される．

#### (2) *Bordetella pertussis*

*Bordetella pertussis* は百日咳の原因菌であるが，気管支炎を呈する場合もある．培養には，ボルデー・ジャング（Bordet-Gengou）培地や CSM 培地（cyclo-dextrin solid medium）が用いられる．その他，遺伝子学的検査や血中抗体検査が行われる．

#### (3) 嫌気性菌

嫌気性菌が関与する下気道感染症には，誤嚥性肺炎，肺化膿症，膿胸がある．これらの感染症は複数菌感染が多く，好気性菌や微好気性菌とともに分離される．

① **嫌気性菌検査に適する検体**：嫌気性菌検査の意義がある呼吸器検体は，気管支鏡によって採取された検体や，穿刺吸引によって採取された肺穿刺液や膿瘍，生検のような検体である．

② **嫌気性菌感染症を疑う検体の特徴**：嫌気性菌感染症を疑う検体は，悪臭が認められる．

③ **塗抹検査による嫌気性菌感染症を疑う所見**：痰の Gram 染色標本の鏡検において，多数の白血球の背景に種々の細菌が多数混在し，白血球内の貪食像

も多く認められるのが特徴である．また，誤嚥性肺炎の場合は，扁平上皮細胞も多く認められる．

④ 培養検査による嫌気性菌の分離：非選択培地であるブルセラ血液（RS）寒天培地を使用し，48時間嫌気培養する．48時間後に培地を観察し，耐気性試験（p.365を参照）を行う．下気道検体から検出される嫌気性菌の多くは口腔内由来であり，発育が非常に遅いものが存在する（*Prevotella*属，*Porphyromonas*属など）．したがって，観察後は分離培地をさらに培養（1週間まで）して観察する．

(4) *Mycobacterium* 属

*Mycobacterium* 属による感染症は，結核や非結核性抗酸菌症などの呼吸器感染症が最も多い．*Mycobacterium* 属の検査は，塗抹検査，遺伝子学的検査，培養検査，同定検査，薬剤感受性検査が行われる．

(5) *Mycoplasma pneumoniae*

*Mycoplasma pneumoniae* は，光学顕微鏡では観察できないことから塗抹検査は行われない．本菌の検査は，迅速抗原検査，遺伝子学的検査，血中抗体検査が行われる．

(6) 真菌

真菌による下気道感染症として，免疫不全患者における *Aspergillus* 属や *Cryptococcus neoformans* の感染症がみられる．これらの真菌による感染症の診断は，培養検査のみでは検出感度が低いことから，血中の真菌由来抗原物質〔(1→3)-$\beta$-D-グルカン，ガラクトマンナン，グルクロノキシロマンナン〕の検査が併用される．

## 4 検査結果の解釈と報告

### (1) 検体の外観の報告

検体の質の評価は，喀痰の場合はMiller & Jonesの分類とGecklerの分類を用いて判定する．検体の評価結果を報告することで，提出された検体が微生物検査に適切であったかを伝える．

### (2) 塗抹検査結果

塗抹検査は，細菌の有無と菌量を報告するが，Gram染色による形態から可能なかぎり菌種の推定を行って報告する．多種類の細菌が貪食像とともに認められる所見は嫌気性菌感染症が疑われるので，その旨を報告する．

生体細胞は白血球と扁平上皮細胞の量を報告する．

塗抹検査の結果は，検体受付の当日中に報告する．

### (3) 培養および同定検査結果の報告

呼吸器検体は，培養によって発育した菌がすべて原因菌であるとは限らない．常在菌と判定された集落は，それ以上の詳細な同定検査は行わない．

培養検査の報告では，原因菌は原則，菌種または菌属レベルまで報告する．

---

**喀痰のMiller & Jonesの分類とGecklerの分類の使用上の限界と注意点**

2つの分類は同じ目的で使用されるが，結果が一致しない場合があり，両方を検査するのが望ましい．外観が膿性または白血球数が多い喀痰を良質と評価できるのは市中肺炎の場合であり，免疫能が低下した患者の喀痰は同列に評価できない．この場合，Geckler分類による扁平上皮細胞数を重要視する．扁平上皮細胞数が多い場合は，唾液が多量に混在する検体であり，培養で原因菌を探すのがむずかしいことを医師へ説明し，検体を採り直しできないか提案する．

## （4）薬剤感受性検査結果の報告

薬剤感受性検査は，原則原因菌に対して行う．検査は同定検査と同じタイミングで行われることが多いが，同定検査より多くの菌量が必要な菌種の場合には，同定検査結果の報告以降に結果を報告する場合がある．

# Ⅵ 咽頭・鼻咽腔粘液の検査法

## 1 上気道感染症の種類と原因微生物の疫学

上気道感染症には，咽頭，扁桃および扁桃周囲の感染症が含まれる．主な感染症には，咽頭炎，扁桃炎，扁桃周囲膿瘍などがあり，咽頭や鼻咽腔から検体が採取される．

感染症の種類と原因微生物，および検査については**表 3-D-5** に示した．

## 2 上気道感染症の検査に用いる検体，検体採取および保存

上気道感染症の検査に用いる検体には，咽頭粘液や鼻咽腔粘液が採取される．咽頭粘液や鼻咽腔粘液の採取には綿棒が使用される．検体を保存する場合は，乾燥を避け冷蔵（4℃）するが，保存培地つきの綿棒でも 24 時間以内には検査を開始する．

呼吸器ウイルスによる感染症の検査には，鼻咽頭拭い液や擦過物が採取され，咽頭粘液は推奨されない．

*Bordetella pertussis* による百日咳の検査には鼻咽腔粘液が採取される．

**咳つけ平板法**

*B. pertussis* の検体採取法として以前行われていた咳つけ平板法は，咳嗽時に発生する飛沫が周囲へ飛散することや，菌の検出率が低いことから現在では推奨されない．

## 3 検査法

咽頭・鼻咽腔粘液の検査手順を**図 3-D-5** に示す．

### 1）迅速抗原検査

咽頭粘液と鼻咽腔粘液を用いる迅速抗原検査には，*Streptococcus pyogenes*，インフルエンザウイルス，RS ウイルス，ヒトメタニューモウイルス，新型コロナウイルス（SARS-CoV-2）などの呼吸器ウイルス，*Mycoplasma pneumoniae*，*Bordetella pertussis* の検査キットがある．

迅速抗原検査は診断目的で実施し，治療効果や治癒の判定には用いない．

### 2）塗抹検査

咽頭・鼻咽腔粘液の塗抹検査は，ジフテリアやワンサンアンギナの場合を除き有意な情報が少ないので，一般には検査の意義が低い．扁桃周囲膿瘍や咽頭後部膿瘍の塗抹検査で複数の菌種が認められる場合には，嫌気性菌の存在が推定される（後述「Ⅷ 膿・分泌物，体腔液，穿刺液の検査法」を参照）．

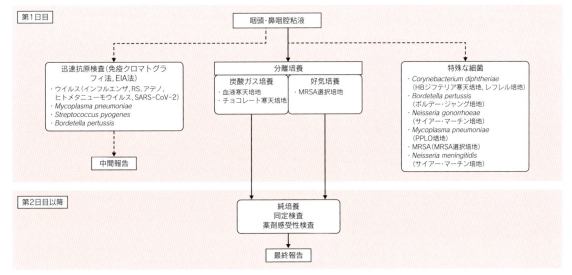

**図 3-D-5　咽頭粘液・鼻咽腔粘液の臨床微生物検査手順**
矢印：実線は日常的に実施，破線は必要に応じてまたは医師の依頼により実施.

### 3）分離培養

　分離培地は，5％ヒツジ血液寒天培地とチョコレート寒天培地を日常的に用いる．培養は，5％ヒツジ血液寒天培地，チョコレート寒天培地，サイアー・マーチン培地は炭酸ガス（$CO_2$：5％）培養する．培養は2日間行うが，24時間目で一度観察し，さらにもう1日培養する．

　日常的な検査対象菌種は，咽頭粘液は *Streptococcus pyogenes*，鼻咽腔粘液は *Streptococcus pneumoniae*，*Moraxella catarrhalis*，*Haemophilus influenzae* である．

## 4　検査結果の解釈と報告

### (1) 迅速抗原検査の報告

　迅速抗原検査を検査室で行う場合は，検体が検査室へ到着次第，すみやかに検査を行って結果を報告する．

### (2) 塗抹検査結果

　咽頭粘液や鼻咽腔粘液の場合，Gram 染色標本の観察によって得られる情報は少ないが，形態からできるだけ推定して報告する．

# VII　糞便の検査法

## 1　腸管感染症の種類と原因微生物の疫学

　腸管感染症は，感染者の背景から①健康人に発症する市中感染症としての下痢症と，②免疫能が低下している長期入院患者を中心に発症する抗菌薬関連下痢症がある．

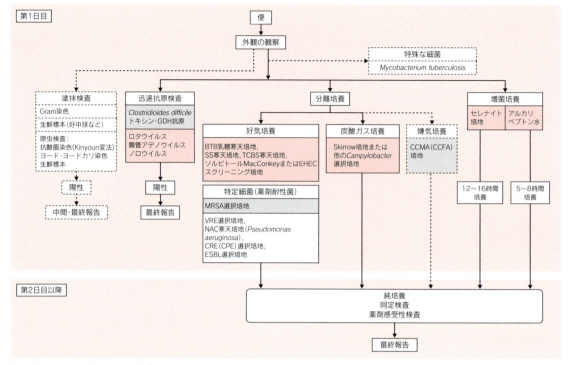

**図 3-D-6　糞便の臨床微生物検査手順**
□：市中感染症原因微生物の検査，□：抗菌薬関連腸炎の検査（市中感染症の検査に追加的に実施），破線：必要に応じて検査．

　腸チフスとパラチフス（チフス症）は腸管系発熱疾患である．原因菌である *Salmonella* Typhi と *Salmonella* Paratyphi A が経口感染から腸管上皮で増殖，リンパ管から血中へ侵入し敗血症を起こす．菌は血液から検出され，その後に尿，胆汁，糞便に出現するようになることから，上記 2 菌種も糞便検査の対象に含まれる．

## 2　腸管感染症の検査に用いる検体，検体採取および保存

　腸管感染症の検査に用いる糞便は，自然排便による採取が原則である．便意がない場合は，綿棒を肛門から挿入して直腸から採取する直腸スワブによる場合がある．

　検体は採取後，すみやかに検査を開始する（室温では 2 時間以内）．*Shigella* 属は保存によって死滅しやすい．保存する場合には乾燥を避け冷蔵（4℃）するが，24 時間以内には検査を開始する．低温では，*Vibrio* 属や *Campylobacter* 属が死滅しやすい．綿棒で採取した場合は，キャリー・ブレア（Cary-Blair）培地などの保存培地つきのものを用いる．*Clostridioides difficile* は酸素に鋭敏であり死滅しやすいため，培養を目的とした場合は，嫌気性菌検査用の容器に採取するか，容器の上部に空隙を残さないよう多量に採取する．

　寄生虫検査では，赤痢アメーバは糞便を冷蔵保存すると運動性が失われるので，保存せず検査しなければならない．

　検体採取

各部位からの検体採取については最新臨床検査学講座「医療安全管理学」を参照のこと．

## 3 検査法

糞便の検査手順を**図 3-D-6** に示す．

### 1）肉眼的外観の観察

糞便の外観は，有形軟便，固形便，タール便，下痢便，膿粘血便，血便，水様便，米のとぎ汁様便，イチゴゼリー状便，脂肪性下痢便，白色便などに分類する．糞便の外観と原因微生物の検出には関連がある．典型例においては，血便からは腸管出血性大腸菌，膿粘血便からは *Shigella* 属や *Campylobacter* 属，米のとぎ汁様便からは *Vibrio cholerae*，イチゴゼリー状便からは赤痢アメーバ（栄養型），脂肪性下痢便からは Lambl（ランブル）鞭毛虫，白色便からはロタウイルスが検出されることが多い．

### 2）塗抹検査

糞便中には非常に多数の腸管内常在菌が含まれることから，塗抹検査は特定の外観の検体に対し，検査する微生物を絞って行う．膿粘血便の Gram 染色で，好中球とともにグラム陰性のらせん菌が認められれば，*Campylobacter* 属を推定でき診断的意義が高い．

その他，寄生虫の検査では，直接塗抹，集卵法，およびショ糖浮遊法による生鮮標本の観察，ヨード・ヨードカリ染色，抗酸菌染色，およびコーン染色が行われる．対象の寄生虫は，赤痢アメーバ，Lambl 鞭毛虫，クリプトスポリジウム（*Cryptosporidium*），サイクロスポーラ（*Cyclospora*）などの原虫，蠕虫類や吸虫類の虫卵，条虫類の片節などである．

 **寄生虫の検査**
寄生虫検査の詳細については，最新臨床検査学講座「医動物学」を参照のこと．

### 3）迅速抗原検査

糞便を用いた迅速抗原検査は，ロタウイルス，腸管アデノウイルス，ノロウイルス，*C. difficile* の検査がある．

### 4）分離培養

糞便の分離培地は，市中感染症を疑う場合は，BTB 乳糖寒天培地，SS 寒天培地，TCBS 寒天培地，CT 加ソルビトールマッコンキー（MacConkey）寒天培地または SIB 寒天培地などの腸管出血性大腸菌分離用培地，およびスキロー（Skirrow）寒天培地などの *Campylobacter* 属用培地を使用する．

## Ⅷ 膿・分泌物，体腔液，穿刺液の検査法

### 1 検査対象となる検体と検査法

検体の種類は，①感染部位が深部臓器や体腔と，②体表や粘膜面を含む表在部位に大別することができる．深部または体腔由来の検体は，本来無菌の部位由来であることから，検出菌は原因菌と解釈される．一方，表在性の検体は，

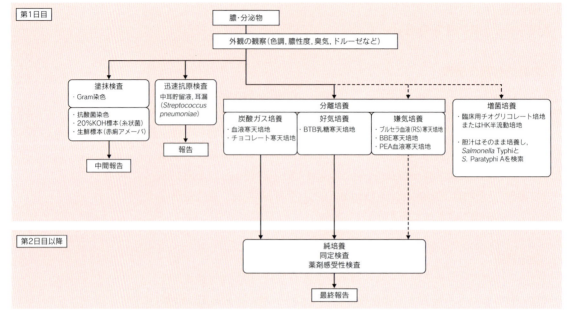

**図 3-D-7　膿・分泌物の臨床微生物検査手順**
矢印：実線は日常的に実施，破線は必要に応じてまたは医師の依頼により実施．

体表や粘膜面に存在する常在菌による汚染を受けやすい．

## 2　検体採取および保存

　検体は，採取後すみやかに検査を開始する（室温では 2 時間以内）．保存する場合には乾燥を避け冷蔵（4℃）するが，24 時間以内には検査を開始する．
　低温で死滅しやすい微生物である *Neisseria gonorrhoeae* は尿道分泌物や頸管分泌物，赤痢アメーバは肝膿瘍から検出される可能性があり，これらの検体は採取後保存せず，すみやかに検査しなければならない．
　嫌気性菌が検出される可能性がある検体は，嫌気性菌検査用の容器に採取するか，容器の上部に空隙を残さないよう多量に採取する．

## 3　検査法

検査手順を図 3-D-7 に示す．

### 1）肉眼的外観の観察

　膿性の外観を呈する検体は細菌が存在する可能性が高い．それ以外には悪臭，ドルーゼ（硫黄状顆粒）の有無も観察する．悪臭は嫌気性菌，ドルーゼは *Actinomyces* 属の菌塊の存在を示唆する所見である．

### 2）塗抹検査

　検体の種類によって，想定される感染症と原因菌は表 3-D-5 に示すように

大きく異なる．したがって，塗抹検査においては，検体の種類と検出される原因菌を念頭に Gram 染色標本を鏡検する．

その他，赤痢アメーバの感染が疑われる肝膿瘍は，保温した検体で生鮮標本を作製して鏡検する．

### 3) 分離培地と増菌培地

分離培地は，表 3-D-5 に示すように検体の種類と検出が想定される原因菌によって異なる．5%ヒツジ血液寒天培地は常用し，*Haemophilus* 属の検出が想定される頭頸部の検体には，チョコレート寒天培地を追加する．腸内細菌目細菌の検出が想定される肝胆道系，腹腔内，消化管由来の検体には，BTB 乳糖寒天培地を追加する．5%ヒツジ血液寒天培地とチョコレート寒天培地は，原則，炭酸ガス（$CO_2$：5%）培養する．

培地は非選択分離培地と検体に応じて選択培地を追加する．非選択分離培地はブルセラ寒天培地またはコロンビア寒天培地が基礎培地で，ウサギまたはヒツジ血液とビタミン K などが添加されたものが用いられる．嫌気培養は 35℃，48 時間行う．

本来無菌の検体では，少数の菌であっても原因菌の可能性が高い．したがって，検体量を多く接種できる増菌培養が並行して行われる．増菌培地は臨床用チオグリコレート培地や HK 半流動培地が用いられる．

### 4) 培養日数と分離培地の観察と同定検査

好気培養および炭酸ガス培養した分離培地は，24 時間後に培地を観察する．培地の観察後は再び培養し 48 時間後に再度観察し，発育が遅い菌がないかをみる．真菌の検査が必要な場合は，72 時間目以降は培地を室温におき，酵母や *Aspergillus* 属のような発育が速い真菌は 1 週間まで，皮膚糸状菌や黒色真菌など発育が遅いものは 1 カ月まで観察する．

増菌培地の培養日数は通常は 2 日間，真菌の検査依頼がある場合は 1 週間まで観察する．

### 5) 嫌気性菌の検査（耐気性試験）

嫌気性菌用培地に発育した集落は嫌気性菌とは限らないので，嫌気性菌かどうかを調べる**耐気性試験**（図 3-D-8）を行う．

耐気性試験は，1 つの集落を 2 枚の嫌気性菌用非選択分離培地に純培養する．分離培地を観察し，集落性状が異なるものをすべて純培養する．純培養後は 1 枚を嫌気培養，残り 1 枚は炭酸ガス培養または好気培養する．

2 日間培養後，2 枚の培地の発育状態を比較する．**嫌気培養した培地のみに発育した菌が嫌気性菌と判定**される．炭酸ガス培養または好気培養した培地にもわずかに発育した場合は，微好気性菌の可能性がある．嫌気性菌または微好気性菌と判定した菌は，Gram 染色および同定検査へと進める．

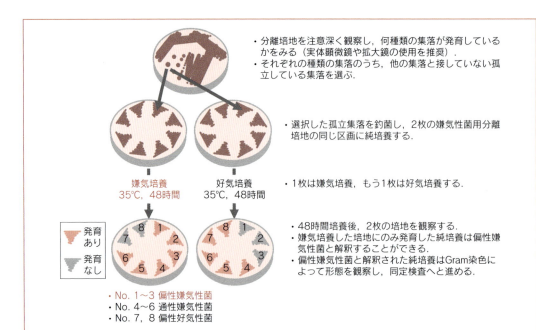

図 3-D-8 耐気性試験の手順

# E 細菌の鑑別と同定に日常用いられる検査法

## I 溶血性テスト

**概要** 血液寒天培地上での溶血の有無を観察する検査．*Streptococcus* 属菌の鑑別同定にきわめて有用．溶血反応にはα（**不完全溶血**：集落の周囲に破壊された赤血球の残骸による緑色環あるいは褐色環），β（**完全溶血**：赤血球の完全溶血による明瞭な透明環），γ（**非溶血**）の3種がある（**写真 3-E-1**）．

**培地** 動物（ヒツジ，ウマ，ウサギ，ヒトなど）の脱線維素血液を5%の割合で加えた血液寒天培地．溶血反応性は血液の動物種や培地組成，培養条件で変化するので，判定の際には注意が必要である．

**結果**
① α溶血：*Streptococcus pneumoniae* など．
② β溶血：*Streptococcus pyogenes*，*Streptococcus agalactiae* など．

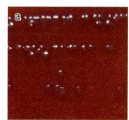
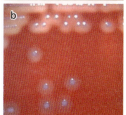
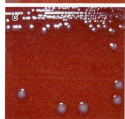

写真 3-E-1　溶血性テスト
a：α溶血，b：β溶血，c：γ溶血．

## II 炭水化物分解テスト

### 1 糖分解テスト

**概要** 細菌が基礎培地に加えた特定の炭水化物を分解し，酸または酸とガスを産生するか否かを調べる検査．糖とpH指示薬（フェノールレッド）を添加した培地に菌を接種し，糖分解により生じたpH変化（酸性化）を色調変化としてとらえる．炭水化物としては，単糖類（ブドウ糖，マンノースなど），二糖類（乳糖，白糖など），多糖類（デンプン，グリコーゲンなど），糖アルコール（マンニトール，ソルビトールなど）などが用いられる．

**培地** 基礎培地としては糖分解用半流動培地（一般細菌），CTA（cystine trypticase agar）培地（栄養要求性の厳しい菌），糖分解用GAM半流動培地（嫌気性菌）があり，菌種に応じて使い分ける必要がある．その他，検査室で頻用される培地としては，TSI（triple sugar iron）寒天培地（**写真 3-E-2**）およびOF（oxidation fermentation）培地がある．OF培地はブドウ糖の分解様式（発酵型あるいは酸化型）を鑑別するための培地であり，ブドウ糖を添加したOF培地2本に菌を接種し，1本は好気的に，他の1本は嫌気的（流動パラフィンを重層）に培養することで分解様式の鑑別が可能となる．

**結果（OF培地）**
① 発酵型：両培地ともに全体が黄変：腸内細菌目細菌など．
② 酸化型：好気培養の培地のみ上層部が黄変：*Pseudomonas aeruginosa* などのブドウ糖非発酵菌．

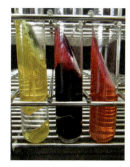

写真 3-E-2　TSI寒天培地
左：*Escherichia coli*，中：*Salmonella* 属，右：*Pseudomonas aeruginosa*．

## 2 ONPGテスト（*β*-D-ガラクトシダーゼテスト）

**概要** 細菌が乳糖分解に必要な *β*-D-ガラクトシダーゼを産生するか否かを調べる検査．乳糖を用いた糖分解テストは精度が劣る（*β*-D-ガラクトシダーゼ産生菌であっても陰性となることがある）ことから，合成基質であるONPGを用いて *β*-D-ガラクトシダーゼ産生の有無を検査する．*β*-D-ガラクトシダーゼ産生菌はONPGの分解により *o*-ニトロフェノール（黄色）を生成するため，この色調変化（無色から黄色）を判定する．

ONPG：*o*-ニトロフェニル-*β*-D-ガラクトピラノシド

**結果**
① 陽性（黄色）：*Escherichia coli* など．
② 陰性（無色）：*Proteus mirabilis* など．

## 3 VP（フォーゲス・プロスカウエル）反応

**概要** 細菌が，グルコースを発酵して終末産物であるアセチルメチルカルビノール（アセトイン）を産生するか否かを調べる検査．アセチルメチルカルビノールが形成されている培地に強アルカリ液を加えると，空気中の酸素により酸化されジアセチルが生成される．さらに，ジアセチルは試薬中のクレアチンと縮合反応し，試薬層が赤変する（**写真 3-E-3**）．

VP反応：Voges-Proskauer反応

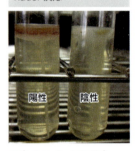

写真 3-E-3　VP反応
左：陽性，*Klebsiella pneumoniae*．
右：陰性，*Escherichia coli*．

**培地** VP半流動培地．

**試薬**
① A液：6% *α*-ナフトール・アルコール溶液
② B液：クレアチン加40%水酸化カリウム水溶液

**結果**
① 陽性（赤色）：*Klebsiella pneumoniae*，*Yersinia enterocolitica*（25℃培養）など．
② 陰性（無変化）：*Escherichia coli*，*Yersinia enterocolitica*（37℃培養）など．

# III アミノ酸分解テスト

## 1 インドールテスト

**概要** 細菌が，トリプトファンを分解しインドールを産生するか否かを調べる検査．*p*-ジメチルアミノベンズアルデヒドを含むKovacs試薬あるいはEhrlich試薬を添加すると，アルデヒドがインドールと結合して赤色を呈する．

**培地** トリプトファン加ペプトン培地，SIM（sulfide indole motility）培地，LIM（lysine indole motility）培地（**写真 3-E-4**）．

写真 3-E-4　インドールテスト（LIM培地）
左：陽性，*Escherichia coli*．
右：陰性，*Salmonella* 属．

**結果**
① 陽性（赤色）：*Escherichia coli*，*Proteus vulgaris* など．
② 陰性（無変化）：*Salmonella* 属，*Klebsiella pneumoniae*，*Enterobacter cloacae*，*Proteus mirabilis* など．

**インドールテストの試薬**
① Kovacs試薬：アミルアルコール150 mL＋*p*-ジメチルアミノベンズアルデヒド10 g＋濃塩酸50 mL．
② Ehrlich試薬：無水エチルアルコール190 mL＋*p*-ジメチルアミノベンズアルデヒド2 g＋濃塩酸40 mL．

## 2　IPA反応（インドールピルビン酸産生テスト）

**概要**　細菌が，トリプトファンを脱アミノ化しインドールピルビン酸を生成するか否かを調べる検査．生成されたインドールピルビン酸は，培地中のクエン酸鉄アンモニウムの鉄イオンと結合して褐色を呈する．

**培地**　SIM培地．IPA反応はインドール試薬を添加すると判定不能となるので，試薬添加前に判定する．

**結果**
① 陽性（褐色）：*Proteus*属，*Providencia*属，*Morganella*属など．
② 陰性（無変化）：上記以外の腸内細菌目細菌．

## 3　アミノ酸脱炭酸・加水分解テスト

**概要**　細菌が，アミノ酸を脱炭酸（あるいは加水分解）する酵素を保有しているか否かを調べる検査．基質となるアミノ酸にはリジン，アルギニン，オルニチンなどがあるが，リジンが最も多く利用されている．アミノ酸の脱炭酸によってアルカリ性のアミンが生成されることから，培地のpH変化（黄色→紫色，ブロムクレゾールパープル）をもとに判定する．

**培地**　Møller（メラー）基礎培地，LIM培地．培地中の色素が細菌により還元されてしまい判定困難となることがある．この場合，アミノ酸未添加の対照培地を併用すると判定しやすい．

**結果**
① リジン脱炭酸陽性（紫色）：一般的な*Salmonella*属，*Edwardsiella*属など．
② リジン脱炭酸陰性（黄色）：*Citrobacter freundii*など．

## 4　硫化水素産生テスト

**概要**　細菌が，含硫アミノ酸（システインなど）を分解する酵素を産生するか否かを調べる検査．分解酵素産生菌は，含硫アミノ酸を分解し硫化水素（$H_2S$）を産生する．硫化水素は培地中の鉄イオンと結合し，硫化鉄となり培地が黒変する．

**培地**　SIM培地，TSI培地（**写真3-E-2**の中央が硫化水素陽性）．TSI培地よりもSIM培地のほうが検出感度が高い．

**結果**
① 陽性（黒色）：一般的な*Salmonella*属，*Proteus*属など．
② 陰性（無変化）：*Providencia*属など．

## 5　尿素分解テスト

**概要**　細菌が尿素分解酵素（ウレアーゼ）を産生するか否かを調べる検査．ウレアーゼ産生菌は，尿素を加水分解しアンモニアを発生する．このアンモニア発生によるアルカリ化をpH指示薬（黄色→赤色，フェノールレッド）を用いて検出する（**写真3-E-5**）．

**写真3-E-5　尿素分解テスト**
（日本大学医学部附属板橋病院・西山宏幸氏）

|培地| クリステンゼン尿素培地.

|結果|
① 陽性（ピンク～赤色）：*Proteus* 属, *Providencia* 属, *Morganella* 属など.
② 陰性（無変化）：*Escherichia coli* など.

## Ⅳ 硝酸塩還元テスト

|概要| 細菌が，硝酸塩（$NO_3$）を亜硝酸（$NO_2$）または窒素ガス（$N_2$）に還元するか否かを調べる検査．$NO_2$は2種の添加試薬（スルファニル酸とジメチル-α-ナフチルアミン）と反応すると，p-スルホベンゼン-アゾ-α-ナフチルアミンを生じ赤色を呈する．一方，すべての$NO_2$が$N_2$にまで還元された場合には，試薬添加によっても赤色を呈さない（偽陰性となる）ことから，赤変がみられない場合には亜鉛末（$NO_3$から$NO_2$への還元剤）を添加し，$NO_3$の残存の有無を検証する．

|培地| 硝酸塩ブロス.

|試薬|
① A液：0.6％ジメチル-α-ナフチルアミン・30％（5 M）酢酸溶液
② B液：0.8％スルファニル酸・30％（5 M）酢酸溶液

|結果|
① 陽性（赤色または亜鉛末添加後無色）：腸内細菌目細菌など.
② 陰性（亜鉛末を加え赤変）：*Acinetobacter* 属など.

## Ⅴ 有機酸塩の利用能テスト

### 1 クエン酸塩利用能テスト

|概要| 細菌が，代謝のための唯一の炭素源としてクエン酸塩を利用できるか否かを調べる検査．シモンズ・クエン酸塩培地とクリステンゼン・クエン酸塩培地があり，一般的にはシモンズ・クエン酸塩培地が用いられる．シモンズ・クエン酸塩は合成培地であり，菌の発育のための窒素源としてリン酸アンモニウムのみ，炭素源としてはクエン酸ナトリウムのみ添加されていることから，これらの両方を利用できる菌のみが発育可能である．菌の発育による培地のアルカリ化をpH指示薬（緑→青，ブロムチモールブルー）により判定する．

|培地| シモンズ・クエン酸塩培地（写真 3-E-6）.

|結果|
① 陽性（青色）：*Klebsiella pneumoniae*，一般的な *Salmonella* 属など.
② 陰性（無変化）：*Escherichia coli*，*Salmonella* Typhi など.

写真 3-E-6
シモンズ・クエン酸塩培地

## 2 マロン酸塩利用能テスト

**概要** 細菌が，マロン酸ナトリウムを唯一の炭素源として利用できるか否かを調べる検査．マロン酸ナトリウムが利用されれば培地がアルカリ化（緑→青，ブロムチモールブルー）する．

**培地** マロン酸塩培地．

**結果**

① 陽性（青色）：*Salmonella arizonae* など．
② 陰性（無変化）：一般的な *Salmonella* 属など．

# VI 呼吸酵素に関するテスト

## 1 カタラーゼテスト

**概要** 細菌がカタラーゼ（過酸化水素分解酵素）を産生するか否かを調べる検査．

**方法** スライドガラス上に3%過酸化水素を滴下し，その中に木製スティックを用いて少量の菌体を接触させ，気泡（$O_2$）発生の有無を観察する（**写真3-E-7**）．赤血球中にはカタラーゼが存在することから，血液寒天培地上のコロニーを用いる場合には，寒天成分採取による偽陽性に注意する．

**結果**

① 陽性（気泡発生）：*Staphylococcus* 属．
② 陰性（無変化）：*Streptococcus* 属．

写真 3-E-7
カタラーゼテスト

## 2 オキシダーゼテスト

**概要** 細菌がチトクロムオキシダーゼを産生するか否かを調べる検査．チトクロムオキシダーゼ産生菌では，酸化還元色素であるテトラメチルパラフェニレンジアミン塩酸塩が酸化され深青色を呈する（Kovacs法）．

**方法** テトラメチルパラフェニレンジアミン塩酸塩含有濾紙をスライドガラスに置き，微量の精製水（鉄イオンを含まない精製水）で湿らせる．木製スティックを用いて少量の菌体を濾紙に塗布する．1分以内に深青色を呈すれば陽性（**写真3-E-8**）．

**結果**

① 陽性（深青色）：*Pseudomonas aeruginosa*，*Neisseria* 属，*Vibrio* 属など．
② 陰性（無変化）：腸内細菌目細菌（*Plesiomonas shigelloides* を除く），*Stenotrophomonas maltophilia*，*Acinetobacter* 属など．

写真 3-E-8
オキシダーゼテスト
上：陽性，*Pseudomonas aeruginosa*．
下：陰性，腸内細菌目細菌．

## VII 菌体外酵素に関するテスト

### 1 コアグラーゼテスト

**概要** *Staphylococcus* 属がコアグラーゼ（血液凝固酵素）を産生するか否かを調べる検査．コアグラーゼには**結合型**（クランピング因子ともよばれる）と**遊離型**（菌体外に放出されたコアグラーゼ）があり，**スライド法**では結合型のみを，**試験管法**では遊離型のみを検出する．

**方法**
① スライド法：スライドガラスにウサギ血漿を一滴滴下する．白金耳を用いて少量の菌体を塗布し混和する．10 秒以内に凝集が認められれば陽性．凝集が認められた場合はウサギ血漿の代わりに生理食塩水を用いて同様の操作を行い，自己凝集がみられないことを確認する．
② 試験管法：滅菌試験管にウサギ血漿 0.5 mL を添加し，1 白金耳程度の菌体を接種し懸濁する．35℃で 4 時間加温後に凝固の有無を観察する．陰性の場合は一晩（24 時間）加温を延長し，判定する（**写真 3-E-9**）．

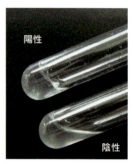

**写真 3-E-9**
コアグラーゼテスト
上：陽性，*Staphylococcus aureus*．
下：陰性，*Staphylococcus epidermidis*.

**結果**
① 陽性（凝集あるいは凝固）：*Staphylococcus aureus*，獣医領域で分離される *Staphylococcus intermedius* など（p.110 の**表 2-A-a1-1** 参照）．
② 陰性（無変化）：その他の *Staphylococcus* 属．

### 2 DNase 活性

**概要** 細菌がデオキシリボヌクレアーゼ（DNase）を産生するか否かを調べる検査．細菌の DNA は培地中のトルイジンブルーと結合し深青色を示すが，DNase 産生菌では DNA 分解によりトルイジンブルーが遊離し，赤紫色を呈する．

**培地** 0.01％トルイジンブルー添加 DNA 寒天培地，35℃，24 時間培養後に判定（ただし，*Staphylococcus* 属は 72 時間培養後に判定する）．

**結果**
① 陽性（赤紫色）：*Staphylococcus aureus*，*Serratia marcescens* など．
② 陰性（深青色）：*Staphylococcus epidermidis* など．

### 3 キャンプテスト（CAMP test）

**概要** 細菌が CAMP 因子を産生するか否かを調べる検査．CAMP 因子は，本現象の最初の報告者達の人名（Christie, Atkins, Munch-Peterson）をもとに名付けられた．CAMP 因子産生菌は，ブドウ球菌が産生する β-ヘモリジンと相乗的に作用してヒツジ赤血球の溶血を増強する．

**方法** ヒツジ血液寒天培地の中央に *Staphylococcus aureus*（β-ヘモリジン産生株）を一直線に塗布する．*S. aureus* に触れないように，被検菌を 90 度方向に一直線に塗布する．35℃，一晩培養後，溶血帯の増強（矢じり状の溶

血帯）を観察する（写真 3-E-10）．

結果

① 陽性（増強あり）：*Streptococcus agalactiae* など．
② 陰性（増強なし）：その他のβ溶血性の *Streptococcus* 属など．

### 4 馬尿酸塩加水分解試験

概要 細菌が，馬尿酸塩加水分解酵素を産生するか否かを調べる検査．馬尿酸塩加水分解酵素産生菌は，馬尿酸ナトリウムを安息香酸とグリシンに加水分解する．生成されたグリシンをニンヒドリン試薬により検出する．

方法 1％馬尿酸ナトリウム溶液 0.5 mL に，被検菌を濃厚に懸濁する．35℃，2時間加温後，ニンヒドリン試薬 0.2 mL を加え 35℃で 10 分加温し，色調変化（無色→青紫）を判定する（写真 3-E-11）．

結果

① 陽性（青紫色）：*Streptococcus agalactiae*，*Campylobacter jejuni* など．
② 陰性（無色）：その他のβ溶血性の *Streptococcus* 属，その他の *Campylobacter* 属など．

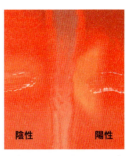

写真 3-E-10 CAMPテスト
左：陰性（溶血帯増強なし），
右：陽性（矢じり状溶血帯増強）．
（東邦大学医療センター大森病院・佐々木雅一氏）

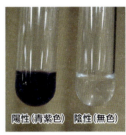

写真 3-E-11
馬尿酸塩加水分解試験

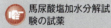

馬尿酸塩加水分解試験の試薬
ニンヒドリン試薬：ニンヒドリン 3.5 g＋アセトン 50 mL＋ブタノール 50 mL．

### 5 ピロリドニル・アリルアミダーゼ（PYR）試験

概要 細菌が，ピロリドニル・アリルアミダーゼを産生するか否かを調べる検査．ピロリドニル・アリルアミダーゼ産生菌は，L-ピロリドニル-β-ナフチルアミドを分解しβ-ナフチルアミンを生成する．生成されたβ-ナフチルアミンは，試薬中の p-ジメチルアミノシンナムアルデヒドと結合し，濃ピンク色を呈する．

結果

① 陽性（濃ピンク色）：*Streptococcus pyogenes*，*Enterococcus* 属など．
② 陰性（無色〜薄いピンク）：その他の *Streptococcus* 属など．

## VIII 発育性テスト

### 1 ガス環境

概要 細菌が発育に必要なガス環境を調べる検査．好気培養は空気環境，炭酸ガス培養は 5〜10％ $CO_2$ 環境，微好気培養は 5％ $O_2$＋5〜10％ $CO_2$ 環境，嫌気培養は 0％ $O_2$ 環境と定義される．主に，嫌気性菌や微好気性菌の確認に用いる．

方法 被検菌が発育可能な培地に接種し，目的のガス環境下で培養後，発育の有無を判定する．

結果

① 微好気性菌：*Campylobacter* 属など．
② 嫌気性菌：*Bacteroides* 属など．

表 3-E-1　好塩性テスト

| 菌　種 | 食塩濃度 | | | |
|---|---|---|---|---|
| | 0% | 3% | 8% | 10% |
| Vibrio alginolyticus | − | + | + | + |
| Vibrio cholerae | + | + | − | − |
| Vibrio parahaemolyticus | − | + | + | − |
| Vibrio vulnificus | − | + | − | − |

＋：90%以上の株が発育，－：90%以上の株が非発育．

## 2　好塩性テスト

概　要　細菌（Vibrio 属）が発育にナトリウムイオンを要求するか否かを調べる検査．

方　法　食塩を 0％，3％，8％，10％に添加したペプトン水に被検菌を接種し，35℃で一晩培養後に発育の有無を判定する．

結　果　表 3-E-1 に示す（p.151 の表 2-A-c2-1 も参照）．

# IX　その他の性状テスト

## 1　運動性テスト

概　要　細菌が運動性を有するか否かを調べる検査．

方　法　運動性テスト培地に被検菌を穿刺し，35℃（Yersinia enterocolitica は 25℃）で一晩培養後，発育の広がりを観察する．非運動性菌は穿刺部のみに発育するのに対し，運動性菌は培地全体あるいは穿刺部より外側にも発育する（写真 3-E-12）．簡易法として，被検菌を滅菌生理食塩水に懸濁したものをスライドガラスに滴下し，カバーガラスをかけて 400 倍（コンデンサは下げる）で観察する方法がある．

培　地　運動性テスト培地（LIM 培地，SIM 培地など）．

結　果
① 陽性：多くの腸内細菌目細菌，Listeria monocytogenes，Yersinia enterocolitica（25℃）など．
② 陰性：Shigella 属，Yersinia enterocolitica（35℃），Klebsiella pneumoniae など．

写真 3-E-12
運動性テスト（LIM 培地）
左：陽性（培地全体に発育），Escherichia coli．
右：陰性（穿刺部にのみ発育），Klebsiella pneumoniae．

## 2　XV 因子要求テスト

概　要　Haemophilus 属が，X 因子（プロトポルフィリン IX）と V 因子（NAD）を要求するか否かを調べる検査．

方　法　トリプチケースソイ寒天培地などの血液を含まない培地の一面に被検菌を塗布し，X 因子ディスク，V 因子ディスクおよび XV 因子混合ディス

クを設置する．35℃，5% $CO_2$ 環境下で一晩培養後に，発育の有無を観察する（写真 3-E-13）．

**結果**

① XV因子ともに要求：*Haemophilus influenzae*, *Haemophilus haemolyticus* など．
② X因子のみ要求：*Haemophilus ducreyi*.
③ V因子のみ要求：*Haemophilus parainfluenzae* など．

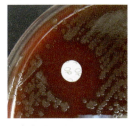

写真 3-E-13
**XV 因子要求テスト**
X因子およびV因子の両方を要求，*Haemophilus influenzae*.

## 3　オプトヒン感受性試験

**概要**　α溶血性の *Streptococcus* 属の，オプトヒンに対する感受性の有無を調べる検査．

**方法**　ヒツジ血液寒天培地の一面に被検菌を塗布し，5 μg オプトヒンディスクを設置する．35℃，5% $CO_2$ 環境下で一晩培養後に，阻止円径を測定する（≧14 mm なら感性，写真 3-E-14）．

**結果**

① 阻止円≧14 mm：*Streptococcus pneumoniae*.
② 阻止円<14 mm：その他のα溶血性の *Streptococcus* 属．

写真 3-E-14
**オプトヒン感受性試験**
オプトヒン試験（感性），*Streptococcus pneumoniae*.

## 4　バシトラシン感受性試験

**概要**　β溶血性の *Streptococcus* 属の，バシトラシンに対する感受性の有無を調べる検査．

**方法**　ヒツジ血液寒天培地の一面に被検菌を塗布し，0.04 U バシトラシンディスクを設置する．35℃，5% $CO_2$ 環境下で一晩培養後に，阻止円の有無を判定する．

**結果**

① 阻止円あり：*Streptococcus pyogenes*.
② 阻止円なし：その他のβ溶血性の *Streptococcus* 属．

## 5　胆汁溶解試験

**概要**　α溶血性の *Streptococcus* 属が，胆汁により溶解するか否かを調べる検査．

**方法**　0.5 mL の 10% デオキシコール酸ナトリウム溶液および滅菌生理食塩水（対照）に被検菌の濃厚懸濁液 0.5 mL を添加し，35℃で 30 分間加温する．懸濁液が透明になれば陽性．

**結果**

① 陽性（透明）：*Streptococcus pneumoniae*.
② 陰性（懸濁）：その他のα溶血性の *Streptococcus* 属．

# F 化学療法薬感受性検査法

## I 細菌の薬剤感受性検査

薬剤感受性検査は，微生物に対して有効な抗菌薬を選択するための検査である．薬剤感受性検査法は，①寒天または液体培地中に検査薬剤を連続2倍希釈した濃度を含む培地に被検菌を接種し，一定時間培養後に発育が阻止された薬剤の最小発育阻止濃度（MIC）を求める希釈法と，②被検菌を塗布した培地に一定量の抗菌薬を含有させた濾紙を貼布し，培養すると培地中に拡散した薬剤の濃度勾配により被検菌の薬剤感受性に応じた阻止円が形成される寒天平板拡散法がある．寒天平板拡散法にはディスク拡散法とEtestがある．

### 1 希釈法

寒天平板希釈法と液体希釈法がある．液体希釈法は主に0.1 mLの液体培地で薬剤の希釈系列を作製して実施する微量液体希釈法（broth microdilution method）が利用される．

表3-F-1にCLSI法について条件を記載した．

#### 1）寒天平板希釈法

高圧蒸気滅菌したミューラーヒントン（Mueller-Hinton）寒天培地を40～50℃まで冷却し，あらかじめ希釈系列を作製した抗菌薬と培地を1：9の比率

> **アンチバイオグラム**
> 抗菌薬感受性率を示す一覧表あるいはグラフで，一定期間に施設内で検出された病原細菌の薬剤感受性率をまとめたもの．1年に1回以上定期的に更新し，直近に施設で分離された菌の感受性率を提供することが原則である．薬剤感受性検査成績を得る前に，アンチバイオグラムを元にして，想定される原因菌に効果のある薬剤を選択することが可能となる．

> **希釈法**
> CLSI（Clinical and Laboratory Standards Institute）によるCLSI法や，日本化学療法学会法，EUCAST法（European Committee on Antimicrobial Susceptibility Testing）などがある（寒天平板希釈法は，2007年に日本化学療法学会がCLSI法を採用）．検査の実施にあたり，被検菌に対応した培地，接種菌量，培養温度，時間などの条件が規定されており，方法に応じて決められた条件に基づいて実施する必要がある．

**表3-F-1 寒天平板希釈法の培養条件（CLSI法）**

| 菌種 | 温度 | 時間 | 培養条件 |
|---|---|---|---|
| 腸内細菌目細菌，緑膿菌，緑膿菌以外のブドウ糖非発酵菌，コレラ菌，ブドウ球菌，腸球菌 | 35±2℃ | 16～18 時間 | 好気的条件下 |
| *Yersinia pestis* | | 24 時間 | |
| *Acinetobacter* 属，*Burkholderia cepacia*，*Stenotrophomonas maltophilia* | | 20～24 時間 | |
| 腸球菌，ブドウ球菌のバンコマイシン感受性をみる場合 | | 24 時間 | |
| ブドウ球菌のオキサシリン感受性をみる場合 | 35℃（35℃を超えてはならない） | 24 時間 | |
| *Neisseria gonorrhoeae* | 36±1℃（37℃を超えてはならない） | 20～24 時間 | 5%$CO_2$環境下 |
| 肺炎球菌以外の *Streptococcus* 属 | 35±2℃ | 20～24 時間 | 好気的条件下* |
| *Neisseria meningitidis* | 35±2℃ | 20～24 時間 | 5%$CO_2$環境下 |
| *Helicobacter pylori* | 35±2℃ | 72 時間 | 微好気環境下 |
| 嫌気性菌 | 35～37℃ | 42～48 時間 | 嫌気条件下 |

＊：発育に$CO_2$環境が必要な場合，$CO_2$環境下では，pHがアルカリ側で安定な抗菌薬では，MICに影響を及ぼす可能性がある．

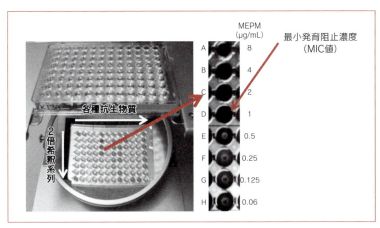

写真 3-F-1　微量液体希釈法

で混和し，滅菌シャーレに分注して培地を作製する．

$10^7$ CFU/mL の濃度に調製した菌液を，$1\sim3\times10^4$ CFU/spot になるように白金耳などを用いて寒天表面に接種する．$35\pm2℃$，16～48 時間培養し，肉眼で観察し発育がまったくみられない抗菌薬の最小濃度を MIC 値とする．

## 2）微量液体希釈法（写真 3-F-1）

### (1) 測定用培地

陽イオン調製ミューラーヒントンブロス（CAMHB）を用いる．ミューラーヒントンブロスを用い，滅菌後に培地の pH を 7.2～7.4（25℃）に調製し，$Ca^{2+}$ 50 mg/L，$Mg^{2+}$ 25 mg/L を添加して使用する．$Ca^{2+}$ は塩化カルシウム（$CaCl_2 \cdot 2H_2O$）3.68 g を精製水 100 mL に溶解，$Mg^{2+}$ は塩化マグネシウム（$MgCl_2 \cdot 6H_2O$）8.36 g を精製水 100 mL に溶解し，共に濾過滅菌を行い滅菌した 1,000 mL のミューラーヒントンブロスに，それぞれ 2.5 mL，1.25 mL を添加する．

### (2) 抗菌薬の溶解および希釈系列の作製

力価が明らかな薬剤原末を 0.1 mg まで正確に秤取し，力価 1,280 μg/mL の溶液を作製し，濾過滅菌して薬剤原液とする〔水溶性の抗菌薬は滅菌精製水で，不溶性・難溶性の薬剤は CLSI のドキュメントなどに指定されたエチルアルコール，緩衝液，NaOH 液，DMSO（ジメチルスルホキシド）液などで，可能なかぎり少量に溶解した後に，精製水や緩衝液で希釈して薬剤原液を作製する〕．

滅菌した原液を，CAMHB などの感受性測定用培地を用いて滅菌メスピペットで希釈を行い，128，64，……0.06 μg/mL までの希釈系列を作製する．作製した抗菌薬含有希釈溶液を，U 字型の 96 穴マイクロプレートに 0.1 mL±0.02 mL 分注して使用する．

### (3) 接種用菌液の調製から判定まで

被検菌を McFarland No. 0.5 に調製し，さらに滅菌生理食塩水で 10 倍希釈

---

**希釈法の測定用培地**

Neisseria gonorrhoeae は GC 寒天培地，Neisseria meningitidis と Streptococcus pneumoniae 以外のレンサ球菌はヒツジ脱線維素血液（5% v/v）を添加したミューラーヒントン寒天培地，Helicobacter pylori は採血より 2 週間以上経過させたヒツジ脱線維素血液（5% v/v）を添加したミューラーヒントン寒天培地，嫌気性菌はヘミン（5 mg/mL），ビタミン $K_1$（1 mg/mL）およびウマ溶血液（5% v/v）を含有するブルセラ寒天培地を使用する．

**CAMHB**：
cation-adjusted Mueller Hinton broth

**微量液体希釈法**
微量液体希釈法は，現在の薬剤感受性検査の標準法である．

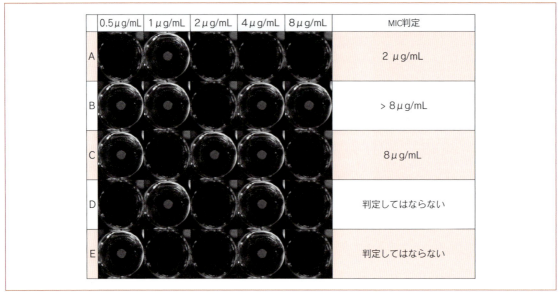

**写真 3-F-2　微量液体希釈法　スキップウェルの判定**
同一薬剤の連続希釈系列内にスキップウェルが1ウェル発生した場合，最も高いMICを読み取る（A〜C列の薬剤）．2ウェル以上のスキップが認められた場合，結果を報告せずに再検査を行う．D列は2ヵ所でスキップが発生，E列は連続する2ウェルがスキップしている．

**写真 3-F-3　微量液体希釈法　アトヒキ現象の判定**
グラム陽性球菌の場合，クロラムフェニコール，クリンダマイシン，リネゾリド，テジゾリド，テトラサイクリンでは，アトヒキ現象によりエンドポイントの判定が困難な場合がある．アトヒキ現象が認められる最初のウェルをMICとする（矢印）．小さなボタン状の発育は無視する．

した菌液を各ウェルへ5 μLずつ接種し，最終菌量を$5×10^4$ CFU/ウェルとする．
　35±1℃で18〜24時間培養し，菌の発育が認められない最小の薬剤濃度をMICとする．
① **発育陽性の基準**：肉眼的に混濁またはボタン状の沈殿が認められた場合．
② **発育阻止の判定基準**：肉眼的に混濁または沈殿が認められない場合．
③ 薬剤希釈系列中に不連続な発育が認められた場合（スキップ現象）は最も高いMICを読み取る（**写真 3-F-2**）．ただし，2ウェル以上のスキップが認められた場合は，結果を報告せず再検査を実施する．
④ **アトヒキ現象**（**写真 3-F-3**）：グラム陽性球菌の場合，クロラムフェニコール，クリンダマイシン，リネゾリド，テジゾリド，テトラサイクリンでは，微弱な発育が続くアトヒキ現象によりエンドポイントの判定が困難な場合がある．この場合はアトヒキ現象が認められる最初の場所をMICとする（写真矢印）．小さなボタン状の発育は無視する．

測定の都度，最小発育阻止濃度が明らかにされている精度管理用菌株を用いて精度管理を行うことが望ましい．

## 2 寒天平板拡散法

### 1) ディスク拡散法 (disk diffusion method)

被検菌液を塗布した寒天培地にディスクを貼布して培養することで，ディスク周囲から外側に向かって抗菌薬の濃度勾配が形成され，形成した阻止円の大きさを測定することで薬剤感受性を判定する方法である．CLSI法など，各国でKirby-Bauer法を基本原理とした方法が採用されている．

#### (1) CLSI法

新鮮な菌を数コロニー釣菌し，ブロスまたは滅菌生理食塩水に懸濁してMcFarland No.0.5に調製する．

ミューラーヒントン寒天培地（BMHA）を使用し，調製した菌液に滅菌綿棒を浸し，寒天培地全面に塗布し，約60度回転させて計3回塗布する．3〜15分間放置してからディスクを設置する．設置したディスクは，滅菌ピンセットなどでしっかりと圧着する．

好気培養で16〜18時間培養する．

反射光を用いて，裏側からノギス・定規などで阻止円直径を測定する（薬剤と菌の組み合わせによっては，光源にかざして透過光で測定する）（**写真3-F-4**）．血液を含むBMHAなどの不透明な培地は，蓋をとり培地表面側から測定する．阻止円直径を測定し，判定基準に照らしあわせて，S（susceptible）：感性，I（intermediate）：中間，R（resistant）：耐性を判定する．

測定の都度，最小発育阻止濃度が明らかにされている精度管理用菌株を用いて精度管理を行うことが望ましい．

阻止円直径は，培地の種類，培地の厚さ，接種菌量，培養温度，培養時間，大気条件などによる影響を受けるため，定められた接種基準を遵守して検査を行う．

> **ディスク拡散法の培養条件**
> *Streptococcus pneumoniae*，その他のレンサ球菌，*Haemophilus*属菌，*N. gonorrhoeae*，*N. meningitidis*などは5% $CO_2$ 環境下で培養する．*Staphylococcus*属菌のオキサシリン，および*Enterococcus*属菌のバンコマイシンの感受性をみる場合は，24時間の培養が必要である．

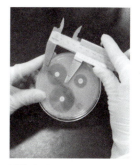

写真3-F-4
ディスク拡散法

### 2) Etest（写真3-F-5）

Etestは，細長のストリップに抗菌薬が微量液体希釈法の濃度設定と同様に濃度勾配をつけて固相されている．そのストリップをディスク拡散法と同様の方法で寒天培地に設置することで，MIC値の測定ができる．発育阻止帯は楕円形となり，ストリップと発育阻止帯の交わった目盛り部分をMIC値とする．

> **Etest**
> 一般細菌をはじめ，栄養要求性の厳しい菌，嫌気性菌，真菌と適応菌種の範囲も広く，簡便であるため補助的なMIC値測定法として汎用されている．

## 3 MRSA，ペニシリン耐性肺炎球菌（PRSP），バンコマイシン耐性腸球菌（VRE），MDRP，MDRAの検査法（表3-F-2）

### 1) メチシリン耐性黄色ブドウ球菌（MRSA），メチシリン耐性コアグラーゼ陰性ブドウ球菌（MRCNS）

CLSI法では，*Staphylococcus aureus*，*Staphylococcus lugdunensis*のメチ

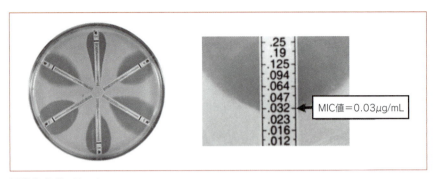

写真 3-F-5　Etest
MIC 値は，阻止円がストリップを横切る位置で判定する．

シリン耐性の検査はオキサシリン（1 μg）が用いられてきたが，現在セフォキシチン（30 μg）の使用が推奨されており，セフォキシチンの薬剤感受性検査成績に基づき，オキサシリンに耐性か感性かを判定する（**表 3-F-2**）．

### 4 β-ラクタマーゼの検査法

ニトロセフィン法，アシドメトリー法，ヨード法などがある．

#### 1）ニトロセフィン法（写真 3-F-6）

セファロスポリン系薬の一つであるニトロセフィンは，β-ラクタマーゼにより開裂すると発色するクロモジェニックセファロスポリンである．ニトロセフィンを含有したディスクを滅菌精製水で湿潤させて，新鮮な被検菌を塗布する．塗布部分が赤色に変化した場合に陽性とする．色調変化を認めない場合には陰性とする．

#### 2）ペニシリン disk zone edge test（写真 3-F-7）

前述の検査法以外に，S. aureus ではペニシリン G を用いたディスク拡散法による感受性検査で阻止円の様子から β-ラクタマーゼを判定する方法が高感度で簡易であり，CLSI で採用されている．
① ペニシリン G の阻止円が明瞭（sharp, cliff）：β-ラクタマーゼ陽性．
② ペニシリン G の阻止円が不明瞭（fuzzy, beach）：β-ラクタマーゼ陰性．

### 5 薬剤耐性グラム陰性桿菌の検査〔ESBL（extended-spectrum β-lactamase），CPE（carbapenemase-producing Enterobacterales）〕

近年，腸内細菌目細菌では，ペニシリン系薬を分解するペニシリナーゼが基質特異性を拡大し，セファロスポリン系薬まで分解するようになった基質特異性拡張型 β-ラクタマーゼ（extended-spectrum β-lactamase；ESBL）産生菌が問題となっている．さらに，カルバペネム系薬に耐性を示すカルバペネム耐

---

**オキサシリン耐性**
薬剤感受性検査の他に，遺伝子関連検査や抗体を用いた検査で mecA 遺伝子やペニシリン結合蛋白 2a（PBP2a）が陽性となった菌株は，オキサシリン耐性として報告する．

**CNS の検査法**
S. lugdunensis を除くコアグラーゼ陰性ブドウ球菌（CNS：coagulase-negative staphylococci）に関しては，セフォキシチン（ディスク拡散法）とオキサシリン（MIC）のみ基準が定められている．

写真 3-F-6
ニトロセフィン法

写真 3-F-7　ペニシリン disk zone edge test
Staphylococcus aureus
（MSSA：メチシリン感性黄色ブドウ球菌）．

表 3-F-2　各種耐性菌判定基準

| 菌種 | | 方法 | 使用薬剤 | 判定基準 |
|---|---|---|---|---|
| Staphyrococcus 属菌のメチリシン（オキサシリン）耐性 | S. aureus（MRSA） S. lugdunensis | ディスク法 | セフォキシチンディスク（30 μg） | 阻止円径≦21 mm[※1] |
| | | 希釈法 | オキサシリン | MIC≧4 μg/mL[※2] |
| | | | セフォキシチン | MIC≧8 μg/mL[※3] |
| | S. epidermidis | ディスク法 | オキサシリン（1 μg） | 阻止円径≦17 mm[※1] |
| | | | セフォキシチンディスク（30 μg） | 阻止円径≦24 mm[※2] |
| | | 希釈法 | オキサシリン | MIC≧1 μg/mL[※2] |
| | S. pseudintermedius S. schleiferi | ディスク法 | オキサシリン（1 μg） | 阻止円径≦17 mm[※1] |
| | | 希釈法 | オキサシリン | MIC≧1 μg/mL[※2] |
| | 上記以外のブドウ球菌 | ディスク法 | セフォキシチンディスク（30 μg） | 阻止円径≦24 mm[※2] |
| | | 希釈法 | オキサシリン | MIC≧1 μg/mL[※2] |
| ペニシリン耐性肺炎球菌（PRSP） | | 希釈法 | p.119　2 章「a-2. ストレプトコッカス属とエンテロコッカス属」の表 2-A-a2-4 参照 | |
| バンコマイシン耐性腸球菌（VRE） | | ディスク法 | バンコマイシン（30 μg） | 阻止円径≦14 mm |
| | | | テイコプラニン（30 μg） | 阻止円径≦10 mm |
| | | 希釈法 | バンコマイシン | MIC≧32 μg/mL |
| | | | テイコプラニン | MIC≧32 μg/mL |
| 多剤耐性緑膿菌（MDRP）* | | ディスク法 | イミペネム，アミカシン，シプロフロキサシン | 阻止円径がイミペネム≦13 mm，アミカシン≦14 mm，シプロフロキサシン≦15 mm のすべてを満たす |
| | | 希釈法 | | MIC がイミペネム≧16 μg/mL，アミカシン≧32 μg/mL，シプロフロキサシン≧4 μg/mL のすべてを満たす |
| 多剤耐性アシネトバクター（MDRA）* | | ディスク法 | | 阻止円径がイミペネム≦13 mm，アミカシン≦14 mm，シプロフロキサシン≦15 mm のすべてを満たす |
| | | 希釈法 | | MIC がイミペネム≧16 μg/mL，アミカシン≧32 μg/mL，シプロフロキサシン≧4 μg/mL のすべてを満たす |

＊：感染症法による判定基準．
[※1]：16〜18 時間で判定，[※2]：24 時間で判定，[※3]：16〜20 時間で判定．

性腸内細菌目細菌（carbapenem-resistant Enterobacterales；CRE），とくにカルバペネム系薬を分解するカルバペネマーゼ産生菌（carbapenemase-producing Enterobacterales；CPE）が問題となっている．

### 1）基質特異性拡張型 β-ラクタマーゼ（extended-spectrum β-lactamase；ESBL）産生菌

　ESBL は β-ラクタマーゼ阻害剤であるクラブラン酸（clavulanic acid；CVA）により活性を阻害されるため，指定された薬剤に対してクラブラン酸の添加で

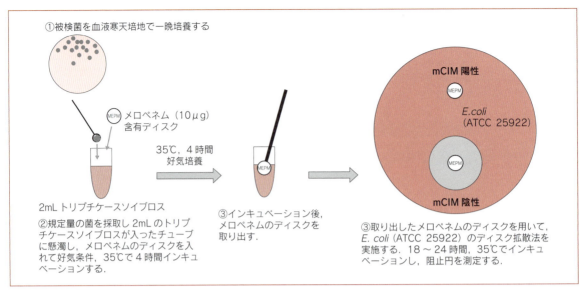

**図 3-F-1　mCIM**
eCIM を行う場合は，2 mL のトリプチケースソイブロスが入った別のチューブに 0.5 M EDTA を 20 µL 添加し，mCIM 同様に処理を行う．

抗菌力が回復する（写真 3-F-8）．

### 2）カルバペネマーゼ（carbapenemase）

カルバペネム系薬を分解する酵素で，活性中心に亜鉛を含むメタロ β-ラクタマーゼと活性中心に機能セリンを有するセリン型カルバペネマーゼに大別され，多種類のカルバペネマーゼがある．これらのカルバペネマーゼを検出する方法として以下の検査法などがある．

#### (1) カルバペネムの分解能を調べる検査〔CarbaNP, modified carbapenem inactivation method（mCIM），変法ホッジ試験〕

調製した菌液または菌体抽出液を用いて，カルバペネム系薬と反応させる検査である．CarbaNP は，カルバペネム系薬の分解産物によって溶液の pH が酸性となると，pH 指示薬であるフェノールレッドが黄変することに基づく方法である．

**写真 3-F-8　ESBL**
上：セフポドキシム（CPDX）と CPDX/CVA 合剤のディスク法．
下：ダブルディスク法．
上下の中央に配置したクラブラン酸配合ディスクに向かって，各 β-ラクタム系薬剤ディスク阻止円の拡大または阻止帯の出現が認められる．

modified carbapenem inactivation method は，被検菌をトリプチケースソイブロスに規定量接種し，カルバペネム系薬であるメロペネム（10 µg）を含んだディスクをインキュベーションしたのち，そのディスクを用いて *Escherichia coli*（ATCC 25922）で感受性検査を実施する．カルバペネマーゼを有している場合には，ディスク中の薬剤が分解されるため *Escherichia coli* の阻止円が抑制される(6〜15mm)．被検菌がカルバペネマーゼを有さない場合は，ディスク中の薬剤が壊されないため 19mm 以上の阻止円が形成される（図 3-F-1）．また，eCIM（EDTA-modified carbapenem inactivation method：トリプチケースソイブロスに EDTA を添加した mCIM）を同時に実施すること

で，EDTAによるカルバペネマーゼ活性の阻害からメタロ-β-ラクタマーゼを確認することができる．

変法ホッジ試験（modified Hodge test）は，平板培地上に *Escherichia coli*（ATCC 25922）を塗り広げ，カルバペネム系薬の感受性ディスクを中心に置く．被検菌を白金耳を用いてディスク端からシャーレ外周に向かって真っすぐ画線する．18～20時間，35℃，好気培養を実施し，画線した被検菌と *E. coli* の阻止円の交差部位を観察し，*E. coli* の阻止円の内側への弯入（発育）を認めた菌株はカルバペネマーゼ産生株である（図3-F-2）．

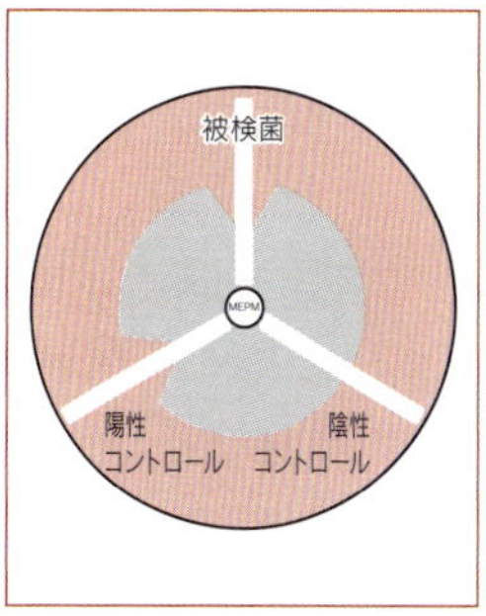

### (2) 阻害剤との反応を観察する検査

カルバペネマーゼのうち，IMP型やNDM型などのメタロβ-ラクタマーゼは活性中心に亜鉛を有することから，金属キレート剤であるメルカプト酢酸（SMA）やエチレンジアミン四酢酸（EDTA），ジピコリン酸（DPA）などを添加すると，カルバペネマーゼ活性が阻害される．またKPC型は，セリン型β-ラクタマーゼなのでキレート剤による阻害効果は認めないが，ボロン酸によって阻害される．

### (3) 遺伝子関連検査

PCR法などの遺伝子増幅法やシークエンサーを用いて耐性遺伝子の塩基配列を決定する方法などがある．

図3-F-2　変法ホッジ試験

SMA：sodium mercaptoacetic acid

EDTA：ethylenediaminetetraacetic acid

DPA：dipicolinic acid

## Ⅱ 抗酸菌の薬剤感受性検査

抗酸菌の抗菌薬感受性検査には比率法が広く利用されており，Middlebrook 7H10または7H11寒天培地が標準的な培地として使われているが，わが国では1％小川培地を利用した方法が標準である．液体培地を利用した方法もあり，固形培地に比較して結果が迅速に得られる．

### 1 小川培地による比率法の概要

培養4週間以内の新鮮な菌株を用いて検査する．薬剤含有培地に接種した菌液と，それを1万倍希釈して接種した対象培地上の集落数を比較する．薬剤含有培地の集落数が多い場合は，耐性菌の割合が1％以上あれば耐性と判定する．耐性菌が1％未満を感性（S），1％以上を耐性（R）とする．10％は多剤耐性結核（MDR-TB）の場合に記載し，参考にする．

> **多剤耐性結核（multidrug-resistant tuberculosis；MDR-TB）**
> 2021年にWHOは多剤耐性結核の定義を改定し，抗結核薬であるイソニアジドとリファンピシンの2剤に耐性を示す結核菌を，多剤耐性結核（multidrug-resistant tuberculosis；MDR-TB），プレ超多剤耐性結核（pre-XDR-TB：MDR-TBかつフルオロキノロン系薬に耐性），超多剤耐性結核（XDR-TB：MDR-TBかつフルオロキノロン系薬とベダキリンまたはリネゾリドのいずれかに耐性を有する）に分類した．
> 国内では，超多剤耐性結核（XDR-TB）の基準に該当する結核を多剤耐性結核として三種病原体等に指定している．

## III 真菌の薬剤感受性検査

酵母様真菌の抗真菌薬感受性検査について，CLSIの微量液体希釈法について説明する．

### 1 培養と培地

培地はRPMI 1640（グルタミン，フェノールレッド含有，重炭酸塩非含有）を使用する．サブローデキストロース寒天培地またはポテトデキストロース寒天培地を用いて培養した菌を，滅菌生理食塩水または滅菌精製水に懸濁してMcFarland No.0.5に調製する．

調製した菌液をRPMI 1640培地で希釈し（$1〜5×10^3$ CFU/mL），薬剤含有RPMI培地を分注したマイクロプレートに分注する．

35℃で24〜48時間好気培養する（*Cryptococcus neoformans*は70〜74時間，糸状菌は35℃で46〜50時間培養する）．

### 2 結果の判定

抗真菌薬を含まない対照と発育を比較し，48時間後に最終判定を実施する．

### 3 MICブレイクポイントの判定

得られたMIC値をもとに，判定基準に照らし合わせて判定する．
- S：感性
- SDD（susceptible dose dependent，用量依存的感性）：通常投与量より高い抗真菌薬の投与が行われる場合（高用量，高頻度）に感性と判定される．
- I：中間
- R：耐性
- NS：非感性

 **トレーリング発育株**
24時間培養と比較して，48時間培養後にMICが大きく上昇する現象をトレーリング発育という．フルコナゾールではトレーリング発育株が約5%に認められる．マウスを用いた播種性カンジダ症の動物モデルでは，トレーリング発育株は感性であることが確認されており，24時間培養時のMICが臨床効果を反映していると考えられている．

# G 簡易同定キットによる生化学的性状検査および菌種同定法

## 1 同定キットの特徴と注意点

細菌の同定には以下の方法がある．
① 鑑別分離培地（スクリーン培地）
② 確認培地（主に腸内細菌目細菌）
③ 同定キット
④ 自動細菌同定機器
⑤ 質量分析
⑥ 微生物遺伝子関連検査

このなかで，同定キットを用いた方法は，自動細菌同定機器をもたない施設で，確認培地や用手法による簡易な方法では同定困難な場合に用いられる．

いずれの同定キットも，生化学的性状に関連した乾燥基質がマイクロチューブやトレイに入れられ，菌液を接種して一定時間培養後，各検査項目を判定し数値化した結果をもとに，菌名を決定する．同定キットの一例を写真 3-G-1，-2 に示す．また，現在市販されている同定キットを表 3-G-1 に示す．

## 2 免疫学的方法による検出，同定法や検査材料からの病原微生物直接検出法

検査材料から直接，細菌抗原，産生毒素，ウイルス抗原などを検出する方法で，感染症の原因微生物を早期に検出するための検査法として，医療の現場で多用されている．新型コロナウイルス感染症（COVID-19），インフルエンザ，RS ウイルス感染症，マイコプラズマ肺炎，ノロウイルス感染症などでは，迅速診断キットによる検査が用いられるようになっている．

迅速診断キットの利点として下記の特徴があげられる．
① 検体の前処理（遠心分離，分注など）が不要．
② 特殊な器材・機器・設備が不要．
③ ステップ数が少なく，検査手法が簡便で熟練が不要．

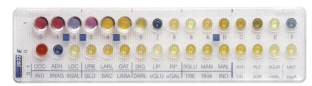

写真 3-G-1　同定キットの例（腸内細菌目細菌用）

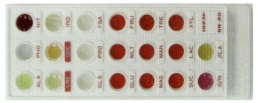

写真 3-G-2　同定キットの例（ナイセリア，モラクセラ，ヘモフィルス用）

## 表 3-G-1　直接検査材料からの微生物抗原迅速検出法

| 検出微生物（抗原，抗体など） | 陽性の場合に考えられる疾患 | 測定原理 | 使用検体 |
|---|---|---|---|
| **β溶血レンサ球菌，肺炎球菌** | | | |
| A群溶血性レンサ球菌 | A群溶血性レンサ球菌咽頭炎 | ICA, LA | 咽頭粘液，咽頭拭い液 |
| B群溶血性レンサ球菌 | 腟のB群溶血性レンサ球菌保菌 | LA | 腟擦過物 |
| 肺炎球菌 | 肺炎球菌性肺炎，中耳炎，髄膜炎，菌血症など | ICA | 喀痰，上咽頭拭い液，中耳貯留液・耳漏，尿，髄液 |
| 髄膜炎原因菌 | 各種細菌性髄膜炎 | LA | 髄液，血清，胸水，尿，培養コロニー |
| **大腸菌 O157** | | | |
| 大腸菌 O157 | 腸管出血性大腸菌 O157 感染症 | ICA, LA | 糞便，培養コロニー |
| **クロストリディオイデス・ディフィシル** | | | |
| C. difficile 毒素（CD トキシン）（toxinA および toxinB） | C. difficile 感染症（CDI），C. difficile 関連腸炎（CDAD），偽膜性腸炎 | ICA, EIA | 糞便 |
| **ヘリコバクター・ピロリ** | | | |
| ヘリコバクター・ピロリ | ピロリ菌感染症，萎縮性胃炎，胃潰瘍，十二指腸潰瘍など | ICA | 糞便 |
| **レジオネラ菌** | | | |
| レジオネラ菌（尿中抗原） | レジオネラ肺炎 | ICA | 尿 |
| **その他の細菌** | | | |
| 百日咳菌 | 百日咳 | ICA | 鼻咽頭拭い液 |
| コレラ菌 | コレラ | LA | 水様便 |
| 淋菌 | 淋病 | ICA | 子宮頸管擦過物（女性），尿道擦過物（男性） |
| **真菌** | | | |
| クリプトコックス | クリプトコックス髄膜炎，肺炎など | LA | 血清，髄液 |
| **クラミジア，マイコプラズマ** | | | |
| クラミジア | 性器クラミジア感染症 | ICA | 子宮頸管拭い液（女性），初尿（男性） |
| M. pneumoniae（抗原） | マイコプラズマ肺炎 | ICA | 咽頭拭い液 |
| **梅毒トレポネーマ，原虫** | | | |
| 梅毒トレポネーマ | 梅毒 | ICA, LA | 全血，血清，血漿 |
| マラリア原虫 | 熱帯熱，三日熱，四日熱，卵形　各マラリア | ICA | 全血 |
| **ウイルス** | | | |
| RS ウイルス | RS ウイルス感染症（急性呼吸器感染症） | ICA | 鼻咽頭拭い液 |
| アデノウイルス | 咽頭結膜熱（プール熱），上気道炎，気管支炎，肺炎，一部の流行性角結膜炎，胃腸炎（嘔吐下痢症） | ICA | 咽頭拭い液，鼻腔拭い液，鼻腔吸引液，角結膜拭い液 |
| インフルエンザウイルス A, B 型 | インフルエンザ | ICA | 鼻腔拭い液，鼻腔吸引液，咽頭拭い液，鼻汁鼻かみ液 |
| 新型コロナウイルス（SARS-CoV-2) | 新型コロナウイルス感染症（COVID-19） | ICA | 鼻咽頭拭い液，鼻腔拭い液，唾液 |
| デングウイルス | デング熱 | ICA | 全血，血清，血漿 |
| ヒトメタニューモウイルス | ヒトメタニューモウイルス感染症（HMPV） | ICA | 鼻腔拭い液，鼻咽頭拭い液，鼻腔吸引液 |
| ヒト免疫不全ウイルス（HIV） | HIV 感染症，AIDS | ICA | 全血，血清，血漿 |
| B 型肝炎ウイルス（HBs 抗原） | B 型肝炎 | ICA | 全血，血清，血漿 |
| C 型肝炎ウイルス（HCV） | C 型肝炎 | ICA | 血清，血漿 |
| ノロウイルス | ノロウイルス感染症（急性胃腸炎） | ICA | 糞便（自然排泄便，直腸便） |
| ヘルペスウイルス（HSV） | ヘルペス角膜炎，口唇ヘルペス，性器ヘルペスなど | ICA | 角膜上皮細胞 |
| ロタウイルス | 乳児下痢症，嘔吐下痢症 | ICA | 糞便（自然排泄便） |

ICA：イムノクロマトグラフィ法，LA：ラテックス凝集法，EIA：酵素免疫法．

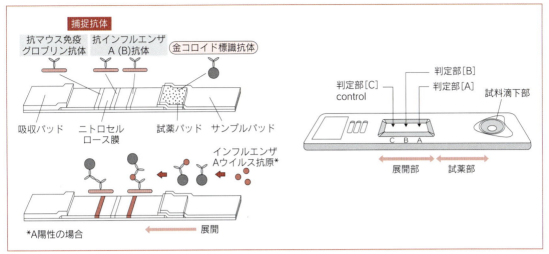

**図 3-G-1　インフルエンザウイルス迅速診断キットのイムノクロマトグラフィ原理と各部名称**
テストプレートの試料滴下部に試料を滴下すると，金コロイド標識抗体が溶解し，試料中のインフルエンザウイルス抗原と免疫複合体を形成する．この免疫複合体は展開部を毛細管現象により移動し，展開部に固定化された抗インフルエンザ A 抗体または/および B 抗体に捕捉され，判定部［A］または/および判定部［B］に金コロイドによる赤紫色のラインを形成する．この赤紫色のラインを目視で確認し，試料中のインフルエンザウイルス抗原の存在の有無を判定する．

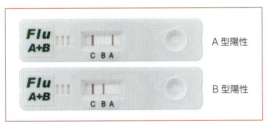

**写真 3-G-3　インフルエンザウイルス迅速診断キットの測定結果判定**
判定部［A］および［C］の両方に赤紫色のラインが認められた場合（2 本のライン）をインフルエンザ A ウイルス抗原陽性と判定する．同様に，判定部［B］および［C］の両方に赤紫色のラインが認められた場合（2 本のライン）をインフルエンザ B ウイルス抗原陽性と判定する．

④　目視判定が可能．
⑤　TAT が短い（数分～15 分程度）．
⑥　個包装や室温貯法のため管理しやすい．
⑦　感度・特異度が優れている．

TAT：turn around time

　迅速診断キットの主流は，**イムノクロマトグラフィ法**（immunochromatography assay；ICA）である．そのほかラテックス凝集法（latex agglutination test；LA），酵素免疫法（enzyme immunoassay；EIA）がある．

　イムノクロマトグラフィの測定原理の例とキットの各部名称を**図 3-G-1**に，インフルエンザウイルス迅速診断キットの測定結果判定法の例を**写真 3-G-3**に示す．

# H | 微生物検査に関与する機器

## 1 自動細菌同定・薬剤感受性検査装置

　自動細菌同定・薬剤感受性検査装置は，微生物検査室において最も多く使用されている検査装置である．1枚のマイクロプレート，または別々のプレートやカードを用い，同定検査と薬剤感受性検査を同時に行うことができる．

　同定検査は，以前は試験管の確認培地を用いて1項目ずつ調べていた糖やアミノ酸の利用による生化学的性状を，マイクロプレートのウェルや小さなチャンバー内で一度に検査することができる．培養は装置内で行い，一定時間後に各ウェルの呈色を自動的に読み取り，搭載しているデータベースと照合して菌名を決定する．菌名の決定は同定キットと同様に，数値同定の理論に基づいている．

　薬剤感受性検査は，米国のCLSI（Clinical and Laboratory Standards Institute）による標準法に準拠した微量液体希釈法によって検査する．培養後に各ウェルの菌の発育を読み取り，最小発育阻止濃度（MIC）を決定し，標準法によって抗菌薬ごとに設定されているブレイクポイントから，感性（S），中間（I），耐性（R）を判定する．また，培養に伴う菌の増殖の程度を経時的にモニタリングし，増殖パターンの解析用アルゴリズムによって，MIC値と解釈を決定する装置もある．菌の増殖の度合いから感受性を判定することから，翌日まで培養せずに迅速に結果を得ることができる．

> **数値同定**
> 数値同定は確率計算による同定方法であり，1980年代から導入された．検査する性状（20種類以上，50種類以下）の陽性率からなるデータベースをもとに，未知の菌株から得られた性状をコンピュータによって絶対確率（likelihood）と相対確率（identification score）を算出して，客観的に菌種を決定する．

## 2 自動血液培養検査装置

　自動血液培養検査装置は，装置にセットされた血液培養ボトル中の**炭酸ガス量またはボトル内のガス圧を経時的にモニタリング**する．炭酸ガスは菌の増殖に由来し，その増加に伴ってボトル内のブイヨン培地のpHが低下する．装置は，pHが一定レベルより低下した場合に菌が発育したと判断し，アラームを出力する．ガス圧は，菌の増殖に伴って産生される炭酸ガス，水素，窒素などのガス圧が一定以上に上昇した場合に菌が発育したと判断し，アラームを出力する．

　日常検査においては，装置からアラームが出た時点で，菌発育と判定されたボトルを取り出し，ボトル内容液のGram染色，分離培養，固定，および薬剤感受性検査を行う．

　血液培養陽性は，患者が菌血症や敗血症という重篤な感染症であることを示唆する，パニック値に相当する情報である．ボトル内容液のGram染色結果は，すみやかに医師へ連絡しなければならない．したがって，血液培養陽性検体の検査は，夜間や休日も行うのが理想的である．

## 3　自動染色装置

自動染色装置は，患者検体を塗抹，固定したスライドガラス標本を Gram 染色や抗酸菌染色する装置である．装置は，染色液が入る染色槽，水洗槽および乾燥部分からなる．Gram 染色の場合，クリスタルバイオレット液，媒染，脱色・分別，後染色，乾燥に至る各ステップをプログラムに従って実行する．染色と水洗を浸漬によって行う装置と，標本面に少量の染色液などを吹き付けて染色するスプレータイプの装置がある．

日常検査においては，染色に要する作業がなくなること，染色の個人差がないことから，染色に不慣れな臨床検査技師や医師でも一定した品質の染色標本を作製できる長所がある．

## 4　遺伝子関連検査装置

遺伝子関連検査装置は，PCR 法などの**核酸増幅法を原理**とし，患者検体から目的の病原体遺伝子を検出する装置が使用されている．抗酸菌の培養は 2 週間以上かかるため，これまでは結核の診断には日数を要していた．ところが，遺伝子関連検査装置の導入によって，結核の迅速な診断が可能となった．抗酸菌の遺伝子関連検査装置では，*Mycobacterium tuberculosis* のほかに *M. avium* と *M. intracellulare* の検査も可能なものがある．

抗酸菌以外の感染症の遺伝子関連検査装置は，*Legionella pneumophila*，*Bordetella pertussis*，性感染症の病原体である *Neisseria gonorrhoeae* や *Chlamydia trachomatis*，B 型および C 型肝炎ウイルス，ヒト免疫不全ウイルス，ノロウイルス，インフルエンザウイルス，SARS-CoV-2 などの検査用がある．ウイルス感染症の遺伝子関連検査は，治療薬による治療効果の判定や病勢の評価に用いられ，血中のウイルス量をリアルタイム PCR 法によって定量し，モニタリングすることも可能である．

また，マルチプレックス PCR やマイクロアレイ法など複数の病原体遺伝子を網羅的かつ同時に検出する装置が開発されている．血液培養陽性ボトル内容液から血流感染症の主要な原因細菌と薬剤耐性遺伝子を検出するものや，呼吸器感染症の原因菌およびウイルスを検出するものがある．

## 5　自動検体塗抹装置および統合型自動検査装置

自動検体塗抹装置は，患者検体を**分離培地に画線塗抹する装置**である．検体と分離培地の組み合わせを装置に設定しておき，検体を装置にセットすると自動的に指定の培地に画線塗抹される．この装置に，塗抹標本作製装置，孵卵器，同定・薬剤感受性検査装置を接続した統合型自動検査装置が登場してきた．作業の自動化によって，臨床検査技師は，分離培地の観察，結果の評価および報告に集中できるようになることが期待される．

# I 質量分析を用いた同定法

## 1 質量分析を用いた微生物の同定

質量分析による微生物の同定は，**マトリックス支援レーザー脱離イオン化飛行時間型質量分析（MALDI-TOF MS）**を原理とする検査装置が利用可能となっている．菌体中のリボソーム蛋白質の種類と量からなるマススペクトルは菌種によって異なるため，既知の菌種マススペクトルと比較することで同定する．

> MALDI-TOF MS：matrix assisted laser desorption/ionization time of flight mass spectrometry

## 2 日常検査における MALDI-TOF MS による同定検査

MALDI-TOF MS による同定は，菌量が少量（1 集落）かつ検査時間が約 10 分であるため，従来より 1 日早く結果報告が可能となる．従来の培養を基本とした同定法と比較して，非常に簡便かつ短時間であるという長所を有する．同定以外に薬剤耐性菌検出用として，カルバペネマーゼと基質特異性拡張型 β-ラクタマーゼ（ESBL）およびセファロスポリナーゼ検出用の製品がある．

結果報告時間の短縮は，発育に日数を要し同定に豊富な経験を必要とする嫌気性菌やブドウ糖非発酵グラム陰性桿菌，*Nocardia* 属菌の同定において，さらに威力を発揮する．

MALDI-TOF MS による同定検査では，遺伝学的に近縁な菌種は区別困難なものがある．現時点においては，*Streptococcus mitis* group に属する菌種では追加的な検査が必要な場合がある．たとえば，*S. pneumoniae* は検体の Gram 染色形態，集落性状，オプトヒン感受性試験または胆汁溶解試験を適宜行って同定する．腸内細菌目細菌のなかでは *Escherichia coli* と *Shigella* 属菌は区別できないので，検体の種類，生化学的性状，運動性を組み合わせて同定する．また，分類学の進歩に伴う新菌種の追加や変更への対応には，マススペクトルのライブラリの更新を繰り返すことで最新の状態を維持していく．

## 3 MALDI-TOF MS による検査情報の蓄積による疫学への応用

MALDI-TOF MS による検査によって，従来は同定困難または同定できなかった菌種も容易に同定できるようになる．したがって微生物検査室は，日常検査結果を蓄積，分析することで，新しい疫学情報を提供する役割を担うことも期待される．

# J 免疫学的検査法（抗酸菌の免疫学的検査）

## 1 IGRA（インターフェロンγ遊離試験）

### 1）インターフェロンγ遊離試験（interferon-gamma release assay；IGRA）

IGRA とは，結核菌特異抗原によりエフェクターT細胞から遊離される**インターフェロンγ（IFN-γ）** を指標とし，結核感染の診断を行う検査である．結核特異抗原として ESAT-6, CFP-10, TB7.7 が用いられる．これらの特異抗原は，BCG およびほとんどの非結核性抗酸菌と交差反応を示さない．また，IGRA として，現在**クォンティフェロン® TB ゴールド（QFT）**と**T スポット®.TB（T-SPOT）**が保険適用となっている．

**BCG とツ反**
BCG の接種が行われていない結核低蔓延国では，ツベルクリン反応（ツ反）による結核感染の診断が可能である．
一方，わが国はいまだ結核低蔓延国とはいえず，小児への BCG ワクチンの定期接種が行われている．このため，ツ反は，BCG による免疫獲得の確認のため行われ，結核感染との鑑別は基本的には不可能である．

### 2）検査結果の判定

検査結果の判定は各検査法の基準に従って行う．ただし，免疫不全患者などでは「判定保留」となる場合がある．

### 3）診断特性

活動性肺結核における診断特性のデータ（メタアナリシス）では，QFT の感度は 70〜80％，特異度は 79〜99％，T-SPOT の感度は 81〜90％，特異度は 59〜93％程度とされる．結核患者との接触など結核菌に曝露し，結核に感染した場合，IGRA 陽性化までの期間はおおむね 2〜3 カ月とされる．

### 4）適用

IGRA は，BCG 接種率が高いわが国における結核感染診断法として，接触者検診や潜在性結核感染症（LTBI）治療の適応決定の第一選択である．

**（1）接触者検診と LTBI 治療**

接触者検診による感染者の発見のために用いられ，結核患者との接触者に対して IGRA 検査を行う．IGRA 陽性者は，胸部 X 線検査などで必ず活動性結核の有無を確認し，発病している場合には結核治療を行う．発病していない場合には**潜在性結核感染症（LTBI）**と判定され，LTBI 治療の対象となる．

**（2）医療従事者の健康管理**

高蔓延国出身者の入職時，結核病棟勤務者や結核ハイリスク者が多く受診する救急外来などの勤務者においては，健康診断などでの定期的な IGRA 検査も考慮する．IGRA 陽性であり，最近（おおむね 2 年以内）感染したと思われる場合には LTBI 治療を検討する．

**（3）活動性結核の補助診断**

診察および画像診断などにより活動性結核が疑われるものの，細菌学的ある

**潜在性結核感染症（latent tuberculosis infection；LTBI）**
結核菌に感染はしているが発病はしていない状態のこと．LTBI の診断法として，わが国においては IGRA が広く用いられるようになってきている．

いは病理学的に確定診断が得られない場合の補助診断としてIGRAが用いられる場合があるが，最終的な判定は慎重に行う必要がある．

# 微生物検査結果の評価

## 1 感染症との関連

臨床材料から分離されるすべての微生物が感染症の原因となるわけではない．たとえば，呼吸器材料からは口腔内の常在菌が検出されるし，便や皮膚材料においても同様である．また，医療施設に入院している患者（免疫機能が低下している場合）においては，常在菌や環境中の細菌など，病原性の弱い菌による感染症（日和見感染）を引き起こすこともある．一般にこれらの日和見病原菌は，健康人に感染症を引き起こすことはまれである．このように，感染症は病原体の病原性のみならず，宿主（ヒト）の免疫状態にも大きく影響を受ける結果，引き起こされると考えられている．

## 2 緊急連絡を要する検査結果（パニック値）とその取り扱い

### 1）パニック値とは

パニック値（panic value：極異常値，または critical value：緊急異常値）は「生命が危ぶまれるほど危険な状態にあることを示唆する異常値で，ただちに治療を開始すれば救命しうるが，その診断は臨床的な診察だけでは困難で検査によってのみ可能である」と定義される．

### 2）微生物検査におけるパニック値

微生物検査におけるパニック値について，すべての施設で統一した設定項目や設定値はない．また，微生物検査は他の検査項目と異なり，数値で設定できないことが特徴である．表 4-1 に，微生物検査においてパニック値となりうる主な検査項目について示す．また以下に，各検査項目について具体的に記す．

#### (1) 血液培養で微生物が検出された場合

菌血症などの血流感染症の検査である血液培養は，きわめて重要な検査である．血液培養陽性ボトルからの迅速 Gram 染色は，微生物検査におけるパニッ

表 4-1 微生物検査におけるパニック値

①血液培養で微生物が検出された場合
②髄液から微生物が検出された場合
③結核菌が検出された場合
④感染症法における二類および三類感染症の対象微生物が検出された場合
⑤薬剤耐性菌が検出された場合

ク値の代表的項目である．

### (2) 髄液から微生物が検出された場合

髄膜炎は後遺症も重篤であるため，髄液培養検査，髄液塗抹検査，髄液 Gram 染色，髄液抗原検査などの検査で陽性の場合には，パニック値として報告すべきである．

### (3) 結核菌が検出された場合

結核は感染症法における二類感染症であり，ただちに届け出なければならない感染症である．また，医療関連感染対策上，隔離が必要であり，検査で陽性であれば，ただちに主治医および感染制御部門に報告して適切な対策をとる必要がある．

### (4) 感染症法における二類および三類感染症の対象微生物が検出された場合

二類および三類感染症のうち，ジフテリア菌，コレラ菌，細菌性赤痢菌，腸管出血性大腸菌，腸チフス・パラチフス菌などが分離された場合には，ただちに届け出を行わなくてはならない．また，感染対策上，感染制御部門と連携し適切な対策が必要となる．

### (5) 薬剤耐性菌が検出された場合

薬剤耐性菌には多くの種類があり，すべてをパニック値とするのは現実的ではない．高度な耐性を有し，分離頻度がまれな多剤耐性緑膿菌（MDRP），多剤耐性アシネトバクター（MDRA），カルバペネム耐性腸内細菌目細菌（CRE），バンコマイシン耐性腸球菌（VRE）などに絞って報告するのが望ましい．

## 3 精度管理

臨床検査において，正確な検査結果を報告するために精度管理は必須であり，微生物検査も例外ではない．微生物検査室では検査に使用する培地や試薬類，自動機器について内部精度管理を実施し，発育支持能や反応が適切であることを確認したうえで検査を行い，検査の精度を維持している（詳細は第1章「B 総論/XV 細菌検査の精度管理」を参照）．

### 1）臨床的精度管理の実際

#### (1) 検体採取・輸送・保存

適切な時期に適切に採取，輸送，保存された検体を用いる．下記は不適切な検体例である．

① 口腔内常在菌の混入した喀痰〔Miller & Jones の分類 M1（**写真 4-1**），M2〕：検出菌は病巣部分の細菌ではなく口腔内常在菌であり，感染症原因菌や治療対象の細菌ではない．

② 尿バッグから採取された尿：尿バッグ内の細菌が増殖し，真の原因菌の判定が困難である．

#### (2) 結果報告

微生物検査の結果報告は，臨床に有用な報告となる工夫が必要である．

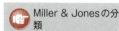

Miller & Jones の分類
第3章「D 検査材料別検査法」（p.353, 357）を参照．

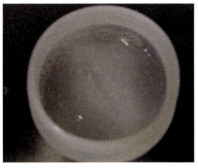

写真4-1 喀痰（Miller & Jones の分類，M1）

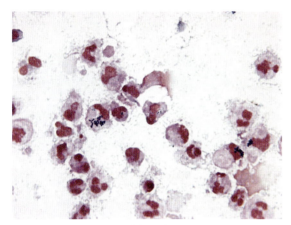

写真4-2 Gram 染色像（膿検体）

> 👉 Gram 染色所見についての報告例
> 写真4-2 の場合，
> ①グラム陽性球菌（1＋），
> ②グラム陽性球菌（ブドウ球菌）（1＋），
> ③貪食されたグラム陽性球菌（ブドウ球菌）（1＋），
> ①〜③はすべて同じ Gram 染色所見についての報告例である．臨床への有用性は①＜②＜③である．

　髄液，血液培養から *Haemophilus influenzae* が検出された場合は，「五類感染症（侵襲性インフルエンザ菌感染症）です．届け出が必要です（平成25年4月1日より届け出対象）．」など，届け出が必要な微生物が検出された場合には，検査室からコメントを発信することも有用である．

### (3) 検査方法の選択

　嫌気性菌や微好気性菌による感染症が疑われる場合は，培養条件が不適切であると原因菌は検出されない．検査材料や患者情報により，培地や培養条件を選択することが必要である．

### (4) まれな検出菌

　特殊な耐性を示す菌（わが国で未検出，またはまれな薬剤耐性菌）が検出された場合は，再検などを行い確認する．

# 第5章 サーベイランス

## 1 サーベイランスの目的

サーベイランスの目的は，感染症の発生状況を知り，その結果を用いて感染対策を行い，**医療関連感染の発生を最小限に抑えることである**．その項目として，監視効果による医療関連感染の減少，目的とする感染症もしくは微生物のベースラインの把握，アウトブレイクの早期発見，感染予防策と感染管理に関する介入の評価，感染症の減少とそれによる医療の質の改善などがある．

また，サーベイランスは必ず何らかの行動・改善につながるものでなければならない．調査成績をワークシートに記載することや，感染率や保菌率などを調査するだけでは，その意味をなさない．サーベイランスの計画を立て，それに見合ったデータを収集し，結果を解析する．そして，その結果を関連部署に還元することが，医療関連感染の減少につながる．

> **医療関連感染**（healthcare-associated infection；HAI）
> 院内感染ともよばれ，患者が医療機関で治療を受けている間に感染症に罹患することをいう．在宅医療などによる感染もHAIとされている．また，患者の医療関連感染のみならず，B型肝炎ウイルス（HBV），C型肝炎ウイルス（HCV），ヒト免疫不全ウイルス（HIV）や結核菌などに病院内で医療従事者が感染する職業感染もHAIである．HAIの原因として，医療従事者の手指や環境表面の汚染，患者同士の接触，医療デバイスの挿入および留置などがあげられる．

## 2 各種サーベイランスの特徴

### 1）包括的サーベイランス

包括的サーベイランスは，**病院あるいは部門全体で発生したすべての感染症例をカウントし，感染率を算出するサーベイランス**である．カテーテル関連血流感染症や人工呼吸器関連肺炎など，すべての医療関連感染が含まれる．

### 2）ターゲットサーベイランス

**特定の病棟や医療器具，処置などターゲットを決めてサーベイランスを行う**．たとえば，ICUやNICUなど特定の病棟，医療デバイス関連感染（中心静脈カテーテル，尿路カテーテル，人工呼吸器など），手術などの侵襲性のある処置（手術部位感染），MRSAやESBL産生菌等の耐性菌などについて感染率を求める．

MRSA：メチシリン耐性黄色ブドウ球菌

ESBL：基質特異性拡張型 $\beta$-ラクタマーゼ

### 3）病原体からみたサーベイランス（耐性菌サーベイランス）

日本における耐性菌サーベイランスとして，院内感染対策サーベイランス（JANIS）がある．JANISへの参加は登録制となっている．参加医療機関における院内感染の発生状況や，薬剤耐性菌の分離状況および薬剤耐性菌による感染症の発生状況を調査し，院内感染対策に有用な情報の還元などを行っている．自施設の耐性菌の検出が，日本全体のサーベイランスデータと比較してどの位置にあるのかを箱ひげ図などを用いて知ることができる．耐性菌のサーベイラ

> **箱ひげ図**
> データのばらつきをわかりやすく表現するための統計図．箱ひげ図は異なる複数のデータのばらつきを比較することができる．箱とその両側に出たひげで表現されることからこの名がある（図5-1）．

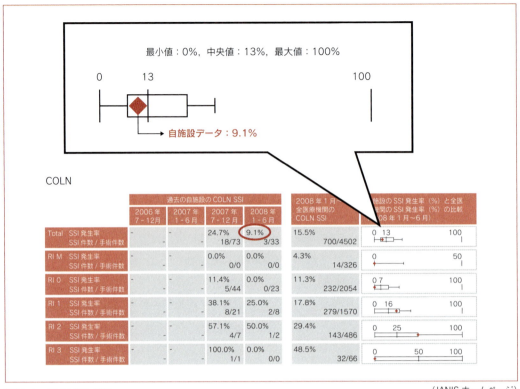

図5-1 箱ひげ図（例） （JANIS ホームページ）

ンスはアウトブレイクの発見に重要である．通常よりも検出率が高くなった場合，アウトブレイクを疑い原因を調査することになる．微生物検査に関する最も重要なサーベイランスの一つである．

また，耐性菌のサーベイランスには，積極的な耐性菌スクリーニングを実施するアクティブサーベイランスがある．アクティブサーベイランスとは，入院時に患者をスクリーニングし，対象となる微生物（耐性菌）の感染や保菌がないか確認することである．

## 3 サーベイランス結果の活用法

サーベイランス結果を有効に活用するためには，データの収集や解析だけではなく，その結果を対象となる部署にフィードバックする必要がある．特に，アウトブレイクを察知した場合には，すみやかな報告および対応が求められる．

自施設で実施している耐性菌サーベイランスの場合は，MRSAやESBL産生菌など継続的にモニタリングしている場合が多く，通常より検出率や検出患者数が増加した場合に，介入することとなる．ICTが，病棟ラウンドの際に通常よく使用するデータである．前週よりも多く耐性菌が検出された場合には，その部署（病棟）に出向き，感染対策上問題となるようなところがないかをチェックし介入する．

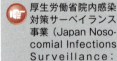
厚生労働省院内感染対策サーベイランス事業（Japan Nosocomial Infections Surveillance；JANIS）
参加医療機関における院内感染の発生状況や，薬剤耐性菌の分離状況および薬剤耐性菌による感染症の発生状況を調査し，わが国の院内感染の概況を把握し医療現場への院内感染対策に有用な情報の還元等を行うことを目的とした．わが国唯一の全国サーベイランスである．検査部門，全入院患者部門，SSI（手術部位感染）部門，ICU（集中治療室）部門，NICU（新生児集中治療室）部門の5部門からなり，検査部門は2023年1月現在で4,139施設が参加している．

アクティブサーベイランスの場合には，耐性菌に感染もしくは保菌している患者が対象となるため，検出された場合には個室隔離など相応の感染対策が実施される．また，海外などで治療を受けた場合，多剤耐性のグラム陰性菌を保菌している場合があり，1株でも検出されればアウトブレイク基準に従った対応をとる必要がある．

# 索 引

## 和文索引

### あ

アーコバクター属 190
アウトブレイク 3,100,397,398
アクチノバシラス属 162
アクチノミセス・イスラエリ 221
アクチノミセス・オドントリチカス 222
アクチノミセス・ミエリ 222
アクチノミセス属 221
アクティブサーベイランス 398
アクネ菌 78
アクリジン・オレンジ染色 25,335
アクロモバクター属 176
アグリゲイティバクター・アクチノミセテムコミタンス 162
アグリゲイティバクター・アフロフィルス 162
アグリゲイティバクター・セグニス 162
アグリゲイティバクター・パラフロフィルス 162
アグリゲイティバクター属 162
アシクロビル 66,294
アシダミノコッカス属 220
アシドメトリー法 380
アシネトバクター属 96,175
アジア型 152
アジスロマイシン 64
アスコリテスト 191
アストロウイルス科 315
アスペルギルス抗原検査 280
アスペルギルス症 94,259,282
アスペルギルス属 254,263
アズトレオナム 64
アセチルメチルカルビノール 16
アセトアミド培地 342
アセトイン 16
アセトインの検出テスト 18
アゾール系抗菌薬 66
アデノウイルス科 286,297
アトヒキ現象 378
アナエロコッカス属 219
アナモルフ 253
アニサキス 91
アネロ型分生子 256
アネロコロンビアウサギ血液寒天培地 339
アフラトキシン中毒 90
アフリカ型結核菌 204
アブシディア属 254,265
アミノグリコシド系抗菌薬 62,64,132
アミノ酸 15,33
アミノ酸脱炭酸・加水分解テスト 369
アミノ酸脱炭酸酵素 19
アミノ酸の分解 19
アミノ酸分解テスト 368
アミノ配糖体系抗菌薬 64
アミラーゼ 19
アムホテリシンB 66
アメーバ赤痢 104
アルカリゲネス属 176
アルカリペプトン水 341
アルファウイルス属 303
アルファヘルペスウイルス亜科 293
アレウリオ型分生子 257
アレナウイルス科 304
アレルギー 258
アレルギー性気管支肺アスペルギルス症 282
アンチバイオグラム 101,376
亜科名 286
亜種 6
秋疫 240
厚さ 41
荒川培地 196
嵐の発酵 233
暗視野顕微鏡 22
暗発色菌群 205

### い

イソニアジド 65,202
イチゴゼリー状便 363
イトラコナゾール 66
イドクスウリジン 66,294
イミペネム 64
イムノクロマトグラフィ 386,387
イムノクロマトグラフィ法 319
イワノフスキー 3
インジナビル 66
インターフェロン 285
インターフェロンγ遊離試験 204,391
インドール 19
インドールテスト 131,368
インドールピルビン酸 19
インドールピルビン酸産生テスト 369
インフルエンザ 2,86,95,104,385
インフルエンザAウイルス 105
インフルエンザウイルス 300
インフルエンザウイルスワクチン 74
インフルエンザ抗原 319
位相差顕微鏡 22
医原性感染 295
医療関連感染 77,96,109,129,397
異型肺炎 242
異型リンパ球 295
異好抗体 295
異染小体 196
異染小体染色 25,27,28
硫黄 33
遺伝 46
遺伝子学的検査 319
遺伝子関連検査 45,50
遺伝子関連検査装置 389
遺伝子組換え 50

遺伝子修復……………………50
遺伝子増幅法 …………………50,51
遺伝子の構成 …………………46,47
遺伝子変異……………………46
一次抗結核薬 …………………65,202
一類感染症……… 103,104,144,292,
　　　　　　　　304,305,309
一種病原体等 …………………105
一般細菌………………………5,7
一本鎖 DNA ウイルス ………286
一本鎖の損傷…………………50
咽頭……………………………77
咽頭炎 ………………… 77,90,297
咽頭結膜熱 ……………… 104,297
咽頭粘液の検査法……………360
咽頭粘液の臨床微生物検査手順
　　……………………………361
院内感染………………………96
院内感染対策サーベイランス…397
院内感染対策マニュアル……100
院内肺炎………………………129
院内ラウンド…………………100
陰性染色………………………30
隠蔽種…………………………258

## う

ウイルス…………………………5,9
ウイルス学……………………285
ウイルス感染 ……………… 288,289
ウイルス感染症………………95
ウイルス感染症の治療………289
ウイルス感染症への代表的な薬剤
　　……………………………291
ウイルス検査法………………318
ウイルス性胃腸炎……………314
ウイルス性肝炎 ………… 104,311
ウイルス性出血熱……………88
ウイルス性食中毒……………91
ウイルスの基本再生産数……297
ウイルスの構造と形態………285
ウイルスの侵入門戸…………297
ウイルスの臓器・組織・細胞親和性
　　……………………………297
ウイルスの不活化……………56

ウイルスの分類………………286
ウインドウ期…………………311
ウィルツ法……………………335
ウエストナイルウイルス… 105,304
ウエストナイル熱
　　……………… 87,89,94,104,304
ウェイソン染色………………25
ウェラー………………………3
ウェルシュ菌…………………233
ウォレン………………………3
ウシ海綿状脳症………………9
ウシ型結核菌…………………204
ウマ脳炎………………………303
ウマ脳炎ウイルス……………303
ウレアーゼ……………………369
ウレアプラズマ属……………243
う蝕……………………………76
う蝕原性細菌…………………76
受身凝集反応…………………243
運動性…………………………131
運動性テスト…………………374

## え

エアロゾル ……………………95,97
エアロゾル感染 ………………92,98
エアロゾル対策………………98
エイケネラ・コロデンス……126
エイケネラ属…………………126
エイズ…………………………2
エーリキア症…………………248
エールリキア症………………248
エールリキア属………………248
エガーセラ・レンタ…………223
エガーセラ属…………………223
エキソトキシン A……………84
エキソフォリアチン…………84
エキノコックス症 ……… 87,89,104
エクソフィアラ属……………266
エコーウイルス………………307
エシェリキア属………………132
エタンブトール………………65
エチオナミド…………………65
エドワージエラ属……………148
エネルギー……………………15

エネルギー産生………………34
エピデルモフィトン属………270
エボラウイルス………………105
エボラウイルス感染症………86
エボラウイルス属……………309
エボラ出血熱 …… 2,87,94,104,309
エムデン・マイヤーホフ経路…18
エムポックス………… 87,89,90,104
エムポックスウイルス………105
エリザベスキンギア属………176
エリジペロスリックス属……195
エリスロウイルス属…………298
エリスロマイシン……………64
エルシニア科…………………144
エルシニア属…………………144
エルトール型…………………152
エロコッカス属………………121
エロモナス・ヴェロニ生物型ソブリ
　　ア…………………………156
エロモナス・キャビエ………156
エロモナス・ダケンシス……156
エロモナス・ハイドロフィラ…156
エロモナス属…………………156
エンダース……………………3
エンテロウイルス……………307
エンテロウイルス属…………306
エンテロコッカス・フェカーリス
　　……………………………120
エンテロコッカス・フェシウム
　　……………………………120
エンテロコッカス属……… 114,120
エンテロトキシン… 84,91,111,134
エンテロバクター属…………142
エントナー・ドゥドロフ経路…18
エンドトキシン …………… 54,83,84
エンドトキシンショック…… 11,83
エンビオマイシン……………65
エンピリック治療 ……… 43,62,101
エンベロープ…………………285
エンベロープの有無…………286
壊死性筋膜炎…………………155
栄養菌糸………………………257
栄養作用………………………80
栄養素…………………………36
衛星現象………………………159

液性免疫 …………… 82,83,289
液体希釈法 ……………… 376
液体窒素法 ……………… 344
液体培地 …………… 35,38,39
液体培地を用いた凍結保存法 … 344
炎症メディエーター …………… 83
塩基配列決定法 ………………… 50

### お

オウム病 ……… 89,94,95,104,251
オウム病クラミジア ……… 105,251
オートクレーブ …………………… 54
オーラミン・ローダミン染色 …… 25
オーラミン法 …………… 28,335
オキサシリン ……………………… 112
オキサセフェム系抗菌薬 ………… 62
オキサゾリジノン系抗菌薬 ……… 62
オキシダーゼ試験（テスト）
　　　　　　　　　 …… 16,130,371
オセルタミビル …………………… 66
オプトヒン感受性試験 …… 119,375
オムスク出血熱 ………………… 104
オムスク出血熱ウイルス ……… 105
オリーブ油重層法 ……………… 262
オリエンティア属 ……………… 247
オルトヘパドナウイルス属
　　　　　　　　　　 ……… 299,312
オルトポックスウイルス属 …… 292
オルトミクソウイルス科 ……… 300
オルトレオウイルス属 ………… 308
オルトレトロウイルス亜科 …… 310
オルニチン ………………………… 19
オルニチン脱炭酸試験 ………… 131
オルビウイルス属 ……………… 308
小川培地 …………………… 201,343
小川培地による比率法の概要 … 383
黄色顆粒 ………………………… 221
黄色ブドウ球菌 ……… 91,109,111
黄色ブドウ球菌エンテロトキシンB
　中毒 …………………………… 90
黄熱 ……………… 87,94,104,304
黄熱ウイルス …………… 105,304
黄熱ワクチン …………… 73,304

### か

カタラーゼ陰性グラム陽性球菌
　　　　　　　　　　 ……… 114,121
カタラーゼテスト ……………… 371
カタラーゼ陽性グラム陽性球菌
　　　　　　　　　　 ……………… 109
カダベリン ………………………… 19
カテーテル関連血流感染 ……… 347
カテーテル関連血流感染症 …… 112
カテーテル尿 …………………… 351
カナマイシン ……………………… 65
カニングハメラ属 ……………… 265
カビ ………………………………… 9
カプシド ………………………… 285
カプノサイトファーガ感染症 …… 89
カプノサイトファーガ属 ……… 166
カポジ肉腫関連ヘルペスウイルス
　　　　　　　　　　 ……………… 296
カリシウイルス科 …… 285,286,315
カルジオバクテリウム・ヴァルヴァ
　ルム ………………………… 166
カルジオバクテリウム・ホミニス
　　　　　　　　　　 ……………… 166
カルジオバクテリウム属 ……… 166
カルバペネマーゼ ……………… 382
カルバペネマーゼ産生腸内細菌目細
　菌 ……………………………… 4
カルバペネム系抗菌薬 ……… 62,64
カルバペネム耐性グラム陰性桿菌
　　　　　　　　　　 ………………… 96
カルバペネム耐性腸内細菌目細菌
　　　　　　　　　 … 4,100,131,394
カルバペネム耐性腸内細菌目細菌感
　染症 ………………………… 104
カンジダ血症 …………………… 282
カンジダ抗原検査 ……………… 279
カンジダ症 ……………… 259,281,282
カンジダ属 ……………… 254,258
カンピロバクター・ウレオリティカ
　ス ……………………………… 187
カンピロバクター・グラシリス
　　　　　　　　　　 ……………… 188
カンピロバクター・コリ ……… 187

カンピロバクター・ジェジュニ
　　　　　　　　　　 ……………… 186
カンピロバクター・フィタス … 187
カンピロバクター属 …………… 185
ガードネレラ・バジナリス …… 168
ガードネレラ属 ………………… 168
ガス環境 ………………………… 373
ガス産生テスト ………………… 18
ガスバーナーによる火炎滅菌の手順
　　　　　　　　　　 ……………… 324
ガスバーナーの使用法 ………… 323
ガフキー …………………………… 3
ガフキー号数 …………………… 201
ガレノキサシン …………………… 65
ガンシクロビル …………………… 66
ガンマ線 …………………………… 55
ガンマヘルペスウイルス亜科 … 293
かすがい連結 …………………… 257
下気道感染症の種類と原因微生物
　　　　　　　　　　 ……………… 353
下気道検体（喀痰など）の検査法
　　　　　　　　　　 ……………… 353
化学合成細菌 …………………… 15
化学性食中毒 …………………… 90
化学的処理 ……………………… 40
化学的防御機構 ………………… 83
化学薬品 ………………………… 36
化学療法 ………………………… 60
化学療法薬感受性検査法 ……… 376
化膿性炎症疾患 ………………… 111
化膿性疾患 ……………………… 117
化膿性髄膜炎 …………………… 194
化膿レンサ球菌 ………………… 115
火炎滅菌 ………………………… 54
加水分解反応 …………………… 19
加熱処理 ………………………… 40
加熱滅菌 ……………………… 53,54
仮根 ……………………………… 265
仮性菌糸 ………………………… 254
仮性結核菌 ……………………… 146
果糖 ……………………………… 33
科 ………………………………… 6
科名 ……………………………… 286
神奈川現象 ……………………… 154
蚊媒介感染症 …………………… 86

| | | |
|---|---|---|
| 過酸化水素低温ガスプラズマ滅菌 ……56 | 寒天平板希釈法の培養条件 ……376 | キャリア……81 |
| 過敏症……258 | 寒天平板培地……35,38,39 | キャンディン系抗菌薬……66 |
| 顆粒……13 | 感性……60,379,384 | キャンプテスト……372 |
| 芽胞……13,191 | 感染……80,84 | キューティバクテリウム・アクネス……222 |
| 芽胞染色……25,27,29,335 | 感染型食中毒……157 | キューティバクテリウム属……222 |
| 芽胞の形成過程……14 | 感染経路……85 | キンゲラ・キンゲ……126 |
| 回帰熱……89,104 | 感染源……85 | キンゲラ属……126 |
| 回帰熱ボレリア……237 | 感染症……80 | ギムザ染色……25 |
| 開放型実験台……321 | 感染症サーベイランス……103 | ギラン・バレー症候群……187,242 |
| 解糖系……18 | 感染症診断の流れ……44 | 気管支炎……297,353 |
| 外因性嫌気性菌……212 | 感染症治療の歴史……2 | 気管支拡張症……353 |
| 外陰部の細菌叢……79 | 感染症の遺伝子診断……50 | 気管支鏡下採痰法……353 |
| 外炎……324 | 感染症の歴史……1 | 気管支肺胞洗浄液……353 |
| 外毒素……83 | 感染症発生動向調査……103 | 気管支肺胞洗浄法……353 |
| 外部精度管理……101,102 | 感染症法……103 | 気中菌糸……257 |
| 角膜真菌症……259 | 感染制御……100 | 気道伝播……300 |
| 角膜ヘルペス……293 | 感染制御チーム……100 | 希釈系列の作製……377 |
| 画線塗抹方法……325 | 感染制御の歴史……5 | 希釈法……376 |
| 画線培養法……40 | 感染性胃腸炎……104,314 | 基質特異性拡張型β-ラクタマーゼ産生菌……4,96,131,380,381 |
| 核酸……32,285 | 感染性心内膜炎……159,347 | 基準菌株……6,43 |
| 核酸増幅検査……272 | 感染性廃棄物……93 | 基準実験室……91,321 |
| 核酸増幅法……389 | 感染臓器と感染症，検査対象微生物および検査項目……354 | 基本再生産数……288,297 |
| 核内封入体……288 | 感染対策向上加算……100 | 基本小体……249 |
| 核様体……12 | 感染予防策……97 | 寄生……76 |
| 喀痰の検査法……353 | 感染予防の歴史……3 | 寄生栄養細菌……34 |
| 喀痰の前処理（均質化）……358 | 関節炎……187 | 寄生虫の検査……363 |
| 喀痰の肉眼的外観……353 | 還元型FAD……16 | 偽膜性大腸炎……234 |
| 喀痰の臨床微生物検査手順……357 | 還元型NAD……16 | 北里柴三郎……3 |
| 隔壁……255 | 簡易同定キットによる迅速同定……46 | 拮抗作用……79 |
| 確認培地……39,337,341 | 簡易同定キットによる生化学的性状検査および菌種同定法……385 | 逆転写ウイルス……299 |
| 獲得免疫……82,83 | 鑑別培地……39,337,339 | 逆転写ポリメラーゼ連鎖反応……51 |
| 硬さ……41 | | 急性灰白髄炎……2,104,306 |
| 学校保健安全法……107 | **き** | 急性感染……84,289 |
| 株……6 | | 急性弛緩性麻痺……104 |
| 肝炎ウイルス……311 | キードラッグ……290 | 急性出血性結膜炎……104,297,306 |
| 肝がん……313 | キニヨン変法……208 | 急性出血性膀胱炎……297 |
| 肝硬変……313 | キノコ……9,253,254 | 急性増悪……81 |
| 肝膿瘍……364 | キノロン系抗菌薬……62,65 | 急性単純性尿路感染……351 |
| 乾熱滅菌……54 | キノロン耐性決定領域……71 | 急性熱性咽頭炎……297 |
| 桿菌……10,11 | キャサヌル森林病……104 | 急性脳炎……104 |
| 寒天……35 | キャサヌル森林病ウイルス……105 | 球桿菌……10,11 |
| 寒天培地……35 | キャリー・ブレア培地……343 | 球菌……10,11 |
| 寒天平板拡散法……379 | | 許可制……101 |
| 寒天平板希釈法……376 | | |

| | | |
|---|---|---|
| 共焦点レーザー顕微鏡…………22 | クリセオバクテリウム属………176 | グラム染色………………25,274 |
| 共生……………………………76 | クリティカル………………53 | グラム不定細菌………………334 |
| 狂犬病………87,88,89,94,104,308 | クリプトコックス抗原検査……279 | グラム陽性……………………7 |
| 狂犬病ウイルス…………105,309 | クリプトコックス症 | グラム陽性，好気性の桿菌……191 |
| 狂犬病ワクチン………………74 | ………………94,259,279,284 | グラム陽性，抗酸性の桿菌……199 |
| 狭域抗菌薬……………………62 | クリプトコックス属……254,261 | グラム陽性桿菌………………332 |
| 胸水……………………………353 | クリプトスポリジウム………105 | グラム陽性球菌………………331 |
| 莢膜……………………………13 | クリプトスポリジウム症 | グラム陽性菌の染色所見………329 |
| 莢膜染色………………25,29,335 | ………………………87,89,104 | グラム陽性無芽胞桿菌…………224 |
| 莢膜様抗原……………………138 | クリミア・コンゴ出血熱 | グリコペプチド系抗菌薬……62,65 |
| 鏡検……………………………348 | ………………87,94,104,305 | グリシルサイクリン系抗菌薬……62 |
| 局所免疫………………………289 | クリミア・コンゴ出血熱ウイルス | グリセリン……………………20 |
| 菌界……………………………253 | ………………………………105 | グリセロール…………………20 |
| 菌株の保存……………………43 | クループ………………………301 | グルコース……………………33 |
| 菌株保存の種類と方法…………344 | クレブシエラ・アエロゲネス…142 | グローブ・ジュース法…………59 |
| 菌血症…………………155,347 | クレブシエラ・オキシトカ……141 | グロコット染色………25,271,275 |
| 菌交代現象………………80,212 | クレブシエラ・オザナエ………142 | 工藤 PD 培地…………………343 |
| 菌交代症…………………80,171 | クレブシエラ・ニューモニエ…141 | 空気感染……85,97,98,294,297,302 |
| 菌糸……………………………9 | クレブシエラ・リノスクレロマティ | 空気感染隔離室…………………97 |
| 菌腫……………………………259 | ス………………………………142 | 空気遮断法……………………42 |
| 菌体外酵素に関するテスト……372 | クレブシエラ属………………140 | 空気置換法……………………42 |
| 菌体抗原………………………137 | クロイツフェルト・ヤコブ病 | |
| 菌体内の抗菌薬の菌外への排出 | ……………9,58,104,316,317 | **け** |
| …………………………………68 | クロストーク…………………75 | |
| 菌体内への抗菌薬の透過性の低下 | クロストリジウム属……………231 | ケジラミ………………………90 |
| …………………………………68 | クロストリジオイデス（クロストリ | ケラチン………………………268 |
| 菌量の表記方法………………326 | ジウム）・ディフィシル………233 | ゲオバシラス・ステアロサーモフィ |
| | クロストリジオイデス属………233 | ラス……………………………193 |
| **く** | クロモバクテリウム属…………126 | ゲノム……………………12,46 |
| | クロモミコーシス | げっ歯類………………………239 |
| クエン酸塩利用能テスト…131,370 | ………………259,266,281,282 | 下痢……………………………306 |
| クォンティフェロン®TB ゴールド | クロラムフェニコール系抗菌薬 | 下痢症……………………143,155,361 |
| …………………………………391 | ……………………………62,65 | 下痢症をきたすウイルス………314 |
| クドア…………………………91 | クロルテトラサイクリン………64 | 形質転換………………………48 |
| クラスター……………………100 | グアルニエリ小体………………292 | 形質導入………………………49 |
| クラドフィアロフォラ属………266 | グラム陰性……………………7 | 経気管吸引法…………………353 |
| クラブラン酸…………………381 | グラム陰性，好気性の桿菌……170 | 経気管支肺生検法………………353 |
| クラミジア……………8,95,249 | グラム陰性，通性嫌気性の桿菌 | 経験的治療……………………62 |
| クラミジア・トラコマチス | ………………………………129 | 経口感染……………85,86,297 |
| …………………………88,250 | グラム陰性，微好気性のらせん菌 | 経口生ポリオワクチン…………73 |
| クラミジア属…………………250 | ………………………………185 | 経産道感染……………………85 |
| クラミジア肺炎………………104 | グラム陰性桿菌………………332 | 経胎盤感染……………………85 |
| クラリスロマイシン……………64 | グラム陰性球桿菌………………122 | 蛍光顕微鏡……………………22 |
| クリーンベンチ…………………321 | グラム陰性球菌………………122,333 | 蛍光抗体染色………………271,275 |
| クリグラー寒天培地……………341 | グラム陰性菌の染色所見………330 | 蛍光抗体法……………………318 |

| | | |
|---|---|---|
| 蛍光色素染色 …………………275 | 嫌気性菌の化学療法………217 | テリティカム ………………198 |
| 蛍光法 ………………………199 | 嫌気性菌の検査 ……………365 | コリネバクテリウム・シュードツベ |
| 継代培養 …………………40,41 | 嫌気性菌の同定 ……………216 | ルクローシス ………………198 |
| 継代培養法 …………………344 | 嫌気性グラム陰性桿菌………225 | コリネバクテリウム・ジェイケイウ |
| 頸管分泌物 …………………364 | 嫌気性グラム陰性球菌………220 | ム ……………………………198 |
| 劇症型溶血性レンサ球菌感染症 | 嫌気性グラム陽性球菌………219 | コリネバクテリウム・ストリアータ |
| ………………………104,117 | 嫌気性グラム陽性無芽胞桿菌…221 | ム ……………………………198 |
| 劇症肝炎 ……………………312 | 嫌気性グラム陽性有芽胞桿菌…231 | コリネバクテリウム属 ………196 |
| 血液・体液曝露 ………………98 | 嫌気チャンバー法 ……42,215 | コルチウイルス属 …………308 |
| 血液から検出される原因菌 …346 | 嫌気的呼吸 ……………………16 | コレラ ………………2,87,88,104 |
| 血液寒天培地 …………39,338 | 嫌気パック法 ………………215 | コレラエンテロトキシン………153 |
| 血液感染 ……………………297 | 嫌気培養 ………………42,373 | コレラ菌 ………………105,152 |
| 血液の検査法 ………………346 | 嫌気培養システム …………215 | コレラ毒素 ……………………84 |
| 血液の臨床微生物検査手順 …348 | 顕性感染 ………………81,289 | コレラワクチン ………………74 |
| 血液培養のための採血 ……347 | 顕微鏡 …………………………1,22 | コロナウイルス科 …………305 |
| 血液培養ボトル ……………348 | 顕微鏡による観察 …………329 | コロナウイルス属 …………306 |
| 血液媒介感染 …………85,86 | 懸滴標本 ………………………23 | コロニー形成単位 ……………20 |
| 血球吸着 ……………………288 | 原核生物 ………………………5 | コンジュゲートワクチン ……73 |
| 血清学的検査 …………45,272 | 原虫 …………………………5,95 | コンマ状菌 ……………………10 |
| 血清学的検査（真菌）………278 | 原発性滲出性リンパ腫 ……297 | 小林の分類 …………………114 |
| 血清学的診断（ウイルス）…318 | 減衰期 …………………………20 | 呼吸 ……………………………16 |
| 血清型別 ………………………13 | | 呼吸器衛生 ……………………98 |
| 血清型 ………………………6,45 | **こ** | 呼吸器感染症 …………129,158 |
| 血中薬物濃度測定 ……………64 | | 呼吸酵素に関するテスト………371 |
| 血便 …………………………363 | コアグラーゼ陰性ブドウ球菌…109 | 固形培地 ………………35,38,39 |
| 血流感染症 …………………129 | コアグラーゼ陰性ブドウ球菌群 | 孤立集落 ………………………40 |
| 結核 …………………2,87,94,104,359 | ………………………………112 | 枯草菌 ………………………193 |
| 結核菌 ………95,105,199,394 | コアグラーゼテスト ………372 | 個人用防護具 …………………97 |
| 結核菌群 ……………………199 | コーンミール寒天培地…276,343 | 五類感染症 ……………103,104 |
| 検疫感染症 …………………106 | コクサッキーウイルス ……306 | 誤嚥性肺炎 ……………76,77,358 |
| 検疫法 ………………………106 | コクシエラ科 ………………184 | 口腔内カンジダ症 …………281 |
| 検査材料別検査法 …………346 | コクシエラ属 ………………184 | 口腔内細菌叢 …………………76 |
| 検体採取 ……………………346 | コクシジオイデス症 | 口腔レンサ球菌 ………………77 |
| 検体採取（糞便）……………362 | ……88,90,94,95,104,259,267 | 広域抗菌薬 ……………………62 |
| 検体の前処理法 ………………40 | コクシジオイデス真菌………105 | 光学顕微鏡 …………………10,22 |
| 嫌気環境の作り方 ……………42 | コッホ …………………………3 | 光学密度 ………………………21 |
| 嫌気グローブボックス法…42,215 | コッホの4原則 ………………1 | 光合成細菌 ……………………15 |
| 嫌気呼吸 ……………………211 | コリスチン ……………………65 | 光沢 ……………………………41 |
| 嫌気ジャー法 ………………215 | コリネバクテリウム・ウルセランス | 向肝臓性ウイルス …………288 |
| 嫌気性カンピロバクター属…187 | ………………………………197 | 向気道性ウイルス …………288 |
| 嫌気性菌 …………………211,364 | コリネバクテリウム・ウレアリティ | 向神経性ウイルス …………288 |
| 嫌気性菌が関与する下気道感染症 | カム …………………………198 | 向腸管性ウイルス …………288 |
| ………………………………358 | コリネバクテリウム・クロッペンス | 向汎性ウイルス ……………288 |
| 嫌気性菌感染症 ……………214 | テッティー …………………198 | 向皮膚性ウイルス ……288,292 |
| 嫌気性菌感染症の治療………216 | コリネバクテリウム・シュードジフ | 向リンパ球性ウイルス ……288 |

| 好塩菌 | 152 |
|---|---|
| 好塩性 | 154,155 |
| 好塩性テスト | 374 |
| 好気性または通性嫌気性グラム陽性球菌 | 109 |
| 好気的呼吸 | 16 |
| 好気培養 | 373 |
| 抗C型肝炎ウイルス薬 | 290 |
| 抗HIV薬 | 66 |
| 抗RSウイルスヒト化モノクローナル抗体 | 302 |
| 抗インフルエンザウイルス薬 | 66,290 |
| 抗ウイルス薬 | 60,66 |
| 抗菌スペクトル | 61 |
| 抗菌薬 | 5,60,62 |
| 抗菌薬関連下痢症 | 361 |
| 抗菌薬適正使用支援 | 100 |
| 抗菌薬適正使用支援チーム | 100 |
| 抗菌薬と抗生物質 | 60 |
| 抗菌薬のPharmacokinetics/Pharmacodynamics | 67 |
| 抗菌薬の不活化 | 68 |
| 抗血清 | 5 |
| 抗結核薬 | 65 |
| 抗原検出 | 319 |
| 抗サイトメガロウイルス薬 | 66 |
| 抗酸菌 | 8 |
| 抗酸菌感染症 | 95 |
| 抗酸菌染色 | 25,27,28,199,334,335 |
| 抗酸菌の免疫学的検査 | 391 |
| 抗酸菌の薬剤感受性検査 | 383 |
| 抗酸菌用培地 | 343 |
| 抗酸性 | 8,208,210 |
| 抗酸性染色 | 25,27,28 |
| 抗真菌薬 | 60,66 |
| 抗生物質 | 5,60 |
| 抗ヒト免疫不全ウイルス薬 | 290 |
| 抗微生物スペクトル | 56,58 |
| 抗微生物薬 | 5 |
| 抗ヘルペスウイルス薬 | 66,290 |
| 後天性再活性化 | 295 |
| 後天性水平感染 | 295 |
| 後天性免疫不全症候群 | 87,90,104,311 |
| 厚生労働省院内感染対策サーベイランス事業 | 398 |
| 厚膜胞子 | 276 |
| 紅斑熱群リケッチア | 246 |
| 高圧蒸気滅菌 | 53,54 |
| 高温細菌 | 37 |
| 高周波滅菌 | 54,55 |
| 高水準消毒 | 57 |
| 高層培地 | 38,39 |
| 高層培地法 | 42 |
| 高度封じ込め実験室 | 92 |
| 高病原性鳥インフルエンザ | 94,300 |
| 綱 | 6 |
| 酵素抗体法 | 318 |
| 酵素免疫法 | 386,387 |
| 酵母 | 9,253,254,258,273,276 |
| 酵母様真菌 | 78,255,258,334 |
| 酵母様真菌の抗真菌薬感受性検査 | 384 |
| 国際的に懸念される公衆衛生上の緊急事態 | 86 |
| 国際保健規則 | 86 |
| 国際命名規約 | 7 |
| 黒死病 | 2 |
| 黒色真菌 | 266,273 |
| 黒色真菌感染症 | 259,266,281,282 |
| 黒癬 | 259 |
| 骨盤内感染症 | 250 |
| 米のとぎ汁様便 | 363 |
| 昆虫媒介感染 | 85,86 |
| 混合感染 | 211,212 |
| 混合酸発酵 | 18 |
| 混釈平板培養法 | 21,41 |
| 混和培養法 | 21 |

## さ

| サーベイランス | 100,397 |
|---|---|
| サーベイランス結果の活用法 | 398 |
| サイアー・マーチン培地 | 122,339 |
| サキシトキシン中毒 | 90 |
| サザンハイブリダイゼーション | 51 |
| サッポロウイルス | 315 |
| サブカルチャー | 348 |
| サブローデキストロース寒天培地 | 275,343 |
| サポウイルス属 | 315 |
| サル痘 | 87,89,90,104 |
| サル痘ウイルス | 105 |
| サルファ剤 | 62 |
| サルモネラ症 | 89 |
| サルモネラ属 | 136 |
| ザナミビル | 66 |
| 作用点の変化による抗菌薬親和性の低下 | 68 |
| 刺し口 | 247 |
| 再興型インフルエンザ | 104 |
| 再興型コロナウイルス感染症 | 104 |
| 再興感染症 | 86 |
| 再燃 | 81 |
| 採血のタイミング | 348 |
| 採尿 | 351 |
| 細気管支炎 | 301,302 |
| 細菌 | 5 |
| 細菌ウイルス | 286 |
| 細菌感染症 | 95 |
| 細菌性食中毒 | 90 |
| 細菌性髄膜炎 | 104,129,349 |
| 細菌性赤痢 | 88,104,135 |
| 細菌性腟症 | 169 |
| 細菌性腸炎 | 129 |
| 細菌における細胞の組成 | 32 |
| 細菌の栄養素 | 33 |
| 細菌の栄養要求性 | 34 |
| 細菌の大きさ | 10 |
| 細菌の化学的組成 | 32 |
| 細菌の学名 | 7 |
| 細菌の観察法 | 22 |
| 細菌の形態と構造 | 10 |
| 細菌の構造 | 11,12 |
| 細菌の細胞壁構造 | 12 |
| 細菌の増殖 | 20 |
| 細菌の増殖曲線 | 20 |
| 細菌の代謝 | 15 |
| 細菌の糖代謝過程 | 17 |
| 細菌の同定 | 43 |

| | | |
|---|---|---|
| 細菌の培養……………………34 | シュードモナス属……………170 | 自動血液培養検査装置……348,388 |
| 細菌の発育……………………31 | シンポジオ型分生子…………256 | 自動検体塗抹装置……………389 |
| 細菌の薬剤感受性検査………376 | ジアルジア症…………………104 | 自動細菌同定・薬剤感受性検査装置 |
| 細胞質……………………………11 | ジカウイルス感染症……87,88,104 | …………………………………388 |
| 細胞質内封入体………………288 | ジドブジン………………………66 | 自動染色装置…………………389 |
| 細胞性防御………………………83 | ジフテリア…………………87,104 | 持続感染………………288,289,312,313 |
| 細胞性免疫………………82,83,289,290 | ジフテリア菌…………………196 | 時間依存性………………………67 |
| 細胞破壊型……………………288 | ジフテリア症…………………196 | 色素を産生しないプレボテラ属 |
| 細胞非破壊型…………………288 | ジフテリアトキソイド…………74 | …………………………………227 |
| 細胞壁………………………8,11 | ジフテリア毒素…………………84 | 色素を産生するプレボテラ属…227 |
| 細胞変性効果…………………288 | ジフテロイド…………………197 | 色調………………………………41 |
| 細胞膜……………………………12 | 子宮頸管炎……………………250 | 質量分析…………………………45 |
| 最小殺菌濃度……………58,59,61 | 子嚢菌門………………………254 | 質量分析を用いた微生物の同定 |
| 最小発育阻止濃度 | 市中感染…………………………96 | …………………………………390 |
| ………………58,59,61,67,376,377 | 市中感染型 MRSA……………111 | 実験室バイオセーフティ指針…91 |
| 殺菌法……………………………53 | 市中肺炎………………………118 | 斜面培地……………………38,39 |
| 三種病原体等……………105,179,184 | 死産………………………………90 | 煮沸消毒…………………………56 |
| 三類感染症 | 死滅期……………………………20 | 手指衛生…………………………97 |
| …………103,104,133,135,394 | 糸状菌 | 手指衛生の5つのタイミング……97 |
| 酸化エチレンガス滅菌…………55 | ……9,253,254,255,263,273,278 | 手指消毒……………………59,98 |
| 酸化還元電位………………38,211 | 糸状菌の簡易同定……………278 | 手術部位感染…………………129 |
| 酸化的脱アミノ反応……………19 | 至適 pH…………………………36 | 種…………………………………6 |
| 酸化的リン酸化…………………16 | 至適温度…………………………36 | 種痘……………………………292 |
| 酸素耐性（耐気性）嫌気性菌……37 | 至適発育温度…………………272 | 周期性同期性放電所見………317 |
| 酸素の要求度による細菌の分類 | 至適発育温度による細菌の分類 | 修飾………………………………70 |
| …………………………………36,37 | …………………………………36,37 | 終宿主…………………………303 |
| 塹壕熱…………………………164 | 自然宿主………………………303 | 終末代謝産物…………………212 |
| | 自然耐性………………………174 | 集落の観察………………………41 |
| **し** | 自然免疫……………………82,83 | 住血吸虫症………………………87 |
| | 志賀 潔……………………………3 | 重症急性呼吸器症候群 |
| シゲラ属………………………135 | 志賀毒素…………………84,105 | ………………2,87,94,104,306 |
| システイン………………………33 | 指示薬……………………………36 | 重症熱性血小板減少症候群 |
| シトロバクター・コセリ………143 | 指数増殖期………………………20 | ………………………87,104,305 |
| シトロバクター・フロインディ | 指定感染症…………………103,104 | 従属栄養細菌…………………15,34 |
| …………………………………143 | 脂質………………………………32 | 宿主………………………………80 |
| シトロバクター属……………143 | 脂肪酸…………………………8,15 | 出芽型分生子…………………256 |
| シドフォビル……………………66 | 脂肪性下痢便…………………363 | 出血性尿道炎…………………298 |
| シプロフロキサシン……………65 | 脂肪の代謝………………………20 | 出血性膀胱炎…………………298 |
| シモンズのクエン酸塩培地 | 紫外線殺菌………………………56 | 出席停止…………………106,107 |
| ……………………………342,370 | 歯周疾患…………………………76 | 純培養………………………40,41,327 |
| シャーレの持ち方……………325 | 歯肉溝……………………………76 | 初尿……………………………352 |
| シュードモナス・フルオレッセンス | 試験管の蓋のはずし方………328 | 消毒…………………………52,53 |
| …………………………………172 | 試験管の持ち方………………328 | 消毒法……………………………56 |
| シュードモナス・プチダ………172 | 試験管法………………………372 | 消毒薬の特徴……………………57 |
| シュードモナス科……………170 | 自家栄養細菌……………………34 | 硝酸塩還元試験………………220 |

硝酸塩還元テスト……………370
硝酸呼吸……………………16
障壁…………………………76
上気道炎……………………306
上気道感染症の種類と原因微生物
　………………………………360
上気道の細菌叢………………77
上皮および血球成分…………331
娘細胞…………………………20
常在菌…………………………75
常在細菌叢………74,75,77,212
常在微生物叢…………………74
食塩…………………………374
食塩耐容性…………………109
食塩耐容性細菌………………38
食細胞…………………………13
食中毒………90,105,136,315
食道カンジダ症……………282
食品衛生法…………………105
食物媒介感染…………………85
植物ウイルス………………286
植物性食中毒…………………90
触媒法…………………………42
心疾患………………………306
心内膜炎……………………187
侵襲性インフルエンザ菌感染症
　……………………………104,160
侵襲性髄膜炎菌感染症
　………………104,124,125,349
侵襲性肺アスペルギルス症
　………………………263,280,282
侵襲性肺炎球菌感染症………104
神経毒素……………………232
振盪培養………………………43
浸潤標本………………………23
浸透圧…………………………36
真核生物………………………5
真菌……………………5,9,253
真菌学………………………253
真菌感染症……………………95
真菌感染症検査法…………272
真菌症………………258,259
真菌による下気道感染症……359
真菌の検査法………………274
真菌の同定…………………276

真菌の薬剤感受性検査………384
真菌用培地…………………343
真正菌糸……………………255
真正酵母……………………255
深在性カンジダ症…………258
深在性真菌症…………258,259
深在性真菌症の治療………282
深部皮膚真菌症……………258
進行性多巣性白質脳症……298
新型インフルエンザ………104
新型インフルエンザ等感染症…104
新型インフルエンザ等感染症の病原
　体…………………………105
新型コロナウイルス……97,105,306
新型コロナウイルス感染症
　……………………2,87,104,306,385
新感染症………………103,104
新興感染症……………………86
新生児カンジダ症……………90
新生児髄膜炎…………79,117,134
新生児の急性化膿性髄膜炎……349
新生児敗血症……………79,117
新生児ヘルペス…………90,293
人工呼吸器関連肺炎…………129
人獣共通感染症…87,158,164,172,
　194,195,239,305,314
迅速抗原検査（咽頭・鼻咽腔粘液）
　………………………………360
迅速抗原検査（喀痰）………358
迅速抗原検査（髄液）………350
迅速抗原検査（糞便）………363
迅速診断キット……………385
迅速発育菌群………………206
腎盂腎炎……………………351
腎症候性出血熱…87,94,104,305
腎症候性出血熱ウイルス……105

## す

スウォーミング………41,149
スーパーオキシドジスムターゼ
　………………………………36,211
スキップ現象………………378
スキムミルク法……………344
スキロー寒天培地……186,340

スクロース……………………33
スタフィロコッカス・エピデルミ
　ディス………………………112
スタフィロコッカス・シュードイン
　ターメディウス……………113
スタフィロコッカス・ルグドゥネン
　シス…………………………113
スタフィロコッカス属………109
スチュアート培地…………343
ステノトロホモナス・マルトフィリ
　ア……………………………174
ステノトロホモナス属………174
ストレプトキナーゼ…………117
ストレプトグラミン系抗菌薬……62
ストレプトコッカス・アガラクティ
　エ……………………………117
ストレプトコッカス・アンギノーサ
　ス　グループ………………118
ストレプトコッカス・ディスガラク
　ティエ………………………117
ストレプトコッカス・ニューモニエ
　………………………………118
ストレプトコッカス属………114
ストレプトバシラス・モニリフォル
　ミス…………………………167
ストレプトバシラス属………167
ストレプトマイシン…………65
ストレプトリジン……………116
スピリルム属………………185
スピロヘータ……………10,235
スピロヘータ属……………235
スプレッティング集落………187
スポルディングの分類………52
スポロトリコーシス
　………………259,268,281,282
スポロトリックス・シェンキー
　………………………………268
スムース型…………………119
スライドガラスを用いた標本作製法
　…………………………………23
スライド培養法………277,278
スライド法…………………372
水素イオン濃度………………36
水痘…………………104,294
水痘-帯状疱疹ウイルス……294

| | | |
|---|---|---|
| 水痘ワクチン……………73,294 | 性感染症………88,90,123,161,250 | |
| 水分………………………………32 | 性器カンジダ症……………………90 | **そ** |
| 水平感染………………85,297,312 | 性器クラミジア感染症………90,104 | |
| 垂直感染………………85,297,312 | 性器ヘルペス…………………90,293 | ソルビトール MacConkey 寒天培 |
| 衰退期……………………………20 | 性器ヘルペスウイルス感染症…104 | 地………………………………339 |
| 髄液………………………………394 | 性行為感染……………………85,86 | 阻止円………………375,379,380,382 |
| 髄液から検出される原因菌……349 | 精度管理……………………101,394 | 鼠咬症……………………………168 |
| 髄液の検査法……………………349 | 石炭酸係数………………………59 | 鼠咬症スピリルム………………185 |
| 髄液の採取………………………350 | 石炭酸フクシン液………………29 | 双球菌……………………………10 |
| 髄液の肉眼的性状………………351 | 赤色色素プロジギオシン………147 | 相互作用…………………………75 |
| 髄液の臨床微生物検査手順……349 | 赤沈………………………………44 | 相同組換え………………………50 |
| 髄膜炎……………187,284,306,349 | 赤痢アメーバ………………363,364 | 相利共生…………………………76 |
| 髄膜炎菌…………………………124 | 赤痢菌……………………………135 | 創傷感染…………………………155 |
| 髄膜炎菌ワクチン………………74 | 赤痢菌属…………………………105 | 増強成分…………………………36 |
| 髄膜炎の髄液所見………………351 | 咳エチケット……………………98 | 増菌培地………………39,337,341 |
| 髄膜脳炎…………………………297 | 赤血球凝集抑制試験……………318 | 増菌培養………………40,216,365 |
| | 接合菌症…………………………284 | 属…………………………………6 |
| **せ** | 接合菌門…………………………254 | 属名………………………………286 |
| | 接合線毛…………………………13 | |
| セファマイシン系抗菌薬………62 | 接合伝達…………………………48 | **た** |
| セファロスポリン系抗菌薬……62 | 接触感染………………85,86,97,98,297 | |
| セフェム系抗菌薬……………62,64 | 接触感染予防策………………98,306 | ターゲットサーベイランス……397 |
| セフォキシチン……………112,380 | 節足動物……………………245,305 | タクソン…………………………6 |
| セミクリティカル………………53 | 節足動物媒介性ウイルス………303 | ダニ媒介脳炎…………………89,104 |
| セラチア・マルセッセンス……147 | 先天性垂直感染…………………295 | ダニ媒介脳炎ウイルス…………105 |
| セラチア属………………………146 | 先天性胎内感染症………………295 | ダルモ法…………………………276 |
| セレウス菌………………………91 | 先天性風疹症候群……………104,303 | 他家栄養細菌……………………34 |
| セレナイト培地…………………341 | 先天梅毒…………………………90 | 多核巨細胞形成…………………302 |
| ゼラチンディスク法……………345 | 尖圭コンジローマ……………90,104 | 多剤耐性アシネトバクター |
| 世界保健機関……………………91 | 染色体……………………………12 | ………………4,100,176,381,394 |
| 世代時間…………………………20 | 染色標本…………………………23 | 多剤耐性結核菌……65,105,202,383 |
| 正常細菌叢………………………75 | 穿刺液の検査法…………………363 | 多剤耐性緑膿菌 |
| 生菌数……………………………20 | 腺熱………………………………248 | ………………4,100,172,381,394 |
| 生菌数測定法……………………21 | 潜在性結核感染症………………391 | 多剤排出システムの亢進………72 |
| 生鮮標本…………………………23 | 潜伏感染…………………………289 | 多剤併用療法……………………290 |
| 生体防御機構……………………81 | 線毛………………………………13 | 体腔液の検査法…………………363 |
| 生物学的安全キャビネット | 選択増菌培地……………………341 | 対数増殖期………………………20 |
| ……………………………93,321 | 選択毒性…………………………60 | 耐塩性細菌………………………38 |
| 生物学的防御機構………………83 | 選択分離培地………………337,339 | 耐気性試験……………………216,365 |
| 生物型……………………………6 | 鮮血便……………………………133 | 耐性……………………………60,379,384 |
| 生物兵器…………………………90 | 全菌数測定法……………………21 | 耐性菌……………………………3 |
| 成人 T 細胞白血病……………87,310 | 全身性炎症反応症候群…………347 | 耐性菌サーベイランス…………397 |
| 成人型の腸管内細菌叢…………78 | 喘息………………………………251 | 耐性菌判定基準…………………381 |
| 西部ウマ脳炎……………………104 | | 耐熱性溶血毒……………………154 |
| 西部ウマ脳炎ウイルス…………105 | | 胎児水腫…………………………299 |

| | | |
|---|---|---|
| 帯状疱疹……………………94,294 | 窒素源………………………………33 | |
| 大腸菌………………………………132 | 腟トリコモナス原虫……………352 | **つ** |
| 代表的な耐性菌………………………3 | 腟トリコモナス症…………………90 | |
| 濁度法………………………………21 | 腟の細菌叢…………………………79 | ツァペック・ドックス寒天培地 |
| 脱アミノ反応………………………19 | 中温細菌……………………………37 | ………………………………343 |
| 脱炭酸反応…………………………19 | 中間……………………60,379,384 | ツカムレラ科……………………210 |
| 担子菌門…………………………254 | 中間尿……………………………351 | ツカムレラ属……………………210 |
| 単剤療法…………………………290 | 中耳炎……………………………155 | ツツガ虫病……………89,94,96,104 |
| 単純ヘルペスウイルス…………293 | 中水準消毒…………………………57 | ツツガ虫病リケッチア…………247 |
| 単純ヘルペス感染症………………94 | 中東呼吸器症候群………87,104,306 | ツベルクリン反応………………391 |
| 単染色………………………………25 | 中毒症……………………………258 | 通過菌………………………………75 |
| 炭酸ガス培養……42,122,124,373 | 中和試験…………………………318 | 通性嫌気性菌…………………37,211 |
| 炭水化物……………………………32 | 重複感染…………………………314 | 通性嫌気性グラム陰性桿菌 |
| 炭水化物の代謝……………………19 | 頂嚢………………………………257 | …………………………166,168 |
| 炭水化物分解テスト……………367 | 釣菌………………………………327 | 通俗名………………………………7 |
| 炭素源…………………………15,33 | 超過死亡率………………………300 | |
| 炭疽…………………………90,94,95,104 | 超多剤耐性結核菌………65,202,383 | **て** |
| 炭疽菌……………………………105,191 | 腸アデノウイルス………………316 | |
| 胆汁エスクリン寒天培地………341 | 腸炎エルシニア…………………145 | テイコプラニン……………………65 |
| 胆汁溶解試験………………119,375 | 腸炎ビブリオ……………………154 | テグメント………………………293 |
| 胆道感染症………………………129 | 腸管外感染症……………………134 | テタノスパスミン……………84,232 |
| 蛋白質………………………………32 | 腸管感染症………………………133 | テタノリジン……………………232 |
| 蛋白質の分解………………………19 | 腸管感染症の検査に用いる検体 | テトラサイクリン系抗菌薬…62,64 |
| 短桿菌………………………………10 | ………………………………362 | テレオモルフ……………………253 |
| 痰…………………………………353 | 腸管感染症の種類と原因微生物 | ディーンス法……………………241 |
| | ………………………………361 | ディーンズ染色……………………25 |
| **ち** | 腸管凝集付着性大腸菌…………134 | ディアリスター属………………230 |
| | 腸管出血性大腸菌………105,133,363 | ディスク拡散法………60,376,379 |
| チクングニアウイルス…………303 | 腸管出血性大腸菌感染症 | ディフ・クイック染色…………271 |
| チクングニア熱……87,88,104,303 | ………………………87,104,133 | デーデルライン桿菌……………169 |
| チトクロームオキシダーゼテスト | 腸管組織侵入性大腸菌…………134 | デーデルライン腟桿菌……………79 |
| ………………………………16 | 腸管毒素原性大腸菌……………133 | デオキシリボ核酸…………………46 |
| チフス菌…………………………105 | 腸管内細菌叢………………………78 | デオキシリボヌクレアーゼ……372 |
| チフス症…………………………362 | 腸管病原性大腸菌………………134 | デスルフォビブリオ属…………230 |
| チフス性疾患……………………136 | 腸炭疽……………………………192 | デスルフォビリジン試験………230 |
| チャコール加 Amies 培地………343 | 腸チフス…88,94,95,104,139,362 | デブリドマン……………………217 |
| チョコレート寒天培地………39,338 | 腸内細菌科………………………132 | デレル………………………………3 |
| 地域流行性真菌症………………267 | 腸内細菌目………………………129 | デングウイルス……………105,304 |
| 治癒…………………………………81 | 腸内フローラ……………………78,79 | デング出血熱………………………87 |
| 治療薬物モニタリング………67,68 | 直接鏡検…………………………274 | デング熱……………87,88,104,304 |
| 遅延期………………………………20 | 直接塗抹標本…………………43,44 | 手足口病……………………104,306 |
| 遅滞期………………………………20 | 直腸炎………………………………90 | 手洗い………………………………98 |
| 遅発育性マイコプラズマ………243 | | 低温細菌……………………………37 |
| 遅発性感染………………………289 | | 低水準消毒…………………………57 |
| 窒素化合物の代謝…………………19 | | 定期接種……………………………73 |

| | | |
|---|---|---|
| 定住菌 | 75 | |
| 定常期 | 20 | |
| 定量的浮遊菌試験 | 59 | |
| 抵抗力 | 81 | |
| 天然痘 | 2, 90, 94 | |
| 天然痘ワクチン | 73 | |
| 伝染性紅斑 | 104, 298 | |
| 伝染性単核球症 | 295 | |
| 伝染性軟属腫 | 293 | |
| 伝染性軟属腫ウイルス | 292, 293 | |
| 電気式滅菌装置 | 324 | |
| 電気バーナー | 324 | |
| 電気バーナーによる火炎滅菌の手順 | 325 | |
| 電子顕微鏡 | 22 | |
| 癜風 | 259, 263 | |
| 癜風菌 | 263 | |

### と

| | |
|---|---|
| トガウイルス科 | 303 |
| トキシンA | 84, 214, 234 |
| トキシンB | 84, 214, 234 |
| トキソイドワクチン | 73, 74 |
| トキソプラズマ症 | 89, 96 |
| トラコーマ | 90 |
| トランスファーRNA | 13 |
| トランスポゾン | 47 |
| トリコフィトン属 | 269 |
| トリプチケースソイ寒天培地 | 338 |
| トリプチケースソイブロス | 39, 341 |
| トリプトファナーゼ | 19 |
| トルイジンブルーO染色 | 25, 271 |
| トレーリング発育 | 384 |
| トレポネーマ属 | 235 |
| トロウイルス属 | 306 |
| ドキシサイクリン | 64 |
| ドリガルスキー改良培地 | 338 |
| ドリペネム | 64 |
| ドルーゼ | 221, 364 |
| ドレナージ | 217 |
| 塗抹鏡検（真菌） | 272, 274 |
| 塗抹検査（咽頭・鼻咽腔粘液） | 360 |
| 塗抹検査（喀痰） | 356 |
| 塗抹検査（髄液） | 350 |
| 塗抹検査（尿） | 352 |
| 塗抹検査（膿・分泌物，体腔液，穿刺液） | 364 |
| 塗抹検査（糞便） | 363 |
| 冬季乳幼児嘔吐下痢症 | 308 |
| 東部ウマ脳炎 | 104 |
| 東部ウマ脳炎ウイルス | 105 |
| 凍結乾燥保存法 | 345 |
| 凍結保存法 | 344 |
| 透過孔の減少・欠損 | 72 |
| 透明度 | 41 |
| 統合型自動検査装置 | 389 |
| 痘瘡 | 2, 104, 292 |
| 痘瘡ウイルス | 105, 292 |
| 痘瘡ワクチン | 73 |
| 糖 | 15 |
| 糖分解 | 131 |
| 糖分解テスト | 367 |
| 同定 | 6 |
| 同定キット | 385 |
| 同定検査 | 44 |
| 動物ウイルス | 286 |
| 動物性食中毒 | 90 |
| 特異的トレポネーマ検査 | 236 |
| 特殊染色の染色像 | 334 |
| 特殊な細菌 | 5 |
| 特殊培養 | 43 |
| 特定病原体等 | 103 |
| 毒素型食中毒 | 111, 192 |
| 毒素性ショック症候群 | 111 |
| 独立栄養細菌 | 15, 34 |
| 独立集落 | 40 |
| 突然変異 | 46 |
| 突発性発疹 | 104, 296 |
| 届け出制 | 101 |
| 鳥インフルエンザ | 87, 88, 89, 104 |
| 豚丹毒菌 | 195 |

### な

| | |
|---|---|
| ナイサー | 3 |
| ナイスタチン | 66 |
| ナイセリア科 | 122 |
| ナイセリア属 | 122 |
| ナイセル小体 | 196 |
| ナイセル染色 | 335 |
| ナイロウイルス属 | 305 |
| ナグビブリオ | 153 |
| ナノメートル | 10 |
| ナンセンス変異 | 46 |
| 内因性感染 | 76, 80, 114 |
| 内因性嫌気性菌 | 211, 212 |
| 内炎 | 323 |
| 内毒素 | 11, 83 |
| 内部精度管理 | 101 |
| 生ワクチン | 72, 73 |
| 南米出血熱 | 104 |
| 南米出血熱ウイルス | 105 |
| 軟性下疳 | 161 |
| 軟性下疳菌 | 161 |
| 軟部組織感染症 | 158 |

### に

| | |
|---|---|
| ニトロセフィン法 | 380 |
| ニパウイルス | 105, 302 |
| ニパウイルス感染症 | 87, 89, 104 |
| ニューキノロン系抗菌薬 | 132 |
| ニューモウイルス亜科 | 301 |
| ニューモウイルス属 | 302 |
| ニューモシスチス・イロベチ | 270 |
| ニューモシスチス肺炎 | 259, 270, 284 |
| ニューモリシン | 84 |
| 二形性真菌 | 9, 255, 266, 273 |
| 二酸化炭素 | 38 |
| 二次抗結核薬 | 65, 202 |
| 二種病原体等 | 105, 181, 191, 232 |
| 二重命名法 | 253 |
| 二相性感染 | 38 |
| 二糖類の分解 | 19 |
| 二分裂 | 7 |
| 二分裂増殖 | 20 |
| 二本鎖DNAウイルス | 286 |
| 二本鎖RNA＋RNA転写酵素をもつウイルス | 286 |
| 二本鎖の損傷 | 50 |
| 二名法 | 7 |

二類感染症
　　……103,104,196,201,306,394
日本紅斑熱…………………89,104
日本紅斑熱リケッチア……105,246
日本脳炎…………………89,104,304
日本脳炎ウイルス…………105,303
日本脳炎ワクチン……………74,304
肉エキス………………………35
肉眼的外観の観察（膿・分泌物，体腔液，穿刺液）………364
肉眼的外観の観察（糞便）……363
肉眼的観察（髄液）……………350
肉眼的観察（尿）………………352
肉水……………………………35
西岡法…………………………26
乳糖……………………………33
乳糖非分解……………………129
乳糖分解………………………129
乳頭腫…………………………298
乳幼児胃腸炎…………………314
尿から検出される原因菌………351
尿素呼気試験…………………189
尿素培地………………………342
尿素分解テスト………………369
尿中菌数定量培養……………352
尿中抗原検査…………………352
尿道炎…………………………90
尿道の細菌叢…………………79
尿道分泌物……………………364
尿の検査法……………………351
尿路感染症………………129,134
任意接種………………………73

## ぬ

ヌクレオカプシド……………285
ヌクレオカプシドの対称性……286

## ね

ネオリケッチア属……………248
ネガティビコッカス属…………220
ネコひっかき病………………164
ネズミ…………………………239
ネズミ型結核菌………………204

熱水消毒………………………56
粘稠度…………………………41

## の

ノカルジア科…………………208
ノカルジア症…………………208
ノカルジア属…………………208
ノザンハイブリダイゼーション
　………………………………51
ノロウイルス…………………95
ノロウイルス感染症…………385
ノロウイルス属………………315
ノンクリティカル……………53
脳炎………………………293,306,309
脳脊髄膜炎……………………349
濃度依存性……………………67
膿・分泌物の検査法…………363
膿・分泌物の臨床微生物検査手順
　………………………………364
膿胸………………………353,358
膿尿……………………………352
膿粘血便………………………363
膿漏眼…………………………90

## は

ハートインフュージョン寒天培地
　………………………………338
ハートインフュージョンブロス
　…………………………341,344
ハイブリダイゼーション………50
ハフニア科……………………147
ハフニア属……………………147
ハンセン病……………………2,207
ハンタウイルス症……………87
ハンタウイルス属……………305
ハンタウイルス肺症候群
　……………………94,104,305
ハンタウイルス肺症候群ウイルス
　………………………………105
バークホルデリア・シュードマレイ
　………………………………173
バークホルデリア・セパシア…172
バークホルデリア・マレイ……174

バークホルデリア属……………172
バードシード寒天培地…………276
バイオセーフティ………………91
バイオセーフティレベル……91,321
バイオテロ………………89,103,191
バイオハザード対策……………91
バイオハザードマーク…………94
バイオフィルム……………13,171
バイロフィラ・ワズワーシア…230
バクテリオファージ……46,49,285
バクテロイデス・シータイオタオーミクロン………………………225
バクテロイデス・フラジリス…225
バクテロイデス・ブルガータス
　………………………………226
バクテロイデス属……………225
バシトラシン感受性試験…116,375
バシラス・セレウス……………192
バシラス属……………………191
バックボーン…………………290
バラシクロビル………………294
バリア………………………76,79
バルガンシクロビル……………66
バルトネラ・クインタナ………164
バルトネラ・バシリフォルミス
　………………………………164
バルトネラ・ヘンセラエ………164
バルトネラ科…………………164
バルトネラ属…………………164
バンコマイシン…………………65
バンコマイシン耐性黄色ブドウ球菌
　…………………………………4
バンコマイシン耐性黄色ブドウ球菌感染症……………………87,104
バンコマイシン耐性腸球菌
　……4,96,100,120,379,381,394
バンコマイシン耐性腸球菌感染症
　………………………………104
バンコマイシン低感受性黄色ブドウ球菌……………………………4
パールテスト…………………191
パイク培地……………………341
パスツール………………………3
パスツレラ・ムルトシダ………158
パスツレラ科…………………158

パスツレラ症 ……………… 89,94
パスツレラ属 ………………… 158
パニック値 …………………… 393
パニペネム …………………… 64
パピローマウイルス科 ……… 298
パラアミノ安息香酸 …………… 33
パラコクシジオイデス症
　………………………… 94,259,267
パラチフス …… 88,94,104,139,362
パラチフスA菌 ……………… 105
パラバクテロイデス属 ………… 227
パラフィン重層法 ……………… 42
パラミクソウイルス亜科 ……… 301
パラミクソウイルス科 ………… 301
パルスフィールドゲル電気泳動
　……………………………………… 45
パルビモナス・ミクラ ………… 219
パルボウイルス科 ……… 286,298
パンデミック …………………… 2
波状熱 …………………………… 179
破傷風 ………………………… 104
破傷風菌 ……………………… 232
破傷風トキソイド ……………… 74
破傷風毒素 …………………… 84
播種性クリプトコックス症 …… 104
馬尿酸塩加水分解試験
　…………………………… 117,187,373
肺アスペルギルス症 ………… 263
肺炎 ………… 251,297,301,302,353
肺炎球菌ワクチン ……………… 74
肺炎クラミジア ………………… 251
肺化膿症 ……………………… 358
肺クリプトコックス症 …… 279,284
肺生検組織 …………………… 353
肺穿刺液 ……………………… 353
肺炭疽 ………………………… 192
肺膿瘍 ………………………… 353
肺膿瘍穿刺液 ………………… 353
敗血症 …………………… 187,346
敗血症様症状 ………………… 155
倍加時間 ………………………… 20
梅毒 ……………… 2,89,94,104,235
梅毒トレポネーマ ……………… 235
培地 …………………………… 337
培地の種類と特徴 …………… 338

培地の成分 ……………………… 35
培地の分類 ……………………… 38
培養 …………………………… 337
培養および同定検査結果の報告（喀痰）………………………… 359
培養検査 ……………………… 44
培養検査（髄液）……………… 350
培養検査（尿）………………… 353
培養の目的 ……………………… 34
白色便 ………………………… 363
白癬 …………………… 95,259,281
白糖 …………………………… 33
麦芽糖 ………………………… 33
八連球菌 ……………………… 10
白金耳 ……………………… 55,323
白金線 ………………………… 323
白金線（耳）の使用法 ……… 324
発育 ……………………………… 20
発育因子 ……………………… 33
発育可能pH …………………… 36
発育性テスト ………………… 373
発育素 ……………………………… 7
発育速度 ……………………… 272
発芽管形成試験 ………… 276,277
発酵 ……………………… 16,211
発症 …………………………… 84
発色酵素基質培地 …………… 276
半斜面培地 ………………… 38,39
半流動培地 ……………… 35,38,39

## ひ

ヒストプラズマ症
　……………………… 88,94,95,259,267
ヒトRSウイルス ……………… 302
ヒトT細胞白血病ウイルス …… 310
ヒトTリンパ球向性ウイルス … 310
ヒトアストロウイルス ………… 315
ヒトコロナウイルス …………… 306
ヒトサイトメガロウイルス …… 294
ヒトパピローマウイルス ……… 298
ヒトパピローマウイルスワクチン
　…………………………………… 74
ヒトパラインフルエンザウイルス
　………………………………… 301

ヒトパルボウイルスB19 ……… 298
ヒトヘルペスウイルス6 ……… 296
ヒトヘルペスウイルス7 ……… 296
ヒトヘルペスウイルス8 ……… 296
ヒトメタニューモウイルス …… 302
ヒト免疫グロブリン …………… 312
ヒト免疫不全ウイルス ………… 311
ヒメネス染色 …… 25,29,30,182,335
ヒュー・レイフソン培地 ……… 342
ビアペネム ……………………… 64
ビタミンB群 …………………… 33
ビタミン$K_1$ ……………………… 33
ビダラビン ……………………… 66
ビフィドバクテリウム属 ……… 223
ビブリオ・アルギノリチカス … 155
ビブリオ・バルニフィカス …… 155
ビブリオ・ファーニシ ………… 155
ビブリオ・フルビアリス ……… 155
ビブリオ・ミミカス …………… 153
ビブリオ科 …………………… 151
ビブリオ属 …………………… 151
ビリオン ……………………… 285
ビリダンスグループ　ストレプトコッシ ……………………… 118
ピオシアニン ………………… 171
ピオベルジン ………………… 171
ピコルナウイルス科
　…………………… 285,286,306,311
ピラジナミド …………………… 65
ピリミジン ……………………… 33
ピロリドニル・アリルアミダーゼ試験 ……………………………… 373
日和見感染 …………… 80,82,212
日和見感染症
　……………… 88,96,129,171,212,258
皮膚カンジダ症 ……………… 281
皮膚潰瘍 ……………………… 155
皮膚糸状菌 …………… 268,269,273
皮膚糸状菌症 …………… 259,281
皮膚炭疽 ……………………… 192
皮膚の細菌叢 ………………… 78
非O139コレラ菌 …………… 153
非O1コレラ菌 ……………… 153
非加熱滅菌 …………………… 54
非感性 ………………………… 384

非結核性抗酸菌症 ………… 199,359
非選択分離培地 …………… 337,338
非相同組換え …………………… 50
非トレポネーマ検査 …………… 236
非光発色菌群 …………………… 206
非溶血性レンサ球菌 …………… 114
非淋菌性尿道炎 …………… 244,250
非淋菌性非クラミジア性尿道炎
　………………………………… 244
飛沫感染 …… 85,97,98,124,177,297
飛沫感染予防策 …………… 98,306
微好気条件 ……………………… 186
微好気性菌 ……………………… 37
微好気培養 ………………… 43,373
微小飛沫感染 …………………… 98
微生物学 ………………………… 1
微生物学の歴史 ………………… 1
微生物検査結果の評価 ………… 393
微生物検査におけるパニック値
　………………………………… 393
微生物検査に関与する機器 … 388
微生物検査の基本的手技 …… 322
微生物検査法 …………………… 321
微生物の染色法 ………………… 23
微生物の分類 …………………… 7
微生物の分類基準 ……………… 6
微生物の命名法 ………………… 7
微生物発見の歴史 ……………… 3
微分干渉顕微鏡 ………………… 22
微量液体希釈法
　………… 60,376,377,378,384,388
鼻咽腔粘液の検査法 ………… 360
鼻咽腔粘液の臨床微生物検査手順
　………………………………… 361
鼻腔 ……………………………… 77
鼻疽 ………………………… 90,94,104
鼻疽菌 ……………………… 105,174
光発色菌群 ……………………… 204
百日咳 ……………………… 104,358
百日咳菌 ………………………… 177
百日咳ワクチン ………………… 74
表在性カンジダ症 ……………… 258
表在性真菌症 ……………… 258,259
表在性真菌症の治療 ………… 281
表皮剥脱毒素 ……………… 84,111

標準菌株 …………………… 6,43
標準予防策 ……………… 5,97,98
標的アナログの出現 …………… 70
標的の修飾 ……………………… 71
標的の突然変異 ………………… 71
病院感染 ………………………… 96
病院環境 ………………………… 98
病原因子 ………………………… 83
病原血清型大腸菌 …………… 134
病原性 ……………………… 80,83
病原性と抵抗力 ………………… 80
病原体の危険度分類 …… 92,93,94
病原微生物直接検出法 ……… 385
病原微生物の分類 ……………… 5
病理学的検査 ………………… 319

## ふ

ファインゴルディア・マグナ … 219
ファンギフローラY染色 …… 25,275
ファンギフローラY法 ………… 336
フィードバック ………………… 398
フィアロ型分生子 ……………… 256
フィアロフォラ属 ……………… 266
フィロウイルス科 ………… 285,309
フィンガーストリーク法 ……… 59
フィンガープリント法 ………… 59
フェイバー法 …………………… 26
フェニルエチルアルコール血液寒天
　培地 ………………………… 339
フェニルピルビン酸 …………… 19
フォーゲス・プロスカウエル反応
　………………………………… 368
フォトサーベイ ………………… 102
フォンセカエア属 ……………… 266
フソバクテリウム・ヌクレアタム
　………………………………… 229
フソバクテリウム・ネクロフォルム
　………………………………… 229
フソバクテリウム・バリウム … 229
フソバクテリウム・モルティフェラ
　ム …………………………… 229
フソバクテリウム属 …………… 229
フラビウイルス科 ………… 303,313
フラビウイルス属 ……………… 303

フランシセラ科 ………………… 181
フランシセラ属 ………………… 181
フルクトース …………………… 33
フルコナゾール ………………… 66
フレームシフト変異 …………… 46
フレボウイルス属 ……………… 305
ブースター効果 ………………… 72
ブイヨン ………………………… 38
ブタレンサ球菌感染症 ………… 89
ブタンジオール発酵 …………… 16
ブドウ（状）球菌 ……………… 10
ブドウ球菌性熱傷様皮膚症候群
　………………………………… 111
ブドウ糖 ………………………… 33
ブドウ糖からのガス産生 ……… 18
ブドウ糖非発酵グラム陰性桿菌群
　………………………………… 170
ブニヤウイルス科 ……………… 305
ブラストミセス症 … 94,95,259,267
ブルセラ科 ……………………… 179
ブルセラ血液寒天培地 ……… 339
ブルセラ症
　………… 88,89,90,94,95,104,179
ブルセラ属 ……………………… 179
ブルセラ属菌 …………………… 105
ブレインハートインフュージョン寒
　天培地 ……………………… 276,338
ブレインハートインフュージョンブ
　ロス ………………………… 341
ブロス …………………………… 35
ブロムチモールブルー …… 370,371
ブンゼンバーナー ………… 55,323
プトレシン ……………………… 19
プラーク細菌叢 ………………… 76
プラス鎖一本鎖RNA＋逆転写酵素
　をもつウイルス …………… 286
プラス鎖一本鎖RNAウイルス
　………………………………… 286
プラスミド ………………… 13,46,48
プラズマ滅菌 …………………… 54
プリオン ……………………… 9,96,316
プリオンの不活化 ……………… 58
プリオン病 ………………… 9,316
プリン …………………………… 33
プレジオモナス属 …………… 143

| | | |
|---|---|---|
| プレ超多剤耐性結核菌…………383 | 分離培養（真菌）…………272,275 | …………………………………380 |
| プレボテラ属……………………227 | 分離培養（糞便）……………363 | ペニシリンG……………………380 |
| プロテアーゼ……………………19,117 | 分類………………………………6 | ペニシリンGの親和性が低下した |
| プロテウス・ブルガリス………149 | 分類階級…………………………6 | 　淋菌…………………………123 |
| プロテウス・ミラビリス………149 | 分類学……………………………6 | ペニシリン系抗菌薬…………62,63 |
| プロテウス属……………………149 | | ペニシリン結合蛋白質…………71 |
| プロトポルフィリンIX…………374 | **へ** | ペニシリン耐性肺炎球菌 |
| プロビデンシア属………………150 | | ……………4,118,119,379,381 |
| プロピオニバクテリウム・プロピオ | ヘパシウイルス属…………303,313 | ペニシリン耐性肺炎球菌感染症 |
| 　ニクム………………………222 | ヘパトウイルス属………………311 | ……………………………104 |
| プロピオニバクテリウム属……222 | ヘパドナウイルス科…………299,312 | ペプチドグリカン……………7,8,11 |
| プロピオン酸発酵………………18 | ヘパフィルター……………54,321 | ペプトストレプトコッカス・アネロ |
| 不活化狂犬病ワクチン…………309 | ヘミン……………………33,164 | 　ビウス………………………219 |
| 不活化ポリオワクチン………74,307 | ヘモフィルス・インフルエンザ | ペプトニフィラス・アサッカロリ |
| 不活化ワクチン…………………72,74 | …………………………………159 | 　ティカス……………………219 |
| 不完全菌類………………………254 | ヘモフィルス・エジプチウス…161 | ペプトン…………………………35 |
| 不顕性感染…………………81,289 | ヘモフィルス・パラインフルエンザ | ペプトン化………………………19 |
| 不妊………………………………90 | …………………………………161 | ペプトン水………………………342 |
| 付着線毛…………………………13 | ヘモフィルス・ヘモリチカス…162 | ペントースリン酸経路…………19 |
| 腐生ブドウ球菌…………………113 | ヘモフィルス属…………………159 | 平板培地塗布法…………………21 |
| 封じ込め実験室……………92,321 | ヘリコバクター・シネジー……189 | 臍のある集落……………………229 |
| 風疹…………………………104,303 | ヘリコバクター・ピロリ……78,188 | 片利共生…………………………76 |
| 風疹ウイルス……………………303 | ヘリコバクター属………………188 | 辺縁………………………………41 |
| 風疹ワクチン……………………73,303 | ヘルパーウイルス………………314 | 変異………………………………46 |
| 物理的防御機構…………………83 | ヘルパンギーナ……………104,306 | 変法GAM寒天培地……………339 |
| 糞口感染………300,307,308,312 | ヘルペスウイルス科……………293 | 変法ホッジ試験……………382,383 |
| 糞便の外観………………………363 | ヘンドラウイルス……………105,302 | 扁桃炎……………………………77 |
| 糞便の検査法……………………361 | ヘンドラウイルス感染症………104 | 偏性嫌気性菌………………37,211 |
| 糞便の臨床微生物検査手順……362 | ベイヨネラ属……………………220 | 偏性好気性菌……………………37 |
| 分解………………………………68 | ベータヘルペスウイルス亜科…293 | 偏性細胞内寄生性 |
| 分子遺伝学的分類………………6 | ベクター……………………164,245 | ………………8,9,184,245,249 |
| 分子生物学的検査………………45 | ベジクロウイルス属……………308 | 偏性細胞内寄生微生物…………35 |
| 分子生物学的方法………………6 | ベネズエラウマ脳炎…………90,104 | 便中*H. pylori*抗原測定法……189 |
| 分生子……………………255,272 | ベネズエラウマ脳炎ウイルス…105 | 鞭毛………………………………13,188 |
| 分生子柄…………………………256 | ベロ毒素……………………84,133 | 鞭毛抗原…………………………138 |
| 分節型分生子……………………256 | ペア血清…………………………243 | 鞭毛染色……………25,29,30,336 |
| 分離培地……………………39,337 | ペスチウイルス属………………303 | 鞭毛のつき方……………………14 |
| 分離培地（膿・分泌物，体腔液，穿 | ペスト…………2,87,90,94,104,144 | |
| 　刺液）………………………365 | ペスト菌……………………105,144 | **ほ** |
| 分離培養…………………………40 | ペディオコッカス属……………121 | |
| 分離培養（咽頭・鼻咽腔粘液） | ペニシリナーゼ産生淋菌………4 | ホスカルネット…………………66 |
| …………………………………361 | ペニシリナーゼを産生する淋菌 | ホスホケトラーゼ経路…………18 |
| 分離培養（喀痰）………………358 | …………………………………123 | ホスホマイシン系抗菌薬………62 |
| 分離培養（血液）………………348 | ペニシリン………………………2 | ホスホリパーゼC………………233 |
| 分離培養（嫌気性菌）…………216 | ペニシリン disk zone edge test | ホッケーパック…………………128 |

| | | |
|---|---|---|
| ホモ乳酸発酵 ……………… 16 | 発疹熱リケッチア …………… 246 | …………………………… 286 |
| ホルモンバランス ……………… 79 | 発赤毒素 ……………… 117 | マクファーランド標準濁度 …… 22 |
| ボツリヌス菌 …………… 105,232 | | マクロファージ ……………… 311 |
| ボツリヌス症 ………… 90,104,232 | **ま** | マクロライド系抗菌薬 ……… 62,64 |
| ボツリヌス毒素 …………… 84,105 | | マダニ ………………… 237,247 |
| ボリコナゾール ………………… 66 | マーシャル ……………………… 3 | マッコンキー寒天培地 ……… 339 |
| ボルチン顆粒 …………………… 27 | マールブルグウイルス ……… 105 | マトナウイルス科 …………… 303 |
| ボルデー・ジャング培地 … 177,338 | マールブルグウイルス属 …… 309 | マトリックス支援レーザー脱離イオ |
| ボルデテラ属 ………………… 176 | マールブルグ病 …… 87,94,104,309 | ン化飛行時間型質量分析 |
| ボレリア属 …………………… 237 | マイクロアレイ ……………… 389 | ……………………… 45,390 |
| ポーリン …………………… 12,72 | マイクロスパイダー集落 …… 221 | マムアストロウイルス属 …… 315 |
| ポックスウイルス科 ………… 292 | マイクロバイオータ …………… 74 | マラセチア感染症 ……… 281,282 |
| ポテトデキストロース寒天培地 | マイクロバイオーム …………… 74 | マラセチア属 ………………… 263 |
| ………………………… 275,343 | マイクロフローラ ……………… 74 | マラビロク ……………………… 66 |
| ポリエン系抗菌薬 ……………… 66 | マイクロメートル ……………… 10 | マラリア ………… 2,87,88,96,104 |
| ポリオ ……………………… 2,306 | マイコセル寒天培地 ………… 275 | マルチプレックス PCR …… 251,389 |
| ポリオーマウイルス科 ……… 298 | マイコバクテリア科 ………… 199 | マルトース ……………………… 33 |
| ポリオウイルス ………… 105,306 | マイコバクテリウム・アビウム-イ | マルネッフェイ型タラロミセス症 |
| ポリペプチド系抗菌薬 ……… 62,65 | ントラセルラーレコンプレックス | ……………………………… 267 |
| ポリミキシン B ………………… 65 | ……………………………… 206 | マルネッフェイ型ペニシリウム症 |
| ポリリン酸塩 …………………… 27 | マイコバクテリウム・ウルセランス | ………………………… 94,259 |
| ポルフィロモナス・アサッカロリ | ……………………………… 205 | マロン酸塩利用能テスト ……… 371 |
| ティカ ……………………… 229 | マイコバクテリウム・カンサシー | マンニット食塩培地 ………… 339 |
| ポルフィロモナス・ジンジバリス | ……………………………… 204 | マンノース ……………………… 33 |
| ……………………………… 229 | マイコバクテリウム・ゴルドネ | 麻疹 ………………… 88,104,302 |
| ポルフィロモナス属 ………… 228 | ……………………………… 205 | 麻疹ウイルス ………………… 302 |
| ポロ型分生子 ………………… 256 | マイコバクテリウム・シミエ … 205 | 麻疹ワクチン ……………… 73,302 |
| 保菌 …………………………… 81 | マイコバクテリウム・スクロフラセ | 麻痺 …………………………… 306 |
| 保菌者 ………………………… 81 | ウム ………………………… 205 | 前処理 ………………………… 40 |
| 保存・輸送培地 …………… 338,343 | マイコバクテリウム・ゼノピ … 205 | 慢性肝炎 ……………………… 313 |
| 補体 …………………………… 83 | マイコバクテリウム・ノンクロモゲ | 慢性感染 ……………… 81,84,289 |
| 補体結合反応 …………… 243,318 | ニカムコンプレックス ……… 206 | 慢性気管支炎 ………………… 353 |
| 母細胞 ………………………… 20 | マイコバクテリウム・ヘモフィラム | 慢性骨髄不全 ………………… 299 |
| 母乳感染 ……………………… 85 | ……………………………… 206 | 慢性歯周炎 …………………… 76 |
| 包括的サーベイランス ……… 397 | マイコバクテリウム・マリナム | 慢性肺アスペルギルス症 …… 282 |
| 放射線滅菌 ………………… 54,55 | ……………………………… 204 | 慢性複雑性尿路感染 ………… 351 |
| 放線菌症 ……………………… 221 | マイコバクテリウム属 ……… 199 | |
| 胞子 ………………………… 9,257 | マイコプラズマ ……………… 8,241 | **み** |
| 紡錘(状)菌 …………………… 10 | マイコプラズマ・ゲニタリウム | |
| 膀胱炎 ………………………… 351 | ……………………………… 243 | ミカファンギン ………………… 66 |
| 墨汁法 …… 25,29,30,31,275,336 | マイコプラズマ・ニューモニエ | ミクロコッカス属 ………… 109,113 |
| 発疹 ………………………… 306 | ……………………………… 242 | ミクロスポルム属 …………… 269 |
| 発疹チフス ………… 2,90,96,104 | マイコプラズマ属 …………… 241 | ミコール酸 …………………… 8,27 |
| 発疹チフス群リケッチア ……… 246 | マイコプラズマ肺炎 … 104,242,385 | ミスセンス変異 ………………… 46 |
| 発疹チフスリケッチア …… 105,246 | マイナス鎖一本鎖 RNA ウイルス | ミドルブルック 7H9 培地 …… 343 |

| | | |
|---|---|---|
| ミノサイクリン……………………64 | 免疫機能促進作用……………80 | 輸入真菌症……………95,267,272 |
| ミューラー・ヒントン寒天培地 | 免疫グロブリン……………………313 | 有機酸……………………………33 |
| …………………………………343 | 免疫染色……………………………319 | 有機酸塩の利用能テスト………370 |
| ミューラー・ヒントンブイヨン | | 有機酸化細菌……………………15 |
| …………………………………343 | **も** | 有機物……………………………32 |
| みずいぼ……………………………293 | | 有性型………………………………253 |
| 水……………………………………35 | モニタリング…………………398 | 疣贅様病変………………………298 |
| | モノバクタム系抗菌薬……………64 | 遊走………………………………41,149 |
| **む** | モビルンカス属………………223 | 遊走性紅斑………………………238 |
| | モラクセラ・カタラーリス……127 | 誘導期………………………………20 |
| ムーコル症……………259,265,284 | モラクセラ・ラクナータ………128 | |
| ムーコル属……………………254,265 | モラクセラ科……………………122 | **よ** |
| ムーコル類……………254,263,273 | モラクセラ属……………………127 | |
| ムコイド型……………………115,170 | モルガネラ科……………………148 | ヨード染色…………………………25 |
| ムンプスウイルス………………301 | モルガネラ属……………………150 | ヨード法……………………………380 |
| ムンプスワクチン……………73,302 | モルスキポックスウイルス属…292 | 予防接種……………………………73 |
| 無影響菌……………………………37 | モルビリウイルス属……………302 | 予防接種健康被害救済制度………72 |
| 無芽胞菌…………………………194 | モンタニエ…………………………3 | 予防接種法………………………107 |
| 無芽胞グラム陽性桿菌…………194 | 網様体………………………………249 | 用量依存的感性………………60,384 |
| 無機塩類……………………………33 | 目……………………………………6 | 葉酸…………………………………33 |
| 無機酸化細菌………………………15 | 門……………………………………6 | 溶血性……………………………41,114 |
| 無機物………………………………33 | | 溶血性テスト……………………367 |
| 無菌性髄膜炎……………………104 | **や** | 溶血性尿毒症症候群……………133 |
| 無菌操作……………………321,323 | | 溶血帯の増強……………………372 |
| 無性型………………………………253 | 矢じり状の溶血帯………………372 | 溶連菌……………………………115 |
| 無染色標本による観察法…………23 | 野兎病……………90,94,95,104,181 | 四種混合ワクチン………74,178,197 |
| 虫歯…………………………………76 | 野兎病菌……………………105,181 | 四種病原体等……………………105 |
| | 薬剤感受性検査……………………60 | 四類感染症……………………103,104 |
| **め** | 薬剤感受性検査結果の報告（喀痰） | 四連球菌……………………………10 |
| | …………………………………360 | |
| メガスフェラ属…………………220 | 薬剤感受性検査用培地…………343 | **ら** |
| メズサの頭様コロニー………191,232 | 薬剤耐性……………………………68 | |
| メタロ β-ラクタマーゼ産生菌……4 | 薬剤耐性アシネトバクター感染症 | ライノウイルス属……………306,307 |
| メチシリン耐性黄色ブドウ球菌 | …………………………………104 | ライム病…………………89,104,237 |
| ………………………4,77,96,111,379 | 薬剤耐性ウイルス………………290 | ライム病ボレリア………………237 |
| メチシリン耐性黄色ブドウ球菌感染 | 薬剤耐性グラム陰性桿菌の検査 | ラクトース…………………………33 |
| 症……………………………104 | …………………………………380 | ラクトバシラス属………………223 |
| メチシリン耐性コアグラーゼ陰性ブ | 薬剤耐性緑膿菌感染症……104,172 | ラクトフェノールコットンブルー染 |
| ドウ球菌……………………379 | 薬剤排出ポンプ……………………72 | 色…………………………25,31,336 |
| メラー培地………………………342 | | ラッサウイルス……………105,304 |
| メラー法…………………………335 | **ゆ** | ラッサ熱……………87,94,104,304 |
| メロペネム…………………………64 | | ラテックス凝集法……………386,387 |
| 滅菌……………………………52,53 | 輸送………………………………346 | ラニナミビル………………………66 |
| 滅菌法………………………………53 | 輸送培地……………………………39 | ラフ型……………………………119 |
| 免疫学的方法……………………385 | 輸入感染症………87,88,174,259 | ラブドウイルス科……………285,308 |

| | | |
|---|---|---|
| ラルテグラビル | 66 | |
| ランブル鞭毛虫 | 363 | |
| らい菌 | 207 | |
| らい病 | 207 | |
| らせん菌 | 10,11 | |
| らせん状菌 | 10 | |
| 螺旋体 | 269 | |
| 酪酸発酵 | 18 | |
| 卵黄加 CW 寒天培地 | 339 | |
| 卵黄加マンニット食塩培地 | 109 | |
| 卵黄反応 | 231 | |

## り

| | |
|---|---|
| リアルタイム PCR | 51 |
| リーシュマニア症 | 87 |
| リード | 3 |
| リクテイミア属 | 265 |
| リケッチア | 9,95,245 |
| リケッチア症 | 94 |
| リケッチア属 | 246 |
| リザーバー | 164,245 |
| リシン中毒 | 90 |
| リジン | 19 |
| リジン脱炭酸 | 369 |
| リジン脱炭酸試験 | 131 |
| リスク群分類 | 91,92 |
| リステリア・モノサイトゲネス | 194 |
| リステリア菌 | 349 |
| リステリア属 | 194 |
| リゾプス属 | 265 |
| リゾムーコル属 | 254,265 |
| リッサウイルス感染症 | 104,308 |
| リッサウイルス属 | 308 |
| リトナビル | 66 |
| リパーゼ | 20 |
| リパーゼ反応 | 231 |
| リファブチン | 65 |
| リファンピシン | 65,202 |
| リフトバレーウイルス | 105 |
| リフトバレー熱 | 87,104,305 |
| リボース | 19 |
| リボ核酸 | 46 |
| リボソーム | 13 |

| | |
|---|---|
| リボソーム RNA | 6 |
| リポペプチド系抗菌薬 | 62 |
| リン | 33 |
| リンコマイシン系抗菌薬 | 62 |
| りんご病 | 298 |
| 流行性角結膜炎 | 104,297 |
| 流行性筋痛症 | 306 |
| 流行性耳下腺炎 | 104,301 |
| 流産 | 90,299 |
| 流通蒸気消毒 | 56 |
| 硫化水素産生 | 131 |
| 硫化水素産生テスト | 369 |
| 粒子凝集反応 | 318 |
| 緑色レンサ球菌 | 114 |
| 緑膿菌 | 96,170 |
| 淋菌 | 122 |
| 淋菌感染症 | 104,124 |
| 淋菌性結膜炎 | 90 |
| 臨床検査技師による検体採取 | 346 |
| 臨床材料から検出される主な真菌 | 273 |
| 臨床微生物学 | 1,109 |
| 臨床用チオグリコレート培地 | 341 |

## る

| | |
|---|---|
| ルビウイルス属 | 303 |
| ルブラウイルス属 | 301 |
| ルラーゼ | 19 |
| 類似溶血毒 | 154 |
| 類鼻疽 | 90,94,95,104 |
| 類鼻疽菌 | 105,173 |

## れ

| | |
|---|---|
| レーウェンフック | 3 |
| レオウイルス科 | 286,308 |
| レシチナーゼ C | 233 |
| レシチナーゼテスト | 192 |
| レシチナーゼ反応 | 231 |
| レジオネラ・ニューモフィラ | 182 |
| レジオネラ科 | 182 |
| レジオネラ症 | 104,183 |
| レジオネラ属 | 182 |
| レスピロウイルス属 | 301 |

| | |
|---|---|
| レトロウイルス科 | 285,310 |
| レフラー | 3 |
| レフレルの凝固血清培地 | 338 |
| レフレル培地 | 196 |
| レプトスピラ | 239 |
| レプトスピラ症 | 89,104,239,240 |
| レプトスピラ属 | 239 |
| レプトトリキア・ブッカーリス | 230 |
| レボフロキサシン | 65 |
| レミエール症候群 | 229 |
| 連鎖（状）桿菌 | 10 |
| 連鎖（状）球菌 | 10 |

## ろ

| | |
|---|---|
| ロイコシジン | 84 |
| ロイコノストック属 | 121 |
| ロールチューブ法 | 42 |
| ロタウイルス | 308,363 |
| ロタウイルス属 | 308 |
| ロタウイルスワクチン | 73 |
| ロッキー山紅斑熱 | 104 |
| ロッキー山紅斑熱リケッチア | 105,246 |
| ロビンス | 3 |
| 濾過滅菌 | 54 |
| 濾胞性結膜炎 | 297 |
| 老人型の腸管内細菌叢 | 79 |

## わ

| | |
|---|---|
| ワイル病 | 240 |
| ワクチニアウイルス | 293 |
| ワクチン | 3,13,72 |
| ワンサンアンギナ | 229 |
| 和名 | 7 |
| 弯曲菌 | 10 |

## 数字

| | |
|---|---|
| 1 枚平板法 | 41 |
| 2 語組み合わせ | 7 |
| 4 価不活化ワクチン | 300 |
| 5 moments for hand hygiene | 97 |

| | | |
|---|---|---|
| 16S rDNA ··················· 8,52 | *Acinetobacter* 属 ················· 175 | auramine 法 ···················· 335 |
| 16S rRNA ················ 6,52,114 | *Actinobacillus* 属 ················ 162 | A 型インフルエンザウイルス ··· 300 |
| 23S rDNA ························ 8 | *Actinomyces israelii* ············ 221 | A 型肝炎 ························ 104 |
| 70S リボソーム ·················· 13 | *Actinomyces meyeri* ············ 222 | A 型肝炎ウイルス ·············· 311 |
| V 因子 ······················ 159,374 | *Actinomyces odontolyticus* ····· 222 | A 型肝炎ウイルスワクチン ······ 74 |
| X 因子 ······················ 159,374 | *Actinomyces* 属 ················· 364 | A 群溶血性レンサ球菌咽頭炎 ··· 104 |
| ⅩⅤ因子要求テスト ············ 374 | Adenoviridae ···················· 297 | A 類疾病 ····················· 74,75 |
| | adult T-cell leukemia ·········· 310 | |
| **ギリシャ文字** | aerobic respiration ·············· 16 | **B** |
| | *Aerococcus* 属 ··················· 114 | |
| α 毒素 ··························· 233 | *Aeromonas caviae* ··············· 156 | B-CYEα 寒天培地 ·············· 338 |
| α 溶血 ······················ 119,367 | *Aeromonas dhakensis* ··········· 156 | bacillus ······················· 10,11 |
| β-D-ガラクトシダーゼテスト | *Aeromonas hydrophila* ·········· 156 | *Bacillus anthracis* ············· 191 |
| ······························· 368 | *Aeromonas veronii* biovar *sobria* | *Bacillus cereus* ················ 192 |
| β-D-グルカン ··················· 279 | ······························· 156 | *Bacillus subtilis* ··············· 193 |
| β-ラクタマーゼ ·············· 69,70 | agar ···························· 35 | *Bacteroides fragilis* ············ 225 |
| β-ラクタマーゼ産生クラブラン酸/ | *Aggregatibacter actinomycetem-* | *Bacteroides thetaiotaomicron* |
| アモキシシリン耐性インフルエン | *comitans* ···················· 162 | ······························· 225 |
| ザ菌 ····························· 4 | *Aggregatibacter aphrophilus* | *Bacteroides vulgatus* ··········· 226 |
| β-ラクタマーゼ阻害薬配合ペニシ | ······························· 162 | BAL ···························· 353 |
| リン ···························· 62 | *Aggregatibacter paraphrophilus* | Bartholomew & Mittwer 変法 ···26 |
| β-ラクタマーゼの検査法 ········ 380 | ······························· 162 | *Bartonella bacilliformis* ······· 164 |
| β-ラクタマーゼ非産生アンピシリ | *Aggregatibacter segnis* ········ 162 | *Bartonella henselae* ············ 164 |
| ン耐性インフルエンザ菌 ········ 4 | AIDS ········· 88,90,94,95,271,311 | *Bartonella quintana* ··········· 164 |
| β-ラクタム系抗菌薬 ······· 62,131 | *Ajellomyces capsulatus* ········· 254 | Bartonellaceae ················· 164 |
| β 酸化 ··························· 20 | *Alcaligenes faecalis* ············ 176 | BBE 寒天培地 ··················· 340 |
| β 溶血 ·························· 367 | *Alternaria alternata* ··········· 267 | BCG ························ 73,391 |
| β 溶血性レンサ球菌 ············ 114 | AmpC 型 β-ラクタマーゼ産生菌 | BCG ワクチン ·················· 202 |
| β ラクタマーゼ産生インフルエンザ | ·································4 | *Bifidobacterium* 属 ············· 223 |
| 桿菌 ····························· 4 | AmpC 産生菌 ······················4 | *Bilophila wadsworthia* ········· 230 |
| γ 線 ····························· 55 | *Anaerococcus* 属 ················ 219 | binary fission ··················· 20 |
| γ ファージテスト ··············· 192 | antibacterial spectrum ·········· 61 | binary toxin ····················· 84 |
| γ 溶血 ·························· 367 | antimicrobial stewardship ······ 101 | biofilm ·························· 13 |
| μm ····························· 10 | antimicrobial stewardship team | biotype ·························· 6 |
| | ······························· 100 | biovar ··························· 6 |
| | *Arcobacter* 属 ·················· 190 | biovar *cholerae* ··············· 152 |
| **欧文索引** | Arenaviridae ···················· 304 | biovar *eltor* ··················· 152 |
| | AS ····························· 101 | BK ウイルス ···················· 298 |
| **A** | *Aspergillus* 属 ·········· 254,263,273 | *Blastomyces dermatitidis* |
| | AST ··························· 100 | ························· 267,273 |
| ABCM 寒天培地 ················· 339 | Astroviridae ···················· 315 | BLNAR ······················ 4,161 |
| ABPA ··························· 283 | ATCC 株 ······················· 102 | BLPACR ····················· 4,161 |
| *Absidia* 属 ················ 254,265 | ATL ························ 87,310 | BLPAR ······················· 4,161 |
| *Achromobacter xylosoxidans* | ATP ·························15,16 | Bordet-Gengou 培地 ········ 177,338 |
| ······························· 176 | AUC ···························· 67 | *Bordetella pertussis* ········ 177,358 |

bovine spongiform encephalopathy······9
broth······38
*Brucellaceae*······179
BSC······93,321
BSE······9
BSL······91
BSL 分類······93
BTB 乳糖寒天培地······338
*Bunyaviridae*······305
*Burkholderia cepacia*······172
*Burkholderia mallei*······174
*Burkholderia pseudomallei*······173
B ウイルス······105
B ウイルス病······104
B 型インフルエンザウイルス······300
b 型インフルエンザ菌ワクチン······74
B 型肝炎······94
B 型肝炎ウイルス······90,95,299,312
B 型肝炎ウイルスワクチン······74
B 群溶血性レンサ球菌······349
B 細胞······82,83
B 類疾病······74,75

## C

$C_{max}$······67
C-多糖体······114
C-ポリサッカライド······114
*Caliciviridae*······315
CAMP test······372
*Campylobacter coli*······187
*Campylobacter fetus*······187
*Campylobacter gracilis*······188
*Campylobacter jejuni*······186
*Campylobacter ureolyticus*······187
*Campylobacter* 属······363
CAMP 因子······372
CAMP テスト······117,194
*Candida auris*······258
*Candida* 属······254,273
*Capnocytophaga* 属······166
capsule······13
CarbaNP······382

carbapenem-resistant *Enterobacterales*······381
carbapenemase-producing *Enterobacterales*······381
*Cardiobacterium hominis*······166
*Cardiobacterium valvarum*······166
Cary-Blair 培地······343
CCDA 培地······186
CCFA 培地······233,340
CCMA 培地······233
CD4 陽性 T リンパ球······310,311
CD トキシン······214
cell wall······11
CFU······20
*Chlamydia pneumoniae*······251
*Chlamydia psittaci*······251
*Chlamydia trachomatis*······88,250
CHROMagar Candida······340
CHROMagar MRSA······340
CHROMagar Orientation······340
*Chromobacterium violaceum*······126
chromomycosis······266
chromosomally mediated penicillin-resistant *N. gonorrhoeae*······123
chromosome······12
*Chryseobacterium indologenes*······176
CIN 寒天培地······146,340
*Citrobacter freundii*······143
*Citrobacter koseri*······143
CJD······9,58,316,317
*Cladophialophora* 属······266
Class······6
classification······6
*Clostridioides*（*Clostridium*）*difficile*······233
*Clostridioides difficile*······96,212
*Clostridium botulinum*······232
*Clostridium perfringens*······233
*Clostridium tetani*······232
*Clostridium* 属······212
CLSI······102,388
CLSI 法······376,379

clue cell······169
CMRNG······123
CNS······109,112
$CO_2$······38
coagulase-negative staphylococci······109
*Coccidioides immitis*······267,273
coccobacillus······11
coccus······10,11
*Coronaviridae*······305
Coronavirus······306
*Corynebacterium diphtheriae*······196
*Corynebacterium jeikeium*······198
*Corynebacterium kroppenstedtii*······198
*Corynebacterium pseudodiphtheriticum*······198
*Corynebacterium pseudotuberculosis*······198
*Corynebacterium striatum*······198
*Corynebacterium ulcerans*······197
*Corynebacterium urealyticum*······198
COVID-19······2,87,306,385
*Coxiella burnetii*······184
*Coxiellaceae*······184
CPA······282
CPE······4,288,380,381
CRE······4,100,131,381,394
Creutzfeldt-Jakob disease······9,58,96,316
CRP······44
*Cryptococcus gattii*······262,273
*Cryptococcus neoformans*······29,261,273
*Cryptococcus* 属······254
CTA 培地······341
*Cunninghamella* 属······265
*Cutibacterium acnes*······222
cytoplasmic granules······13
cytoplasmic membrane······12
Czapek-Dox 寒天培地······343
C 型インフルエンザウイルス······300
C 型肝炎······94

C型肝炎ウイルス ……………90,313

## D

daughter cell ………………………20
dematiaceous fungus ……………266
*Dermacoccus* 属 ………………109
Deuteromycetes …………………254
DHL寒天培地 ……………………339
Dienes法 …………………………241
Diff-Quik染色 ……………………271
dimorphic fungus …………………9
diphtheroid ………………………197
DNA …………………………………46
DNase活性 ………………131,372
DNAウイルス ……………………9,292
DNA塩基配列の決定 ……………52
DNA寒天培地 ……………………342
DNAシークエンシング …………51
DNAプローブ法 …………………45
DNAマイクロアレイ …………50,51
doubling time ……………………20
Döderlein's vaginal bacillus ……79
Drigalski改良培地 ………………338
D型肝炎ウイルス ………………313

## E

EAEC …………………………………134
EBV …………………………………295
EBウイルス ………………………295
EDP …………………………………18
*Edwardsiella tarda* ……………148
efflux pump ………………………72
*Eggerthella lenta* ………………223
$E_h$ ……………………………38,211
EHEC ………………………………133
*Ehrlichia* 属 ……………………248
EIA ……………………………386,387
EIEC …………………………………134
*Eikenella corrodens* ……………126
*Elizabethkingia meningoseptica*
 ……………………………………176
EMP …………………………………18
empiric therapy ………43,62,101

Enteric adenoviruses ……………316
Enteric viruses ……………………314
*Enterobacter cloacae* …………142
*Enterobacterales* ………………129
*Enterobacteriaceae* ……………132
*Enterococcus faecalis* …………120
*Enterococcus faecium* …………120
*Enterococcus* 属 ………………114
enterotoxigenic *E. coli* ………133
Enterovirus ………………………306
EOG滅菌 …………………………54,55
EPEC ………………………………134
*Epidermophyton floccosum* …270
*Epidermophyton* 属 ……………270
Epstein-Barr virus ………………295
*Erysipelothrix rhusiopathiae*
 ……………………………………195
erythrogenic toxin ………………117
Erythrovirus ……………………298
ESBL ………………………………380
ESBL産生菌 ……4,96,131,380,381
*Escherichia coli* …………132,349,351
ETEC ………………………………133
Etest ……………………………376,379
Etest法 ……………………………60
*Exophiala dermatitidis* ………267
*Exophiala* 属 ……………………266
E型肝炎 ……………………………104
E型肝炎ウイルス ………………314

## F

$FADH_2$ ……………………………16
Family ………………………………6
Filoviridae ………………………309
*Finegoldia magna* ………………219
Fitz-Hugh-Curtis症候群 ………250
flagellum …………………………13
Flaviviridae ………………………303
*Fonsecaea monophora* …………266
*Fonsecaea pedrosoi* ……………266
*Fonsecaea* 属 ……………………266
*Francisella tularensis* …………181
*Francisellaceae* …………………181
full PPE ……………………………97

fungus ……………………………253
*Fusarium* 属 ……………………273
*Fusobacterium mortiferum* ……229
*Fusobacterium necrophorum*
 ……………………………………229
*Fusobacterium nucleatum* ……229
*Fusobacterium varium* …………229
F抗原 ………………………………132

## G

GAM半流動培地 …………………341
*Gardnerella vaginalis* …………168
GC% …………………………………6
GC含量 ………………………………6
Gecklerの分類 ……………356,357,359
*Gemella* 属 ………………………114
generation time …………………20
genome …………………………12,46
Genus ………………………………6,7
Genus *Achromobacter* …………176
Genus *Acidaminococcus* ………220
Genus *Acinetobacter* ……………175
Genus *Actinobacillus* …………162
Genus *Actinomyces* ……………221
Genus *Aerococcus* ………………121
Genus *Aeromonas* ………………156
Genus *Aggregatibacter* …………162
Genus *Alcaligenes* ………………176
Genus *Arcobacter* ………………190
Genus *Aspergillus* ………………263
Genus *Bacillus* …………………191
Genus *Bacteroides* ……………225
Genus *Bartonella* ………………164
Genus *Bifidobacterium* …………223
Genus *Bordetella* ………………176
Genus *Borrelia* …………………237
Genus *Brucella* …………………179
Genus *Burkholderia* ……………172
Genus *Campylobacter* …………185
Genus *Candida* …………………258
Genus *Capnocytophaga* ………166
Genus *Cardiobacterium* ………166
Genus *Chlamydia* ………………250
Genus *Chromobacterium* ………126

| | | |
|---|---|---|
| Genus *Chryseobacterium* ······· 176 | Genus *Parabacteroides* ·········· 227 | *Haemophilus haemolyticus* ······ 162 |
| Genus *Citrobacter* ················ 143 | Genus *Pasteurella* ················ 158 | *Haemophilus influenzae* ······· 159 |
| Genus *Clostridioides* ············ 233 | Genus *Pediococcus* ··············· 121 | *Haemophilus influenzae* b 型 |
| Genus *Clostridium* ················ 231 | Genus *Plesiomonas* ··············· 143 | ·················································· 349 |
| Genus *Corynebacterium* ······· 196 | Genus *Porphyromonas* ·········· 228 | *Haemophilus parainfluenzae* |
| Genus *Coxiella* ····················· 184 | Genus *Prevotella* ··················· 227 | ·················································· 161 |
| Genus *Cryptococcus* ············· 261 | Genus *Propionibacterium* ······ 222 | *Hafniaceae* ·························· 147 |
| Genus *Cutibacterium* ············ 222 | Genus *Proteus* ······················ 149 | *Hafnia* 属 ···························· 147 |
| Genus *Desulfovibrio* ············· 230 | Genus *Providencia* ················ 150 | half slant medium ················ 38 |
| Genus *Dialister* ···················· 230 | Genus *Pseudomonas* ············· 170 | Hantavirus ·························· 305 |
| Genus *Edwardsiella* ············· 148 | Genus *Rickettsia* ··················· 246 | HAV ···································· 311 |
| Genus *Eggerthella* ················ 223 | Genus *Salmonella* ················· 136 | HBV ······························ 299,312 |
| Genus *Ehrlichia* ···················· 248 | Genus *Serratia* ······················ 146 | HCMV ································· 294 |
| Genus *Eikenella* ···················· 126 | Genus *Shigella* ······················ 135 | HCV ···································· 313 |
| Genus *Elizabethkingia* ··········· 176 | Genus *Spirillum* ····················· 185 | HDV ··································· 313 |
| Genus *Enterobacter* ·············· 142 | Genus *Spirochaeta* ················ 235 | *Helicobacter cinaedi* ············ 189 |
| Genus *Enterococcus* ······ 114,120 | Genus *Staphylococcus* ·········· 109 | *Helicobacter pylori* ········ 78,188 |
| Genus *Erysipelothrix* ············· 195 | Genus *Stenotrophomonas* ···· 174 | HEPA filter ···················· 54,321 |
| Genus *Escherichia* ················ 132 | Genus *Streptobacillus* ··········· 167 | *Hepadnaviridae* ··················· 299 |
| Genus *Francisella* ················ 181 | Genus *Streptococcus* ············ 114 | Hepatitis A virus ················· 311 |
| Genus *Fusobacterium* ··········· 229 | Genus *Treponema* ················· 235 | Hepatitis B virus ·········· 299,312 |
| Genus *Gardnerella* ··············· 168 | Genus *Tsukamurella* ············· 210 | Hepatitis C virus ················· 313 |
| Genus *Haemophilus* ············· 159 | Genus *Ureaplasma* ················ 243 | Hepatitis delta virus ············ 313 |
| Genus *Hafnia* ······················· 147 | Genus *Veillonella* ·················· 220 | Hepatitis E virus ················· 314 |
| Genus *Helicobacter* ·············· 188 | Genus *Vibrio* ························ 151 | Hepatitis viruses ················· 311 |
| Genus *Kingella* ····················· 126 | Genus *Yersinia* ······················ 144 | Herpes simplex virus ··········· 293 |
| Genus *Klebsiella* ··················· 140 | *Geobacillus stearothermophilus* | *Herpesviridae* ······················ 293 |
| Genus *Lactobacillus* ············· 223 | ·················································· 193 | HEV ··································· 314 |
| Genus *Legionella* ·················· 182 | Giménez 染色 | HHV-6 ································· 296 |
| Genus *Leptospira* ················· 239 | ············· 29,30,164,182,335,358 | HHV-7 ································· 296 |
| Genus *Leuconostoc* ·············· 121 | Gram 染色 ············ 24,26,274,329 | HHV-8 ································· 296 |
| Genus *Listeria* ······················ 194 | Gram 染色所見 ···················· 329 | Hib ································ 161,349 |
| Genus *Malassezia* ················· 263 | Gram 染色所見についての報告例 | Hib ワクチン ··························· 74 |
| Genus *Megasphaera* ············· 220 | ·················································· 395 | Hiss 法 ··························· 29,335 |
| Genus *Micrococcus* ·············· 113 | Gram 染色像からの菌種推定 ···· 331 | *Histoplasma capsulatum* |
| Genus *Mobiluncus* ················ 223 | Grocott 染色 ··················· 271,275 | ·············································· 267,273 |
| Genus *Moraxella* ·················· 127 | growth ·································· 20 | HIV ····························· 87,88,311 |
| Genus *Morganella* ················ 150 | growth curve ······················· 20 | HIV 感染症 ···························· 90 |
| Genus *Mycobacterium* ·········· 199 | Guillain-Barré 症候群 ······ 187,242 | HK 半流動培地 ······················ 341 |
| Genus *Mycoplasma* ··············· 241 | | HPV ···································· 298 |
| Genus *Negativicoccus* ··········· 220 | **H** | HPV ワクチン ··················· 74,298 |
| Genus *Neisseria* ···················· 122 | | HSV ··································· 293 |
| Genus *Neorickettsia* ·············· 248 | HACEK 群 ······················ 159,166 | HTLV ·································· 310 |
| Genus *Nocardia* ···················· 208 | *Haemophilus aegyptius* ········ 161 | Hucker 変法 ··························· 26 |
| Genus *Orientia* ····················· 247 | *Haemophilus ducreyi* ············ 161 | Hugh-Leifson 培地 ··············· 342 |

| human astrovirus | 315 |
|---|---|
| Human cytomegalovirus | 294 |
| Human herpesvirus 6 | 296 |
| Human herpesvirus 7 | 296 |
| Human herpesvirus 8 | 296 |
| Human immunodeficiency virus | 311 |
| human papillomavirus | 298 |
| Human parainfluenza viruses | 301 |
| Human parvovirus B19 | 298 |
| Human respiratory syncytial virus | 302 |
| Human T-cell leukemia virus | 310 |
| HUS | 133 |
| hypha | 9 |
| H抗原 | 132,138 |

## I

| I | 60,379,384 |
|---|---|
| ICA | 386,387 |
| ICT | 100,398 |
| identification | 6 |
| IE | 159 |
| IFN | 285 |
| IFN-γ | 391 |
| IGRA | 204,391 |
| IHR | 86 |
| *in situ* hybridization | 51,319 |
| infection control team | 100 |
| Influenza virus | 300 |
| IPA | 282 |
| IPA反応 | 131,148,369 |
| ISO15189 | 102 |

## J

| JANIS | 397,398 |
|---|---|
| JCウイルス | 298 |

## K

| King A 培地 | 342 |
|---|---|

| King B 培地 | 343 |
|---|---|
| *Kingella kingae* | 126 |
| Kinyoun 変法 | 208,334 |
| Kirby-Bauer 法 | 379 |
| *Klebsiella aerogenes* | 142 |
| *Klebsiella oxytoca* | 141 |
| *Klebsiella ozaenae* | 142 |
| *Klebsiella pneumoniae* subsp. *pneumoniae* | 141 |
| *Klebsiella rhinoscleromatis* | 142 |
| Kligler 寒天培地 | 341 |
| *Kocuria* 属 | 109 |
| Kohn 染色 | 25 |
| KOH 法 | 25,30,31,274 |
| *Kytococcus* 属 | 109 |
| K抗原 | 132 |

## L

| L-システイン | 182 |
|---|---|
| L-メチオニン | 182 |
| LA | 386,387 |
| *Lactobacillus* 属 | 79,223 |
| Lambl 鞭毛虫 | 363 |
| LAMP 法 | 45 |
| Lancefield 分類 | 114 |
| *Lassa virus* | 304 |
| *Legionella pneumophila* | 182 |
| *Legionellaceae* | 182 |
| *Legionella* 属 | 29 |
| *Legionella* 属の染色法 | 335 |
| *Legionella* による肺炎検体の塗抹検査 | 358 |
| Leifson 法 | 30 |
| Lemierre 症候群 | 229 |
| *Leptotrichia buccalis* | 230 |
| *Leuconostoc* 属 | 114 |
| *Lichtheimia* 属 | 265 |
| LIM 培地 | 342 |
| lipase | 20 |
| liquid medium | 38 |
| *Listeria monocytogenes* | 194,349 |
| loop-mediated isothermal amplification | 45 |
| Löffler 培地 | 338 |

| LPS | 83 |
|---|---|
| LTBI | 391 |
| *Lyssavirus* | 308 |
| L型菌 | 167 |

## M

| MAC | 206 |
|---|---|
| MacConkey 寒天培地 | 339 |
| *Malassezia* 属 | 78,263,273 |
| MALDI-TOF MS | 45,390 |
| *Mamastrovirus* | 315 |
| *Matonaviridae* | 303 |
| MBC | 58,59,61 |
| MBL 産生菌 | 4 |
| mCIM | 382 |
| MDR-TB | 65,202,383 |
| MDRA | 4,100,176,379,381,394 |
| MDRP | 4,100,172,379,381,394 |
| Measles virus | 302 |
| *mec* 遺伝子 | 112 |
| MERS | 87,104,306 |
| MERS コロナウイルス | 105 |
| methicillin-resistant *Staphylococcus aureus* | 111 |
| MIC | 58,59,61,67,376,379,384 |
| *Micrococcus* 属 | 109,113 |
| *Microsporum canis* | 269,270 |
| *Microsporum gypseum* | 269 |
| *Microsporum* 属 | 269 |
| MIC ブレイクポイント | 58,68,384 |
| Middlebrook 7H9 培地 | 343 |
| Miller & Jones の分類 | 353,357,359,394 |
| minimum bactericidal concentration | 59,61 |
| minimum inhibitory concentration | 59,61 |
| *Mobiluncus* 属 | 223 |
| mold | 9,253,255 |
| *Molluscum contagiosum virus* | 293 |
| *Moraxella catarrhalis* | 127 |
| *Moraxella lacunata* | 128 |

*Moraxellaceae* ……………… 122
*Morganella morganii* ………… 150
*Morganellaceae* ……………… 148
mother cell …………………… 20
Möller 法 ………………… 14,335
MRCNS ………………………… 379
MRSA …… 4,61,70,77,96,111,379
*Mucor* 属 ………………… 254,265
Mueller-Hinton 寒天培地 ……… 343
Mueller-Hinton ブイヨン ……… 343
Mumps virus …………………… 301
mushroom ………………………… 9
*Mycobacteriaceae* …………… 199
*Mycobacterium africanum* …… 204
*Mycobacterium avium-intracellulare* complex ……………… 206
*Mycobacterium bovis* ………… 204
*Mycobacterium gordonae* …… 205
*Mycobacterium haemophilum*
  ………………………………… 206
*Mycobacterium kansasii* ……… 204
*Mycobacterium leprae* ………… 207
*Mycobacterium marinum* ……… 204
*Mycobacterium microti* ……… 204
*Mycobacterium nonchromogenicum* complex ……………… 206
*Mycobacterium scrofulaceum*
  ………………………………… 205
*Mycobacterium simiae* ……… 205
*Mycobacterium tuberculosis* … 199
*Mycobacterium tuberculosis*
  complex ……………………… 199
*Mycobacterium ulcerans* ……… 205
*Mycobacterium xenopi* ……… 205
*Mycobacterium* 属 ……………… 27
*Mycobacterium* 属による感染症
  ………………………………… 359
*Mycoplasma genitalium* ……… 243
*Mycoplasma pneumoniae*
  ………………………… 242,359
mycosis ………………………… 258
mycotoxicosis …………………… 258
Mφller 培地 …………………… 342

## N

N95 微粒子用マスク ……………… 55
N95 マスク …………………… 97
NAC 寒天培地 ………………… 340
NAD ………………… 33,36,159,374
NADH …………………………… 16
NAG ビブリオ ………………… 153
Nairovirus ……………………… 305
*Neisseria gonorrhoeae*
  ………………………… 122,351,364
*Neisseria meningitidis* …… 124,349
*Neisseriaceae* ………………… 122
Neisser 染色 ……………… 196,335
Neisser 法 ……………………… 28
*Neosartorya fumigata* ………… 254
NFGNR ………………………… 170
NGKG 培地 …………………… 339
nm ……………………………… 10
*Nocardiaceae* ………………… 208
non-pigmented *Prevotella* …… 227
Norovirus ……………………… 315
NS ……………………………… 384
nucleoid ………………………… 12
Nugent score ………………… 169
nutritionally variant streptococci
  ………………………………… 114
NVS …………………………… 114

## O

O157 …………………………… 87
obligate anaerobe ……………… 211
OD ……………………………… 21
OF 基礎培地 …………………… 342
ONPG テスト ……………… 137,368
Order …………………………… 6
*Orientia tsutsugamushi* ……… 247
*Orthomyxoviridae* …………… 300
O 抗原 ……………………… 132,137

## P

PAE …………………………… 67
*Paecilomyces* 属 ……………… 273
Panton-Valentine leukocidin
  ………………………………… 112
*Papillomaviridae* …………… 298
*Parabacteroides distasonis* …… 227
*Paracoccidioides brasiliensis*
  ………………………… 267,273
*Paramyxoviridae* …………… 301
*Parvimonas micra* …………… 219
*Parvoviridae* ………………… 298
*Pasteurella multocida* ……… 158
*Pasteurellaceae* ……………… 158
PAS 反応 ……………………… 25
PBP …………………………… 71
PCP ……………………… 270,284
PCR 法 ………………… 45,50,51,389
PD ……………………………… 67
PDA 培地 ……………………… 275
PEA 血液寒天培地 …………… 339
*Pediococcus* 属 ……………… 114
penicillinase producing *N.
  gonorrhoeae* ……………… 123
peptidoglycan ………………… 11
*Peptoniphilus asaccharolyticus*
  ………………………………… 219
*Peptostreptococcus anaerobius*
  ………………………………… 219
PFGE …………………………… 45
pH ……………………………… 36
Pharmacodynamics …………… 67
Pharmacokinetics ……………… 67
PHEIC ………………………… 86
*Phialophora* 属 ……………… 266
Phlebovirus …………………… 305
Phylum ………………………… 6
Phylum Ascomycota …………… 254
Phylum Basidiomycota ……… 254
Phylum Zygomycota ………… 254
*Pichia kudriavzevii* ………… 254
pigmented *Prevotella* ……… 227
Pike 培地 ……………………… 341
pilus …………………………… 13
PK ……………………………… 67
PK/PD ………………………… 67
PKP …………………………… 18

plasmid············································13
*Plesiomonas shigelloides*·········143
*Pneumocystis jirovecii*
　·····························270,273,275
Pneumocystis pneumonia
　·········································259,270
$PO_4^{3-}$·············································33
polymerase chain reaction········45
*Polyomaviridae*·························298
*Porphyromonas asaccharolytica*
　·················································229
*Porphyromonas gingivalis*······229
*Poxviridae*································292
PPE···············································97
PPLO·········································241
PPLO 寒天培地·······················340
PPNG····································4,123
PPP·············································19
pre-XDR-TB······························383
*Prevotella* 属·····························227
prion······································9,316
*Propionibacterium propionicum*
　·················································222
*Proteus mirabilis*···················149
*Proteus vulgaris*····················149
*Providencia* 属·························150
PRSP········4,61,70,118,379,381
*Pseudomonadaceae*···············170
*Pseudomonas aeruginosa*······170
*Pseudomonas fluorescens*······172
*Pseudomonas putida*··············172
PVL·········································112
pyrrolidonyl arylamidase 試験
　·················································116
PYR 試験·····················116,117,373

## Q

QFT···········································391
QRDR···········································71
Q 熱·························89,90,94,96,104
Q 熱コクシエラ··············105,184

## R

R······································60,379,384
Rabies virus·····························309
*Reoviridae*·······························308
*Retroviridae*····························310
*Rhabdoviridae*·························308
Rhinovirus································307
*Rhizomucor* 属················254,265
*Rhizopus* 属·····························265
ribosome····································13
*Rickettsia japonica*················246
*Rickettsia prowazekii*············246
*Rickettsia rickettsii*················246
*Rickettsia typhi*······················246
RNA············································46
RNA ウイルス·······················9,300
Rotavirus··································308
*Rothia* 属·································109
RPMI 1640·······························384
rRNA·············································6
RS ウイルス感染症···········104,385
RT-PCR········································51

## S

S······································60,379,384
*Salmonella enterica* subsp.
　enterica·································139
*Salmonella enterica* subsp.
　enterica serovar（または
　serotype）Enteritidis············137
*Salmonella enterica* subsp.
　enterica serovar（または
　serotype）Typhi·················137
*Salmonella* Enteritidis·····137,139
*Salmonella* Paratyphi A
　·········································139,362
*Salmonella* Typhi······137,139,362
Sapovirus··································315
Sapporo virus···························315
SARS··························2,87,104,306
SARS コロナウイルス·············105
*Scedosporium* 属······················273
*Schizophyllum commune*········273
SCVs·········································110
SDA 培地·································275
SDD····································60,384
semisolid medium······················38
serotype··································6,45
serotyping·································13
serovar····································6,45
*Serratia marcescens*···············147
SFTS·····························87,104,305
SFTS ウイルス························105
*Shigella* 属······················135,363
SIM 培地·································342
SIRS·········································347
Skirrow 寒天培地····················340
slant medium····························38
small-colony variants···············110
$SO_4^{2-}$·············································33
SOD····································36,211
solid medium····························38
Spaulding の分類·······················52
Species····································6,7
spirillum·······························10,11
*Spirillum minus*······················185
spore·······································9,13
*Sporothrix schenckii*
　·····························267,268,273
SSSS·········································111
SS 寒天培地······························339
stab medium······························38
staphylococcal scalded skin
　syndrome·································111
*Staphylococcus aureus*·····109,111
*Staphylococcus epidermidis*····112
*Staphylococcus lugdunensis*···113
*Staphylococcus pseudintermedius*
　·················································113
*Staphylococcus saprophyticus*
　·················································113
*Staphylococcus* 属···················109
*Staphyrococcus* 属菌のメチシリン
　（オキサシリン）耐性··········381
STD····································88,250
*Stenotrophomonas maltophilia*
　·················································174

STI··················································88
strain··············································6
*Streptobacillus moniliformis*
　····················································167
*Streptococcus agalactiae*
　··········································117,349
*Streptococcus anginosus* group
　····················································118
*Streptococcus dysgalactiae*······117
*Streptococcus pneumoniae*
　··········································118,349
*Streptococcus pyogenes*············115
*Streptococcus* 属·······················114
streptolysin··································116
Stuart 培地·································343
Subspecies····································6

## T

$T_{half}$············································67
$T_{max}$············································67
T-SPOT······································391
$T_{1/2}$··············································67
T2 マイコトキシン中毒···············90
*Talaromyces marneffei*···267,273
TAT············································387
TBLB··········································353
TCBS 寒天培地···························340
TDH············································154
TDM······························64,65,66,67,68
Thayer-Martin 培地········122,339
therapeutic drug monitoring
　··············································67,68
time above MIC··························67
TME-SH™培地··························276
*Togaviridae*·································303
toluidine blue O 染色················271
TORCH 症候群··························295
Torovirus···································306

toxic shock syndrome············111
*Treponema pallidum*················235
TRH············································154
*Trichophyton mentagrophytes*
　····················································270
*Trichophyton rubrum*···············269
*Trichophyton* 属·······················269
*Trichosporon* 属·······················273
TSI 寒天培地······························342
TSST-1·································84,111
*Tsukamurellaceae*·····················210
TTA············································353
T 細胞·····································82,83
T スポット®.*TB*··························391

## U

universal vaccination·············313
*Ureaplasma urealyticum*········243

## V

vancomycin resistant enterococci
　····················································120
Varicella-zoster virus··············294
Variola virus·····························292
Vero toxin·································133
Vesiculovirus····························308
*Vibrio alginolyticus*··················155
*Vibrio cholerae*···············152,363
*Vibrio cholerae* non-O1·········153
*Vibrio cholerae* non-O139·····153
*Vibrio fluvialis*··························155
*Vibrio furnissii*·························155
*Vibrio mimicus*························153
*Vibrio parahaemolyticus*········154
*Vibrio vulnificus*······················155
*Vibrionaceae*·····························151
viral hepatitis··························311

viridans group streptococci
　··········································114,118
VISA················································4
Vi 抗原······································138
VP 反応····················18,131,145,368
VP 半流動培地··························342
VRE·····4,96,100,120,379,381,394
VRSA··············································4
VRSA 感染症·······························87
VT··············································133
VZV············································294
V 因子···········································33

## W

Weil 病·······································240
WHO·············································91
Wirtz 法·····························14,29,335
WYOα 寒天培地·······················340

## X

XDR-TB·······················65,202,383
XLD 寒天培地····························340
X 因子··········································33

## Y

yeast······························9,253,254
*Yersinia enterocolitica*············145
*Yersinia pestis*···························144
*Yersinia pseudotuberculosis*····146
*Yersiniaceae*······························144

## Z

Ziehl-Neelsen 法········28,199,334

【編者略歴】

松　本　哲　哉
（まつ　もと　てつ　や）

| | |
|---|---|
| 1987 年 | 長崎大学医学部卒業 |
| 同　年 | 長崎大学医学部附属病院第 2 内科入局 |
| 1993 年 | 長崎大学医学部大学院修了（臨床検査医学） |
| 同　年 | 東邦大学医学部微生物学講座助手 |
| 2000 年 | 米国ハーバード大学ブリガム＆ウィメンズホスピタル，チャニング研究所（research fellow） |
| 2004 年 | 東邦大学医学部微生物学講座講師 |
| 2005 年 | 東京医科大学微生物学講座主任教授 |
| 2007 年 | 東京医科大学病院感染制御部部長（2013 年まで兼任） |
| 2016 年 | 東京医科大学茨城医療センター感染制御部部長（2017 年まで兼任） |
| 2018 年 | 国際医療福祉大学医学部感染症学講座主任教授 |
| 2020 年 | 国際医療福祉大学成田病院感染制御部部長（兼任） |
| | 現在に至る　医学博士 |

最新臨床検査学講座
臨床微生物学　第 2 版　　　　ISBN978-4-263-22397-0

2017 年 2 月 15 日　第 1 版第 1 刷発行
2023 年 1 月 10 日　第 1 版第 7 刷発行
2024 年 3 月 10 日　第 2 版第 1 刷発行
2025 年 1 月 10 日　第 2 版第 2 刷発行

編著者　松　本　哲　哉
発行者　白　石　泰　夫
発行所　医歯薬出版株式会社

〒113-8612　東京都文京区本駒込 1-7-10
TEL　（03）5395-7620（編集）・7616（販売）
FAX　（03）5395-7603（編集）・8563（販売）
https://www.ishiyaku.co.jp/
郵便振替番号　00190-5-13816

乱丁，落丁の際はお取り替えいたします　　印刷・三報社印刷／製本・明光社
Ⓒ Ishiyaku Publishers, Inc., 2017, 2024. Printed in Japan

本書の複製権・翻訳権・翻案権・上映権・譲渡権・貸与権・公衆送信権（送信可能化権を含む）・口述権は，医歯薬出版（株）が保有します．
本書を無断で複製する行為（コピー，スキャン，デジタルデータ化など）は，「私的使用のための複製」などの著作権法上の限られた例外を除き禁じられています．また私的使用に該当する場合であっても，請負業者等の第三者に依頼し上記の行為を行うことは違法となります．

JCOPY ＜出版者著作権管理機構 委託出版物＞
本書をコピーやスキャン等により複製される場合は，そのつど事前に出版者著作権管理機構（電話03-5244-5088，FAX 03-5244-5089，e-mail : info@jcopy.or.jp）の許諾を得てください．